Lutz Kroneberg / Rolf Schloesser Weber-Revolte 1844

Meinem Freund Hans Bender

Rolf Schloesser

Lutz Kroneberg/Rolf Schloesser

Weber-Revolte 1844

Der schlesische Weberaufstand im Spiegel der zeitgenössischen Publizistik und Literatur

Eine Anthologie

Mit einem Geleitwort von Bernt Engelmann

informationspresse – c.w. leske verlag, Köln

Reihe ›iLv leske republik‹. Materialien zum Vormärz
Herausgeber und Redaktion Rolf Schloesser

Unter Mitwirkung von Edith Queiser und Johannes Uhlmann

Band 7: Weber-Revolte 1844

Originalausgabe (dritte Auflage)

 Austattung Juergen Seuss, Niddatal bei Frankfurt am Main. Satz und Druck Union-Druckerei, Frankfurt am Main. Bindearbeiten R. Oldenbourg, München. Schrift Korpus Baskerville (VIP) Fotosatz mit Korpus Amtsfraktur. Kartoniert ISBN 3-921490-33-2. Printed in Germany 1983.

Editorische Notiz

Mit dieser Anthologie soll einem breiten Leserkreis die schlesische Weber-Revolte von 1844 veranschaulicht werden, indem ein Überblick zur Weber-Frage gegeben wird, wie sie sich im Spiegel der Publizistik und Literatur der damaligen Öffentlichkeit darstellte.

Der Aufstand wurde bis heute nicht anhand der vielfältigen zeitgenössischen Texte dokumentiert. Zeitgenössisches publizistisches Material findet sich bisher nur in wenigen Auszügen bei Hans Schwab-Felisch, Gerhart Hauptmann – Die Weber. Vollständiger Text des Schauspiels. Dokumentation. Frankfurt am Main: Ullstein 1963 (= Dichtung und Wirklichkeit, Bd. 1).

Zwischen der die Weber-Frage behandelnden Gebrauchsliteratur des Jahres 1844 (Zeitungsberichte und -kommentare, dokumentarische Berichte) und der Kunstliteratur der Jahre 1844 bis 1851 (Prosa, Lyrik) gibt es viele bis ins Detail gehende Bezüge. Die Journalistik bildet in diesem Fall einen unabweisbar notwendigen Kontext für das Verständnis der Literatur.

Umfang und Art der Zeitungsmaterialien zwangen zu Auswahl und Kürzung. Da viele Redaktionen damals Artikel aus anderen Blättern übernahmen oder Korrespondenten ihre Berichte mehrfach verkauften, erschienen häufig die weitgehend gleichen Beiträge in verschiedenen Zeitungen. Um Wiederholungen zu vermeiden und das journalistische und politische Profil eines Organs deutlicher werden zu lassen, wurde – wann immer es die Quellenlage erlaubte – auf Originalberichte der jeweiligen Zeitung zurückgegriffen. Der Presseteil beschränkt sich auf das Jahr 1844. Die ausgewählten Artikel und Kommentare sind chronologisch geordnet. Für den heutigen Leser bleibt so der Spannungsverlauf des Geschehens vor und nach der Revolte erhalten; außerdem kann er den Informationsstand und die politischen Aussagen einzelner Organe unmittelbar vergleichen und werten.

Auch die nach Titeln und Seiten umfangreiche ›Weber-Prosa‹ läßt sich nicht ohne Auswahl und Kürzung wiedergeben. Einige

Erzählungen und Romane zwischen 1845 und 1850, die vom Titel her als ›Weberliteratur‹ etikettiert sind, erweisen sich bei der Lektüre als gängige Schmuggler- und Räubergeschichten. Durch Auswahl und Kürzung sollen die typischen erzählerischen Gestaltungen der sozialen Frage in der ›Weber-Prosa‹ herausgehoben werden. Die ›Weber-Lyrik‹ umfaßt (mit einer Ausnahme) ohne Kürzungen alle uns bekannten zwischen 1844 und 1849 erschienenen Gedichte, die sich im engeren und weiteren Sinn mit dem Thema ›Weber‹ befassen. Wegen ihrer großen Zahl und weiten Verbreitung kann nicht ausgeschlossen werden, daß es aus dem genannten Zeitraum noch andere Webergedichte gibt.

Bei der Textbearbeitung wurde nach folgenden Grundsätzen verfahren:

1. Die Orthographie wurde behutsam modernisiert. Offensichtlich falsch geschriebene Eigennamen und Druckfehler wurden stillschweigend korrigiert.
2. Die Interpunktion ist dem heutigen Gebrauch angeglichen; autorentypische Diktionen wurden beibehalten.
3. Unleserliche Stellen in den Vorlagen sind durch das Zeichen .–. kenntlich gemacht, Auslassungen und Ergänzungen durch eckige Klammern, Hervorhebungen *kursiv*.
4. Die Edition folgt den Erstdrucken. Ausnahmen sind aus dem Literaturverzeichnis ersichtlich.

Der publizistische Teil wurde aus den Zeitungsbeständen der Bücherei des Deutschen Ostens (Herne), der Deutschen Presseforschung (Bremen), des Instituts für Zeitungsforschung (Dortmund), des Geheimen Staatsarchivs Preußischer Kulturbesitz (Berlin), der Stadtbücherei Aachen, der Stadt- und Universitätsbibliothek Köln und der Universitätsbibliothek Düsseldorf zusammengestellt. Eine Benutzung der im Zentralarchiv Merseburg (DDR) lagernden Archivalien des ehemaligen preußischen Innenministeriums war nicht möglich. Es bleibt zu hoffen, daß die Edition eines Tages doch durch einen entsprechenden Band ergänzt werden kann.

Wir danken Martin Machatzke und Hans Adler für wertvolle Hinweise sowie Irmgard Kroneberg für viele organisatorische Hilfen.

Lutz Kroneberg/Rolf Schloesser

Inhaltsverzeichnis

Bernt Engelmann. Geleitwort

Der schlesische Weberaufstand von 1844 hat das deutsche Bildungsbürgertum, vor allem Preußens, aus seinen romantischen Träumen gerissen und sein soziales Gewissen, wenn auch nicht seinen politischen Verstand, mindestens vorübergehend wachzurütteln vermocht. Wie kaum ein zweites Ereignis der ersten Hälfte des 19. Jahrhunderts hat die Revolte von 1844 jene deutschen Intellektuellen beeinflußt, die im darauffolgenden Vierteljahrhundert die deutsche Arbeiterbewegung theoretisch begründeten, anführten oder als Dichter und Sänger begleiteten.

An dieser historischen Bedeutung der Ereignisse zwischen dem 3. und 6. Juni 1844 ändert auch die Tatsache nichts, daß es sich dabei weder um die erste noch um eine besonders umfangreiche oder außergewöhnlich brutal niedergeschlagene Aufstandsbewegung von Heimarbeitern der schlesischen Textilindustrie gehandelt hat. Schon 1785/86, dann mit besonderer Heftigkeit im Jahre 1793 und nochmals 1798 hatte es größere Weberaufstände gegeben als 1844 in Peterswaldau und Langenbielau. Und mit welcher Brutalität beispielsweise die 1793 in der ganzen schlesischen Textilindustrie aufgeflammte revolutionäre Bewegung niedergeworfen worden ist, läßt sich aus der schriftlichen Anweisung des – hauptsächlich wegen seines Mystizismus und seiner vielen Mätressen berühmten – Preußenkönigs Friedrich Wilhelm II. an seinen Minister, den jüngeren Danckelmann, ersehen. Der König befahl seinerzeit, den Weberaufstand rücksichtslos zu unterdrücken, ›auch die Rädelsführer ohne alle prozeßualische Förmlichkeit zu Spitzruthen und Vestung zu condemniren oder sie auch wohl des nöthigen Eindrucks wegen mit der Strafe des Stranges zu belegen [. . .]‹. Ganze Dorfschaften mußten damals Spießruten laufen, wobei viele der halbverhungerten Weber den schweren Verletzungen erlagen, und Hunderte wurden auf die Festungen verschleppt und an die Karren geschmiedet. Aber die Aufstandsbewegung von 1793 ist nahezu vergessen, ebenso die acht Jahre zuvor im Waldenburgischen und die fünf Jahre später in der Breslauer Region. Dagegen hat die Revolte von 1844 in der zeitgenössischen Publizistik und Dichtung sowie in der späteren Literatur und bildenden Kunst einen so starken Widerhall gefunden, daß sie zu einem festen Bestandteil der Geschichte – für manche gar zum Ausgangspunkt – der deutschen Arbeiterbewegung geworden ist. Dafür haben nicht nur Bettina von Arnim und Wilhelm Wolff, Heinrich Heine und Karl Marx, sondern auch Gerhart Hauptmann und Käthe Kollwitz gesorgt, um nur einige der Bekanntesten zu nennen.

An der historischen Bedeutung des Aufstandes der schlesischen Weber von 1844 ändert auch die Tatsache nichts, daß diese Revolte sowohl hinsichtlich ihrer tieferen Ursachen als auch, was die Mittel zu deren Beseitigung anging, recht unterschiedlich, aber fast durchweg falsch, allenfalls bedingt richtig, eingeschätzt wurde.

Entgegen späterer Meinung war der Aufstand von Peterswaldau und Langenbielau weder der Vorbote der Revolution von 1848, noch hatten die schlesischen Weber bereits klare politische Zielvorstellungen. Es war vielmehr ein Ausbruch wilder, hoffnungsloser Verzweiflung, hervorgerufen durch ein Elend, von dem sich heutzutage keiner mehr eine rechte Vorstellung zu machen vermag.

›Oft waren sie dem Hungertode nahe und erhielten sich nur, indem sie die gefallenen Tiere aus der Schindergrube holten und verzehrten oder statt des Brots ein Gebäck aus Moos aßen‹, heißt es dazu in Lujo Brentanos aufschlußreicher Arbeit ›Die feudale Grundlage der schlesischen Leinenindustrie‹, enthalten in seinem Buch ›Alte und neue Feudalität. Gesammelte Aufsätze zur Erbrechtspolitik‹, das 1924 in 2. Auflage in Leipzig erschienen ist. Ergänzend sei hinzugefügt, daß vor dem Hunger der schlesischen Weber kein Hund, keine Katze und kein Vogel sicher war; daß bei ihnen die Säuglingssterblichkeit weit höher, die Lebenserwartung erheblich niedriger war als bei irgendeiner anderen Gruppe in Mitteleuropa; daß es bei ihnen ebenso Alkoholismus und pietistische Frömmelei gab wie beim Wuppertaler Proletariat, und daß sie meist an ›Auszehrung‹ starben, wenn man den Kirchenbüchern glauben darf.

Nun waren aber Hunger und Elend damals nichts Außergewöhnliches; anderswo in Preußen, zum Beispiel in den Slums vor den Toren Berlins, in der Textilindustrie des Bergischen Lands oder auch in den armseligen Wohnlöchern der Landarbeiter auf den ostelbischen Rittergütern herrschten ähnliche Verhältnisse. Doch nur bei den schlesischen Webern gab es jene heftigen Ausbrüche der Wut und Verzweiflung wie 1844 in den überfüllten Heimarbeitersiedlungen des niederschlesischen Kreises Reichenbach am Ostfuß des Eulengebirges. Die Weber Preußisch-Schlesiens waren aber nicht etwa von ihrer Veranlagung her rebellischer, weniger geduldig, in geringerem Maße leidensfähig oder von Natur aus anspruchsvoller als andere Pauperisierte dieser Jahre. Vielmehr war ihr Elend schlicht noch größer als das der anderen.

Der Grund für diese übergroße Not eines Berufszweigs in einer Provinz lag darin, daß die Textilheimarbeiter der preußischen Regierungsbezirke Schlesiens das Unglück hatten, schon unter das Joch kapitalistischer Ausbeutung geraten zu sein, noch ehe sie von den Plagen feudalistischer Ausbeutung befreit worden waren; das *doppelte* Joch, das die schlesischen Weber jahrzehntelang zu tragen hatten, war einfach zu schwer für sie geworden.

1740 war der preußische König Friedrich II. mit seiner Armee in die österreichische Provinz Schlesien eingefallen, hatte sie annektiert, und seither war das Land preußisch. Die neuen Untertanen des ›Philosophen von Sanssouci‹ hatten infolgedessen keinen Anteil mehr an den josefinischen Reformen; sie blieben unfreie, erbuntertänige, an die Scholle gefesselte Häusler ihrer adligen Grundherren, gehörten zum lebenden Inventar der großen Güter und mußten dafür, daß sie dort leben durften, Abgaben leisten. Lujo Brentano hat eindrucksvoll nachgewiesen, daß nur Freiheit die schlesischen Textilheimarbeiter befähigt hätte, den Wettbewerb mit den Leinenwebern der fortschrittlicheren Nachbarländer auszuhalten. Aber – so Brentano – ›es bestand kein anderer Antrieb zur Arbeit außer dem Zwang: Hunger und barbarische Strafen [. . .]. Aber weder Karre noch Stock, Halseisen oder Zuchthaus vermochten die Schlechtigkeit der schlesischen Gespinste zu bessern [. . .].‹ Nur bessere Werkzeuge hätten um 1760 die Qualität und damit die Verkäuflichkeit des schlesischen Leinens steigern können. Doch die durch die unvermindert harte feudalistische Ausbeutung völlig verarmten schlesischen Weber blieben dazu verdammt, auf ewig mit der veralteten Handspindel zu schuften. Und da sie am Markt mit ihren Erzeugnissen nicht mehr konkurrenzfähig waren, versuchten sie, durch Quantität wettzumachen, was die Qualität nicht einbrachte. Das wiederum führte zu noch längeren Arbeitszeiten, schließlich auch für die Kinder, wobei die Qualität weiter sank. Bald lief nicht nur die böhmische, sondern sogar die irische Leinenweberei der schlesischen den Rang ab. Verglichen mit dem preußischen Schlesien war sogar das von England geknechtete Irland ein freies Land. Brentano zeigt, daß dort – wie auch in den noch österreichischen Teilen Schlesiens – die Leinenweber schon zu Zeiten Friedrichs II. von der Erbuntertänigkeit befreit wurden; daß sie sich etwas ersparen, ihr Werkzeug modernisieren und konkurrenzfähig bleiben oder, wenn sie das nicht vermochten, als letzten Ausweg das Land verlassen konnten, wie jene Iren, die zu Hunderttausenden nach Amerika auswanderten. Alles das konnten die Weber Preußisch-Schlesiens nicht.

Dort suchte Friedrich II., von Historikern häufig ›der Große‹ genannt, mit wahrhaft königlicher Verblendung nach anderen Heilmitteln: Er ließ immer mehr Weber immer härter zur Arbeit antreiben. Und den Kaufleuten, die sich weigerten, die minderwertigen Erzeugnisse abzunehmen, drohte er mit Festungsstrafe und legte dem einen oder anderen gelegentlich zur Abschreckung ›Policey-Bereuter‹ ins Haus. Mit solchen Dragonaden konnte er zwar vorübergehend die größte Not der Weber lindern, aber die den Händlern aufgezwungene Ware wurde davon nicht verkäuflicher. ›Das einzige, was hätte geschehen können, um die Leinenweberei zur Blüte zu bringen, die Beseitigung der Unfreiheit, wurde nicht in Angriff genommen‹, stellt Brentano dazu fest.

Nach dem Zusammenbruch des friderizianischen Staats als Folge der Französischen Revolution und der Vernichtung der preußischen Armee durch die Truppen Napoleons sollten nach dem Willen des Freiherrn vom Stein auch die schlesischen Leinenweber wie die preußischen Bauern endlich befreit werden. Aber Friedrich II. hatte in ganz Ostelbien und auch im eroberten Schlesien dafür gesorgt, daß selbst ein Vierteljahrhundert nach seinem Tod an der Macht der Grundherren kaum etwas geändert werden konnte. Die schlesischen Gutsbesitzer verstanden es, die Weber in der alten Sklaverei festzuhalten. Die ›Befreiung‹ bedeutete nur die Freiheit zu noch schwererer Bedrückung durch die Feudalherren, zu der allmählich die zusätzliche Ausbeutung durch die ›Verleger‹ kam. Diese Unternehmer nutzten die neue Gewerbefreiheit, die Weber auch ihrerseits auszubeuten – durch Überlassung von Werkzeug und Rohmaterial zu überhöhten, aber gestundeten Preisen und Abnahme der fertigen Ware weit unter Wert. Binnen kurzer Zeit standen neben den elenden Hütten der Weber und den Schlössern ihrer adligen Herren die luxuriösen Villen der Fabrik- und Handelsherren Zwanziger, Dierig und anderer.

Das frühe Berliner Industrieproletariat von 1844 war aus junkerlicher Ausbeutung geflüchtet und nun dem Kapitalismus ausgeliefert; die Landarbeiter und gutsabhängigen Bauern im ostelbischen Preußen ächzten noch unter dem Joch feudalistischer Ausbeutung, die sich gerade erst auf kapitalistische Methoden umzustellen begann. Die schlesischen Weber aber litten noch immer unter feudalistischer und dazu bereits unter kapitalistischer Fron. Und es gab für sie keinen Schimmer von Hoffnung, daß sich an dieser doppelten Versklavung jemals etwas ändern würde.

Tatsächlich dauerte die Not der schlesischen Weber bis in die vierziger Jahre des 20. Jahrhunderts; noch 1936 wurde von der Hitler-Diktatur ihretwegen eine ›Verordnung über das Schlachten von Hunden‹ erlassen, so groß waren das Elend und der Hunger der schlesischen Weber noch immer! Auch der Reichtum ihrer Ausbeuter hat die Zeiten überdauert, wenngleich nicht in Schlesien; die Chr. Dierig AG, beispielsweise, gegründet 1805 in Oberlangenbielau, hat heute ihren Sitz in Augsburg und einen Jahresumsatz von etlichen hundert Millionen Mark. Der Aufstand der Langenbielauer Weber vom 5. Juni 1844 gehört indessen nicht zu den Jubiläen, die das nach Bayern emigrierte Familienunternehmen zu feiern pflegt.

Einführung

1

Etwas für Deutschland Ungewöhnliches ereignet sich zwischen dem 3. und 6. Juni 1844 in Schlesien: In den beiden Ortschaften Peterswaldau und Langenbielau, die zusammen 18 000 Einwohner zählen, revoltieren die Spinner und Weber gegen ihre materielle Not. Am 4. Juni stürmen und demolieren mehrere Hundert von ihnen das Gebäude des verhaßten Handelsherrn und Fabrikanten Zwanziger. Einen Tag später stehen schon an die 3000 mit Äxten, Heugabeln und Steinen bewaffnete Aufständische zwei eilig aus Schweidnitz herbeigerufenen Kompanien Infanterie vor dem Handelshaus der Gebrüder Wilhelm und Friedrich Dierig in Langenbielau gegenüber[1]. Die Spinner und Weber sind jedoch nicht einzuschüchtern. Als sie zu dem Gebäude vordringen wollen, läßt der kommandierende Major von Rosenberger das Feuer eröffnen. 11 Tote und etliche Verwundete gibt es unter den Angreifern, die nun mit gesteigerter Wut das Militär zurückdrängen und das Anwesen der Dierigs besetzen.

In Breslau reagiert der Ober-Präsident der Provinz Schlesien, Friedrich Theodor von Merckel[2], sofort auf die ersten Nachrichten von den Unruhen. Er entsendet aus Breslau ein Bataillon Infanterie mit vier Geschützen per Eisenbahn in die aufrührerischen Orte. Der schlesischen Presse wird untersagt, über die Vorfälle zu berichten. Als Merckel am 6. Juni in Langenbielau eintrifft, ist der Aufstand bereits niedergeschlagen. 112 Revoltierende werden in den folgenden Tagen verhaftet. Trotz der sogleich verschärften Pressezensur in Schlesien findet der Aufstand ›das Interesse nicht bloß Deutschlands, sondern auch anderer Länder‹[3]. Am 7. und 11. Juni bringt die konservative Breslauer ›Privilegirte Schlesische Zeitung‹ noch zwei kurze Meldungen über die ›bedauerlichen Exzesse‹ in Peterswaldau und Langenbielau. Doch die außerschlesischen Blätter verbreiten nahezu gleichzeitig die Nachrichten von der Weber-Revolte in ganz Deutschland.

Ober-Präsident Merckel, bereits seit 1809 Vize-Präsident der

Breslauer Provinzialregierung und Sohn eines Leinenkaufmanns, kannte die Entwicklung der schlesischen Weberei im 19. Jahrhundert aus eigener Anschauung. Ebenso die aufrührerische Tradition der Spinner und Weber. Denn schon im März und April 1793 regte sich unter den schlesischen Webern Unmut über ihre Abhängigkeit von den Garnhändlern. Aus Aufruhr-Zetteln, die unter den Webern zirkulierten, sind Einflüsse der Französischen Revolution zu erkennen: Friedrich Wilhelm II. erklärte am 20. Mai 1793, daß die ›Ausbreitung verkehrter Begriffe von Freiheit und Gleichheit‹ die ›sonst gutgesinnten Professionisten[4] und Arbeiter aus der niedern Volksklasse zur Unzufriedenheit‹ gereizt habe[5]. 1830 und 1842 kommt es in der Oberlausitz zu Unruhen unter den Spinnern und Webern, 1841 in Thüringen. Der französische Seidenweberaufstand 1831 in Lyon und die Chartisten-Bewegung in England 1838[6] lassen in den vierziger Jahren in Deutschland ahnen, daß es sich bei dem schlesischen Aufstand nicht um ein zufälliges Lokalereignis handelt, sondern um eine Aktion, die Ausdruck der sozialen Veränderungen der ersten Hälfte des 19. Jahrhunderts ist und die eine Umgestaltung der bestehenden politischen und sozialen Ordnung signalisiert.

2

Die Not unter den schlesischen Spinnern und Webern ist keine plötzlich auftretende Erscheinung der vierziger Jahre des 19. Jahrhunderts. Ihre Ursachen sind auf die Ausweitung der Spinnerei und Weberei zurückzuführen, die Friedrich II. nach dem Zweiten Schlesischen Krieg (1744 bis 1745)[7] mit allen Mitteln durchsetzen läßt. Es werden Spinnschulen angelegt, die alle Kinder vom 8. Jahr an besuchen müssen, wann immer sie in der häuslichen Wirtschaft entbehrlich sind. Auch Soldaten, Maurer und Zimmerleute müssen in den Wintermonaten weben, ihre Frauen das Spinnen erlernen. Den Webern wird verboten, auszuwandern oder einen Webstuhl außer Landes zu verkaufen. Durch die Intensivierung der Weberei erhofft Preußen sich eine Stärkung seines Exports, um den steigenden Konsumbedürfnissen durch Importe nachkommen zu können. Spinnen und Weben wird unter Friedrich II. in Schlesien deshalb zu einer in großem Umfang betriebenen Heimproduktion. Den Webermeistern, die bisher für einen überschaubaren Abnehmerkreis gearbeitet hatten, erwächst durch die Ausweitung der Heimproduktion eine Konkurrenz, die zu einer wesentlichen Qualitätsminderung der schlesischen Leinwand führt.

Unter den Spinnern und Webern gibt es keine genossenschaftlichen Vereinigungen oder zunftähnlichen Zusammenschlüsse. Sie leben und arbeiten in ihren Hütten, ohne irgendeinen organisatorischen Zusammenhalt. Zwar besitzt der Weber seine Produktionsmittel, den Webstuhl und andere Arbeitsgeräte, seine Selbständigkeit aber wird durch seine Abhängigkeit vom Garnhändler und Leinenhändler fast vollkommen eingeschränkt. Vom Garnhändler muß er seinen Rohstoff kaufen, an den Leinenhändler muß er sein Fertigprodukt, die gewebte Leinwand, verkaufen. Der Weber ist so in ein Kaufsystem gezwungen, in dem er ohne Kapital die schwächste Position hat. An diesem Kaufsystem ändert sich bis in die vierziger Jahre des 19. Jahrhunderts wenig. Das Geschäft der Leinenhändler vollzieht sich ohne nennenswertes Risiko, da sie nur dann vom Weber kaufen, wenn sie den Absatz der Leinwand gesichert sehen. Die Weber produzieren ohne Verbindung zu den Verbrauchern und Absatzmärkten und sind auf den unmittelbaren Verkauf ihrer Leinwand an den Händler angewiesen. Dieser ist durch die ihm zur Verfügung stehenden Kapitalien in der Lage, in Zeiten sogenannter schlechter Konjunkturen zu niedrigen Preisen Leinwand aufzukaufen und spekulativ mit hohem Gewinn abzusetzen, wenn die Konjunktur sich bessert. In seiner Denkschrift vom 1. Februar 1849 stellt Alexander von Minutoli[8] zur Lage der Spinner und Weber rückblickend fest: ›Das eigentliche wahre Elend fällt überall mit den Grenzen des Kaufsystems zusammen, welches den gepriesenen Stand der sogenannten Spinner und Weber zu dem der unselbständigen Arbeiter gemacht hat, weil ihre abgeschlossene Beschäftigung ihr einziger Erwerb ist [. . .].‹[9]

Das Kaufsystem wird nur allmählich durch das Verlagssystem ersetzt, worin staatliche Stellen einen Fortschritt sehen. Die preußische Regierung und in Schlesien Ober-Präsident Merckel praktizieren in der Wirtschaftspolitik einen vermeintlich liberalen Kurs, der möglichst ohne staatliches Eingreifen auskommen soll. So schrieb Merckel am 23. August 1840 an den preußischen König Friedrich Wilhelm IV.: ›Schlesien erfreut sich in der überwiegenden Allgemeinheit eines Wohlstandes, wie ihn frühere Zeiten nur in einzelnen Handels- und Gewerbekategorien sahen.‹[10] Und Karl August Varnhagen von Ense[11] vermerkt kurz vor dem Aufstand am 14. Mai 1844 in seinem Tagebuch: ›Der Ober-Präsident v. Merckel hat aus Schlesien berichtet, die Not der Weber im Gebirge sei nicht so groß als der Lärm, den man davon mache; auch sei es keine außerordentliche, sondern nur die gewöhnliche, seit vielen Jahren dort einheimische; so gut wie dieses Jahr hätte man schon vor zehn Jahren dort Unterstützung bedurft, würde man auch nach zehn Jahren noch derselben bedürfen. – Dieser Bericht war hier den Oberbehörden und dem Hofe ganz willkommen, dergleichen hört man gern, das Gewissen wird erleichtert und die Sorge ruht aus.‹[12]

Das Verlagssystem bringt den Webern keine Vorteile: Der Verleger kauft den Rohstoff (Garn) und läßt ihn nach seinen Angaben vom Weber weiterverarbeiten, wofür dieser Lohn empfängt. Der Übergang von der Heimweberei zur Lohnweberei ändert an der Lage der Weber nichts, weil die ehemalige Abhängigkeit vom Garnhändler und Leinenhändler sich nun auf *eine* Person, den Verleger, konzentriert. Den Lohn zahlt dieser überwiegend nicht in barem Geld aus, sondern in Naturalien nach dem Muster des englischen Trucksystems[13]. Auch im Verlagssystem bekam der Weber keinen Kontakt zu den Verbrauchern. Durch das Verlagssystem gelingt es aber den Verlegern immer mehr, auch in den Besitz der Webstühle zu gelangen. Die schlesischen Weber, denen 1844 noch überwiegend ihre Produktionsmittel gehören, können die technischen und wirtschaftlichen Veränderungen des Weltmarkts nicht für sich nutzen. Sie bleiben auf die Produktion beschränkt. Weil es ihnen an Kapital fehlt, sind sie nicht imstande, ihre Webstühle zu modernisieren und den neuen technischen Entwicklungen anzupassen. Der Fabrikant oder Verleger aber hat kein Interesse, von seinem Profit in fremde Produktionsmittel zu investieren. Da gibt es lohnendere Objekte im Eisenbahnbau, in der Erz- und Kohleförderung und der entstehenden Schwerindustrie[14]. So werden die Spinner und

Weber ausgebeutet, und der von ihnen erarbeitete Mehrwert wird zur Ausbeutung von Arbeitern in anderen Industriezweigen benutzt. Die Spinner und Weber konnten den Anschluß an die technische Entwicklung in der Textilproduktion im Laufe des 19. Jahrhunderts nicht halten.

3

Von England ausgehend, revolutionierten technische Neuerungen seit Beginn des 19. Jahrhunderts die Textilproduktion in Europa. In England wurde sie zu einem Motor der allgemeinen technischen und industriellen Entwicklung, als deren Folge sich soziale Erscheinungen zeigen, die in anderen Industrien erst 20 bis 30 Jahre später zu beobachten sind. Das gilt für England und mit einer Verzögerung von 50 Jahren auch für Deutschland.

Die Mechanisierung des Spinnens beginnt in England 1767 mit der Erfindung der Jennymaschine und der Mulemaschine 1779[15]. Zu Beginn des 19. Jahrhunderts ist die Spinnerei in England bereits weitgehend mechanisiert. Joseph Marie Jacquard, ein französischer Mechaniker, stellt 1805 die Jacquard-Maschine vor, mit der mechanisch reich- und großgemusterte Gewebe hergestellt werden können, wie es mit dem Handwebstuhl nicht möglich ist. Schon 1812 wird in England in größerem Umfang mit mechanischen Webstühlen produziert. Die sozialen Auswirkungen dieser Entwicklung beschreibt Friedrich Engels 1845 in seinem vielbeachteten Buch ›Die Lage der arbeitenden Klasse in England‹[16]. Die Weberei in Deutschland kann sich um 1815 dieser technischen Entwicklung nicht anpassen, weil die dazu nötigen Kapitalien fehlen und weil England ein Ausfuhrverbot für mechanische Webstühle erläßt. Englische Leinen- und Baumwollprodukte erobern zwischen 1815 und 1840 den Weltmarkt, der deutsche Leinenexport sinkt unter dem Druck der englischen Konkurrenz um ein Vielfaches. Die Leinenhändler und Verleger verstehen es in diesen Jahren immer wieder, durch den Hinweis auf die englische Konkurrenz staatliche Aufträge zu erhalten, die ihnen einen erheblichen Umsatz auf dem preußischen und deutschen Markt ermöglichen. Die Lage der Spinner und Weber ändert sich dadurch nicht. Sie arbeiten weiter, wie sie es gewohnt sind, ohne einen Ausweg aus ihrer Not zu sehen, bei einem Arbeitsertrag, der 1844 nur 15 bis 20 Prozent des Existenzminimums erreicht[17]. Ihre ›Arbeitgeber‹ aber können innerhalb weniger Jahre infolge der schlechten Konjunkturen erhebliche Reichtümer ansammeln.[18]

4

Neben der Ausbeutung durch die Handelsherren und Verleger und den außenwirtschaftlichen Bedingungen der englischen Konkurrenz verschlechterte die *feudale* Abhängigkeit noch zusätzlich die Lage der Spinner und Weber. Feudale Abhängigkeiten gab es für die Landbevölkerung Schlesiens in jeder nur denkbaren Form. Da gab es nichts, worauf nicht ein Zins erhoben oder wofür nicht eine Verpflichtung gefordert worden wäre: Hühnerzinsen, Getreidezinsen, Jagdgeld, Naturaldienste, Handdiensttage[19]. Seit der Aufhebung der Erbuntertänigkeit (1807)[20] und einer Ablöseverordnung (1821)[21] konnten sich die Bauern von feudalen Abgaben an die Gutsherren loskaufen. Eine Bauernbefreiung war damit noch nicht verbunden, denn der Bauer konnte sich nur nach und nach loskaufen, weil es ihm am dazu nötigen Geld fehlte, so daß die Bauern in einem ›Nebeneinander von Feudalverpflichtungen und Loskaufgeldern‹[22] lebten. Auch die Spinner und Weber hatten, verschieden von Grundherrschaft zu Grundherrschaft, feudale Abgaben und Dienste zu leisten. Die Dienstverpflichtungen an die Grundherrschaft wurden 1844 bis auf einige Handdiensttage auch für die Spinner und Weber in Geldabgaben umgewandelt. Diese Abgaben mußten von ihnen entrichtet werden, solange sie zum eigentümlichen Besitz des Grundherrn gehörten und sich nicht loskaufen konnten.

Die feudale Abhängigkeit der Spinner und Weber besteht 1844 darin, daß sie Grund-, Spinn- und Webezins zu zahlen und Handdiensttage zu leisten hatten.

Der Adel verteidigte seine alten grundherrlichen Rechte, das handeltreibende Großbürgertum war in aggressiver Weise bestrebt, die Kontrolle über die sich entwickelnde industrielle Produktion zu gewinnen. Die Landarbeiter, Spinner und Weber – schwächstes Glied in dieser Entwicklung – befanden sich 1844 in der Übergangsphase von feudaler Abhängigkeit zu kapitalistischer Ausbeutung.

5

1843 beginnen Schriftsteller und Publizisten, Not und Elend unter den schlesischen Spinnern und Webern und in anderen Webereidistrikten einer breiteren Öffentlichkeit bekanntzumachen. Bettina von Arnim[23] übernimmt in ihr 1843 erschienenes Werk ›Dies Buch gehört dem König‹ Elendsschilderungen aus dem Vogtland[24], der Armenkolonie vor den Toren Berlins.

In Schlesien ist es ein Artikel von Friedrich Wilhelm Wolff[25] über die Kasematten von Breslau[26], durch den 1843 zum ersten Mal eine breitere Öffentlichkeit vom Ausmaß der Massenarmut in Schlesien erfährt. Allein schon mit der Absicht, Selbstgesehenes dem Leser zu vermitteln, erregt Wolff Aufsehen. Er leitet seinen Bericht mit einem Hinweis auf Eugène Sues Roman ›Mystères de Paris‹[27] ein; ein Buch, das seiner Meinung nach lediglich ›Veranlassung gibt zu mancher Träne, zu manchem Seufzer und bisweilen zu der Frage, ob denn solches gesellschaftliches Elend überhaupt möglich sei?‹, und er fährt fort: ›Davon aber, daß gleiches Elend in unserer Nähe, um und neben uns existiert, daß die ‚Mystères de Breslau' nicht weniger anziehend und lehrreich sind, davon haben unsere leselustigen Damen und Herren selten eine Ahnung. Und doch steht dieses Buch jedem täglich, ja stündlich zur Einsicht offen; [. . .].‹ Wolff bezeichnet also die Wirklichkeit der Breslauer Kasematten als offenliegendes ›Buch‹, als eine Realität, die keiner Ausschmückung bedarf, um dem Leser den Eindruck zu vermitteln, er ginge selbst durch die Kasematten. Aber: Dieses ›Buch‹ erschließt sich nur dem, ›der neben dem leiblichen Auge und einigem Nachdenken ein wenig Herz zu seiner Lektüre mitbringt‹. Für Wolff ist die ›Lektüre‹ eines ›Buches‹ gleichbedeutend mit dem Sehen der Wirklichkeit, aber erst dann vollständig, wenn sich dieses Sehen mit Denken und Fühlen verbindet. Das ›Buch‹ kann durch seine ›Lektüre‹ soziales Handeln bewirken. Dieses soziale Handeln erwartet Wolff 1843 von ›jedem einzelnen der bürgerlichen Gesellschaft‹. Wolff weiß, daß er für ein bürgerliches Publikum schreibt, er will die

Besitzenden durch Appelle an das Mitleid zu einem sozialen und gerechten Verhalten bewegen: ›Gerade das Eingehen auf die kleinsten Details ist unerläßlich, damit die egoistische Härte womöglich erweicht, damit der in göttlicher Ruhe und Selbstgenügsamkeit das Leben genießende Reiche aufgerüttelt, daß der Staatsmann, der Gelehrte, der Philosoph und jeder Denker auf den Grund und die Mittel zur Beseitigung des immer üppiger wuchernden Übels hingelenkt werde.‹ Wilhelm Wolff, ›selbst Proletarier‹, erwartet eine Änderung des sozialen ›Übels‹ von den Besitzenden, den Reichen, die durch detaillierte Schilderungen des Elends ›erweicht‹ und ›aufgerüttelt‹ werden sollen.

Herz und Mitleid sind 1843 die Ansatzpunkte, eine verstärkte Anteilnahme am schlesischen Elend zu bewirken. Liest man die Zeitungen, in denen vor der Revolte auf die Notlage in Schlesien eingegangen wird, so ist immer wieder von herzzerreißendem Elend, von mitfühlenden Herzen die Rede, womit sich die Hoffnung verbindet, durch individuelle Hilfe fürs erste wenigstens die gröbste Not mildern zu können. Diese Meinung ist auch noch in Zeitungsartikeln zu finden, die nach der Revolte geschrieben wurden. Nicht so bei Wilhelm Wolff. Im Juni 1844 ist die Revolte für ihn ein Anlaß, nach ihren Ursachen zu fragen. Er tut dies mit einem gegenüber dem Kasematten-Bericht erheblich ausgeweiteten theoretischen Vokabular. 1843 geht er darin noch von folgenden begrifflichen Gegensatzpaaren aus:

die Armut – der Wohlhabende
diese Leute – der Reiche
ein Tagearbeiter – das freie Bürgertum
das Elend – die bürgerliche Gesellschaft.

Bei der Niederschrift seines Aufsatzes ›Das Elend und der Aufruhr in Schlesien‹, sieben Monate später, hat sich sein Standpunkt grundlegend gewandelt. Jetzt kommt er zu Oppositionen wie:

die armen Weber – die Reichen
der schlesische Proletarier – der Kapitalist
der Besitzlose – die Privilegierten
die arbeitenden Klassen – die höheren Klassen

die Klasse der Proletarier – das Monopol des Kapitals
das Proletariat – das Monopol des Kapitals
das Volk der Produzierenden – die Konsumierenden
die arbeitenden Volksklassen – das Privateigentum
die Besitzlosen – die Besitzenden.

Bevor Wolff den Ablauf des Aufstands beschreibt, versucht er, die soziale Situation zu bestimmen, aus der die Revolte hervorging. Deutlich kennzeichnet er den Unterschied im Lebensstandard der Fabrikanten und Weber, beläßt es aber nicht bei dem Gegensatz *arm – reich*, sondern stellt der ›Klasse der Proletarier‹ das ›Monopol des Kapitals‹ gegenüber; den Aufstand sieht er als eine kämpferische Auseinandersetzung der Proletarier mit den Fabrikanten. Bei dieser Bewertung berücksichtigt Wolff nicht das von ihm selbst erwähnte differenzierte Verhalten der Weber: hier wütender Kampf gegen den einen Fabrikanten, dort rasche Beschwichtigung durch einen anderen: ›Ein Stück Brot und ein Viergroschenstück reichten hin, die Wut der von Hunger und Rache Getriebenen im Zaum zu halten!‹ Er typisiert das Kampf- und Gruppenverhalten der Weber und kommt – unter Verwendung eines umfangreicheren politischen und sozialen Begriffsinstrumentariums als dem bislang bekannten – zu grundsätzlicheren Aussagen über den sich im Aufstand manifestierenden sozialen Konflikt. Wolff bemüht sich, auch theoretisch zu begründen, was sich in der Revolte bereits praktisch vollzogen hatte, ohne daß sich bei der Mehrzahl der Weber schon ein ausgeprägt soziales Bewußtsein nachweisen ließe. Dieses 1844 nur von wenigen gekannte und geteilte Bewußtsein findet sich vor allem unter dem Bürgertum entstammenden Literaten und Journalisten, die bei ihren Versuchen, die soziale Situation sprachlich zu erfassen, Partei für die Armen und Unterdrückten ergreifen. Daraus entsteht allmählich ein politisches und soziales Begriffsinstrumentarium, das erste Ansätze für eine künftige Sozialtheorie liefert und mit dem bürgerliches Mitleidsdenken als Grundlage sozialen Handelns überwunden wird. Die von Wolff im ›Bürgerbuch‹-Aufsatz gekennzeichneten Klassengegensätze lassen eine sich entwickelnde utopisch-sozialistische Theorie erkennen, mit der Appelle an das Mitleid nicht mehr verbunden werden können. 1844 erhofft Wolff eine ›Radikalkur‹: ›Nur eine *Reorganisation*, eine Umgestaltung der Gesellschaft auf dem Prinzipe der *Solidarität*, der *Gegenseitigkeit* und *Gemeinschaftlichkeit*, mit einem Wort der *Gerechtigkeit*, kann uns zum Frieden und zum Glück führen.‹

Neben Wilhelm Wolff ist Eduard Pelz (Pseudonym Treumund Welp)[28] einer der engagiertesten schlesischen Publizisten zu Anfang der vierziger Jahre des 19. Jahrhunderts. Der ehemalige Buchhändler, der seit 1839 in Seitendorf als Freigutsbesitzer lebt, veröffentlicht mehrere Druckschriften zur Lage der Bauern und ihrer feudalen Abhängigkeit[29]. Zur Lage der Spinner und Weber nimmt er ebenfalls in Druckschriften [30], in schlesischen und außerschlesischen Zeitungen Stellung[31]. 1844 ist er dem preußischen Innenminister Graf von Arnim-Boitzenburg[32] so verdächtig, daß dieser ihn am 8. Juni 1844 während einer Audienz, bei der Pelz eine Bittschrift seiner Gemeinde übergeben will, der Urheberschaft am Aufstand beschuldigt. Im Juli wird Pelz verhaftet; der Prozeß gegen ihn endet ein halbes Jahr später mit einem Freispruch.

In seinen zahlreichen publizistischen Aktivitäten bleibt Pelz den alltäglichen Details verhaftet. Es gelingt ihm nicht, wie Wilhelm Wolff, den schlesischen Weberaufstand innerhalb eines allgemeinen gesellschaftlichen Bezugssystems zu verstehen. Er polemisiert gegen die Mechanisierung der Spinnerei, wie sie mit staatlicher Unterstützung in Erdmannsdorf und Grüssau durch die Seehandlung[33] begonnen wurde. ›Händearbeit‹ hält Pelz für geeignet, der schlesischen Leinwand eine besondere Qualität zu geben, die sich gegen die englische Konkurrenz durchsetzen könne (vgl. S. 83). Seine Fehleinschätzung der Lage der schlesischen Spinner und Weber im Jahr 1844 darf aber nicht dazu verleiten, seine Bedeutung als Publizist herunterzuspielen. Mit seinem radikalen publizistischen Einsatz für die Bauern, Landarbeiter, Tagelöhner, Spinner und Weber schafft er die Voraussetzung für eine weitergehende Beschäftigung mit dem Weberthema. Auch Wilhelm Wolff beruft sich in seinem Aufsatz ›Das Elend und der Aufruhr in Schlesien‹ auf Eduard Pelz (vgl. S. 249f.).

Eine detailgetreue Schilderung des schlesischen Spinner- und

Weberelends verfaßt 1844 Alexander Schneer, Mitglied des ›Breslauer Vereins zur Abhilfe der Not unter den Webern und Spinnern in Schlesien‹ und Regierungsassessor in Breslau. Dem Verein kam es auf eine ausführliche Beschreibung der Lage in Schlesien an, um die Öffentlichkeit für Hilfsmaßnahmen zu mobilisieren. Im Auftrag des Vereins und mit Unterstützung der Breslauer Regierung erstellt Schneer seinen Bericht, für den er amtliche Quellen, Aussagen von Webern und Kaufleuten und lokalen Verwaltungsbeamten heranzieht. Besonderes Interesse fanden Schneers unmittelbare Aufzeichnungen individuellen Elends, das er wenige Tage vor dem Aufstand in den Hütten der Spinner und Weber beobachtete. Er beschreibt das von ihm Gesehene mit einem dokumentarisch-abbildenden Anspruch. ›Der Sprecher‹[34] bemerkt am 9. Oktober 1844 in seiner Einleitung zu einer ausführlichen Wiedergabe dieser Schilderungen: ›Herr Schneer ist bis auf die Hausnummer genau.‹ Schneer empfindet bei der Benennung von einzelnen Erscheinungen des Elends ›sprachliche Unfähigkeit‹, ihm fehlt im Gegensatz zu Wilhelm Wolff ein geeignetes politisch-soziales Vokabular, die neuen sozialen Realitäten übergreifend zu erfassen. Trotzdem wird der Bericht zu einem Bezugstext für Publizisten und Literaten, die in anderen Teilen Deutschlands über die schlesischen Weber schreiben. Theodor Oelckers in Leipzig[35], Ernst Dronke in Berlin[36] und Otto Lüning in Bielefeld[37], ›Der Sprecher‹ in Wesel, die ›Weser-Zeitung‹ in Bremen, die ›Aachener Zeitung‹ übernehmen Schneers dokumentarisch-abbildende Schilderungen, um ihren Lesern Eindrücke dieses Elends zu vermitteln. Durch seine unmittelbare Rezeption gelangt Schneers Bericht in einen nach damaligem Verständnis sozialistischen Kontext, in dem er nach Schneers Absicht bestimmt nicht stehen sollte. Er sieht in ›christlicher Nächstenliebe‹ eine Möglichkeit zur Abhilfe der Not.

Etwa ein Jahr später übernimmt H.E.R. Belani (d. i. Carl Ludwig Häberlin) Passagen aus diesem Bericht in seine Erzählung ›Die armen Weber‹ (vgl. S. 302 bis 306). Auch Gerhart Hauptmann benutzt fast 50 Jahre später Schneers Darstellung; sein Drama enthält wichtige Details und einige Zitate.

6

Als die Spinner und Weber im Juni 1844 revoltieren, ist die schlesische und deutsche Öffentlichkeit nicht unvorbereitet. Der in diesem Band vorgelegte Querschnitt durch die Berichterstattung der deutschen Presse vor Ausbruch des Aufstands dokumentiert die allgemeine Aufmerksamkeit, welche die Textilproduktion und die in ihr tätigen Menschen 1844 in ganz Deutschland finden. Schon aufgrund dieser Berichterstattung kann die Revolte nicht nur als ein lokales Ereignis verstanden werden. Als der schlesischen Presse verboten wird, über die Unruhen in Peterswaldau und Langenbielau zu schreiben, verlagert sich die Intensität der Berichterstattung, die vor dem Aufstand bei der schlesischen Presse lag, auf außerschlesische Zeitungen nach Berlin, Bremen, Aachen, Mannheim, Leipzig, Augsburg, Trier und Köln. Lokalblätter übernehmen Korrespondentenberichte anderer Zeitungen, so die ›Düsseldorfer Zeitung‹, die ›Elberfelder Zeitung‹, das ›Elberfelder Kreisblatt‹ und viele andere, und ermöglichen so eine für damalige Verhältnisse ungewohnte Öffentlichkeit der schlesischen Spinner- und Weberrevolte. In den Zeitungen fehlt es nicht an Deutungsversuchen: Es ist von Hunger-Revolte die Rede, der Aufstand sei eine Manifestation des Proletariats, ein Tumult, ein Aufruhr, ein Exzeß, ein Arbeiteraufstand. Karl Marx stellt fest, ›daß *kein einziger* der französischen und englischen Arbeiter-Aufstände einen so *theoretischen* und *bewußten* Charakter besaß wie der schlesische Weberaufstand‹ (vgl. S. 227f.). Marx hebt auch einen maschinenstürmerischen Aspekt lobend hervor. Maschinenstürmerei ist aber keinesfalls ein besonders herausragendes Merkmal des *schlesischen* Aufstands, denn Maschinen befanden sich in nur geringer Zahl im Besitz der Fabrikanten Dierig, die einige Jacquard-Webstühle betrieben, und beim Fabrikanten Kramsta in Freiburg sowie in den Fabriken der Seehandlung in Erdmannsdorf und Grüssau, die aber nicht Ziel der Revolte waren und in denen lediglich Spinnmaschinen, keine mechanischen Webstühle, aufgestellt waren. In seiner entschiedenen Stellungnahme aus der Distanz des Pariser Exils stützte sich Marx vermutlich mehr auf seine Kenntnis der Arbeiterlage in Frankreich, Belgien und England als auf detaillierte Informationen aus Schlesien. Was man 1844 in Deutschland unter ›Sozialismus‹ versteht, wird hauptsächlich von den ›wahren‹[38] Sozialisten propagiert, einen wissenschaftlichen Sozialismus und Kommunismus gibt es noch nicht. Bei den ›wahren‹ Sozialisten handelte es sich um eine lose zusammenhängende Gruppe von Journalisten und Literaten, die keine in sich geschlossene, fertige Ideologie vertraten, sondern in der sich moralische, aus bürgerlichem Mitleidsdenken motivierte Forderungen nach einer allgemeinen und friedlichen Hebung der arbeitenden Klasse durch Bildung und Organisation der Arbeit (Ernst Willkomm[39], Hermann Püttmann[40], Otto Lüning, Karl Grün[41]) finden; aber auch ein philosophischer Sozialismus, der vor allem vom französischen Frühsozialismus[42] beeinflußt war, sich aber vom Mitleidsdenken und einer theoretischen Kritik der sozialen Zustände löst und eine radikale Umgestaltung der Gesellschaft und des kapitalisierbaren Privateigentums fordert (Wilhelm Wolff, Ernst Dronke, Moses Heß[43]). Die ›wahren‹ Sozialisten entfalten 1845/46 eine publizistische und literarische Aktivität in Sammelbänden, in denen durch philosophische Abhandlungen, Aufsätze, Berichte, Novellen und Gedichte für ihre Weltanschauung geworben wird.

Dabei werden die Positionen des ›wahren‹ Sozialismus am deutlichsten in der Publizistik formuliert. Gedichte und Novellen der ›wahren‹ Sozialisten bilden durch eine oft sentimentalisierende Aufbereitung einen überraschenden Kontrast zur journalistischen Behandlung des Weberthemas. Hintergründe und Ursachen der ›sozialen Frage‹ werden um 1844 am Beispiel der Spinner und Weber in der Publizistik weitaus konkreter analysiert als in der Literatur.

Worin nun besteht die Wirkung der Weber-Revolte? Sie zwang zur Stellungnahme, zur Parteilichkeit. 1844 sind alle gesellschaftlichen Gruppen herausgefordert, sich mit diesem Ereignis und der immer dringlicher werdenden ›sozialen Frage‹ zu beschäftigen. Zwar erringen die schlesischen Aufständischen keinen unmittelbaren Erfolg, der ihre Lage hätte ändern können – und auch in der Revolution von 1848/49 und in der weiteren Geschichte der Arbeiterbewegung treten sie nicht wieder als Gruppe revolutionär in Erscheinung; aber sie bewirken und erfahren durch ihre Revolte schon 1844 die Solidarität der in London ansässigen deutschen Arbeiter (vgl. S. 235 bis 237). Ihr Aufbegehren beschleunigt den Prozeß sozialer Theoriebildung. Das zunächst nur am Mitleid orientierte bürgerliche Sozialbewußtsein in Deutschland verzweigt sich im Laufe der vierziger Jahre in die Ideologie eines kapitalistisch handelnden Wirtschaftsbürgertums und die Ideologie einer vorerst nur kleinen Gruppe von Sozialisten und Kommunisten. Von ihnen wird die progressive Tradition bürgerlichen Denkens in Deutschland weitergeführt, indem sie Partei für die Unterdrückten der beginnenden Industrialisierung ergreifen. So ist die Weber-Revolte für beides wichtig: für die Geschichte des deutschen Bürgertums wie für die Geschichte der Arbeiterbewegung.

Lutz Kroneberg/Rolf Schloesser

Weber-Schilderungen

in der deutschen Literatur vor 1844

Johann Wolfgang Goethe
Wilhelm Meisters Wanderjahre
Lenardos Tagebuch (Auszug)
1820/21

Auf Bitten Goethes verfaßt Hans Heinrich Meyer (1760–1832), seit 1806 Direktor der Weimarer Zeichenakademie, im Jahr 1810 Beschreibungen der Schweizer Hausweberei. Goethe übernimmt diese Schilderungen der Spinner, ihrer Arbeit und Lebensumstände zehn Jahre später in seinen Bildungsroman ›Wilhelm Meisters Wanderjahre‹. Goethes Darstellungen, die nicht auf eigenen Beobachtungen beruhen, weisen auf erste Anzeichen einer maschinellen Produktionsweise in der Textilfertigung hin. Er kann um 1820 Spinner und Weber beschreiben, die noch nicht den Konkurrenzkampf mit der maschinellen Produktionsweise kennen, die ihr aber auch nicht mehr ausweichen können. Die sozialen Auswirkungen des ›Maschinenwesens‹ haben das private, ›gesellige‹ Leben der Spinner und Weber noch nicht erreicht.

Montag, den 15. [September]

[...] Für die entfernteren Gegenden im Gebirge, woher zu Markte zu gehen für jeden einzelnen Arbeiter zu weit wäre, gibt es eine Art von untergeordnetem Handelsmann oder Sammler, welcher Garnträger genannt wird. Dieser steigt nämlich durch alle Täler und Winkel, betritt Haus für Haus, bringt den Spinnern Baumwolle in kleinen Partien, tauscht dagegen Garn ein oder kauft es, von welcher Qualität es auch sein möge, und überläßt es dann wieder mit einigem Profit im größern an die unterhalb ansässigen Fabrikanten.

Als nun die Unbequemlichkeit, hinter den Maultieren herzuschlendern, abermals zu Sprache kam, lud mich der Mann sogleich ein, mit ihm ein Seitental hinabzusteigen, das gerade hier von dem Haupttale sich trennte, um die Wasser nach einer andern Himmelsgegend hinzuführen. Der Entschluß war bald gefaßt, und nachdem wir mit einiger Anstrengung einen etwas steilen Gebirgskamm überstiegen hatten, sahen wir die jenseitigen Abhänge vor uns, zuerst höchst unerfreulich; das Gestein hatte sich verändert und eine schiefrige Lage genommen; keine Vegetation belebte Fels und Gerölle, und man sah sich von einem schroffen Niederstieg bedroht. Quellen rieselten von mehreren Seiten zusammen; man kam sogar an einem mit schroffen Felsen umgebenen kleinen See vorbei. Endlich traten einzeln und dann mehr gesellig Fichten, Lärchen und Birken hervor, dazwischen sodann zerstreute ländliche Wohnungen, freilich von der kärglichsten Sorte, jede von ihren Bewohnern selbst zusammengezimmert aus verschränkten Balken, die großen schwarzen Schindeln der Dächer mit Steinen beschwert, damit sie der Wind nicht wegführe. Unerachtet dieser äußern traurigen Ansicht war der beschränkte innere Raum doch nicht unangenehm; warm und trocken, auch reinlich gehalten, paßte er gar gut zu dem frohen Aussehen der Bewohner, bei denen man sich alsobald ländlich gesellig fühlte.

Der Garnträger schien erwartet, auch hatte man ihm aus dem kleinen Schiebefenster entgegengesehen, denn er war gewohnt, womöglich immer an demselben Wochentage zu kommen; er handelte das Gespinst ein, teilte frische Baumwolle aus; dann ging er rasch hinabwärts, wo mehrere Häuser in geringer Entfernung nahe standen. Kaum erblickt man uns, so laufen die Bewohner begrüßend zusammen, Kinder drängen sich hinzu und werden mit einem Eierbrot, auch einer Semmel hoch erfreut. Das Behagen war überall groß und vermehrt, als sich zeigte, daß St. Christoph auch dergleichen aufgepackt und also gleichfalls die Freude hatte, den kindlichsten Dank einzuernten; um so angenehmer für ihn, als er sich, wie sein Geselle, mit dem kleinen Volke gar wohl zu betun wußte.

Die Alten dagegen hielten gar mancherlei Fragen bereit; vom Krieg wollte jedermann wissen, der glücklicherweise sehr entfernt geführt wurde und auch näher solchen Gegenden kaum gefährlich gewesen wäre. Sie freuten sich jedoch des Friedens, obgleich in Sorge wegen einer andern drohenden Gefahr; denn es war nicht zu leugnen, das Maschinenwesen vermehre sich immer im Lande und bedrohe die arbeitsamen Hände nach und nach mit Untätigkeit. Doch ließen sich allerlei Trost- und Hoffnungsgründe beibringen. Unser Mann wurde dazwischen wegen manchen Lebensfalles um Rat gefragt, ja sogar mußte er sich nicht allein als Hausfreund, sondern auch als Hausarzt zeigen; Wundertropfen, Salze, Balsame führte er jederzeit bei sich.

In die verschiedenen Häuser eintretend, fand ich Gelegenheit, meiner alten Liebhaberei nachzuhängen und mich von der Spinnertechnik zu unterrichten. Ich ward aufmerksam auf Kinder, welche sich sorgfältig und emsig beschäftigten, die Flocken der Baumwolle auseinanderzuzupfen und die Samenkörner, Splitter von den Schalen der Nüsse, nebst andern Unreinigkeiten wegzunehmen; sie nennen es erlesen. Ich fragte, ob das nur das Geschäft der Kinder sei, erfuhr aber, daß es in Winterabenden auch von Männern und Brüdern unternommen werde.

Rüstige Spinnerinnen zogen sodann, wie billig, meine Aufmerksamkeit auf sich; die Vorbereitung geschieht folgendermaßen: Es wird die erlesene und gereinigte Baumwolle auf die Karden, welche in Deutschland Krempel[1] heißen, gleich ausgeteilt, gekardet, wodurch der Staub davon geht und die Haare der Baumwolle einerlei Richtung erhalten, dann abgenommen, zu Locken festgewickelt und so zum Spinnen am Rad zubereitet.

Man zeigte mir dabei den Unterschied zwischen links und rechts gedrehtem Garn; jenes ist gewöhnlich feiner und wird dadurch bewirkt, daß man die Saite, welche die Spindel dreht, um den Wirtel verschränkt; wie die Zeichnung nebenbei deutlich macht (die wir leider wie die übrigen nicht mitgeben können).

Die Spinnende sitzt vor dem Rade, nicht zu hoch; mehrere hielten dasselbe mit übereinandergelegten Füßen in festem Stande, andere nur mit dem rechten Fuß, den linken zurücksetzend. Mit der rechten Hand dreht sie die Scheibe und langt aus, so weit und so hoch sie nur reichen kann, wodurch schöne Bewegungen entstehen und eine schlanke Gestalt sich durch zierliche Wendung des Körpers und runde Fülle der Arme gar vorteilhaft auszeichnet; die Richtung besonders der letzten Spinnweise gewährt einen sehr malerischen Kontrast, so daß unsere schönsten Damen an wahrem Reiz und Anmut zu verlieren nicht fürchten dürften, wenn sie einmal anstatt der Gitarre das Spinnrad handhaben wollten.

In einer solchen Umgebung drängten sich neue, eigene Gefühle mir auf; die schnurrenden Räder haben eine gewisse Beredsamkeit, die Mädchen singen Psalmen, auch, obwohl seltener, andere Lieder.

Zeisige und Stieglitze, in Käfigen aufgehangen, zwitschern dazwischen, und nicht leicht möchte ein Bild regeren Lebens gefunden werden als in einer Stube, wo mehrere Spinnerinnen arbeiten.

Dem beschriebenen Rädli-Garn ist jedoch das Brief-Garn vorzuziehen; hierzu wird die beste Baumwolle genommen, welche längere Haare hat als die andere. Ist sie rein gelesen, so bringt man sie, anstatt zu krempeln, auf Kämme, welche aus einfachen Reihen langer stählerner Nadeln bestehen, und kämmt sie; alsdann wird das längere und feinere Teil derselben mit einem stumpfen Messer bänderweise (das Kunstwort heißt ein Schnitz) abgenommen, zusammengewickelt und in eine Papiertüte getan und diese nachher an der Kunkel befestigt. Aus einer solchen Tüte nun wird mit der Spindel von der Hand gesponnen, daher heißt es aus dem Brief spinnen, und das gewonnene Garn Brief-Garn.

Dieses Geschäft, welches nur von ruhigen, bedächtigen Personen getrieben wird, gibt der Spinnerin ein sanfteres Ansehen als das am Rade; kleidet dies letzte eine große, schlanke Figur zum besten, so wird durch jenes eine ruhige, zarte Gestalt gar sehr begünstigt. Dergleichen verschiedene Charaktere, verschiedenen Arbeiten zugetan, erblickte ich mehrere in einer Stube und wußte zuletzt nicht recht, ob ich meine Aufmerksamkeit der Arbeit oder den Arbeiterinnen zu widmen hätte.

Leugnen aber dürft ich nicht sodann, daß die Bergbewohnerinnen, durch die seltenen Gäste aufgeregt, sich freundlich und gefällig erwiesen. Besonders freuten sie sich, daß ich mich nach allem so genau erkundigte, was sie mir vorsprachen, bemerkte, ihre Gerätschaften und einfaches Maschinenwerk zeichnete, ja selbst ihre Arme, Hände und hübschen Glieder mit Zierlichkeit flüchtig abschilderte, wie hierneben zu sehen sein sollte. Auch ward, als der Abend hereintrat, die vollbrachte Arbeit vorgewiesen; die vollen Spindeln in dazu bestimmten Kästchen beiseitegelegt und das ganze Tagewerk sorgfältig aufgehoben. Nun war man schon bekannter geworden, die Arbeit jedoch ging ihren Gang; nun beschäftigte man sich mit dem Haspeln und zeigte schon viel freier teils die Maschine, teils die Behandlung vor, und ich schrieb sorgfältig auf.

[. . .]

Donnerstag, den 18. September

Ich fand überhaupt etwas Geschäftiges, unbeschreiblich Belebtes, Häusliches, Friedliches in dem ganzen Zustand einer solchen Weberstube; mehrere Stühle waren in Bewegung, da gingen noch Spinn- und Spulräder, und am Ofen die Alten mit den besuchenden Nachbarn oder Bekannten sitzend und trauliche Gespräche führend. Zwischendurch ließ sich wohl auch Gesang hören, meistens Ambrosius Lobwassers vierstimmige Psalmen[2], seltener weltliche Lieder; dann bricht auch wohl ein fröhlich schallendes Gelächter der Mädchen aus, wenn Vetter Jakob einen witzigen Einfall gesagt hat.

Eine recht flinke und zugleich fleißige Weberin kann, wenn sie nicht Hilfe hat, allenfalls in einer Woche ein Stück von 32 Ellen[3] nicht gar zu feine Musseline zustandebringen; es ist aber sehr selten, und bei einigen Hausgeschäften ist solches gewöhnlich die Arbeit von vierzehn Tagen.

Die Schönheit des Gewebes hängt vom gleichen Auftreten des Webegeschirres ab, vom gleichen Schlag der Lade, wie auch davon, ob der Eintrag naß oder trocken geschieht. Völlig egale und zugleich kräftige Anspannung trägt ebenfalls bei, zu welchem Ende die Weberin feiner baumwollener Tücher einen schweren Stein an den Nagel des vordern Weberbaums hängt. Wenn während der Arbeit das Gewebe kräftig angespannt wird (das Kunstwort heißt dämmen), so verlängert es sich merklich, auf 32 Ellen etwa ¾ Ellen und auf 64 etwa 1½ Elle; dieser Überschuß nun gehört der Weberin, wird ihr extra bezahlt, oder sie hebt sich's zu Halstüchern, Schürzen usw. auf.

Ludwig Börne
Ein Brief aus Paris (Auszug)
1831

Ludwig Börne, eigentlich Löb Baruch (1786–1837), wollte kein Dichter sein. Mit Zeitungsaufsätzen, Briefen, Tagebuchnotizen, Feuilletons und Theaterkritiken schaltete er sich in die alltäglichen politischen und kulturellen Auseinandersetzungen ein und bekämpfte mit literarischen und journalistischen Mitteln radikal-oppositionell alle Kräfte, die den politischen und gesellschaftlichen Fortschritt hemmten.

Die ›Briefe aus Paris‹ (1830/33) dokumentieren in vielfältiger Weise seine Überzeugung, daß das ästhetische Zeitalter vom politischen abgelöst werde und daß die Literatur diesen Prozeß unterstützen müsse. Börnes Brief über den Seidenweber-Aufstand von 1831 in Lyon zeigt, wie ein mit den französischen politischen und sozialen Verhältnissen Vertrauter schon 1831 zu einer historisch wertenden Beurteilung der Seidenweber-Revolte kommen konnte. Börne geht weit über die anklagenden dokumentarischen Elendsbeschreibungen hinaus, wie sie dann im Deutschland der vierziger Jahre des 19. Jahrhunderts zum Muster des literarischen Protests werden.

Donnerstag, den 1. Dezember [1831]

Die Regierung hat bis heute noch keine Nachricht mitgeteilt, ob sie der Bewegungen in Lyon Herr geworden oder nicht. Sie sagen, der Nebel hindere den Telegraphen. Es gibt nichts Gefälligeres als so ein Nebel, der noch keinen Minister in der Not verlassen. Die Ruhe, die jetzt in Lyon herrscht, hat sich von selbst hergestellt; aber das Volk ist noch Meister der Stadt. [. . .] Casimir Périer[4], der König von Israel, der Hohepriester der Renten, der Held des Friedens, hat sich in der Kammer gebärdet wie Moses, als er vom Berge Sinai herabkam und das Volk um ein goldenes Kalb tanzen sah. Er hat den Götzendienern seine zehn Gebote an den Kopf geworfen und das goldene Kalb in Pulver verwandelt. Er ist ein kompletter Narr! [. . .] Dieser Casimir Périer hat darüber gefrohlockt, daß in den blutigen Geschichten von Lyon gar nichts von Politik zum Vorschein gekommen, und daß es nichts als Mord, Raub und Brand gewesen! Es sei nichts weiter als ein

Krieg der Armen gegen die Reichen, derjenigen, die nichts zu verlieren hätten, gegen diejenigen, die etwas besitzen! Und diese fürchterliche Wahrheit, die, weil sie eine ist, man in den tiefsten Brunnen versenken müßte, hielt der wahnsinnige Mensch hoch empor und zeigte sie aller Welt! [. . .] Es ist wahr, der Krieg der Armen gegen die Reichen hat begonnen, und wehe jenen Staatsmännern, die zu dumm oder zu schlecht sind, zu begreifen, daß man nicht gegen die Armen, sondern gegen die Armut zu Felde ziehen müsse. Nicht gegen den Besitz, nur gegen die Vorrechte der Reichen streitet das Volk; wenn aber diese Vorrechte sich hinter dem Besitze verschanzen, wie will das Volk die Gleichheit, die ihm gebührt, anders erobern, als indem es den Besitz erstürmt? Schon die Staaten des Altertums kränkelten an diesem Übel der Menschheit; dreitausend Jahre haben das Unheil gesät, und das Menschengeschlecht nach uns wird es ernten. Frei nannten sich die Völker, wenn die Reichen ohne Vorrang untereinander die Gesetze gaben und vollzogen; die Armen waren niemals frei. Über die kurzsichtigen Politiker, welche glaubten, in den Staaten, wo Adel und Geistlichkeit ihre Vorrechte verloren, sei der ewige Friede gesichert! Eben diese, wie Frankreich und England, stehen der fürchterlichsten Revolution näher als die andern Staaten, wo noch keine freien Verfassungen bestehen. In den letztern wird dem niedern Volke durch seinen benachbarten Stand, die Bürgerschaft, die Aussicht nach den höhern, bevorrechteten Ständen versteckt. Es vermißt daher keine Gleichheit. Da aber, wo der Mittelstand sich die Gleichheit erworben, sieht das untere Volk die Ungleichheit neben sich, es lernt seinen elenden Zustand kennen, und da muß früher oder später der Krieg der Armen gegen die Reichen ausbrechen. [. . .]

Bettina von Arnim
Dies Buch gehört dem König (Auszug)
Erfahrungen eines jungen Schweizers im Vogtlande
1843

Bettina von Arnim (1785–1859), Schwester des Romantikers Clemens Brentano (1778–1842), wird 1843 durch ihr soziale Thematik aufgreifendes Werk ›Dies Buch gehört dem König‹ einem breiteren Leserkreis bekannt. Für dieses Buch verfaßte der junge Schweizer Lehrer Heinrich Grunholzer (1819–1873) in ihrem Auftrag Beschreibungen von Spinnern, Handwerkern und Tagelöhnern, die im sogenannten Vogtland lebten, einer Armenkolonie vor den Toren Berlins. Dem dokumentarisch-abbildenden Material Grunholzers setzt Bettina einen leidenschaftlichen Appell an das Gewissen der Herrschenden voran.

Die von Goethe 1820 noch als intakt befundenen häuslich-familiären Verhältnisse der Weber sind zerrüttet, die ›äußere‹ Not kann nicht mehr durch eine ›gesellige‹ Privatsphäre ausgeglichen werden. Grunholzers Angaben sind so exakt, daß ein damaliger Leser in der Lage gewesen wäre, die Fakten in Berlin unmittelbar zu überprüfen: Der Realitätsbezug des ›Königsbuches‹ war für den zeitgenössischen Leser eindeutig. Nach dem Aufstand sieht der preußische Innenminister Graf von Arnim-Boitzenburg im ›Königsbuch‹ eine der Ursachen für die Weber-Revolte (vgl. S. 284).

Der Vater webet zu Bett und Hemden und Hosen und Jacke das Zeug und wirkt Strümpfe, doch hat er selber kein Hemd. Barfuß geht er und in Lumpen gehüllt!

Die Kinder gehen nackt, sie wärmen sich einer am andern auf dem Lager von Stroh und zittern vor Frost.

Die Mutter weift Spulen vom frühsten Tag zur sinkenden Nacht. Öl und Docht verzehret ihr Fleiß, und erwirbt nicht so viel, daß sie die Kinder kann sättigen.

Abgaben fordert der Staat vom Mann, und die Miete muß er bezahlen, sonst wirft ihn der Mietherr hinaus und die Polizei steckt ihn ein. Die Kinder verhungern und die Mutter verzweifelt.

Die Armenverwesung hat taube Ohren, sie läßt lange vergeblich sich anschreien vom Armen, was er ihr abdringt, das Leben zu fristen, läßt ihn nur langsamer sterben. Die Armenverwesung spart die milden Spenden zum Kapital und legt es auf Zinsen. Die Armen sind Verschwender: ›Heute essen sie, morgen nicht, übermorgen essen sie wieder, und in den Zwischentagen geben sie dem noch ärmeren Nachbar, was sie sich abhungern.‹

Kreuzweis wird durch die Stube ein Seil gespannt, in jeder Ecke haust eine Familie, wo die Seile sich kreuzen, steht ein Bett für den noch Ärmeren, den sie gemeinschaftlich pflegen. –

An Feiertagen hält der Mäßigkeitsverein eindringliche Reden im Vogtland, wo für 5 Dreier[5] fünfe ein Mahl sich bereiten. Ist Euer Magen zu schlaff, daß Ihr den Verein zum Vogtland nicht hinausbellt. So wie der Bettelvoigt mit Flüchen den wieder hineinbellt, der mit List durchschlüpft, um für Vater und Mutter ein Stück Brot zu erbetteln. Ihr sagt zwar: ›Es geht nicht zu helfen.‹ Ich sag: ›Es geht doch, Ihr widersprecht und seid nicht zum Schweigen zu bringen mit hohlen Gründen der Philisterei. Wärt Ihr aber selber die Armut, dann würdet Ihr allen Philisterverstand übertäuben mit dem Geschrei Eurer Not.‹

Soll der Adel Euch adeln, den mit Wucherglück der Bürger, seiner Abkunft zum Hohn, im adligen Gute sich ankauft: So mach er statt Luxus-Anlagen von Tempel und Grotte und tanzenden Wassern Anlagen für Heimatlose, und sein Sommerplaisir, die *english cottage*, mach er zur deutschen Hütte, worin deutsche Armut sich erholt; den englischen Rasen teil er aus zu Feldern für Kartoffel und Brot, und er ist Edelmann, wer wird widersprechen.

Höher steigt dann im Rang, wer's um die Armen verdient, durch ihre Betriebsamkeit mit sich zugleich sie selber emporbringt, der grünt am eignen Stamm wie ein edleres Pfropfreis, lebendige Bedeutung, die wir anerkennen in ihm, hat er als Graf.

Wer aber keinen andern Zweck mehr hat, als der Elenden Ansprüche ans Leben zu vertreten, keine Standeserhebung als nur die Erhebung der Menschheit insgesamt, der die Asche seiner Väter mit der Armen Asche auf dem Gottesacker sammelt, und keine Familiengruft baut seinen Ahnen, wo Lebende kein Obdach haben, der ist vom reinen Stamm – der Fürst der Menschheit und reich an Gütern der Weisheit, an denen wir alle ja arm sind. –

Vogtländer, bejammre nicht dein
eignes Geschick.
Beklage nur die, die kein Mitleid
fühlen mit dir.

Vor dem Hamburger Tore, im sogenannten *Vogtland,* hat sich eine förmliche Armen-Kolonie gebildet. Man lauert sonst jeder unschuldigen Verbindung auf. Das aber scheint gleichgültig zu sein, daß die Ärmsten in eine große Gesellschaft zusammengedrängt werden, sich immer mehr abgrenzen gegen die übrige Bevölkerung und zu einem furchtbaren Gegengewichte anwachsen. Am leichtesten übersieht man einen Teil der Armengesellschaft in den sogenannten ›Familienhäusern‹. Die sind in viele kleine Stuben abgeteilt, von welchen jede einer Familie zum Erwerb, zum Schlafen und Küche dient. In 400 Gemächern wohnen 2500 Menschen. Ich besuchte daselbst viele Familien und verschaffte mir Einsicht in ihre Lebensumstände.

In der Kellerstube Nr. 3 traf ich einen Holzhacker mit einem kranken Bein. Als ich eintrat, nahm die Frau schnell die Erdäpfelhäute vom Tische, und eine sechzehnjährige Tochter zog sich verlegen in einen Winkel des Zimmers zurück, da mir ihr Vater zu erzählen anfing. Dieser wurde arbeitsunfähig beim Bau der neuen Bauschule. Sein Gesuch um Unterstützung blieb lange Zeit unberücksichtigt. Erst als er ökonomisch völlig ruiniert war, wurden ihm monatlich 15 Silbergroschen zuteil. Er mußte sich ins Familienhaus zurückziehen, weil er die Miete für eine Wohnung in der Stadt nicht mehr bestreiten konnte. Jetzt erhält er von der Armendirektion 2 Taler monatlich. In Zeiten, wo es die unheilbare Krankheit des Beines gestattet, verdient er 1 Tlr. monatlich; die Frau verdient das Doppelte, die Tochter erübrigt 1½ Tlr. Die Gesamteinnahme beträgt also 6½ Tlr. im Monat. Dagegen kostet die Wohnung 2 Tlr., eine ›Mahlzeit Kartoffeln‹ 1 Sgr. 9 Pf.; auf zwei tägliche Mahlzeiten berechnet, beträgt die Ausgabe für das Hauptnahrungsmittel 3½ Tlr. im Monat. Es bleibt also noch 1 Tlr. übrig zum Ankaufe des Holzes und alles dessen, was eine Familie neben rohen Kartoffeln zum Unterhalte bedarf. – Im Zimmer Nr. 113 des gleichen Hauses wohnt der alte Sinhold mit seiner Frau. Aus dem letzten Feldzuge[6] kehrte er mit zerrütteter Gesundheit zur Arbeit in der Fabrik zurück. Er erzog neun Kinder. Die Armut zwang ihn, die Stadt zu verlassen und zwei Webstühle im Familienhause aufzustellen. Seit fünfzehn Wochen liegt er krank im Bette. Die Webstühle stehen still, die Frau ist mit der Epilepsie behaftet, verdiente sonst mit Spulen $1\frac{1}{2}$ Sgr. täglich, jetzt findet sie keine Arbeit. Die wenigen Gerätschaften gehören den Juden, der letzte Rock ist verkauft. Von der Armendirektion erhält Sinhold jeden Monat 1 Tlr., den aber der Hausverwalter sogleich in Empfang nimmt. Der Krankenverein reicht ihm die ›Krankensuppe‹, die ihn und seine Frau ernährt. Vom Hausherrn ist er ›ausgeklagt‹, d. h. er ist für drei Monat Miete schuldig. Am 1. April wird man ihn in die Charité[7] bringen, die Frau aus dem Hause jagen und das Zimmer versiegeln mit allem, was darinnen ist. –

Ich ging in den finstern Hausgängen auf und ab, horchte an den Türen, und wo ich weben hörte, trat ich ein. In Nr. 18 traf ich zwei Weber, die machten $\frac{5}{4}$ Elle breite dicke Leinwand. Jeder webt täglich 6 bis 7 Ellen und bezieht von der Elle 1 Sgr. Arbeitslohn; dagegen hat er wöchentlich 10 Sgr. für die Einschlagespulen und 5 Sgr. für Schlichte[8] auszugeben. In einem Monat werden also 4 Tlr. rein verdient. Nach Abzug der Miete bleiben noch 2 Tlr. auf Nahrung, Kleidung und Holz zu verwenden. – Einen Arbeiter sah ich, dem ist die Frau gestorben. Er kann keinen eigenen Haushalt führen, dient als Weberknecht, erhält von der Elle 8 Pf., und hat für sich und die Kinder das Tischgeld zu bestreiten. Diese Leute wären recht wohl zufrieden, wenn es ihnen nur nicht bisweilen wochenlang an Arbeit fehlte. – In Nr. 5 wohnt Unger, ein recht geschickter Weber. Er hat auf seinem Stuhle $1\frac{7}{8}$ Elle breite gestreifte Leinwand. An einem Stücke von 66 Ellen, mit welchem er in vierzehn Tagen fertig wird, verdient er 3 Tlr. 5 Sgr. Die Frau sagte mir, daß sie abwechselnd Kartoffeln und Hafergrütze koche, jede Mahlzeit koste $2\frac{1}{2}$ Sgr. Da die Kinder schlecht gekleidet seien, so müßten sie frieren, wenn sie nicht täglich für $1\frac{1}{2}$ Sgr. Holz einlegte. Wenn diese Leute nur zweimal essen im Tage, so beläuft sich die monatliche Ausgabe (2 Tlr. Miete eingerechnet) auf 7 Tlr. 15 Sgr., während die Einnahme im günstigsten Falle nur 6 Tlr. 10 Sgr. beträgt. Ich unterhielt mich lange mit Unger und seiner Frau. Er ist ein so verständiger und braver Mann und sie so heiter und freundlich, daß es mir ganz wohl zumute wurde. Ich dachte nicht mehr an jenes ungünstige Zahlenverhältnis, sah das Stroh nicht unter der leichten Bettdecke und achtete nicht mehr auf die Lumpen, in welche die Kinder gehüllt waren. Ich hörte keine Klage. Der Hausvater trieb emsig das Weberschiffchen hin und her und erzählte mir scherzend, daß es ihm mit den Kindern gehe wie dem bekannten Schuster Flick, der ein Kleines forttragen wollte und zwei zurückbrachte. Die Mutter hielt das kleinste Kind auf der Schürze und trieb das Spulrad. Dabei erzählte sie vergnügt, daß zwei Kinder die Schule besuchen und recht viel lernen. Es zeigt sich auch hier, daß die Armen ihre größte Freude an den Kindern haben und fest darauf rechnen, daß diese durch den Schulunterricht aus dem Elende gerissen werden. – Ist es nicht barbarisch, daß man heutzutage die Fruchtbarkeit der Armen so hart tadelt? Ich hörte schon oft sagen: Warum zeugen die Leute so viele Kinder, wenn sie diese doch nicht ernähren können! –

[. . .]

Im Querhause, Stube 72, traf ich Frau Schreyer. Ihr Mann war ein armer Weber, starb 1814 und hinterließ drei unerzogene Kinder. Die Witwe erzog diese im Familienhause, ohne von irgendeiner Seite unterstützt zu werden. Nur ein Sohn ist noch am Leben. Er lebt von der Mutter getrennt als Weber und kann mit Not seine Familie ernähren. Frau Sch[reyer] schloß sich an einen Weber an, dem sie die Bobinen[9] macht und so des Tags 1 Sgr. verdient. Es ist hier darauf zu achten, daß diese Frau mit einem Manne, mit dem sie nicht getraut ist, zusammenleben muß, nur um nicht arbeitslos zu sein und vor Hunger umzukommen. Hat jener keine Arbeit, so ist sie auch ohne Brot. Seit kurzer Zeit läßt ihr die Armendirektion monatlich 1 Tlr. 15 Sgr. zukommen. Davon braucht sie aber 1 Tlr. 1 Sgr. für die Hälfte der Miete (die andere Hälfte trägt der Weber). Sie hat also im Monat nur 1 Tlr. und 10 Sgr. auf Nahrung, Kleidung, Holz etc. zu verwenden. In diesem Augenblick verdient sie gar nichts und ist zudem unwohl. Es gibt Tage, wo sie nichts zu essen hat. Die gewöhnliche Nahrung besteht in Brot und bitterm Kaffee, in der Regel wird nur morgens und abends gespeist. Sie zeigte mir einen Teller voll Kaffeesatz, den eine arme Nachbarin gebettelt und mit ihr geteilt hat. – Es ist rührend, wie die Armen sich gegenseitig unterstützen! – Ich wollte mich soeben entfernen, als der ebenfalls im Familienhause wohnende Schuster G. etwas betrunken in die Stube trat. Es entwickelte sich ein Gespräch:

G.: »Ich habe hier ein Paar Stiefel für Ignaz. Ich weiß, daß er barfuß geht und sie brauchen kann, er soll mir nichts dafür geben.«

Frau Sch[reyer]: »Er ist jetzt nicht zu Haus.«

G.: »Wo ist er?«

Frau Sch[reyer]: »Er sitzt.«

G.: »Es ist nicht möglich?«

Fr[au] Sch[reyer]: »Doch – Sie wissen, daß er seit fünf Wochen keine Arbeit hat und wir beide großen Hunger leiden. Am Montag konnte er es nicht mehr aushalten. Er entlehnte ein Paar Schuh von unserm Nachbarn und ging um ein bißchen Brot aus. Da haben ihn die Gendarmen gleich erwischt und auf die Stadtvogtei gebracht.«

G. *(fängt an zu weinen)*: »Der alte Ignaz auf der Stadtvogtei! Die ehrlichste Haut, die es auf der Welt gibt! Ich habe ihn als Soldat gekannt, wie er bei Leipzig[10] focht, und seither waren wir immer gute Freunde.«

(Der Weber Matthes tritt herein und gibt der Witwe Schreyer Luthers Lebensgeschichte zurück.)

»Ist Ignaz noch nicht da?«

Fr[au] Sch[reyer]: »Nein. Ich erwarte ihn jeden Augenblick. Es liegt da Garn zu einer Schürze. Wir könnten wieder einen Groschen verdienen, wenn er los wäre. Ich habe diesen Morgen von der ›Bischoffen‹ Kleider gelehnt – ich kann so doch nicht vors Haus gehen –, ging dann nach der Stadtvogtei und bat den Referendarius, er möchte Ignazen freigeben. Er hat es mir auf diesen Mittag versprochen.«

Weber Ma[tthes]: »Er kommt heute nicht mehr, es ist schon zu spät.«

Fr[au] Sch[reyer]: »Aber er sitzt doch schon vier Tage, und der Referendarius sagte mir selbst, daß Ignaz nur wegen des Bettelns eingesteckt sei.«

Weber Ma[tthes]: »Der alte Mann dauert mich. Er hat noch Soldatenstolz, gewiß hat er nicht ohne die größte Not gebettelt.«

G.: »Nach der Not fragen sie auf der Stadtvogtei nicht. Man sollte aber die verfluchten Schreiber lehren, was Not ist. Die elenden Kerl dürfen einen alten Soldaten einstecken! Kreuzsakrament, ich bin auch Soldat gewesen! Man möchte . . . !«

Witwe Sch[reyer]: »Werden Sie nicht so eifrig. Ich kann dergleichen Redensarten auf meiner Stube nicht dulden.«

G. *(immer eifriger)*: »Sie wissen nicht, was Recht ist. Man gibt uns keine Arbeit, verbietet das Stehlen und wirft uns ins Loch, wenn wir betteln. Das kann nicht so fortgehen. Man kann noch anders sterben als vor Hunger. Ich weiß es, ich habe in sieben Schlachten mitgefochten.«

Weber Ma[tthes]: »Die sind aber nicht schuld daran, daß wir nichts verdienen.«

G.: »Aber sie verzehren doch Geld, das ihnen nicht allein gehört. Übrigens habe ich selbst erfahren, wie sie für die Armen sorgen. Weiber, die mit den Franzosen freundlich taten, werden unterstützt. Die Männer, welche die Franzosen aus dem Lande gejagt haben, werden verstoßen. Ich habe mich zum Nachtwächterdienst gemeldet und erhielt nicht einmal eine Resolution[11].«

Weber Ma[tthes]: »Da kann aber der König nichts dafür.«

G.: »Ich sage ja nichts gegen den König. Ich habe es bewiesen, daß ich gut preußisch bin. Ich habe gerne für den König gehungert, als er im Trocknen saß, ich habe ohne Murren acht Kinder auferzogen. Dafür sollte man mich aber in meinen alten Tagen nicht hungern lassen. Sie denken gewiß so wie ich und noch viele Tausend. Sie wollen sich nur zufriedenstellen vor diesem fremden Manne. Er ist kein Spion, aber wenn er einer wäre, so sagte ich es doch frisch heraus, daß es bei uns nicht auf dem rechten Wege geht. (*Mich von der Seite ansehend.*) Die verfluchten Zeitungsschreiber sagen es auch, aber tun weiter nichts.«

In diesem Tone ging es eine Zeitlang fort. Nach und nach kamen noch andere Nachbarn in die Stube. Alle fragten nach Ignaz. Die Versammlung ging in der größten Mißstimmung auseinander. –

[. . .]

Ich hätte die Untersuchungen gerne noch weiter fortgesetzt. Sowie es aber bekannt war, daß ich das Gesehene notiere und mitunter einige Groschen schenke, verfolgten mich Weiber und Kinder und wollten mich in ihre Wohnung führen. Um nicht das ganze Vogtland in Auflauf zu bringen, blieb ich weg. Es sind indessen die angeführten Beispiele weder ausgesucht noch ausgemalt, so daß sich leicht auf die übrigen Bewohner der Familienhäuser schließen läßt. Und für einmal ist deutlich genug nachgewiesen, wie man die Leute durch alle Stufen des Elendes in den Zustand hinabsinken läßt, aus welchem sie sich, selbst mit erlaubten Mitteln, nicht wieder herausarbeiten können, und daß mit den als Almosen hingeworfenen Zinsen der Armengüter keinem aufgeholfen wird. –

In den Familienhäusern traf ich auch auf Schulstuben. Ein *Privatverein* hat daselbst eine Kleinkinderschule, ein anderer drei Primarschulen, zwei für Knaben und eine für Mädchen, gestiftet und bis jetzt unterhalten. Die Zahl der Kinder wird sich auf circa dreihundertundfünfzig belaufen. Sie sehen im Durchschnitt recht gut aus, viele scheinen mit schönen Anlagen reichlich begabt. In der Kleinkinderschule sind gegen hundertundvierzig Knaben und Mädchen von zwei bis sechs Jahren unter der Leitung eines alten Ehepaars täglich sechs bis acht Stunden beisammen. Solchen, deren Eltern den ganzen Tag abwesend sind, gibt der Lehrer ein Mittagbrot für 6 Pf. Die äußere Einrichtung der Schule ist zweckmäßig, die innere hat mich unangenehm überrascht. Die armen Kleinen werden schon mit Schulkenntnissen abgequält, und dies auf die traurigste Weise. Die Haare standen mir zu Berg, als die Kinder folgende Fragen im Chor und taktmäßig beantworteten: ›Wie heißt das Buch, in welchem Gott mit uns spricht?‹ ›Was für Teile hat die Bibel?‹ ›Womit beginnt das Alte, das Neue Testament?‹ ›Was ist Taufe?‹ ›Wovon handelt das achte, vierte, sechste, das siebente Gebot?‹ ›Was für Lehranstalten sind in Berlin?‹ ›Was für Beamtete?‹ ›Was für Königreiche sind in Europa?‹ ›Was für Flüsse in Deutschland, Frankreich, Spanien?‹ –

Die vierjährigen Buben und Mädchen, die vom Ehebruch sprachen, kommen mir zeitlebens nicht aus dem Gedächtnis. –

Die untere Mädchenschule, wo Kinder von sechs bis zehn Jahren unterrichtet werden, versetzte mich ganz in eine Dorfschule des verflossenen Jahrhunderts. Dreiundvierzig Schüler buchstabierten miteinander aus Hornung's Leselernbüchlein[12], und der Lehrer schlug mit dem Stock den Takt dazu. Zum Schlusse der Stunde wurden die heiligen zehn Gebote im Chor aufgesagt und einige schwere Lieder auswendig aufs jämmerlichste abgesungen. –

Die Privatschulen werden doch auch unter Aufsicht des Staates stehen? Der Lehrer an der Mädchenschule sagte mir wenigstens, daß er von den hohen Erziehungsbehörden examiniert worden sei. –

Im Familienhause Nr. 92b kam ich glücklicherweise zu einer Betstunde (9. April). Um sechs Uhr abends versammelten sich in zwei nebeneinander liegenden Schulstuben ungefähr zweihundert Personen, darunter mehr Weiber als Männer und eine bedeutende Anzahl von Kindern. Wenn ich nach den Kleidern schließen darf, so bildeten die Bewohner der Familienhäuser die Minderheit, und es waren vornehme Damen aus der Stadt und Umgebung anwesend. Die gefaltenen Hände, die seitwärts geneigten Köpfe und die gezwungen niedergeschlagenen Augen brachten mich sogleich ins reine über den Charakter der Gesellschaft. Ich setzte mich zu Weber M., den ich bei der armen Witwe als Opponenten des unzufriedenen Schusters kennengelernt hatte. Nach geschehenem Gebete und Gesange stellte sich der Prediger auf die Schwelle der die beiden Zimmer verbindenden Tür. Im Äußeren dieses jungen Mannes fand ich den Geist der ganzen Versammlung summarisch ausgedrückt. Auf dem blassen Gesicht waren die Züge des geistigen Lebens glattgestrichen, Zerknirschung und Hochmut kämpften um die letzten Streifen. Die ganze Gestalt schien vor dem Kruzifix einzubrechen. Ich wußte zum voraus, daß eine Passionspredigt folgen würde, denn die Geistlichen sind in nichts gewissenhafter als in Festhaltung der nach der Lebensgeschichte Christi gemachten Textordnung. Wer fünfzig Jahre den Gottesdienst besucht hat, ward fünfzig Mal im gleichen Ideenkreise herumgeführt. Die Wahl des Textes: ›Darnach, als Jesus wußte, daß schon Alles vollbracht war, daß die Schrift erfüllet würde, spricht er: *Mich dürstet*‹ (Ev. Joh. 19, 28.) konnte mich also nicht befremden, wohl aber die Behandlung derselben. Mit einem leichten Sprunge setzte der Prediger über die Worte ›daß schon Alles vollbracht war‹ und ›daß die Schrift erfüllet würde‹ hinweg und arbeitete sich eine volle Stunde müde am Ausrufe ›*Mich dürstet*‹. Es war für den Theologen kein leichtes Geschäft, nachzuweisen, wie der Durst überhaupt entstehe, wie sich der leibliche Schmerz im Angesicht des Herrn ausdrückte, wie ihm die Lippen glühten usw. Noch weniger fand er sich zurecht in dem Kollisionsfalle, daß Christus, der Herr, dem die Macht über alles gegeben, der aller Hunger zu stillen, alle Schmerzen zu lindern weiß, Durst litt. Dagegen kam er ganz auf sein Feld, als er den leiblichen Durst auch als Durst des Herzens gefaßt hatte. Mit bewunderungswürdiger Beredsamkeit schilderte er die Schlechtigkeit der Menschen, zeigte, wie auch nicht einer gerecht war, und wie den Herrn danach dürsten mußte, die Seelen aus des Satans Gewalt zu gewinnen. Mit Begeisterung wurde ausgesprochen, daß Christus seine Seele nicht hoch und teuer gehalten, daß er sie freudig hingegeben habe für die elenden, sündhaftigen Menschen. Schlafend seien wir des höchsten Glückes teilhaftig geworden. Durch die Gnade des Herrn empfangen wir bewußtlos die heilige Taufe und werden gerettet vom Verderbnis des Heidentums. Indessen sei der Durst des Herrn doch zur Stunde noch nicht gelöscht. Groß sei die Zahl derjenigen, die den Durst des Herrn nicht stillen wollten. ›Ach, möchten wir doch recht heiß nach dem Herrn dürsten. Wir, die wir nur Strafe und Zorn verdienen! Doch, wir müssen alles vom Herrn erbitten, selbst, daß wir ihn lieben, daß wir nach ihm dürsten können; denn unser Herz ist so matt, so ohnmächtig, so tot, daß wir alles nur durch die Gnade des Herrn erlangen. Ach, könnten wir doch die Welt ganz aus unserm Herzen stoßen!‹ So ungefähr ging es eine Zeitlang fort, dann kam es an den moralischen Teil der Predigt und zwar schnurstracks an den Genuß des Branntweins. Es hieß, im Genusse dieses Giftes vergesse man der Worte des Herrn: ›Mich dürstet‹. Der Genuß geistiger Getränke sei darum ungerecht, weil Christus am Kreuze Durst gelitten. Es sei billig, daß man auch dürste, dieweilen der Heiland gedürstet habe, unbillig, diesem allein allen Schmerz zu überlassen und uns die sinnlichen Genüsse zu verschaffen. Mit der dringendsten Bitte, wenigstens in der Karwoche weder

Branntwein noch Punsch zu trinken, wurde die Passionspredigt geschlossen. Nachdem der Psalm: ›Wie nach einer Wasserquelle‹ abgesungen war, wurden die Statuten des Enthaltsamkeitsvereins vorgelesen, und der Prediger sprach die Erwartung aus, daß diejenigen, welche das Wort des Herrn: ›Mich dürstet‹ beherzigen, dem Vereine beitreten. Gerührt ging die Versammlung auseinander. –

Es werden wöchentlich zwei Betstunden gehalten. Es verdient Anerkennung, daß man den Armen, welche wegen Mangel an Kleidern die Kirchen nicht besuchen können, das Wort Gottes in ihrem Hause predigt, und daß Leute aus höhern Ständen an diesem besondern Gottesdienste teilnehmen und eine christliche *Gemeinschaft* herzustellen bemüht sind. Doch bringt die Betstunde nur dann Segen ins Armenhaus, wenn sie rein von Heuchelei und Frömmelei ist, und wenn die Teilnehmer aus höhern Ständen nicht zu jenen erbärmlichen Menschen gehören, welche an Kopf und Herz krank sind und die größte Freude haben, wenn sie andere anstecken können. Wenn es überhaupt lächerlich ist, die schönste Lebenszeit mit Sündenbetrachtungen zu verlieren, so ist es geradezu unmenschlich, die Armen gewaltsam in dieselben zu versenken. Es ist Pflicht, daß man diese im Glauben an den Wert der menschlichen Seele stärke, damit sie sich ermannen und dem Schicksale trotzen. Wer es nicht versteht, den Geist, ›der lebendig macht‹, zu predigen, der dränge den Armen seine Litaneien nicht auf. Es ist besser, es komme ein Leierkastenmann in den Hof zwischen den Familienhäusern denn ein pietistischer Pfarrer. Jenen Freunden der Gemeinschaft aber ist zu raten, daß sie arm und reich nicht in der Narrheit zu vereinigen suchen, sondern handeln nach Ev. Matth. XIX. 21: ›Willst Du vollkommen sein, so gehe hin, verkaufe was Du hast und gib es den Armen‹ usw. –

Im Vogtlande gibt es auch außer den Familienhäusern des Herrn Heyder noch verschiedene Wohnungen, wo viele Arme beisammen sind. Am bekanntesten ist Nr. 42 in der Langen Gartenstraße. Man wollte mich abhalten von dem Besuche dieses Hauses, indem man sagte, es sei von Leuten bewohnt, die aus dem Zuchthause entlassen seien oder dahin gehören. Das schlechteste Gesindel sammle sich dort, ich könne leicht mißhandelt und geplündert werden, die Polizeidiener haben fortwährend dort zu schaffen. Dies zog mich gerade hin. Um die Leute zu Hause zu treffen, wählte ich einen Sonntagabend zu diesem Spaziergange. Das Haus ist ziemlich weit vom Hamburger Tore entfernt. Es sieht besser aus als die Familienhäuser. Vor demselben spielten die Kinder, auf der Treppe saßen viele Weibspersonen, Männer und Jünglinge standen beisammen und plauderten. Ich machte mich auf Neckereien gefaßt, wie man solche etwa von den Berliner Gassenjungen zu ertragen hat. Die jungen Burschen waren aber ganz freundlich gegen mich. Die Mädchen, welche mich wahrscheinlich für einen Prediger hielten, lachten etwas unanständig hinter meinem Rücken. So kam ich mitten in das berüchtigte ›Gesindel‹ ohne alle Gefahr. Ich schämte mich, daß ich einen starken Stock als Verteidigungswaffe mitgenommen hatte, und warf in meinem Kopfe die hohlen Definitionen von ›Spitzbub, Auswurf der Menschheit‹ etc. über den Haufen. Ich unterhielt mich recht angenehm mit den Leuten und bestärkte mich in der Ansicht, daß man in den verschiedensten Teilen der menschlichen Gesellschaft das gleiche Licht der Seele wiederfinde, nur in verschiedener Form. Wer dasselbe sehen will, darf das eigene Licht nicht unter den Scheffel stellen. ›Das Gleiche findet sich stets.‹ Wer das Herz freundlich schlagen läßt, dem schlagen die Herzen anderer freundlich entgegen. Wer aber seine Gesinnung in die Paragraphen einer brutalen Polizeiverordnung schnürt, der wird überall auf Brutalität stoßen. –

Das Haus gehört der Witwe Neumann, welche, obschon sehr alt und fast blind, das Regiment klug zu führen scheint. Der Sohn unterstützt sie dabei und besitzt einen Kramladen, aus welchem die Hausbewohner die meisten Lebensmittel beziehen, und wo sie dagegen absetzen, was sie auf der Straße zusammentreiben. Hausbesitzer und Mietsleute bilden ziemlich eine Familie zusammen. Wenn diese auch das Mietgeld nicht regelmäßig bezahlen, so werden sie deshalb nicht exmittiert[13], wahrscheinlich, weil sie die Industrie des Ganzen unterstützen. Es sind einzelne bis auf 15 Tlr. schuldig und doch geduldet. Oft kommt es vor, daß die Polizei auf Exmission einzelner Familien dringt, und diese von Neumann in Schutz genommen werden. Es ist zu begreifen, wenn der Polizeikommissarius dieser Armengesellschaft nicht grün ist, sie scheint wohl konstituiert und für die Schergen unüberwindlich zu sein. Es wurde mir bereitwillig gestattet, mich in den einzelnen Stuben umzusehen. Das ›Mütterchen‹ begleitete mich aber überall und warf mich durch seine Einmischung ins Gespräch oft aus dem Geleise der Untersuchungen. In zwölf Stuben sind achtundzwanzig ältere Personen und fünfundvierzig unerzogene Kinder beherbergt. Was sich von ihrer Lage sagen läßt, stimmt ganz überein mit den in den Familienhäusern gemachten Beobachtungen. –

Der Weber Fechter fand keine Arbeit, wußte Frau und Kinder nicht mehr zu ernähren und verließ diese vor einigen Wochen, damit die Armendirektion, welche jüngere Hausväter nicht unterstützt, genötigt werde, sich der hilflos Zurückgelassenen anzunehmen. Die Frau liegt todkrank in der Charité. Für ein Kind von fünf Monaten, welches einem armen Weber übergeben ist, werden monatlich 2 Tlr. Pflegegeld bezahlt. Einen vierjährigen Knaben hat Herr Neumann angenommen. –

Der Weber Naumann ist schon sieben Wochen für 3 Tlr. 15 Sgr. im Schuldarrest. Der Exekutor ging persönlich mit ihm zum Armendirektor und stellte diesem vor, daß der Armendirektion, wenn sie jene Schuld nicht tilge, eine Frau mit sechs kleinen Kindern auf den Hals falle. Doch umsonst: Man läßt den armen Mann im Gefängnis sitzen und reicht der brotlosen Familie monatlich 4 Tlr. Unterstützung. Es zeigt sich an diesem Beispiele deutlich, wie ungeschickt die Armenfonds benutzt werden. Anstatt den rechten Augenblick der Unterstützung kennenzulernen und zu benutzen, verwendet man die Gelder auf *Almosen, die noch keinem Armen aufgeholfen haben.* Aus diesen wird das Mietgeld bestritten und das übrige genügt nicht, die Familie vor großem Hunger zu sichern. Die junge Frau des Hausbesitzers erzählte mir, daß die Kinder tagelang hungern, und sie das kleinste schon oft an ihrer Brust genährt habe. –

Schneider von Hirschlanden bei Zürich hat den russischen Feldzug[14] mitgemacht und wohnt seit 1813 in Berlin. Von neun Kindern hat er die zwei jüngsten bei sich. Er leidet an einem doppelten Bruchschaden. Seine Frau ist alt und kränklich. Beide suchen Knochen und Papier. Heute haben sie auf diesem Wege 2 Sgr. 4 Pf. verdient. Vor einem Jahre erhielten sie 2 Tlr. Unterstützung von der Armendirektion. Vor zwei Jahren hat Schneider jemanden um ein Almosen angesprochen. Er bekam 3 Pf., wurde von einem Polizeidiener erwischt und auf sechs Monat eingesperrt.

In der gleichen Stube wohnt eine alte Witwe, welche ebenfalls Knochen sucht. –

Kornewitz ist ein Soldatenkind und hat in seiner Jugend mehrere Feldzüge mitgemacht. Nachher wurde er bei der Post als Schirrmeister angestellt, vor acht Jahren aber abgesetzt, weil er infolge eines Nervenfiebers wahnsinnig geworden sei. Er und seine Frau behaupten, daß ein gewisser R.-Rat B., welchem Kornewitz einmal das Übergewicht nicht verheimlichen wollte, die Absetzung bewirkt habe. Das Postamt hat ihm monatlich 8 Tlr. Pension ausgesetzt. Von dreizehn Kindern leben sechs, fünf sind noch unerzogen und wohnen bei den Eltern. –

Der Weber *Weber* ist achtundfünfzig Jahre alt, seit Mitte November vorigen Jahres ohne Arbeit. Hausgeräte und Kleider sind verkauft. Die Kinder sind vor Hunger blaß. –

Der Weber Beneke ist vierzehn Wochen ohne Arbeit. Er liegt krank im Bette. Die vier Kinder scheinen großen Mangel zu leiden. Die Frau gestand mir, daß sie durch Betteln die ihrigen ernähre. Von der Armendirektion hat sie einmal 2 Tlr. bekommen.

Im gleichen Zimmer wohnt unentgeltlich der alte Warich. Er sucht Knochen und Papier. –

Auf die Polizei und die Armendirektion kommen die Leute nicht gut zu sprechen. Jene verlange, daß man die Armen auf die Gasse stelle, damit sie in den ›Ochsenkopf‹[15] gebracht werden können. Der Armendirektor wolle da nicht angreifen, wo viele Dürftige beisammenwohnen. Es sei merkwürdig, daß sich ein Armendirektor erhängt habe und sein Nachfolger wegen Veruntreuung der Gelder abgesetzt worden sei und nun selbst bettle. –

Die Weberfrage

in der deutschen Presse des Jahres 1844

Zeitungen. Redakteure. Tendenzen

Als im Juni 1840 Friedrich Wilhelm IV. preußischer König wird, verbinden die deutschen Oppositionellen aller Schattierungen ihre Hoffnungen auf eine Milderung der Zensurbestimmungen mit dem vermeintlich ›liberalen‹ Kurs des neuen Königs. Vieles schien dafür zu sprechen, denn Friedrich Wilhelm IV. ließ am 24. Dezember 1841 in einer Zensurinstruktion verkünden, daß ›der edlen, loyalen, mit Würde freimütigen Gesinnung, wo sie sich kundgeben mag, die Freiheit des Wortes nicht verkümmert, und der Wahrheit das Feld der öffentlichen Besprechungen so wenig als möglich beschränkt werden‹ dürfe.

Bis zum Ausbruch des Weberaufstands waren diese Hoffnungen längst enttäuscht worden. Schon im Oktober 1842 hatte die preußische Regierung eine Zensurinstruktion erlassen, die den früheren, durch die Karlsbader Beschlüsse 1819 geschaffenen Zustand wiederherstellte. Nach der Revolte untersagte Friedrich Wilhelm IV. in einer Kabinettsorder vom 14. Juni 1844 speziell der schlesischen Presse, soziale Angelegenheiten zu behandeln.

Trotz der behördlichen Zensur- und Unterdrückungsmaßnahmen ist aber die deutsche Presse der frühen vierziger Jahre außerordentlich farbig und lebendig. Dazu trugen Zeitungsneugründungen ebenso bei wie Verbote, die Journalisten und Leser gleichermaßen beschäftigten. Unter vielem anderen wurde über den Eisenbahnbau, über Streiks der dabei tätigen Arbeiter und die Betrügereien mit Eisenbahnaktien berichtet. Und kaum eine Zeitung in Deutschland, die nicht das Elend der schlesischen Spinner und Weber erörtert hätte. Berücksichtigt man noch den täglichen Kampf der liberalen Opposition um mehr bürgerliche Freiheiten und die Publikationen der ›wahren‹ Sozialisten, dann hat man das Bild einer engagierten, spannend zu lesenden Presse, die um 1844 ein großes Echo in der Öffentlichkeit fand, was an steigenden Abonnentenzahlen der liberalen und wahrsozialistischen Blätter abzulesen ist. Die Auflagenzahlen der deutschen Presse des Jahres 1844 wurden erst 1848 deutlich übertroffen.

Wie kamen 1844 Zeitungsnachrichten zustande? Es gab zu dieser Zeit keine Korrespondenzbüros, auch keine regierungsamtlichen Informationsstellen. Journalisten arbeiteten im allgemeinen mit verschiedenen Zeitungen zusammen und lebten von ihren vertraulichen Informationen und persönlichen Kontakten zu Politikern und Vertretern des kulturellen Lebens. Nicht selten verkauften sie ihre Nachrichten in verschiedener politischer Färbung an mehrere Zeitungen. Diese nahmen Korrespondenzen gerne auf, weil nur wenige Blätter damals über ein dichtes Korrespondentennetz verfügten; so wurden häufig Artikel anderer Journale übernommen: Die Zeitungen bildeten gewissermaßen gegenseitige Nachrichtenagenturen. Die Auswahl der Beiträge erfolgte mehr unter dem Gesichtspunkt der Aktualität als unter dem der politischen Tendenz. Will man deshalb heute die politische Richtung einer damaligen Zeitung kennzeichnen, muß man immer bedenken, daß eine Tendenz wohl mehr oder weniger dominierend war, aber vielfach auch durch die Übernahme von Artikeln aus anderen Zeitungen durchbrochen wurde. In der Aktualität vorn zu sein, war 1844 aber nicht nur eine Frage des Korrespondentennetzes, sondern auch der postalischen Lage einer Zeitung. Die ›Aachener‹, die ›Trier'sche‹ und die ›Weser-Zeitung‹ – sie alle lagen an der Peripherie Deutschlands – schienen wegen der langen Postwege benachteiligt. Bei der ›Weser-Zeitung‹ beispielsweise half man sich deshalb bei wichtigen Ereignissen mit Stafetten.

In *Schlesien* gab es 1844 ein erstaunlich differenziertes Pressewesen. Neben kleineren Lokalblättern und Periodika, wie dem ›Boten aus dem Katzbachthale‹ und dem ›Boten aus dem Riesengebirge‹ oder den ›Schlesischen Provinzialblättern‹, waren die ›Breslauer Zeitung‹ und die ›Privilegirte Schlesische Zeitung‹ die bekanntesten, auch außerhalb Schlesiens gelesenen Zeitungen. Für die vorliegende Anthologie konnte die ›Breslauer Zeitung‹ nicht herangezogen werden, weil der Jahrgang 1844 in bundesdeutschen Bibliotheken und Archiven nicht nachweisbar ist. Dagegen war es möglich, die ›Schlesische Chronik‹, im Untertitel nannte sie sich ›Organ für das Gesamt-Interesse der Provinz‹, mit aufzunehmen. Sie erschien als Beiblatt zur ›Breslauer Zeitung‹ und konnte von deren Abonnenten zusätzlich bezogen werden. Mitarbeiter der ›Chronik‹ war zeitweise Wilhelm Wolff, was zweifellos dazu beitrug, daß diese um 1844 in Schlesien sehr beliebte Beilage einen außerordentlich detaillierten Einblick in historische, wirtschaftliche, religiöse und soziale Verhältnisse Schlesiens bot. Die ›Schlesische Chronik‹ erschien von 1836 bis Ende Juni 1849.

Die ersten ausführlichen Darstellungen des Spinner- und Weberelends in der schlesischen Presse wurden von den Zeitungen im übrigen Deutschland sehr schnell aufgenommen. Nachrichten sowohl aus der ›Breslauer‹ als auch aus der ›Privilegirten Schlesischen Zeitung‹ verknüpfte vor allem die ›Trier'sche Zeitung‹ mit den sozialen Verhältnissen der westfälischen Webereidistrikte (diese Artikel bleiben in der vorliegenden Anthologie unberücksichtigt). Die Inhaltsangabe der Berichterstattung über die Webernot in Alfred Oehlkes ›100 Jahre Breslauer Zeitung 1820–1920‹ läßt vermuten, daß sich die Berichte der ›Breslauer‹ nicht wesentlich von denen der ›Privilegirten Schlesischen Zeitung‹ unterschieden.

Bis zum Aufstand orientierte sich die Presse außerhalb Schlesiens an den Nachrichten dieser beiden Zeitungen. Über die Revolte selbst konnte die regierungstreue ›Schlesische‹ nur noch kurze Notizen abdrucken (vgl. S. 147 und S. 154). Die Leipziger ›Deutsche Allgemeine Zeitung‹ und die Berliner Zeitungen berichteten als erste außerschlesische Organe über die Unruhen. Im Juni und Juli 1844 brachte die ›Deutsche Allgemeine‹ ausführliche Informationen und Kommentare zum Aufstand, wobei zunächst Berichte über den Verlauf der Revolte überwogen, die von fast allen Blättern Deutschlands übernommen wurden. An die Stelle von Nachrichten treten in der ›Deutschen Allgemeinen‹ aber immer mehr Stellungnahmen, in denen die Aufständischen um so verächtlicher gemacht werden, je mehr man sich in Lobhudeleien gegenüber dem preußischen König ergeht.

Die ›Deutsche Allgemeine Zeitung‹ erschien erst seit Juni 1843 unter diesem Titel. Ihre Vorgängerin war die ›Leipziger Allgemeine Zeitung‹, die von 1837 bis 1843 in der Verlagsbuchhandlung F. A. Brockhaus in Leipzig verlegt wurde. Mitarbeiter der ›Leipziger Allgemeinen‹ waren bis zu ihrem Ende unter anderen der Radikaldemokrat Karl Heinzen und einige jungdeutsche

Schriftsteller. Sie alle setzten sich leidenschaftlich für Pressefreiheit ein. Am 24. Dezember 1842 brachte die ›Leipziger‹ einen von Georg Friedrich Herwegh, dem bedeutendsten politischen Lyriker des Vormärz und Symbol der Opposition in Deutschland, an Friedrich Wilhelm IV. gerichteten und nicht zur Veröffentlichung bestimmten Privatbrief. Mit ihm reagierte Herwegh auf das für Preußen ergangene Verbot des ›Deutschen Boten aus der Schweiz‹, dessen Redaktion er übernehmen sollte. Das Verbot kam um so unerwarteter, weil Herwegh noch wenige Tage zuvor von Friedrich Wilhelm IV. in Audienz empfangen worden war. Mit seinem Brief hatte Herwegh dem preußischen König ›die volle, ganze Wahrheit sagen‹ wollen, ›wie er sie noch nie gehört‹. Den Brief nahm die preußische Regierung sofort zum Anlaß, den Vertrieb der ›Leipziger Allgemeinen Zeitung‹ in Preußen zu untersagen. Herwegh wurde aus Preußen ausgewiesen. Die Gebrüder Heinrich und Friedrich Brockhaus bemühten sich im Laufe des Jahres 1843 um eine Wiederzulassung des Blattes unter dem Titel ›Deutsche Allgemeine Zeitung‹. Redakteur sollte Friedrich Bülau werden, der von 1837 bis 1844 Leipziger Zensor war. Trotzdem genehmigte die preußische Regierung die Zulassung erst, nachdem sich die Verleger mit einer Säuberung des Korrespondentenkreises einverstanden erklärt hatten, wodurch die Hälfte der bisherigen Journalisten ausgeschaltet wurde. Es dauerte ein halbes Jahr, bis die ›Deutsche Allgemeine Zeitung‹ auch in Preußen offiziell verbreitet werden durfte. Aus einem vormals liberal-oppositionellen war ein konservativ-regierungsfreundliches Blatt geworden.

In Berlin, dem Sitz der preußischen Regierung, mußte die Presse mit besonderer Empfindlichkeit der Behörden rechnen. Die ›Königlich privilegirte Berlinische Zeitung von Staats- und gelehrten Sachen‹, auch ›Vossische Zeitung‹ genannt, war – im Jahr 1704 gegründet – Berlins ältestes Journal. Im Gegensatz zu den ministeriellen, konservativen ›Berlinischen Nachrichten von Staats- und gelehrten Sachen‹, die nach ihrem Gründer Johann Karl Philipp Spener ›Spenersche Zeitung‹ genannt wurde, vertrat die ›Vossische‹ in den vierziger Jahren einen gemäßigt liberalen Kurs. Georg Wilhelm Heinrich Häring, der unter dem Pseudonym Willibald Alexis bekannte Verfasser realistisch-historischer Romane, schrieb 1843 eine Artikelserie für die ›Vossische‹, in der er unter anderem das Verbot der ›Leipziger Allgemeinen‹ und der ›Rheinischen Zeitung‹ nachdrücklich bedauerte. Mitarbeiter der ›Vossischen‹ war um 1844 auch Theodor Mundt, der zu den Schriftstellern des Jungen Deutschland gehörte, denen am 10. Dezember 1835 durch Bundesbeschluß Veröffentlichungen verboten worden waren.

Zu den konservativsten und regierungstreuesten Blättern zählte 1844 die ›Allgemeine Preußische Zeitung‹. In diesem Jahr wurde sie von Karl Heinrich Hermes geleitet, der von Januar bis Mai 1843 Chefredakteur der ›Kölnischen Zeitung‹ gewesen war. Hermes war bei der ›Kölnischen‹ entlassen worden, als herauskam, daß er – bestochen von preußischen Behörden – regierungsfreundliche Artikel eingeschoben hatte. Die ›Allgemeine Preußische‹ brachte, wie die ›Deutsche Allgemeine‹, sehr früh Nachrichten über den Verlauf des Weberaufstands, die anschließend von vielen Zeitungen in Deutschland übernommen wurden.

Die zwischen dem 7. und 11. Juni 1844 von der schlesischen und Berliner Presse veröffentlichten Meldungen über die Revolte repräsentieren den gesamten Nachrichtenstoff, der bis zum 14./15. Juni der deutschen Presse zur Verfügung steht. Eine Ausnahme bildet die ›Aachener Zeitung‹, die schon am 11. Juni (vgl. S. 155f.) einen eigenen Korrespondentenbericht aus Breslau bringt.

Die seit dem 1. Januar 1844 in Bremen erscheinende ›Weser-Zeitung‹ reagierte unmittelbar mit Übernahmen aus der ›Deutschen Allgemeinen‹ und den Berliner Zeitungen. Ihr Verleger Gustav Bernhard Schünemann hatte einen mit modernen Schnellpressen ausgestatteten Zeitungsverlag aufgebaut. Ähnlich wie die ›Kölnische‹ war die ›Weser-Zeitung‹ als ein politisches Tages- und Handelsblatt konzipiert, das mit einem für damalige Verhältnisse ungewöhnlich großen Inseratenteil den wirtschaftlichen Interessen des Bremer Bürgertums entgegenkommen wollte. Schnelligkeit wurde bei der ›Weser-Zeitung‹ großgeschrieben: Die neuen Druckmaschinen ermöglichten, daß Nachrichten, die erst mittags eingetroffen waren, bereits abends erschienen. Wichtige Meldungen, die am Abend eingingen, wurden am nächsten Morgen in einem Extrablatt veröffentlicht.

Die Tendenz der Zeitung war durch oppositionelle Distanz

Preußen gegenüber und einen betont national/liberalen Kurs bestimmt, der vor allem vom ersten leitenden Redakteur der ›Weser-Zeitung‹, Thomas Heinrich Arens und durch Otto Gildemeister in den vierziger Jahren verfolgt wurde. Gildemeister gehörte später zu den bekanntesten Leitartiklern im deutschen Kaiserreich.

Die ›Weser-Zeitung‹ hatte rasch Erfolg. Auch in Preußen, wo 1846 schon an die 2000 Exemplare vertrieben wurden. In Bremen selbst gab es 1845 bereits 2200 Abonnenten. National/liberale Richtung bei schnell wachsenden Abonnentenzahlen führte 1846 zu einem Verbot der ›Weser-Zeitung‹ auf preußischem Territorium. Sie durfte in Preußen weder verkauft noch über preußisches Gebiet postalisch befördert werden, was den Absatz in die übrigen deutschen Staaten erheblich erschwerte. Das Verbot blieb bis 1848 bestehen.

Zu den auflagenstärksten deutschen Blättern zählte 1844 die Augsburger ›Allgemeine Zeitung‹. Sie war 1798 von Johann Friedrich Cotta (1764–1832) in Stuttgart als ein politisches Tageblatt gegründet worden und wurde von 1810 bis 1882 in Augsburg verlegt. In den dreißiger und frühen vierziger Jahren war sie das maßgebende Blatt des liberalen Bürgertums. Auf Druck des österreichischen Kanzlers Fürst von Metternich, des eifrigen Beobachters und Verfolgers liberaler Umtriebe, wurde sie 1844 in ihren politischen Stellungnahmen sehr zurückhaltend. Heinrich Heine veröffentlichte 1831 und 1832 sowie von 1840 bis 1848 Berichte aus Paris in der Augsburger ›Allgemeinen‹. Ihre Informationen über die Weber-Revolte bezieht sie weitgehend aus der ›Allgemeinen Preußischen‹, der ›Kölnischen‹ und der ›Aachener Zeitung‹. Erst spät erscheinen eigene Kommentare (vgl. S. 199 bis 201 und S. 224f.).

Die katholisch-konservative ›Kölnische Zeitung‹ hatte 1844 in Köln eine Monopolstellung. Sie profitierte von dem zum 1. April 1843 ergangenen Verbot der ›Rheinischen Zeitung für Politik, Handel und Gewerbe‹, die seit dem 1. Januar 1842 forciert und angriffsfreudig die wirtschaftlichen Interessen des liberalen rheinischen Handelsbürgertums vertreten hatte und außerdem das Organ der Junghegelianer gewesen war: mit Bruno und Edgar Bauer, Max Stirner, Karl Grün und Moses Heß als Mitarbeiter unter anderen. Nachdem im Oktober 1842 Karl Marx ihr leitender Redakteur geworden war, hatte die ›Rheinische‹ durch eine kommentierende Berichterstattung eine radikaldemokratische Tendenz bekommen, wie sie in dieser Geschlossenheit und in diesem Niveau bis dahin in Deutschland noch nicht zu finden gewesen war.

Die ›Kölnische Zeitung‹, fest in der Hand ihres Verlegers Joseph DuMont, ›bediente‹ aus verkaufs-ökonomischen Gründen wechselnd die Bereiche ›konservativ‹, ›liberal‹ und ›national‹. Im Mai 1843 hatte der Feuilletonredakteur der ›Kölnischen‹, Hermann Püttmann, interimistisch den von der preußischen Regierung bestochenen Karl Heinrich Hermes als leitenden politischen Redakteur abgelöst. Im November übernahm Karl Theodor Andrée diese Position. DuMont teilte seinen Lesern am 14. Dezember mit: ›Die Tendenz des Blattes ist die des Fortschritts, der nationalen Entwicklung, des deutschen Bürgertums.‹ Hermann Püttmann wurde Ende 1844 wegen seiner Verbindungen zu sozialistischen Zirkeln in Köln von DuMont entlassen. Wie die Augsburger ›Allgemeine‹ berichtete auch die ›Kölnische‹ über den Verlauf des Weberaufstands anhand der schlesischen und Berliner Presse. Zwei Beispiele der für die konservative ›Kölnische‹ ungewöhnlichen Kommentare sind hier wiedergegeben.

Die ›Aachener Zeitung‹, verlegt vom liberalen rheinischen Industriellen David Justus Ludwig Hansemann, der bis 1843 in Aachen ein Wollgeschäft betrieben und als Ideologe des rheinischen liberalen Bürgertums auch Einfluß auf die ›Rheinische Zeitung‹ gehabt hatte, informierte neben der ›Trier'schen‹ und den Berliner Zeitungen am ausführlichsten mit eigenen Korrespondentenberichten aus Schlesien. Schon vor dem Ausbruch des Aufstands hatte sich die ›Aachener‹ mit den schlesischen Verhältnissen befaßt (vgl. S. 74 bis 77 und S. 92f.). Zu ihren dortigen Korrespondenten zählte auch Eduard Pelz.

In aggressiverem Ton kommentierte die badische ›Mannheimer Abendzeitung‹ die Ereignisse in Schlesien. Vor der Revolte brachte sie, wie die meisten außerschlesischen Blätter auch, Aufrufe des Breslauer Hilfsvereins und mitleidheischende Bitten um Spenden für die notleidende schlesische Weberbevölkerung. Ihre ersten Nachrichten über den Verlauf des Aufstands stellte sie aus anderen Blättern zusammen. Die ›Mannheimer‹, bei der von April bis Oktober 1842 Karl Grün Redakteur war, auf den der spätere Mitbegründer des Pariser ›Vorwärts!‹ Karl Ludwig Bernays folgte, gehörte – was die Kommentierung anbelangt – zu den radikalsten Blättern Deutschlands. Sie verstand sich als Nachfolgerin der verbotenen ›Rheinischen Zeitung‹.

Am 13. Dezember 1844 schrieb Friedrich Engels in der frühsozialistischen englischen Zeitschrift ›The New Moral World‹: ›[. . .]; wir haben verschiedene Zeitungen, die so radikal sozialistisch sind, wie die Zensur es zuläßt, besonders die ‚Trier'sche Zeitung' und den ‚Sprecher' in Wesel‹. Der ›Sprecher‹ erschien seit 1798 in Dortmund, seit 1841 in Wesel. Die wahrsozialistische Richtung des Blattes wurde von August 1843 bis September 1844 hauptsächlich von Karl Grün bestimmt, bis er vom Verleger Bagel wegen Zensurschwierigkeiten entlassen wurde. Vor der Revolte geht der ›Sprecher‹ nur vereinzelt auf die schlesischen Verhältnisse ein; den Aufstand kommentiert er eher lakonisch (vgl. S. 183). Aktiver wird das Blatt in der Weberfrage erst gegen Ende des Jahres: Es bringt Auszüge aus dem Bericht Alexander Schneers (Nr. 81 vom 9. Oktober 1844), veröffentlicht aus dem ›Telegraph für Deutschland‹ die Solidaritätsadresse der in London ansässigen deutschen Arbeiter an die schlesischen Weber und berichtet über die Verteilung des in London gesammelten Geldes unter die Angehörigen der getöteten oder verhafteten Weber (vgl. S. 235 bis 239).

Bereits vor den Unruhen war – im Gegensatz zu vielen anderen Blättern – die ›Trier'sche Zeitung‹ detailliert auf die Notlage in Schlesien eingegangen. Die ›Trier'sche‹ besaß um 1842 kaum eigene Korrespondenten. Ihr Redakteur Friedrich Walthr, der bei Cotta in Stuttgart und Brockhaus in Leipzig als Drucker der Augsburger ›Allgemeinen‹ und der ›Leipziger Allgemeinen Zeitung‹ gearbeitet hatte, stellte die Zeitung aus Artikeln anderer Blätter zusammen. Erst als Ende 1843 Karl Grün begonnen hatte, Korrespondenzen für die ›Trier'sche‹ zu schreiben, verbreitete sie wahrsozialistische Ideen. Mitte 1845 wird Karl Grün dann Redakteur der ›Trier'schen‹, was sie auf den Weg zur ›ersten sozialistischen Tageszeitung Deutschlands‹ bringt.

Bei ihrer Kommentierung der Revolte ist die Abgrenzung der ›Trier'schen‹ gegen den ›rohen Kommunismus‹ besonders auffällig (vgl. S. 180f.). Um so erstaunlicher ist Engels' Würdigung des ›Sozialismus‹ in der ›Trier'schen‹. Dieser Würdigung folgt nur wenige Monate später die Polemik gegen den ›wahren‹ Sozialisten Grün, ein deutliches Anzeichen für die 1844 noch nicht vollzogene ideologische Differenzierung des ›Sozialismus‹.

Der hier vorgelegte Querschnitt durch die deutsche Presse des Jahres 1844 enthält, wann immer die Quellenlage es ermöglichte, Originalberichte und Originalkommentare der jeweiligen Zeitung. Die chronologische Anordnung der Artikel und die Berücksichtigung von konservativen, liberalen und frühsozialistischen Stimmen sollen ein wertendes und vergleichendes Lesen erleichtern.

Lutz Kroneberg/Rolf Schloesser

Vor dem Aufstand

Die Lage der schlesischen Weber

Privilegirte Schlesische Zeitung
Nr. 2 3. Januar 1844

Die Not im Riesengebirge

Nach dem, was bis jetzt über den Notstand der armen Gebirgsbewohner veröffentlicht worden ist, wird wohl niemand der Meinung sein, daß die Lage der Bedrängten allmählich von selbst wieder besser werden würde; niemand der Meinung, man müsse die Hungernden zur Geduld anmahnen, es werde wieder anders werden. Denn wo auf der einen Seite kein Erwerb ist und auf der andern jede Stunde ein Bedürfnis unabweisbar auf Befriedigung dringt, da wären Vorlesungen zur Geduld gewiß nicht am Orte. Ein hungriger Magen hat für alle Tröstungen, insofern sie nicht materieller Natur sind, sehr dicke Ohren. [. . .] Viele Grundherrschaften wirken zur Linderung der Not in ihren Gemeinden auf das menschenfreundlichste; allein, was auch geschieht, es reicht kaum hin, die Not für einen gegenwärtigen Augenblick zurückzudrängen. [. . .] Wenn man erwägt, daß diese Leute zum Teil gar nichts, zum Teil wöchentlich nur ein paar Silbergroschen verdienen können, so ist für sie, wie gering auch die Gabe sein mag, die der einzelne erhält, die Beteilung[1] doch eine große Wohltat. Allein – wir müssen immer wieder hinzufügen –, es ist eine vorübergehende Hilfe und darum durchaus nicht ausreichend. [. . .] Das einzige, die Krankheit gründlich heilende Rezept ist: Gebt den Leuten Arbeit! [. . .] Es ist eine alte bekannte, freilich in unseren Tagen mehr denn sonst übersehene Wahrheit, daß sich in der Geschichte einmal beseitigte, überwundene oder abgelebte Zustände, Erscheinungen, Tatsachen etc. nicht wiederherstellen lassen. Es ist viel leichter, wie alle Geschäftsleute wissen, ein neues Geschäft zu gründen, als ein gesunkenes wieder in Flor zu bringen. Wenn man diese Wahrheit auf gesunkene Nahrungszweige anwendet, so kann man im voraus wissen, welchen Erfolg die Bemühungen haben werden. Darüber sind alle Sachverständigen bei uns im klaren, daß die Wiederherstellung der früheren Industrie zu den Unmöglichkeiten gehört, auch wenn man Spinnschulen[2] anlegte. Entweder würde man dort das Spinnen lehren, wie es weiland Karls des Großen Gemahlin mit ihren Töchtern oder noch früher der Held Herkules in seiner Dienstbarkeit getrieben, oder mit verbesserten Spinnrädern, also doch wieder Maschinen, bloß unvollkommner. Ich bestreite nicht, daß man in einer Provinz, vielleicht gar in einem Staate, die Handspinnerei in der bezeichneten Weise fördern und die Maschinen stehenlassen könnte; allein, ob sich die ganze Welt von der Richtigkeit dieser Ansicht überzeugen und so alle Maschinen überall zum Stillstand gebracht würden, kann ich bis jetzt noch nicht glauben. Insofern das aber nicht geschähe, würde der partielle Versuch gar nichts helfen. Mithin wird dieser Plan wohl seinen Zweck verfehlen. Die Maschinen sind da, sind ein Produkt der fortgeschrittenen Zeit, ein Ergebnis der gesamten Völkerkultur und Volksindustrie und werden so wenig von neuen Handspinnschulen überwunden werden, wie die Reformation durch neue Klöster. Wenn hundert Handspinner die ganze Woche nicht so viel zu produzieren imstande sind als eine Maschine in einem Tage oder in einer Stunde, wäre es da nicht Torheit, hundert Menschenkräfte einer Tätigkeit zuzuwenden, die ebensogut durch Kräfte der Natur, durch mechanische besorgt werden kann? Der Grundsatz, alles durch Maschinenkräfte besorgen zu lassen, was durch sie besorgt werden kann, und dann die Menschenkraft, die edle, für solche Geschäfte zu verwenden, wohin keine Maschinenkraft reicht, ist ein durchaus humaner. Die Maschinen sind Mittel in der Hand Gottes zur Erlösung der Menschheit, dazu, das Bewußtsein ihrer Würde zu wecken und sie stets daran zu erinnern, daß sie die Statthalter Gottes auf der Erde sind. Wenn jetzt in Fabriken diesem Grundsatz nicht gemäß verfahren wird, wenn man sogar die Jugend knechten und entwürdigen sieht, so ist das nur ein Mißbrauch, dem auf gesetzlichem Wege entgegengetreten werden muß. [. . .] Und hier komme ich zu dem Vorschlage, den ich für Hebung des Übelstandes zu machen habe. Man nehme die Kräfte da, wo sie zur Untätigkeit durch die Verhältnisse verurteilt sind, weg, und verpflanze sie dahin, wo sie einen Boden für ihre Wirksamkeit, also auch die Quelle zum Erwerbe ihrer Bedürfnisse finden[3]. Freilich vernehme ich schon den Ruf der Freunde von Palliativmitteln[4]:

›Sollen die armen Leute ihre Heimat verlassen? Und wohin?‹ Aber jeder Einsichtsvolle wird mit mir darin übereinstimmen, daß unsere Heimat da ist, wo sich mit den Unsern ein nützlicher Wirkungskreis eröffnet, und daß es gewiß besser ist, außerhalb des schlesischen Gebirges bei nützlicher Tätigkeit ein mäßiges Auskommen zu finden, als in den hiesigen Bergen ein elendes, von der Wohltätigkeit anderer nur kümmerlich gefristetes Leben zu führen. Es käme – und dies erscheint mir als das einzige Rettungsmittel – hier nur darauf an, aus jeder Gemeinde eine Menge gesunde, arbeitsfähige Familien in andere Gegenden unseres Staates zu verpflanzen. Wer mit der Geographie desselben nur etwas vertraut ist, wird nicht in Abrede stellen, daß noch große Striche Landes unangebaut sind, oder wegen Mangels an Kultur nicht den Grad von Ertragsfähigkeit besitzen, den sie bei besserem Anbau wohl erlangen könnten. Wird den armen Familien nicht wohl sein, wenn jede eine Scholle Bodens besitzt, den sie anbauen kann!? An ihrem guten Willen wird es nicht fehlen, davon werden alle überzeugt sein, die hier das ganze Jahr sehen, wie man sich plagt, den unfruchtbarsten Rändern und Klippen eine Frucht abzugewinnen.

Und sollte es für den Staat nicht besser sein, müßte es auch jetzt mit bedeutenden Opfern geschehen, einige tausend Familien dahin zu verpflanzen, wo sie als nützliche Bürger für das allgemeine Beste wirken können, als wenn sie hierbleiben, wo sie ein Gegenstand der Mildtätigkeit sind und ihnen das Leben ›keine freundliche Gewohnheit‹ ist. Die Opfer, welche der Staat jetzt zu bringen hätte, würden sich in kurzer Zeit zehnfach verzinsen. Jetzt zehren sie an der Staatseinnahme, dann würden sie dieselbe vermehren. [. . .] Solange wir noch Boden besitzen, der einer zehnfach höhern Kultur fähig ist, mag man die Menschenkräfte dafür verwenden, der Erde die Früchte abzuringen, die sie zu liefern vermag. Unsere fleißigen und anspruchslosen Armen werden überall willkommen sein. Denn bei der Größe der Not haben wir es gewiß ihrem Charakter zuzuschreiben, daß sie bis jetzt nicht zu Mitteln gegriffen haben, zu denen die eiserne Not leider zuweilen verleitet. Wir wünschen daher aufrichtig, daß man jeden Vorschlag, sofern er gründliche Abhilfe zum Zweck hat, prüfen möge. [. . .]

Privilegirte Schlesische Zeitung
Nr. 10 12. Januar 1844

Der ›Bote aus dem Riesengebirge‹[5] enthält folgendes: Se. Exzellenz der Hr. Reichsgraf von Schaffgotsch[6] haben aus gewohnter hoher Milde, den Notstand der armen Spinner erwägend, zu bestimmen geruht: ›daß in sämtlichen Ortschaften zur freien Standesherrschaft Giersdorf und Hermsdorf gehörig, Garn auf Sr. Exzellenz Rechnung gekauft werden solle, auch den armen Spinnern eine Kleinigkeit mehr über den jetzt so niedrigen Preis zahlen zu dürfen. Bei dem armen Weber in unserem Gebirge ist es nunmehr dahin gekommen, da er seine Webe nicht mehr verkaufen kann und seine Stühle leerstehen, kein Garn mehr nötig zu haben, weshalb durch die hohe Gnade Sr. Exzellenz viele Familien vom bittersten Elende gerettet werden. Da dies Garn mit Verlust wieder verkauft werden soll, so würde es das gute Werk sehr fördern, wenn recht viele Garnkäufer sich an die Verkaufsstelle mit ihrem Bedarf wenden möchten. Gott segne das Werk und erhalte uns unsere gnädige Grundherrschaft noch lange, lange! Möchten sich doch auch milde Menschen finden, die das Geschick unserer armen Gebirgs-Weber erleichtern könnten, die jetzt gleich den Spinnern am Hungertuche nagen.

Die Orts-Vorstände gedachter Herrschaft‹

Trier'sche Zeitung
Nr. 28 28. Januar 1844

Berlin, 22. Jan. Ihre Maj. die Königin[7] haben in der Nacht einige Stunden geschlafen, und der Zustand Allerhöchstderselben ist befriedigend.

Der Ober-Präsident der Provinz Posen, v. Beurmann[8], ist von Posen hier eingetroffen.

Ein Bericht aus Schweidnitz (in der ›Breslauer Zeitung‹[9]) schildert den entsetzlichen Notstand der armen Weber im schlesischen Gebirge auf eine ergreifende Weise. Er sagt: Der arme Weber verdient die ganze Woche, wenn er von früh 5 bis in die späte Nacht angestrengt arbeitet, 20, 15, ja 13 Sgr. Davon soll er nun leben mit Weib und Kind! Dazu will ich denn einen Beitrag liefern aus der Geschichte eines unserer Weber. Den 10. dieses Monats hörte man ein krampfhaftes Stöhnen eines Menschen, der, wie man sich bald überzeugte, vor der Türe des landrätlichen Amtes zu Schweidnitz in Zuckungen auf dem Boden lag. Er wird von dem Hauswirt menschenfreundlich in die warme Backstube aufgenommen und daselbst durch dargereichtes warmes Getränk und etwas Speise wieder zum Bewußtsein gebracht. Er war nicht betrunken, Freunde der Mäßigkeit und der Entsagung, er war vor Hunger in diesen Zustand verfallen. Er hatte drei Tage mit seinen Kindern nichts gegessen und kam von Leutmannsdorf mit einer Bittschrift ans landrätliche Amt, um Brot für seine Familie zu erflehen! – Welches sind nun die Konsequenzen? Der erste Schritt zum Laster ist das Betteln, ist dieser überschritten, dann gibt es keine Schranke mehr, dann hilft auch kein Mitleid, kein Erbarmen, denn was die Inquisition verbirgt, das trifft die Strafe des allwaltenden Gesetzes. So wird der Mensch mit seinem erhabenen Geiste, seinem wahrhaft göttlichen Inhalte zu Grabe getragen! – Deshalb ist es an der Zeit, daß unsern Webern eine ernste und durchgreifende Hilfe gewährt wird. Unsere Weber – ich sage es noch einmal – sterben vor Hunger mit ihren Kindern, wenn ihnen nicht bald geholfen wird!

Aachener Zeitung
Nr. 41 10. Februar 1844

Aachen, 9. Februar. Allwärts wird jetzt für die Notleidenden im schlesischen Gebirge gesammelt. An gar vielen Orten herrscht bittere Armut, aber nirgends ist sie so verbreitet, nirgend bei uns hat sie einen so furchtbaren Grad erreicht. Selbst in unserer Provinz[10] finden sich an einzelnen Stellen Arme genug, aber sie leben wenigstens, es sind Kräfte genug da, die Dürftigen vor dem Verhungern zu schützen. Dort aber ist die Not allgemein, die Kräfte reichen nicht aus, und wir haben von Unglücklichen gelesen, die der Entbehrung erlegen sind. Die Bewohner des schlesischen Gebirges leben von der Industrie, es sind Spinner und Weber, ihr Verdienst hängt von dem Verdienst ab, das ihre Brotherren, die Kapitalisten und Spekulanten, von ihrem eigenen Kapitale haben. Es ist das Schicksal aller Fabrikgegenden: Die Belohnung der arbeitenden Kraft hängt von dem Genuß ab, welchen die belebende Kraft aus derselben bezieht. Die letztere opfert sich nicht für die andere auf und kann es nicht einmal, da sie für unerwartete Wechselfälle sich vorsehen muß. Die Preise der fertigen Arbeit bestimmen den Lohn des Arbeiters. Der Preis muß fallen, wenn von anderwärts eine durch die Umstände begünstigte Konkurrenz eintritt. Zu diesen Umständen gehört vor allem die größere Billigkeit der Kapitalien. Sind diese Umstände so günstig, daß sie den Zoll überwiegen, so wird die fremde Industrie die einheimische erdrücken, und wenn dies nicht, doch den inländischen Fabrikanten zwingen, den Arbeitslohn so herabzudrücken, daß er zwar gegen die fremde Konkurrenz bestehen kann, aber seine Arbeiter an ihrem Lohn verkürzen muß. Dazu ist es in Oberschlesien gekommen. Die Unglücklichen unterstützen ist edel, und mögen alle Menschenfreunde sich beeilen, diesem Elende abzuhelfen, aber sie können es nur auf kurze Zeit. Für die Zukunft, damit das Elend sich nicht erneuere, muß etwas anderes geschehen. Eine kleine Broschüre handelt von dem Verfall der Leinen-Fabrikation und der Not im schlesischen Gebirge. Der Verfasser[11] hat nur Schlesien vor Augen, verlangt vom Staat

Stadt-

Aachener Zeitung.

Nr. 41. Aachen, Samstag den 10. Februar. 1844.

Deutschland.

Berlin, 7. Febr.

Se. Majestät der König haben Allergnädigst geruht, dem Rathsherrn Auen zu Kolberg den Rothen Adler-Orden vierter Klasse zu verleihen.

= **Aachen**, 9. Februar. Allwärts wird jetzt für die Nothleidenden im Schlesischen Gebirge gesammelt. An gar vielen Orten herrscht bittere Armuth, aber nirgends ist sie so verbreitet, nirgend bei uns hat sie einen so furchtbaren Grad erreicht. Selbst in unserer Provinz finden sich an einzelnen Stellen Arme genug; aber sie leben wenigstens, es sind Kräfte genug da, die Dürftigen vor dem Verhungern zu schützen. Dort aber ist die Noth allgemein, die Kräfte reichen nicht aus und wir haben von Unglücklichen gelesen, die der Entbehrung erlegen sind. Die Bewohner des Schlesischen Gebirges leben von der Industrie, es sind Spinner und Weber, ihr Verdienst hängt von dem Verdienst ab, das ihre Brodherren, die Kapitalisten und Spekulanten, von ihrem eigenen Kapitale haben. Es ist das Schicksal aller Fabrikgegenden: die Belohnung der arbeitenden Kraft hängt von dem Genuß ab, welchen die belebende Kraft aus derselben bezieht. Die letztere opfert sich nicht für die andere auf und kann es nicht einmal, da sie für unerwartete Wechselfälle sich vorsehen muß. Die Preise der fertigen Arbeit bestimmen den Lohn des Arbeiters; der Preis muß fallen, wenn von anderwärts eine durch die Umstände begünstigte Konkurrenz eintritt; zu diesen Umständen gehört vor Allem die größere Billigkeit der Kapitalien. Sind diese Umstände so günstig, daß sie den Zoll überwiegen, so wird die fremde Industrie die einheimische erdrücken und wenn dies nicht, doch den inländischen Fabrikanten zwingen, den Arbeitslohn so herabzudrücken, daß er zwar gegen die fremde Konkurrenz bestehen kann, aber seine Arbeiter an ihrem Lohn verkürzen muß. Dazu ist es in Ober-Schlesien gekommen. Die Unglücklichen unterstützen ist edel und mögen alle Menschenfreunde sich beeilen, diesem Elende abzuhelfen; aber sie können es nur auf kurze Zeit. Für die Zukunft, damit das Elend sich nicht erneuere, muß etwas Anderes geschehen. Eine kleine Broschüre handelt von dem Verfall der Leinen-Fabrikation und der Noth im Schlesischen Gebirge. Der Verfasser hat nur Schlesien vor Auge, verlangt vom Staat nur Schutz für das Schlesische Fabrikat. Mit Recht hätte er seine Forderung auch auf das Westphälische ausdehnen können, denn wenn die Noth dort auch nicht so groß, so ist doch auch dort die Industrie in sichtbarem Abnehmen. Will man sich einen Begriff von der Lage der Schlesischen Arbeiter machen? „Im Schlesischen Gebirge," heißt es, „sind an vielen Orten die Lebensmittel theurer als in großen Städten." Und der Verdienst? „Nehmen wir nicht den schlimmsten Fall, heißt es weiter, treten wir nicht in das niedrige, dunkle, ungesunde Gemach, das der Arme für jährlichen Zins von 6 oder 8 Thlrn. miethet, um darin seinen Webestuhl, eine morsche, mit Lumpen gefüllte Bettstelle neben ein Paar hölzernen Utensilien unterzubringen, so daß das Häuflein Kinder wie Maden sich bewegen muß; blicken wir nicht in solche, dem reinen Hunger, der bittersten Noth gewidmete Lokale, gegen die der Viehstall eines Dominialbesitzers als Prunksaal erscheint. Besuchen wir vielmehr den Häusler, der unter eigenem Dach und Fach wohnt, und nebenbei 1 – 1½, auch wohl 2 Morgen Landes besitzt, worauf er mit genauer Noth eine Milchkuh zu erhalten vermag. Seine Einnahme ist jährlich, mit Beihilfe von Weib und Kind, allerhöchstens 60 Thaler. Die Ausgaben in einem Durchschnittsfalle sind feststehend folgende: Grundsteuer an den Staat jährlich 1 Thlr. 15 Sgr., Klassensteuer 2 Thlr., Grundzins an die Grundherrschaft 3 Thlr. 5 Sgr., Jagd- und Spinngeld an dito 15 Sgr., Gemeindeabgaben an baarem Gelde 1 Thlr. 10 Sgr., Außerdem 3 - 4 Tage Handarbeit bei Wegebesserungen u. s. w. 20 Sgr., Schulgeld für 2—3 Kinder 4 Thlr., Zins eines auf dem Hause stehenden Kapitals von 100 Thlr. 5 Thlr., Feuerassekuranz-Beitrag 15 Sgr. Summa 19 Thlr. 5 Sgr. Folglich bleiben ihm von seiner Einnahme noch 40 Thlr. 25 Sgr. für das ganze Jahr zur Bestreitung von Reparaturen des Hauses, zur Ausgleichung des Ausfalls in seiner Einnahme, den er durch Bestellung seines Gartens, und durch Mangel an Arbeit erleidet; zur Anschaffung der nothwendigsten Bekleidung, der Feuerung und Beleuchtung, endlich zum Ankauf des Brodes und Salzes, so wie anderer dringender Lebensbedürfnisse, ohne irgend einen Krankheits- oder sonstigen Unglücksfall in Anschlag zu bringen." Und wäre wenigstens das trockene Brod noch immer hinreichend zu schaffen! Aber trotz sechszehnstündiger täglicher Arbeit ist auch davon nicht einmal so viel zu erlangen, um den Hunger zu befriedigen. Und dieser jammervolle Zustand soll nicht rasche Abhülfe verlangen? „Schafft alle Schutzzölle ab, sagt der Eine, denn dadurch wird die Thätigkeit des Volkes nur nach falschen Richtungen gedrängt; wären die Leute nicht Weber, so könnten sie, statt 2 Sgr. an dem Webestuhl, täglich 10 Sgr. an Eisenbahnen oder als Maurer oder sonst verdienen." Bis jetzt aber ist kein Mangel an solchen Arbeitern und man vergißt, daß wenn alle Weber sich ebenfalls zu diesen Arbeiten drängen, der Lohn bald auch da auf Null herabsinken würde. Und wie will man die Leute zwingen, einen Distrikt, auf welchem keine andere Beschäftigung möglich ist, zu verlassen? Sie würden, wo sie sich auch zusammendrängten, bald wieder den alten Zustand herbeiführen. „Aber, sagt man weiter, was liegt daran, wenn wir nur unsere Bedürfnisse vom Auslande wohlfeiler kaufen können, ob wir auch nicht Geld ihm dafür zahlen, der Nachbar wird es schon müde werden, kein anderes Produkt als Austauschmittel zu erhalten." Wir möchten es auf diese Müdigkeit nicht ankommen lassen. England ist es Portugal gegenüber gar nicht müde geworden und wohin Portugal dabei gekommen ist, weiß man. Ein Land, das sein baares Geld verloren hat, zahlt die andern Bedürfnisse gerade so theuer, als ein Land, das Ueberfluß an edlen Metallen hat; nur daß in dem einen der Pfennig schwerer zu erschwingen ist, als im andern der Thaler. In der eben erwähnten Broschüre werden andere Vorschläge zur Abhülfe gemacht, die praktischer lauten. „1. Zu bewirkende Gleichstellung der Einfuhrzölle auf Schlesische (Westphälische?) Leinwand mit denen auf die gleichartigen Fabrikate der am meisten begünstigten Nationen in Spanien, Portugal und denjenigen Ländern, wo Schles. Leinwand noch einem höhern Einfuhrzolle unterworfen ist. 2. Diplomatische Unterhandlungen mit Holland und Frankreich, a. daß Holland genöthigt werde, gegen den Absatz seiner Kolonialprodukte Deutschland Reziprozitäts-Zugeständnisse zu gewähren; b. daß Frankreich veranlaßt werde, den Zoll auf Schlesische Leinwand wieder zu erniedrigen. 3. Vertretung der vaterländischen Interessen durch Gesandtschaften oder wenigstens merkantilisch-diplomatische Agenturen (nicht blos Konsulate) in den Staaten, wo Absatz von Leinen zu erzielen und wo zur Zeit noch keine Ambassadeure angestellt gewesen, z. B. außer in Spanien, in Portugal, Meriko, Valparaiso, Lima, Brasilien u. s. w. 4, Vorzugsweise die Anerkennung der Spanischen Regierung von Seiten Preußens. 5. Verbesserung und Vermehrung des Flachsbaues, der Röste und Anlegung von Spinnschulen. 6. Wiedereinführung einer den Zeitumständen angemessenen, umgearbeiteten Schau- und Bleich-Ordnung und strenge Handhabung derselben! Es muß dafür Sorge getragen werden, daß die Weber ebenfalls mit allen wesentlichen Verbesserungen, die das Weben betreffen, bekannt gemacht werden. Nicht jeder Bursche, der vielleicht einige Stück Waare gewirkt hat, darf selbstständig die Weberei betreiben, bevor er nicht die erforderlichen Kenntnisse erlangt hat. Auf gehöriges Längen- und Breitenmaß, auf reelles, geschlossenes Gewebe, so wie darauf, daß durchgängig egales Garn zur Kette und zum Schluß genommen werde, und daß die Enden des Gewebes gleich gut gearbeitet sind, auch darauf, daß durch übermäßiges Ausdehnen desselben keine Schauritze entstanden und es sorgfältig abgeputzt worden, ist besonders zu sehen, und die Fehler dieser Art sind streng zu bestrafen." Das kleine Belgien ist uns hierin mit einem Beispiele vorgegangen, das nicht genug Nachahmung gefunden hat. Es hat mit einer Emsigkeit, welche das höchste Lob verdient, seiner Leinen-Industrie nach allen Richtungen hin Absatzquellen zu eröffnen gesucht und sich namentlich beeilt, mit Spanien einen Vertrag deshalb zu schließen. Seine Aufgabe war allerdings die leichtere, da ihm keine politischen Rücksichten im Wege standen. Aber nichts desto weniger läßt sich nicht verhehlen und ist es eine alte Klage, daß unsere Verträge, wie überhaupt die diplomatischen Einflüsse Deutschlands im Auslande keinesweges der Macht Deutschlands entsprechen. Wenigstens nicht seiner Handelsmacht, die immer noch als eine untergeordnete betrachtet wird, während sie allein es ist, welche auch die politische zu verschaffen hat, wenigstens Hand in Hand mit ihr gehen muß. Die A. Pr. Zeitung gab zwar neulich zu verstehen, der Zollverein sey nur die Schöpfung einer fiskalischen Idee; er habe also nur zum Zweck, durch seine Zölle hohe Einnahmen zu verschaffen. Wir denken uns jedoch etwas Größeres darunter, betrachten die Schutzzölle aus einem andern Gesichtspunkte, und nur von diesem aus verlangen wir, daß der natürlichen Industrie Deutschlands auf eine wirksamere Weise aufgeholfen, resp. daß sie geschützt werde.

Düsseldorf, 7. Febr. (Düss. Z.) Nach eben eingegangenen zuverlässigen Nachrichten ist das gesammte Aktienkapital für die projektirte Kohlenbahn von Vohwinkel nach Steele gezeichnet. Man verdankt dieses Resultat hauptsächlich den Bemühungen der thätigen Direktion der Prinz-Wilhelms-Eisenbahngesellschaft zu Langenberg, welcher bereits früher die Konzession zum Bau der Bahn ertheilt worden ist, jedoch unter der Bedingung, daß das Baukapital vorab nachgewiesen werde. Der baldigen Ausführung dieses wichtigen Unternehmens, welches für die Kohlenzechen der Mittelruhr zum dringenden Bedürfniß geworden ist, und dem Wupperthal wie dem Rheinthal die wohlfeilsten und besten Kohlen zuführen wird, darf man hiernach mit Zuversicht entgegensehen. Die Rentabilität der Düsseldorf-Elberfelder Eisenbahn ist durch dasselbe gesichert. Die Stadt Düsseldorf hat einen kaum zu ermessenden Aufschwung ihres Verkehrs zu erwarten, wenn durch Einrichtung von Magazinen am Rheinwerft Düsseldorf zum Stapelplatz des Rheindebits gemacht und dadurch jedem Schiffer die Rückfracht gesichert wird. Die städtische Verwaltung wird nicht säumen, durch die geeigneten Konzessionen dieses Ziel zu erreichen.

Münster, 2 Febr. (Fr. J.) Um irrigen Ansichten zu begegnen, welche das plötzliche Verschwinden des hiesigen Professors der Theologie, Cappenberg, in der Nähe und Ferne hervorgerufen hat, theile ich Ihnen den Hergang der Sache mit. Herr Cappenberg, welcher vor kurzem zum Professor ord. war ernannt worden, verschwand, ohne irgend eine Nachricht von sich zurückgelassen zu haben, am 15. des vorigen Monats. Alle Nachforschungen waren vergebens und tausend Vermuthungen wurden über sein Schicksal ausgesprochen. Vor einigen Tagen lief aber ein Brief von Hamburg ein, worin berichtet wird, daß Cappenberg sich daselbst befinde, um sich dort als Missionär nach Amerika einzuschiffen. Die hiesigen Studirenten haben nun schriftlich eine Einladung an denselben erlassen, nach Münster wieder zurückzukehren. Der Erfolg derselben wird abgewartet.

Berlin, 5. Febr. (A. P. Z.) In Nro. 27 des Hamb. Korrespondenten wird in einem Schreiben aus Berlin vom 31. Januar die Gründung einer neuen evangelischen Parochie auf dem hiesigen Köpnicker Felde besprochen. Ohne hier auf die leicht zu erkennende Tendenz dieses Artikels näher einzugehen, möge zur Berichtigung der Angaben desselben Folgendes dienen. Berlin hat bei einer Seelenzahl von circa 350.000 evangelischen Bewohnern, mit Einschluß der Garnisonkirche, 18 evangelische Parochial-Kirchen, so daß auf jede derselben durchschnittlich gegen 20.000 Seelen kommen. Unter diesen sind jedoch mehre Parochien mit resp. über 40.000, 30,000 ꝛc. Seelen. Daß bei solchen Verhältnissen die kirchlichen Bedürfnisse der Gemeindeglieder die erforderliche Befriedigung nicht finden können, fällt in die Augen. Es ist daher schon seit mehrern Jahren in diesen größern Parochieen die Frage in Anregung gebracht worden, ob nicht zweckmäßige, als durch Vermehrung der Prediger an den einzelnen Kirchen, durch Theilung der Parochieen das kirchliche Bedürfniß Befriedigung finden werde. Die öffentliche Meinung hat sich für die Theilung, als das offenbar Angemessenere, ausgesprochen und bereits ist die Louisenstädtische Parochie mit einem erfreulichen Beispiele den übrigen vorangegangen, indem sie die Theilung beschlossen und die Erbauung einer neuen Kirche für den sich trennenden Theil der Gemeinde, der die Kosten des Baues großentheils selbst übernehmen will, beantragt hat. In Anerkennung der Einmüthigkeit und der Freiwilligkeit in Herbeischaffung der erforderlichen Geldmittel hat Se. Maj. der König, nicht, wie der oben erwähnte Artikel sagt, eine bedeutende Summe als Beihülfe zu den Kosten des neuen Kirchenbaues gegeben, sondern den freien Platz für die Kirche auf dem Köpnicker Felde bewilligt. Unter den oben angeführten Umständen kann daher die Erbauung neuer evangelischer Kirchen in Berlin von keinem Unbefangenen als ein überflüssiger Luxus, vielmehr nur als das dringendste Bedürfniß angesehen werden. Wenn hiergegen in dem Schreiben vom 31. Jan. die Angabe gerichtet zu seyn scheint, daß doch im Ganzen in Berlin in 38 evangelischen Kirchen und Betsälen regelmäßig Gottesdienst Statt finden und Predigten gehalten würden, so beruht diese Angabe, wie schon der erste Blick auf einen s. g. Berliner Kirchenzettel ergibt, auf einem Irrthum. Außer den oben erwähnten 18 evangelischen Parochialkirchen findet, mit Ausschluß der Kirchen der Französischen Kolonie, nur noch Gottesdienst Statt: in Hospitalkirchen, einer Waisenhauskirche, der Hausvoigteikirche, der Charitékirche, der Invalidenhauskirche und der Klosterkirche. Unter den erwähnten Betsälen, in denen regelmäßig Gottesdienst gehalten werden soll, kann wohl nur der der Bürgermeinde, und vielleicht auch der der separirten Lutheraner verstanden seyn, welche beide jedoch hier kaum in Betracht kommen können. Der Saal im Missionshause ist zwar bei dem Ausbau der Louisenkirche interimistisch zum sonntäglichen Gottesdienste benutzt worden, sonst aber für gottesdienstliche Versammlungen keinesweges bestimmt. Was endlich die Verhältnisse der katholischen Gemeinde in Berlin betrifft, so dürfte sich die Anzahl der katholischen Bewohner gegenwärtig auf etwa 12.000 Seelen mit Ausschluß des Militairs belaufen. Auch für diese steht bereits dem Vernehmen nach die Erbauung einer neuen Kirche auf einem geeigneten Platze in nicht ferner Aussicht.

*ƺ **Berlin**, 6. Februar. Ein Anschlag im Universitätsgebäude enthält Folgendes: „Es ist zu unserer Kenntniß gekommen, daß seit einiger Zeit eine nicht unbeträchtliche Anzahl von Studirenden nach vorgängiger Verabredung an bestimmten Tagen der Woche regelmäßig in verschiedenen öffentlichen Lokalen zusammenkommt, um neben geselliger Unterhaltung zuweilen auch über bestehende Staatseinrichtungen, namentlich über die Verfassung und Einrichtung der Universitäten Berathschlagungen pflegt, wobei auch die Absicht seyn mag, im Wege der Petition auf eine Aenderung des Bestehenden hinzuwirken. Wenngleich wir der guten Gesinnung unserer Herren Commilitonen im Allgemeinen gern Vertrauen schenken, so sind wir doch, um unangenehmen Folgen vorzubeugen, verpflichtet, auf die gesetzlichen Vorschriften aufmerksam zu machen, welche — wie den Herren Studirenden aus dem bei der Immatrikulation unterzeichneten Reverse bekannt ist — jede Vereinigung der Studirenden zu gemeinschaftlicher Berathschlagung über die bestehenden Gesetze und Einrichtungen des Landes verbieten und mit harten Strafen bedrohen. — Demnach sind Versammlungen, wie die Eingangs bezeichneten, keineswegs als erlaubt anzusehen. — Wir können daher im Einverständniß mit dem Herrn Regierungs-Bevollmächtigten unsern Herren Commilitonen nicht dringend genug empfehlen, sich der Theilnahme an solchen Versammlungen gänzlich zu enthalten. Dagegen sind Vereinigungen der Studirenden zu geselligen, wissenschaftlichen und künstlerischen Zwecken an sich nicht verboten, jedoch nach Artikel 6 der Bundestagsbeschlüsse vom 14. Novbr. 1834 nur mit Erlaubniß der Behörde und unter von ihr festzusetzenden Bedingungen gestattet. Fehlt diese Erlaubniß, so können auch solche Vereinigungen unter das Verbotsgesetz fallen, sobald sie auf irgend eine Weise den Karakter einer nach gewissen Regeln bestehenden Verbindung annehmen. — Unsere Herren Commilitonen werden daher wohl thun, in allen Fällen, wo sie dergleichen Vereinigungen zu erlaubten Zwecken zu bilden wünschen, sich mit Vertrauen an die akademische Behörde zu wenden, welche jedem löblichen Streben mit Freuden förderlich seyn wird. — Schließlich müssen wir aus Anlaß eines uns früher überreichten, von 80 Studenten unterzeichneten Gesuchs darauf aufmerksam machen, daß nach den Vorschriften des allgemeinen Landrechts Studirende ihre Gesuche bei der akademischen Behörde nicht in Masse einbringen dürfen. Daraus folgt zugleich die Unstatthaftigkeit sogenannter Kollektiv-Petitionen, welche außerdem unter Umständen selbst strenge nur Schutz für das schlesische Fabrikat. Mit Recht hätte er seine Forderung auch auf das Westfälische ausdehnen können, denn wenn die Not dort auch nicht so groß, so ist doch auch dort die Industrie in sichtbarem Abnehmen. Will man sich einen Begriff von der Lage der schlesischen Arbeiter machen? ›Im schlesischen Gebirge‹, heißt es, ›sind an vielen Orten die Lebensmittel teurer als in großen Städten.‹ Und der Verdienst? ›Nehmen wir nicht den schlimmsten Fall‹, heißt es weiter, ›treten wir nicht in das niedrige, dunkle, ungesunde Gemach, das der Arme für jährlichen Zins von 6 oder 8 Tlr. mietet, um darin seinen Webstuhl, eine morsche, mit Lumpen gefüllte Bettstelle neben ein paar hölzernen Utensilien unterzubringen, so daß das Häuflein Kinder wie Maden sich bewegen muß, blicken wir nicht in solche, dem reinen Hunger, der bittersten Not gewidmete Lokale, gegen die der Viehstall eines Dominialbesitzers als Prunksaal erscheint. Besuchen wir vielmehr den Häusler, der unter eigenem Dach und Fach wohnt und nebenbei 1 bis 1½, auch wohl 2 Morgen Land besitzt, worauf er mit genauer Not eine Milchkuh zu erhalten vermag. Seine Einnahme ist jährlich, mit Beihilfe von Weib und Kind, allerhöchstens 60 Taler. Die Ausgaben in einem Durchschnittsfalle sind feststehend folgende: Grundsteuer an den Staat jährlich 1 Tlr. 15 Sgr., Klassensteuer 2 Tlr., Grundzins an die Grundherrschaft 3 Tlr. 5 Sgr., Jagd- und Spinngeld an dito 15 Sgr., Gemeindeabgaben an barem Gelde 1 Tlr. 10 Sgr. Außerdem 3 bis 4 Tage Handarbeit bei Wegebesserungen usw. 20 Sgr., Schulgeld für 2 bis 3 Kinder 4 Tlr., Zins eines auf dem Hause stehenden Kapitals von 100 Tlr. 5 Tlr., Feuerassekuranz-Beitrag 15 Sgr., Summa 19 Tlr. 5 Sgr. Folglich bleiben ihm von seiner Einnahme noch 40 Tlr. 25 Sgr. für das ganze Jahr zur Bestreitung von Reparaturen des Hauses, zur Ausgleichung des Ausfalls in seiner Einnahme, den er durch Bestellung seines Gartens und durch Mangel an Arbeit erleidet, zur Anschaffung der notwendigsten Bekleidung, der Feuerung und Beleuchtung, endlich zum Ankauf des Brotes und Salzes sowie anderer dringender Lebensbedürfnisse, ohne irgendeinen Krankheits- oder sonstigen Unglücksfall in Anschlag zu bringen.‹ Und wäre wenigstens das trockene Brot noch immer hinreichend zu schaffen! Aber trotz sechzehnstündiger täglicher Arbeit ist auch davon nicht einmal so viel zu erlangen, um den Hunger zu befriedigen. Und dieser jammervolle Zustand soll nicht rasche Abhilfe verlangen? ›Schafft alle Schutzzölle ab, sagt der eine, denn dadurch wird die Tätigkeit des Volkes nur nach falschen Richtungen gedrängt. Wären die Leute nicht Weber, so könnten sie, statt 2 Sgr. an dem Webstuhl, täglich 10 Sgr. an Eisenbahnen oder als Maurer oder sonst verdienen.‹[12] Bis jetzt aber ist kein Mangel an solchen Arbeitern, und man vergißt, daß, wenn alle Weber sich ebenfalls zu diesen Arbeiten drängten, der Lohn bald auch da auf Null herabsinken würde. Und wie will man die Leute zwingen, einen Distrikt, auf welchem keine andere Beschäftigung möglich ist, zu verlassen? Sie würden, wo sie sich auch zusammendrängten, bald wieder den alten Zustand herbeiführen. [. . .]

Erste Beilage zu Nr. 41
der privilegirten Schlesischen Zeitung
17. Februar 1844

Aufruf zu einer General-Versammlung behufs Beratung der Mittel gegen die Hungersnot im schlesischen Gebirge

Der Aufruf an die ganze Provinz zur Hebung der Not der armen Weber im Gebirge, die Jahrzehnte ihrem Elende und der drükkendsten Verlegenheit überlassen waren, hat zu unserer größten Freude die lebhafteste Teilnahme edler Menschenfreunde von nah und fern angeregt, so daß wir uns der Hoffnung hingeben, die Lage jener Armen für den Augenblick wirklich verbessern zu können. Aber die Frage, wie soll radikal geholfen und wie soll verhütet werden, daß in kurzem ein zweiter Aufruf an die Herzen guter Menschen appelliere, und vielleicht vergebens appelliere, diese Frage zu erledigen, macht eine Versammlung notwendig, in der die Lebensfrage von ein paar tausend Menschen zugleich die Lebensfrage der Sichversammelnden werden soll. Zu einer solchen Konferenz laden daher Unterzeichnete alle Menschenfreunde ein, denen das Wohl ihrer Brüder am Herzen liegt, auf Dienstag, den 27sten Februar, zur ›Stadt Berlin‹ in Schweidnitz, nachmittags 2 Uhr.

Da der Zweck der Konferenz ein doppelter ist, nämlich: 1) bestmögliche Verwendung der bereits eingegangenen und noch eingehenden Beiträge und 2) eine sorgfältige Besprechung der Weber-Angelegenheiten zu einer möglichst gründlichen Heilung ihres Übels, so wird für den ersten Zweck die Wahl eines Zentral-Komitees, für den zweiten die Konstituierung eines Zentral-Vereins notwendig werden. Die Tendenz eines solchen Vereins ist heilig genug, als daß wir nicht der festen Überzeugung sein sollten, die Versammlung werde eine zahlreiche und eine segenbringende sein. Ganz besonders mögen daher Sachverständige aller Orte, Geistliche, Schullehrer und Scholzen als Repräsentanten der Gegenden, in denen eine große Anzahl verarmter Weber sich aufhält, der Konferenz ihren Beistand nicht versagen. Letztere mögen zugleich die Namensverzeichnisse, wenigstens die Zahlenangaben der zu Unterstützenden der Versammlung vorlegen. Bis zu dieser Konferenz aber ersuchen wir alle bereits eingegangenen und noch eingehenden Beiträge vorzubehalten, weil die Verteilung keine vereinzelte, sondern eine allgemeine und gleichmäßige und erst von dem gewählten Zentral-Komitee veranlaßt werden soll.

Kaufmann Härtel, Dr. Kirschner in Freiburg,
Dr. Pinoff[13] in Schweidnitz

Schlesische Provinzialblätter

April 1844[14]

Ein Plan zur Hebung der Not
der armen Spinner und Weber im schlesischen Gebirge,
vorgelegt der am 27. Februar d.J. stattgefundenen
General-Versammlung in Schweidnitz

[. . .]

I

Es soll ein Verein gebildet werden, dessen Zweck es sein soll, die Arbeit der Weber und Handspinner und deren Absatz durch seine innere Organisation so zu regeln, daß die Arbeiter einen dem Wert der Arbeit entsprechenden guten Lohn, die Abnehmer eine dem Preise entsprechende gute Ware erhalten. Als Mitglieder dieses Vereins werden Weber und Handspinner, ferner Personen jedes Standes, welche Garn, Zwirn oder Leinwand zu ihrem oder anderer Verbrauch kaufen, aufgenommen.

II

Der Verein besteht demnach einerseits aus Webern und Spinnern, den Produzenten, andererseits aus denen, welche die Arbeit jener zu ihrem Verbrauch an sich kaufen, den Konsumenten. Die Konsumenten verpflichten sich, keine andere Leinwand zu kaufen als solche, die von den Produzenten des Vereins angefertigt und von letzterem verkauft wird.

III

Arbeit und Verkauf der Waren sind auf folgende Weise geregelt:

1. Je nach dem Umfange und der Ausbreitung des Vereins besteht in verschiedenen Städten oder größeren Dörfern ein Etablissement, an dem je nach Bedürfnis ein oder mehrere redliche und sachverständige Männer mit anständigem, festem Gehalt als Vorsteher angestellt sind. Ihr Geschäft ist:

a) Den Flachs, welcher auf Rechnung des Vereins angekauft wird, an die Spinner, welche Vereinsmitglieder sind, zum Spinnen zuzuteilen.
b) Das Garn, welches ihnen die Spinner bringen, nach bestimmter Regel zu taxieren und dem Spinner seine Arbeit zu bezahlen. Die Höhe der Bezahlung ist je nach den verschiedenen Sorten im voraus festgesetzt, jedoch immer so, daß der Spinner seine Arbeit nach Billigkeit und Recht verwertet sieht. Der Vorsteher hat demnach nur über die Qualität des Garnes zu entscheiden.
c) Das Garn den Webern, welche Mitglieder des Vereins sind, zum Wirken zuzuteilen.
d) Die von diesen daraus gefertigte Leinwand abzuschätzen und die Arbeit den Webern zu bezahlen. Der Wert der Arbeit ist je nach den verschiedenen Leinwandsorten, wie der der Handgespinste, im voraus bestimmt, aber stets so, daß der Weber seine Arbeit belohnt sieht. Der Betrag des Lohnes darf daher nie unter ein gewisses Minimum sinken, welches hinreichend sein muß, die notwendigen Lebensbedürfnisse des Webers zu decken. Dies ist möglich, weil durch die Konsumenten, welche Vereinsmitglieder sind, ein sicherer Absatz und deshalb auch eine sichere Einnahme da ist.
e) Die Leinwand an die Konsumenten des Vereins und andere Käufer zu festgesetzten Preisen zu verkaufen. Die Preise für die verschiedenen Sorten sind so zu bestimmen, daß der Überschuß der Einnahme im allgemeinen hinreicht, um allgemeine Zwecke und Bedürfnisse des Vereins, namentlich die Besoldung der Vorsteher, zu bestreiten.

2. In Landesteilen, wo sich keine Spinner und Weber befinden, wo aber eine hinlängliche Anzahl von Konsumenten als Mitglieder in den Verein aufgenommen sind, werden Etablissements errichtet, deren Vorsteher sich nur mit dem Verkauf der Vereins-Leinwand zu den bestimmten Preisen beschäftigen. Diese werden nur nach den Transportkosten erhöht.
3. Vorsteher, welchen es gelingt, den Verkauf der Ware über die bestimmte Konsumtion der Vereinsmitglieder auszudehnen, erhalten eine verhältnismäßige Tantieme davon.

IV

An der Spitze des ganzen Vereins steht ein Direktorium, dessen Mitglieder vom Verein ansehnlich besoldet werden. Ihre wesentlichen Funktionen sind folgende:

1. Die Vorsteher der Etablissements zu beaufsichtigen.
2. Mit Zuziehung derselben, nach kürzerer oder längerer Zeit, je nachdem es die Verhältnisse erlauben, die verschiedenen Preise für Garn und Leinwand festzusetzen.
3. Die Einkäufe des Flachses, die Anlegung der Etablissements, die Ausbreitung des Vereins, die Geld- und Rechnungsgeschäfte und alle allgemeinen Angelegenheiten des Vereins im großen und ganzen zu leiten, namentlich auch die Geschäfte ins Ausland zu besorgen, wenn, wie zu hoffen steht, der Verein mit seinen Waren dort Absatz findet.

V

Ein Aufsichtsrat, dessen Mitglieder keinen tätigen Anteil an der Führung der Geschäfte haben, auch kein Gehalt beziehen, prüft nach kürzerer oder längerer Zeit die Rechnungsablage des Direktoriums sowie die Beschwerden einzelner Vereinsmitglieder und beschließt Verbesserungen in den Statuten des Vereins, wenn deren nötig werden.

Dies sind die Grundzüge der Verfassung eines Vereins, welche nach meiner Überzeugung wirkliche Heilmittel in sich enthält. Zur weiteren Empfehlung dieses Planes habe ich nur wenig anzuführen, wenn sich derselbe nicht durch sich selbst empfiehlt. Ich erinnere, wie ich bereits oben erwähnte, daran, daß große Übel auch große Heilmittel erfordern, daß mit kleiner Hilfe nichts gewonnen wird. Ich erinnere auch, daß zu jeder großen Unternehmung Mut, Vertrauen und Ausdauer gehört, und daß diejenigen, welche ernstlich auf die Ausrottung des Übels bedacht sind, ohne diese Eigenschaften wenig bewirken werden und können. – [. . .]

[Anonym]

Erste Beilage zu Nr. 41 der privilegirten Schlesischen Zeitung
17. Februar 1844

[. . .] Kaum ist ein Jahr verflossen, seitdem der Verfall unserer Leinwandmanufaktur, nicht Fabrikation, sowie das Elend der Spinner und Weber öffentlich auf etwas eindringliche und gründlichere Weise zur Sprache gebracht wurde, und bereits regt es sich überall zur Herbeiführung von Abhilfe, die – wenn auch vorderhand allerdings nur noch palliativ – doch gewiß bald gründlich und radikal werden dürfte. Während einerseits milde Beiträge zur Begegnung der augenblicklichsten Not dargebracht werden, fängt man da und dort schon an, sich zu Vereinen zusammenzustellen, deren Zweck es ist, für bestmögliche Verwendung der Unterstützungsfonds Sorge zu tragen. Wo wir aber erst selbst Hand anlegen und nicht das Handeln auf die vielbelasteten Schultern unserer Beamten und Behörden wälzen, da läßt sich stets wirkliches Tun erwarten. [. . .] ›Händebeschäftigung‹ heißt das Radikalmittel, weil durch dasselbe allein die rechte Art wohlzutun ausgeübt werden kann in einer Zeit, wo der Riese Geist gegen die Hände-Arbeit kühn und keck anstrebt.[15]

Privilegirte Schlesische Zeitung
Nr. 45 22. Februar 1844

Die Not der Weber- und Spinnerfamilien im schlesischen Gebirge und die Mittel, sie zu mildern und ihr abzuhelfen

[. . .]

Es gibt nur ein Mittel gegen Sünde und Not – das ist Arbeit. Jener Spruch des Paradieses, der nur für Tagediebe und Faulenzer Abschreckendes hat – ›Im Schweiße deines Angesichts sollst du dein Brot essen‹ – ist nicht sowohl ein Fluch als vielmehr der erste Segen Gottes. Aber er enthält auch die Worte ›dein‹ Brot, und die vierte Bitte betet um ›unser‹ Brot, wodurch die Verpflichtung angedeutet ist, die Menschenkräfte so zu verteilen, anzustellen, in Anspruch zu nehmen, daß jeder sein Brot essen kann. Das ist die Hauptaufgabe, mit der sich jeder beschäftigen soll, welchem die Not seiner Brüder wahrhaft zu Herzen geht. [. . .]

Zuvörderst werden wir uns vollständig davon überzeugen müssen, daß es mit dem Spinnen und Weben als Erwerbszweig für unsere Gebirgsbevölkerung aus ist, wahrscheinlich für immer, uns überzeugen müssen, daß alle Versuche, den gesunkenen Nahrungszweig durch Kunsthilfe in die Höhe zu schrauben, vergeblich bleiben wird, wenn auch vielleicht einzelnen damit geholfen werden möchte. Will man durch Spinnschulen, die sich andererseits bewährt haben sollen, nachhelfen, so läßt sich dagegen insofern nichts sagen, weil gutes Garn einmal besser ist als schlechtes und weil zweitens auch in unserem Gebirge stets gesponnen werden wird; allein, man muß nicht glauben, dadurch den Nahrungszweig auf seine frühere Höhe bringen zu wollen. Hin ist hin. Maschinen und Fabriken und andere Faktoren haben auf den bisherigen Erwerbszweig tötend eingewirkt. Und es ist besser, statt erfolgloser Wiederbelebungsversuche, wodurch bloß Zeit und Kraft verlorengeht, ohne daß dadurch Hilfe erwirkt wird, daran zu denken, auf andere Weise zu helfen. Die Grundsätze, welche hier werden leiten müssen, möchten folgende sein. Wo zu viel Arbeitskräfte sind, müssen sie in Gegen-

Privilegirte Schlesische Zeitung

№ 45. Breslau, Donnerstag den 22. Februar 1844.

Verleger: Wilhelm Gottlieb Korn. Redacteur: R. Hilscher.

Uebersicht der Nachrichten.

† Die Noth der Weber- und Spinnerfamilien im schles. Gebirge und die Mittel, sie zu mildern und ihr abzuhelfen.

Die Besprechung des Nothstandes der Weber und Spinner im schlesischen Gebirge, in der letztern Zeit, ist insofern von einigem Erfolge gewesen, als man anfängt sich davon zu überzeugen und etwas zur Linderung derselben zu thun. Einerseits läßt der Graf Schaffgotsch zu Warmbrunn, der so gern Noth mildert und Thränen trocknet, Garn kaufen, um den Spinnern Gelegenheit zu geben, sich etwas zu erwerben. Aehnliches wird durch die Seehandlung in Erdmannsdorf ausgeführt. Andrerseits haben sich die Menschenfreunde gedrungen gefühlt, ihre wohlhabendern Mitbürger zu milden Beiträgen für die Nothleidenden aufzufordern, und ihr Wort hat Anklang gefunden. Wir hören wie man am Rhein sammelt, wie in unserer Hauptstadt beigesteuert wird, wie Gaben aus den benachbarten Provinzen zufließen; und wir freuen uns darüber. Zunächst kommt es allerdings darauf an, die Noth des Tages zu erleichtern, die Thränen des Augenblicks zu trocknen, für die Gegenwart helfend herbei zu eilen. Wir dürfen uns aber durchaus nicht verhehlen, und darauf aufmerksam zu machen, ist der Zweck dieser Zeilen — daß mit den reichlichsten Gaben das Sachverhältniß an sich gar nicht verändert, die Quelle der Noth nichts weniger als verstopft wird. Wenn täglich Tausend Thaler an milden Beiträgen eingehen und von den betreffenden Behörden nach sorgfältigstem Ermessen vertheilt werden, so wird dies nur verzischen, als wenn Wassertropfen auf glühende Eisenplatten fallen. Wenn nun nicht zu bezweifeln ist, wie direkte Gaben nur die Noth des Augenblicks zu lindern im Stande sind; wenn gar nicht zu erwarten ist, daß die Beiträge in der von mir angedeuteten Fülle herbeiströmen werden; wenn, vom moralischen Gesichtspunkte aus, kein Augenblick übersehen werden darf, wie nachtheilig auf die Sittlichkeit des Volkes jede unmittelbare Begabung ist; wenn also immerhin — ich sage nicht die christliche Liebe, sondern die Menschenpflicht gebieten mag, einstweilen rasch zu helfen; so dürfen wir doch durchaus nicht übersehen, daß dies nicht der Endzweck unserer Bestrebungen sein darf; dieser muß vielmehr sich damit beschäftigen, wie der Noth gründlich dadurch abgeholfen werden kann, daß man den Arbeits- und Erwerblosen Beschäftigung gewährt. Es giebt nur Ein Mittel gegen Sünde und Noth — das ist Arbeit. Jener Spruch des Paradieses, der nur für Tagediebe und Faulenzer Abschreckendes hat — „Im Schweiße deines Angesichts sollst du dein Brot essen" ist nicht sowohl ein Fluch als vielmehr der erste Segen Gottes. Aber er enthält auch die Worte „dein" Brot, und die vierte Bitte betet um „unser" Brot, wodurch die Verpflichtung angedeutet ist, die Menschenkräfte so zu vertheilen, anzustellen, in Anspruch zu nehmen, daß Jeder sein Brot essen kann. Das ist die Hauptaufgabe mit der sich Jeder beschäftigen soll, welchem die Noth seiner Brüder wahrhaft zu Herzen geht. Jeder, der dazu etwas beitragen, der zur Erreichung dieses Zweckes mitwirken kann, wolle es, mit Hintansetzung aller Bedenklichkeiten und Rücksichten thun und dabei überzeugt sein, dadurch mehr gethan zu haben, als wenn er durch Oeffnung seiner Börse von jeder andern Mitwirkung sich loskauft.

Zuvörderst werden wir uns vollständig davon überzeugen müssen, daß es mit dem Spinnen und Weben als Erwerbszweig für unsere Gebirgsbevölkerung aus ist, wahrscheinlich für immer; uns überzeugen müssen, daß alle Versuche, den gesunkenen Nahrungszweig durch Kunsthülfe in die Höhe zu schrauben, vergeblich bleiben wird, wenn auch vielleicht Einzelnen damit geholfen werden möchte. Will man durch Spinnschulen, die sich andrerseits bewährt haben sollen, nachhelfen, so läßt sich dagegen insofern nichts sagen, weil gutes Garn einmal besser ist, als schlechtes und weil zweitens auch in unserm Gebirge stets gesponnen werden wird; allein man muß nicht glauben, dadurch den Nahrungszweig auf seine frühere Höhe bringen zu wollen. Hin ist hin. Maschinen und Fabriken und andere Faktoren haben auf den bisherigen Erwerbszweig tödtend eingewirkt; und es ist besser, statt erfolgloser Wiederbelebungsversuche, wodurch bloß Zeit und Kraft verloren geht, ohne daß dadurch Hülfe erwirkt wird, daran zu denken, auf andere Weise zu helfen. Die Grundsätze, welche hier werden leiten müssen, möchten folgende sein. Wo zu viel Arbeitskräfte sind, müssen sie in Gegenden verpflanzt werden, wo sie fehlen. Wo ein Nahrungszweig eingegangen ist, muß durch vereinte Bemühungen ein anderer geschaffen werden. Beide Sätze finden im schles. Gebirge ihre volle Anwendung seit dem Darniederliegen der Weber- und daher auch Spinnerei; wir haben zu viel Arbeiter und zu wenig Arbeit. Was ist dabei zu thun? Halten wir zunächst den ersten Satz fest, der von der Verpflanzung der Arbeitskräfte handelt. Er ist in diesen Blättern schon besprochen worden unter dem Namen — Auswanderung. Wer es weiß, wie besonders Gebirgsbewohner an ihrer Heimath hangen, der wird es sehr begreiflich finden, daß die Vorschläge zur Auswanderung, wobei wir keineswegs an Amerika, oder auch nur an ein nichtpreußisches Land, sondern nur an einen andern Punkt unsers Staates denken, keinen besondern Anklang finden; dessenungeachtet darf dieses Heilmittel eines krankhaften Zustandes nicht ohne Weiteres bei Seite geschoben werden. Nur muß man nicht erwarten, daß unsere Gebirgsbewohner von selbst ihren heimathlichen Boden, obgleich ihnen das „Leben" auf demselben keine „freundliche Gewohnheit" ist, verlassen werden. Man kann es auch gar nicht erwarten. Woher sollen sie zuerst wissen, an welchem Orte sich ihre Lage günstiger gestalten werde? Und wenn sie diese Kenntniß auch besäßen, wo sollten sie die Mittel hernehmen, die zu einer solchen Ortsveränderung unbedingt nothwendig sind? Nein, wenn durch die Ausführung der Verpflanzungsidee nicht mehr geschadet als genützt werden soll, so muß sie entweder von Seiten der Regierung, oder durch ein aus sachkundigen Männern gebildetes Comité ausgeführt werden. Von welcher Seite es aber auch geschehen möge, — es müssen zunächst die Gegenden unsers Staates, in denen es an Arbeiter-Familien fehlt, erkundigt, es muß für das Unterkommen daselbst vorgesorgt werden. Ist dies geschehen, weiß man, wie viel Arbeiter und welcher Art in den einzelnen Gegenden unterkommen können, ist im Allgemeinen bestimmt, wie viel sich ein Arbeiter dort erwerben kann, dann geschehe ein Aufruf in jeder einzelnen Gemeinde durch die Behörden, oder unter ihrer Garantie von dem Comité, in dem alle, welche unter den ermittelten Aussichten des Erwerbs, zu einer Niederlassung an einem andern Orte geneigt wären, sich melden und einschreiben lassen. Von dem Comité wird nun das Weitere besorgt, indem besonders darauf Rücksicht genommen wird; daß man ordentliche, arbeitsfähige Familien aushebt, weil die meisten Uebersiedelungsversuche daran gescheitert sind, daß sie ohne Leitung erfolgt und Individuen verpflanzt, welche die Verzweiflung zusammengeführt hatte. Wollte man bloß liederliches Gesindel zusammenraffen, so würde allerdings aus der Sache nichts werden; sonst aber — das läßt sich mathematisch beweisen — wird der Staat eine Menge Menschen nicht bloß aus bitterer Noth erretten, aus elenden in glückliche verwandeln; er wird auch eine eben solche Menge tüchtiger Bürger erhalten. Für diesen Zweck dürfte es gut sein, wenn der Staat oder die öffentliche Wohlthätigkeit eine Summe dazu bestimmte, um denen, welche sich zu einer Uebersiedelung bereit erklärten, nicht nur die Reisekosten, sondern auch noch Etwas zur ersten Einrichtung in der neuen Heimath zu reichen.

Die Verpflanzung überflüssiger Arbeitskräfte aus unserem Gebirge kann aber auch dadurch bewirkt werden, daß man die, welche bei dem obigen Aufruf sich nicht bereit erklären, gerade für immer die Heimath zu verlassen, in Gegenden periodenweis weist, wo es zur Zeit an Arbeitern fehlt. Schlesische Arbeiter sind überall beliebt. Dazu müssen Bureaux eingerichtet werden, bei dem die, welche Arbeit bedürfen, sich melden können. An jedem Orte muß ein Comité sich bilden, welches diese Meldungen annimmt und an das Kreis-Bureau berichtet. Es werden nun Anstalten getroffen, daß von allen Seiten, wo Mangel an Arbeitern herrscht, den Bureaux Kenntniß davon gegeben wird, damit diese die Arbeiter angemessen der Arbeit und der Individualität mit steter Berücksichtigung der persönlichen Freiheit vertheilen können. Beständen in jedem Kreise Meldestellen für überflüssige Arbeit auf der einen und müßige Arbeiter auf der andern, so würde manches Mißverhältniß schon innerhalb eines Kreises ausgeglichen werden können.

Allein dies wird noch nicht genügen. Es muß für die Bleibenden ein neuer Arbeitszweig gesucht werden. Man halte die Sache nicht für unmöglich. Es bedarf nur des Zusammenwirkens tüchtiger Männer und viele Noth wird schwinden. Es giebt eine Menge Arbeiten, die in unserem Gebirge gefertigt werden könnten, die jetzt aus der Ferne bezogen werden. Wir haben von eben so sachkundigen, als für das Wohl ihrer Nebenmenschen erwärmten Männern es wiederholt aussprechen hören, daß z. B. die mannigfaltigen Arbeiten aus Stroh — Strohflechten — in jedem Dorfe einer Menge Familien Brot verschaffen würde; daß eine Menge Holzarbeiten, Kisten, Knieholzwaaren, Spielsachen ꝛc. hier gefertigt werden könnte. Es bedürfte aber dazu in jedem Kreise eines Mannes, der die Arbeiten lehrte und eines Vereines von Männern, welche den Absatz im Großen besorgten. Möchten doch diese Männer, als wahre Volksheilande zusammentreten und darauf denken, ein Betriebskapital zusammenzuschießen, wodurch Tausenden von Händen Arbeit geboten werden könnte. Ich wiederhole es: milde Gaben helfen nur vorübergehend, sie schaden für die Länge mehr, als sie nützen. Arbeit und nur Arbeit, das ist der Wille Gottes! Von unseren Webern und Spinnern ist auch kein Entschluß zu erwarten. Sie sind zu gänzlicher Willenlosigkeit herabgesunken und so weit gekommen, daß sie bei dem Spinnschemel, auf der Weberbank eher erhungern, als etwas anderes treiben. Ich könnte interessante Beispiele davon geben, die lehren würden, daß viele durchaus nichts anderes thun mögen, als weben und hungern, wenn ihnen auch Arbeit geboten wird. Jetzt verdient ein Weber an einem Webe etwa 10 Sgr. und braucht über eine Woche Zeit und noch ein paar Tage, um es zu Markte zu bringen. Wollten sie Holz spalten, würden sie in einem Tage oder zweien soviel erwerben; aber es ist mir bekannt, daß man zu zehn und mehr hungernden Webern geschickt, um sie dazu aufzufordern, allein sie ließen alle sagen, sie hätten nicht Zeit, sie müßten wirken. Viele derselben sind auch wie ein Schatten, und von Kraft kann bei der Nahrung, die sie genießen, nicht sonderlich die Rede sein. Um so mehr ist es aber an der Zeit, auf eine andere Weise, als durch bloßes Geldsammeln und Austheilen, in diese Zustände einzugreifen. Da die Noth erkannt wird, was schon der erste Schritt zur Hilfe ist, da es bei uns immer noch nicht an Männern fehlt, welche für die Wohlfahrt ihrer ärmeren Brüder kein Opfer scheuen; so darf gehofft werden, daß sich bald ein Verein für einen der angedeuteten Zwecke bilden werde. Es trete nur Einer hervor und rufe auf; es werden sofort sich andere anschließen. Menschenfreunde aus der Ferne werden dem Vereine gern die Hand bieten.

Inland.

Berlin, vom 20. Februar. — Se. Majestät der König haben Allergnädigst geruht, dem Rechnungsrath Haaß von der zweiten Abtheilung des königl. Haus-Ministeriums den Charakter Geh. Rechnungsrath zu verleihen.

Se. Excellenz der Ober-Burggraf des Königreichs Preußen, v. Brünneck, ist nach Trebnitz, und der kaiserl. russ. Staatsrath, außerordentliche Gesandte und bevollmächtigte Minister am kaiserl. brasilianischen Hofe, Lomonosoff, nach Frankfurt a. M. abgegangen.

△ Schreiben aus Berlin vom 19. Februar. — Gestern fand bei unserm kunstsinnigen Monarchen ein den verpflanzt werden, wo sie fehlen. Wo ein Nahrungszweig eingegangen ist, muß durch vereinte Bemühungen ein anderer geschaffen werden. [. . .] Wer es weiß, wie besonders Gebirgsbewohner an ihrer Heimat hängen, der wird es sehr begreiflich finden, daß die Vorschläge zur Auswanderung, wobei wir keineswegs an Amerika oder auch nur an ein nichtpreußisches Land, sondern nur an einen andern Punkt unseres Staates denken, keinen besondern Anklang finden. Dessenungeachtet darf dieses Heilmittel eines krankhaften Zustandes nicht ohne weiteres beiseite geschoben werden. Nur muß man nicht erwarten, daß unsere Gebirgsbewohner von selbst ihren heimatlichen Boden, obgleich ihnen das ›Leben‹ auf demselben keine ›freundliche Gewohnheit‹ ist, verlassen werden. [. . .]

Es gibt eine Menge Arbeiten, die in unserem Gebirge gefertigt werden könnten, die jetzt aus der Ferne bezogen werden. Wir haben von ebenso sachkundigen als für das Wohl ihrer Nebenmenschen erwärmten Männern es wiederholt aussprechen hören, daß z. B. die mannigfaltigen Arbeiten aus Stroh – Strohflechten – in jedem Dorfe einer Menge Familien Brot verschaffen würden, daß eine Menge Holzarbeiten, Kisten, Knieholzwaren, Spielsachen usw. hier gefertigt werden könnte. [. . .] Arbeit und nur Arbeit, das ist der Wille Gottes! Von unseren Webern und Spinnern ist auch kein Entschluß zu erwarten. Sie sind zu gänzlicher Willenlosigkeit herabgesunken und so weit gekommen, daß sie bei dem Spinnschemel, auf der Weberbank eher verhungern als etwas anderes treiben. [. . .]

Schlesische Chronik.

Organ für das Gesammt-Interesse der Provinz.

№ 17. Breslau, 27. Februar 1844.

Die **Schlesische Chronik** erscheint wöchentlich zweimal und ist in der **Expedition der Breslauer Zeitung** so wie auf allen **Königl. Postämtern** zu haben. Man abonnirt auf dieselbe in Verbindung mit der Breslauer Zeitung (deren vierteljähriges Abonnement 1 Rthlr. 7½ Sgr. ist) mit 1 Rthlr. 20 Sgr., ohne die Breslauer Zeitung ist der vierteljährige Pränumerations-Preis 20 Sgr. Die Chronik (mit und ohne Zeitung) wird durch die Post ohne Preiserhöhung bezogen.

In Sachen der Weber und Spinner.

Wenn die „Häupter" unserer Fabrikanten und Manufacturisten theils in öffentlichen Blättern die Volksmeinung, theils in Immediat-Eingaben und Anträgen die Ministerien zu Gunsten des Colbertschen Merkantilsystems, also *ihres eigenen Vortheils*, zu stimmen suchen, so betrachten sie als einen ihrer stärksten Verbündeten den Hinweis auf die gedrückte erbarmenswerthe Lage, in der sich ihre Vor- und Hilfsarbeiter, die Weber und Spinner, befinden. Sie verfehlen dann auch nie, das in der That augenfällige Elend derselben dem „bei uns mehr und mehr zur Geltung gekommenen" Adam Smithschen Industriesystem mit seinem Grundsatze freien Handelsverkehrs der Völker unter einander in die Schuhe zu schieben, und somit ihren Forderungen von *Schutzzöllen* als der einzigen Rettung aus solcher Noth den Weg anzubahnen. — Wir gestehen offen, daß wir — wenn auch zur Hälfte an den guten Willen und die ehrliche Meinung der Antragsteller, doch — ganz und gar nicht an *diesen* Messias aus der Hungersnoth und dem Sclaventhum unter civilisirten Völkern glauben. Gesetzt — unsere Staatsmänner gingen auf jenes Verlangen ein, und die Fabrikate rivalisirender Nationen würden durch mächtige Zölle von deutschen Märkten ausgeschlossen, — *würde sich nicht alsbald*, bei der Anhäufung von — für die Verwendung bereit liegenden — Kapitalien in den Händen Einzelner, die *inländische Concurrenz* verdoppeln und verdreifachen? Bietet nicht der gefürchtetste Rival unter den Handel treibenden Völkern, England, den schlagendsten Beweis dafür, daß bei dem ungeheuren Quantum von „Arbeit," das verbesserte und immer noch verbesserungsfähige Maschinen liefern; bei der über den Bedarf gesteigerten Production, der *menschliche* Arbeiter nur unter den allerungünstigsten Verhältnissen einen, seinen Anstrengungen dennoch nur halb angemessenen, Lohn empfängt? Und das *lehrt uns England*, England mit seinen überseeischen Märkten, England, das die pyrenäische Halbinsel, das unsere deutschen Handelsplätze mit seinen Waaren überströmt, — und *dessen Arbeiter trotzdem seit Decennien dasselbe Klagelied* — nur energischer — *singen*, das die unsrigen erst jetzt beginnen, nun sie um Sein oder Nichtsein kämpfen! — Wir begreifen die *Möglichkeit* günstiger Einwirkung von Schutzzöllen da, wo, wie bei unsern oberschlesischen Eisenbergwerken, besondere Bodenverhältnisse nur die Begünstigung *allmäliger* Entwickelung und Erstarkung erheischen, um dann mit Erfolg sich andern seit Jahren bestehenden Genossen an die Seite stellen zu können; wir begreifen *diese* Möglichkeit, ohne jedoch das gewünschte Mittel für das Beste zu halten; — aber wir verneinen sie bestimmt z. B. Betreffs unserer Linnen- und Baumwollen-Production, welche in einem dichtbevölkerten Lande wie Deutschland *überall gleich* gut und leicht betrieben werden kann, weil arbeitende Kräfte für andere Gewerbe und den Landbau dennoch überall im Ueberflusse vorhanden sind. Das Publikum würde Anfangs mehr bezahlen müssen, der reiche Fabrikant mehr gewinnen; in wenig Jahren wäre Alles wiederum ausgeglichen; der arme Hilfsarbeiter aber wäre vor wie nach in Dürftigkeit und Elend verblieben.

Dies jedoch nur beiläufig! Eigentliche *Veranlassung* zu diesen Zeilen ist eine Erzählung, die mitten unter die schönen und ächtchristlichen Aufforderungen zur Bethätigung der Nächstenliebe an jenen Unglücklichen, welche die Ueberschrift dieses Aufsatzes nennt, mitten in die allgemeine Theilnahme nicht bloß des Preußenlandes, sondern von ganz Deutschland einen schrillen Mißlaut entsendet, und die wohl einer Mittheilung und Prüfung in diesen Blättern werth ist, da die hundertzüngige Fama sie schon durch unsere ganze Provinz verbreitet hat, ohne doch auf diesem Wege sie anders als ein *Gerücht* zu documentiren, dem man als *solchem* nicht recht auf den Leib gehen kann. Ist die Kunde wahr — wie gern bezweifeln wir es noch, — dann würde unsere obige Bemerkung, daß wir nur zur Hälfte an den guten Willen und die ehrliche Meinung unserer, Schutzzölle heischenden, Fabrikanten glauben, der glänzenden — obwohl traurigen — Rechtfertigung nicht entbehren; ist sie nicht wahr, so wird *sie hoffentlich eine Berichtigung nicht lange erwarten dürfen*, die entweder ihren völligen Ungrund erweist oder das etwaige Wahre

Schlesische Chronik
Nr. 17 27. Februar 1844

In Sachen der Weber und Spinner[16]

Wenn die ›Häupter‹ unserer Fabrikanten und Manufakturisten teils in öffentlichen Blättern die Volksmeinung, teils in Immediat-Eingaben[17] und Anträgen die Ministerien zugunsten des Colbert'schen Merkantilsystems[18], also ihres eigenen Vorteils, zu stimmen suchen, so betrachten sie als einen ihrer stärksten Verbündeten den Hinweis auf die gedrückte, erbarmenswerte Lage, in der sich ihre Vor- und Hilfsarbeiter, die Weber und Spinner, befinden. Sie verfehlen dann auch nie, das in der Tat augenfällige Elend derselben dem ›bei uns mehr und mehr zur Geltung gekommenen‹ Adam Smith'schen Industriesystem[19] mit seinem Grundsatze freien Handelsverkehrs der Völker untereinander in die Schuhe zu schieben, und somit ihren Forderungen von Schutzzöllen als der einzigen Rettung aus solcher Not den Weg anzubahnen. Wir gestehen offen, daß wir – wenn auch zur Hälfte an den guten Willen und die ehrliche Meinung der Antragsteller – doch ganz und gar nicht an *diesen* Messias aus der Hungersnot und dem Sklaventum unter zivilisierten Völkern glauben. Gesetzt, unsere Staatsmänner gingen auf jenes Verlangen ein, und die Fabrikate rivalisierender Nationen würden durch mächtige Zölle von deutschen Märkten ausgeschlossen, würde sich nicht alsbald, bei der Anhäufung von – für die Verwendung bereitliegenden – Kapitalien in den Händen einzelner, die inländische Konkurrenz verdoppeln und verdreifachen? Bietet nicht der gefürchtetste Rival unter den handeltreibenden Völkern, England, den schlagendsten Beweis dafür, daß bei dem ungeheuren Quantum von ›Arbeit‹, das verbesserte und immer noch verbesserungsfähige Maschinen liefern, bei der über den Bedarf gesteigerten Produktion, der menschliche Arbeiter nun unter den allerungünstigsten Verhältnissen einen seinen Anstrengungen dennoch nur halb angemessenen Lohn empfängt? Und das lehrt uns England, England mit seinen überseeischen Märkten, England, das die Pyrenäische Halbinsel, das unsere deutschen Handelsplätze mit seinen Waren überströmt, – und dessen Arbeiter trotzdem seit Dezennien dasselbe Klagelied – nur energischer – singen, das die unsrigen erst jetzt beginnen, nun sie um Sein oder Nichtsein kämpfen![20] – Wir begreifen die Möglichkeit günstiger Einwirkung von Schutzzöllen da, wo, wie bei unsern oberschlesischen Eisenbergwerken, besondere Bodenverhältnisse nur die Begünstigung allmählicher Entwicklung und Erstärkung erheischen, um dann mit Erfolg sich andern seit Jahren bestehenden Genossen an die Seite stellen zu können; wir begreifen diese Möglichkeit, ohne jedoch das gewünschte Mittel für das beste zu halten; – aber wir verneinen sie bestimmt z. B. betreffs unserer Linnen- und Baumwollen-Produktion, welche in einem dichtbevölkerten Lande wie Deutschland überall gleich gut und leicht betrieben werden kann, weil arbeitende Kräfte für andere Gewerbe und den Landbau dennoch überall im Überflusse vorhanden sind. Das Publikum würde anfangs mehr bezahlen müssen, der reiche Fabrikant mehr gewinnen; in wenig Jahren wäre alles wiederum ausgeglichen; der arme Hilfsarbeiter aber wäre nach wie vor in Dürftigkeit und Elend verblieben.

Dies jedoch nur beiläufig! Eigentliche Veranlassung zu diesen Zeilen ist eine Erzählung, die mitten unter die schönen und echtchristlichen Aufforderungen zur Betätigung der Nächstenliebe an jenen Unglücklichen, welche die Überschrift dieses Aufsatzes nennt, mitten in die allgemeine Teilnahme nicht bloß des Preußenlandes, sondern von ganz Deutschland einen schrillen Mißlaut entsendet, und die wohl einer Mitteilung und Prüfung in diesen Blättern wert ist, da die hundertzüngige Fama sie schon durch unsere ganze Provinz verbreitet hat, ohne doch auf diesem Wege sie anders als ein Gerücht zu dokumentieren, dem man als solchem nicht recht auf den Leib gehen kann. Ist die Kunde wahr – wie gern bezweifeln wir es noch –, dann würde unsere obige Bemerkung, daß wir nur zur Hälfte an den guten Willen und die ehrliche Meinung unserer Schutzzölle heischenden Fabrikanten glauben, der glänzenden – obwohl traurigen – Rechtfertigung nicht entbehren; ist sie nicht wahr, so wird sie hoffentlich eine Berichtigung nicht lange erwarten dürfen, die entweder ihren völligen Ungrund erweist oder das etwaige Wahre daran zugunsten des Angeklagten beleuchtet. Diese veranlaßt zu haben, wäre in letzterem Falle das von uns gebotene Entgelt.

›Ein armer Weber kommt zu einem reichen Kaufmann und bietet ihm eine Webe zum Kaufe. Nach dem Preise gefragt, verlangt er einen dem Werte der Arbeit durchaus angemessenen, dessen Richtigkeit jener aber in Abrede stellt, indem er volle fünf Taler – ein Kapital für unsere Weber – weniger bietet. Es kommt so weit, daß der arme Arbeiter sich zu einem Fußfalle vor dem Handelsherrn erniedrigt. Er müsse bei diesem Preise mit den Seinigen verhungern; damit habe er kaum das Material bezahlt, geschweige den Schweiß und die Mühen seiner Nachtwachen. Umsonst! Der Kaufmann bleibt bei seinem Gebote stehen, und der Weber – Frau und Kinder schreien nach Brot; wer weiß, ob er bald einen anderen Käufer findet? – der Weber gibt mit Tränen im Auge seine Arbeit hin. Unmittelbar von den Seinen aber, denen er von dem Gelde erst Brot kaufte, eilt er zu seinem Gutsherrn, dem er alles erzählt und zuletzt verzweiflungsvoll erklärt: Bis jetzt habe er sich, obwohl mit Kummer und Not, doch ehrlich genährt; so aber gehe es nicht mehr, ihm bleibe nur Betteln oder Stehlen übrig. Der Gutsherr läßt sich das äußere Ansehen der Webe genau und bis ins kleinste beschreiben, und fährt dann augenblicks zu jenem Kaufmann, dem er erklärt, zu einem bestimmten Zwecke ein Stück Leinwand kaufen zu wollen. – Um es kurz zu machen –, unter den vorgelegten Stücken erkennt der Käufer in der Tat die ihm kurz zuvor genau beschriebene Arbeit seines Gutsinsassen und kauft sie, nachdem das Handlungshaus versichert hat, sie billiger nicht lassen zu können, um einen Preis, der dem Kaufmann das Doppelte von dem als Profit läßt, das er dem Armen abgedrungen. Der Gutsherr fährt sogleich zurück; der Weber, der auf sein Geheiß ihn erwartete, erkennt ebenfalls sogleich seine Arbeit wieder; und nun soll ersterer, mit Hinweis auf unzählige ähnliche Vorkommnisse, die ganze Sache Sr. Maj. dem Könige angezeigt haben.‹

Soweit die Erzählung, die ich, mit geringen Abweichungen im einzelnen, an drei verschiedenen Orten vortragen hörte. – Ich erlaube mir einige Bemerkungen dazu. Darf man sich wundern, daß gerade in Fabrikgegenden (man sehe: das Wuppertal, die Fabrikantendörfer des Eulen- und Riesengebirges) der Pietismus so floriert? Darf man sich wundern, wenn der, welcher trotz aller ehrenwerten Anstrengungen einem Leben voll Not, Entbehrung und Elend sich gleichsam verfallen sieht, diese Erde nur als das Jammertal betrachtet, aus dem die Erlösung ihm nicht früh genug kommen kann? Darf man sich wundern, daß, obwohl er alle Tage mit Fürst und Bauer, mit Millionär und Bettler betet: ›Unser Vater, der Du bist im Himmel!‹ er dennoch Mut und Vertrauen zu Gott als dem Vater verliert, daß er von Tage zu Tage mehr verdumpft, sein Unglück als die unabwendbare Strafe seiner menschlichen Sündhaftigkeit ansieht, und nun mit Heißhunger nach den Traktätchen greift, die ihm der Pietismus bietet, die Tröstungen der Blut- und Sündentheorie, die Zusprüche unserer Krummacher[21] und Konsorten gierig hört und aufnimmt? Man merke wohl: Despotie und Hierarchie sind immer Hand in Hand gegangen. Beide wollen herrschen. Beiden ist deshalb geistige Freiheit ein Greuel. Darum – erst verdummen, erst geistig knechten, dann habt ihr freien Tisch! – Wir wollen euch aber diesen freien Platz nicht lassen; wir wollen uns vielmehr jederzeit laut, frei und öffentlich gegen geistigen und körperlichen Druck erklären, weil beide in ebenso enger Verbindung und unmittelbarer Wechselwirkung zueinander stehen wie Geist und Körper selbst. Darum auch an alle diejenigen, welche von dem Sachlichen unserer Erzählung genau unterrichtet sind, die dringende Bitte, damit nicht zurückhalten zu wollen. Solche Tatsachen zu veröffentlichen, ist Pflicht und Beruf der Presse. Solche Veröffentlichung verbietet keine deutsche Regierung!

Aachener Zeitung
Nr. 62 2. März 1844

Aachen, 29. Februar. Der Verein für Unterstützung der Armen im schlesischen Gebirge hat seinen Beruf und seine Zeit verstanden[22]. Er hat das Rechte begriffen und getan, was allein tun muß, wer wirklich der Armut zu Hilfe kommen will. Es liegen uns die von demselben entworfenen Statuten vor, welche mit einer Umsicht abgefaßt sind, die als Muster in ähnlichen Fällen dienen kann. Die Armut ist überall; sie findet auch überall einen immer bereiten Wohltätigkeits-Sinn, welchen ihr Elend rührt und zur Unterstützung drängt. Aber alle unsere Wohltätigkeit besteht in der Regel nur in direkten pekuniären Spenden, höchstens im Verteilen von Lebensmitteln. Die Armen-Verwaltungen, welche über Summen im großen verfügen, verfahren nicht anders als der Privatmann. Sie verteilen das Geld, ohne sich um die Benutzung desselben zu kümmern, was auch kaum möglich ist, da, wo viele Arme zu übersehen sind, ihr innerer Haushalt nicht immer streng zu überwachen ist. Die Unterstützung wird aber dadurch meist zu einer sicheren Rente, die, weil sie bequem eingeht, keine Anstrengung weiter erfordert, dazu auffordert, in einem Zustande zu bleiben, welcher die Entziehung dieser Rente unmöglich macht. Die Zartheit des Gewissens oder des Gefühls, welche die Wohltat als eine Last erscheinen läßt und dazu antreibt, sobald als möglich deren Notwendigkeit entbehrlich zu machen, darf nicht erwartet, wird auch selten angetroffen werden. Statt also einer Anstrengung, aus der Dürftigkeit herauszukommen, werden wir die Geldspenden nur eine größere Erschlaffung, eine Stumpfheit erzeugen sehen. [. . .] Die Bewohner des schlesischen Gebirges sind elend geworden, weil sie auf eine Industrie beschränkt sind, welche der fremden Konkurrenz zu erliegen droht. Wir wollen nicht untersuchen, ob der zu hohe oder zu niedere Schutzzoll daran schuld, ob die Handarbeit dem Maschinenprodukt weichen muß; gewiß ist, daß durch Eröffnung natürlicher Abzugswege, wie sie sich für das Leinenzeug auswärts darbieten, dem Ruine vorzubeugen war. Aber das Elend ist einmal da, ist furchtbar, wird von Augenzeugen so dargestellt, daß jedes Herz dabei erzittern muß. Es muß rasch geholfen werden, und kein Menschenfreund wird säumen, sein Scherflein beizutragen. [. . .]

Trier'sche Zeitung
Nr. 65 5. März 1844

Bekanntmachung

Der schon so oft durch die Tat bewährte Wohltätigkeits-Sinn der Einwohner des Wuppertals ist auch bei dem großen Notstande der schlesischen Gebirgsbewohner, von welchem uns die Zeitungen so ergreifende Schilderungen gebracht, kein teilnahmsloser Zuschauer geblieben.

Durch die Herren Verleger der ›Elberfelder Zeitung‹ und des ›Elberfelder Kreisblattes‹ sind mir in diesen Tagen die in der Expedition dieser Blätter als freiwillige Liebesgaben eingegangenen Beiträge zur Linderung der Not der schlesischen Gebirgsbewohner mit zweihundertfünfzig Talern zur Weiterbeförderung übersandt und noch fernere Sendungen in Aussicht gestellt.

Indem ich den edlen Gebern namens unserer hart bedrängten schlesischen Brüder hierdurch den herzlichsten Dank abstatte, spreche ich zugleich den Wunsch aus, daß das von Elberfeld gegebene schöne Beispiel nicht ohne Nachfolge bleiben möge, daß sich namentlich auch die Redaktionen der übrigen Zeitungen der Provinz zur Sammlung von Gaben für die armen schlesischen Gebirgsbewohner veranlaßt finden mögen.

Für die Beförderung der einkommenden Beiträge werde ich sehr gerne Sorge tragen.

Koblenz, den 22. Februar 1844

Der Ober-Präsident der Rheinprovinz
Schaper[23]

Aachener Zeitung
Nr. 88 28. März 1844

Aufruf[24]

Jahrzehnte hindurch waren die Weber und Spinner in Schlesien an Entbehrungen des Notdürftigsten gewöhnt, gegenwärtig aber ist durch die lange anhaltende Ungunst der Handelsverhältnisse ihre Not bis auf das Äußerste gestiegen.

Es gilt nicht, ein Unglück, das Gott mit einem Schlage verhängt hat, abzuwenden. Es gilt, ein geräuschloses, langsam schleichendes, aber um so verderblicher wirkendes Elend zu besiegen.

In Breslau hat sich am 7. dieses Monats ein Verein gebildet, der sich die Aufgabe gestellt hat, sowohl augenblicklich die Hilfsbedürftigen zu unterstützen, als auch für eine dauernde Abhilfe der Not Sorge zu tragen, und das unterzeichnete Komitee hat die Geschäftsführung des Vereins übernommen.

Wir beginnen unsere Tätigkeit mit dem Aufruf an alle Menschenfreunde, uns bei unserem Vorhaben zu unterstützen. Wir bedürfen bedeutender Mittel, um unser Ziel auch nur annähernd zu erreichen, und gemeinschaftliches Wirken vermag allein die Summe des Elends zu bewältigen.

Indem das unterzeichnete Komitee eine zweckmäßige Verwendung der uns zufließenden Beiträge zu besorgen verspricht, ersuchen wir die verehrlichen Redaktionen deutscher Zeitungen und Zeitschriften, diesen Aufruf abzudrucken, Beiträge zum Besten der Notleidenden anzunehmen und an unseren mitunterzeichneten Schatzmeister einzusenden.

Breslau, den 15. März 1844

Das Komitee des Vereins
zur Abhilfe der Not unter den Webern und Spinnern in Schlesien

Der	Der	Der
Ober-Bürgermeister	Kaufmann	Regierungs-Assessor
Pinder	C. Scharff	Schneer[25]
als Vorsitzender	als Schatzmeister	als Protokollführer

Trier'sche Zeitung
Nr. 98 7. April 1844

Vom Rhein. 3. April. [. . .] Die Industrie im großen und ganzen ist ein Element des Staatsorganismus, etwas, das der Staatsweisheit unmittelbar verfällt, und wo diese letztere vorauszusetzen ist, da kann es nicht fehlen, daß jetzt das Bedürfnis gefühlt werde, tätig einzugreifen, die Privatunterstützungen wesentlich zu ergänzen und für die ganze Zukunft die Wiederkehr dieses Grades von Elend unmöglich zu machen. Der Staat aber hat den Schlesiern gegenüber zwei Mittel, welche unfehlbar ausreichen müssen, dafern man sie mit der gehörigen Energie und in Ungetrenntheit anwendet. Daß eine nationale Industrie, welche durch die Mißgunst der Umstände an den Rand des Verderbens gekommen ist, und welche von außen eine gewaltige und kompakte Konkurrenz erleidet, weiser und genügender Schutzzölle bedürfe, bis sie auf eignen Beinen zu stehen vermöge, gilt bei uns als eine ausgemachte Wahrheit. Diese Wahrheit können wir als etwas objektiv Richtiges um so mehr hier voraussetzen, als die ›Trier'sche Zeitung‹ in mehreren Artikeln sich als Anhängerin des richtigen nationalökonomischen Systemes noch im vorigen Jahre bewährt hat. [. . .] Zollschutz wäre also das erste dringliche Mittel zur Abhilfe der Not. Das zweite besteht in der *Organisation der Arbeit.*

Es darf nicht sein Bewenden dabei haben, daß man eine neue Wahrheit billigt und theoretisch falsche Ansichten fallen läßt. Man muß auch nach der bessern Überzeugung handeln. Hier ist nun ein Feld gegeben, wo die Arbeit zu organisieren ist, wo die Beteiligten keinen Augenblick Widerstand entgegensetzen werden, wo sich der Beweis führen läßt, daß der Sozialismus, weit entfernt, eine Theorie des Umsturzes und der Vernichtung zu sein, etwas praktisch höchst Vortreffliches, allen Menschen zugute Kommendes, die Sittlichkeit und den Wohlstand lediglich Beförderndes ist. Es kommt nur auf die Probe an. Was nämlich die meisten wohl noch nicht klar wissen, ist, daß die schlesischen Weber nicht als Masse, nicht einmal in Masse dem Verkehr und den Konsumenten gegenübertreten, daß sie vielmehr als einzelne, isolierte Individuen von wenig Mitteln, die von Hand zu Mund leben, der gänzlichen Willkür der Vorkäufer, der Kapitalisten, der Kaufleute preisgegeben sind, welche, ihre augenblickliche Verlegenheit benutzend, lediglich auf eigne Spekulations-Chancen achten und so den Weber zu einem untergeordneten Helfershelfer, zu einem Knechte und Sklaven herabdrücken. [...]

Organisiere man also die schlesischen Weber, nicht in Zünfte, sondern in *freie Organisationen,* wo jeder frei ist und durch den Verband erst recht frei wird. Dann können diese Assoziationen[26] den Kaufherren anders gegenübertreten, und wenn der Grenzzoll ihnen die Abnahme sichert, so wird es sich bloß fragen, welche Assoziation am besten und probehaltigsten produziert. Aus diesem Wetteifer dürfte sich binnen kurzer Zeit eine Blüte der Industrie herausstellen, die es erlaubte, den Zoll zu erniedrigen, ganz aufzuheben und den Markt der deutschen Leinen weit über die deutschen Grenzen hin auszudehnen. Dies klingt vielleicht fabelhaft und chimärisch. Allein, habt ihr die Assoziation vielleicht einmal versucht, habt ihr erfahren, was die solidarische Verbindung freier Menschen vermag?

Beilage zu Nr. 85
der privilegirten Schlesischen Zeitung
11. April 1844

Offener Brief an die Herren C. G. Kramsta[27] und Söhne in Freiburg

Gestern kam der hiesige Webermeister und Gemeindedeputierte Benj. Wagner zu mir und sagte: Es wäre mehreren hiesigen Webern, die für Ihre Handlung arbeiteten, bei Ablieferung ihrer Ware gesagt worden: man werde gerade ihnen künftig gar keine Arbeit mehr geben oder nur schlechtes Handgespinst, und daran sei ich schuld! Sie möchten zu mir gehen und mich veranlassen, das zurückzunehmen, was ich über die Leinwandverhältnisse gesagt, denn nur ich sei schuld daran, daß so vieles Garn und so viele Leinwand keinen Abgang mehr finde!

Ich erlebte nun an mir selbst, was schon bei Herrn Buchdrukker Rieck, dem Redakteur des ›Freiburger Lokalblattes‹, versucht ward, dem wegen eines abgedruckten Aufsatzes – wie ich hörte von Ihren Fabrikaufsehern – die Fabrikarbeiter auf den Hals gehetzt wurden, so daß es sogar bis zu Straßenaufläufen kam.

Ein dergleichen Benehmen kann gelegentlich zu Unfug führen, darum verdient dasselbe öffentlich gerügt zu werden, und wenn ich auch glaube, versichert sein zu dürfen, daß der einsichtige Chef eines achtungswert genannten Handlungshauses dabei nicht im Spiele sein könne, so ergibt schon die Ähnlichkeit und Wiederholung des Verfahrens, daß sich die Geschichte nicht auf ein aus der Luft gegriffenes Gerede basieren kann.

Sie werden einsehen, meine Herren, daß es an Ihnen ist, Maßregeln gegen mögliche Wiederholungen von dergleichen Gebaren Ihrer Untergebenen zu treffen. Es liegt dies gewissermaßen im Interesse Ihres Geschäfts, wie ich das Vergnügen haben werde, Ihnen sogleich schlagend darzutun, indem ich Ihnen den Erfolg der Aufwiegelung gegen mich mitteile:

Die Weber, denen wahrscheinlich von Ihrem Handlungspersonale die Einflüsterung und Drohung gemacht worden ist, kamen gar nicht einmal selbst zu mir, um mich zur Rede zu stellen oder mir Vorwürfe zu machen; denn ich erwarb mir durch mein Betragen als ihr ältester Gemeindedeputierter, wie Sie sich bei Nachfrage überzeugen werden, die Achtung der Leute. Es sprach nur etwa mit einem befreundeten Nachbar, wer etwa unschlüssig oder zaghaft war, und wissen Sie, wie der ›arme Mann‹, das Volk, urteilte? Man entgegnete: ›Laßt euch nicht bange machen; solange Kramstas an eurer Arbeit zu verdienen wissen, werden sie euch welche geben und hören sie ganz auf zu handeln, so treten an ihre Stelle sicher wieder zwanzig andere und es wird wieder wie früher, wo wir nicht von der Gunst oder Ungunst eines einzelnen abhingen und besser bezahlt wurden!‹

Sollte, wider Vermuten, dennoch jene unvorsichtige Äußerung von Ihnen ausgegangen sein, so gebe ich Ihnen die Versicherung, daß nur, wenn ich meine gewonnene Überzeugung als irrtümlich anzuerkennen genötigt wäre, ein Widerruf derselben stattfinden könnte. In diesem Falle aber sofort, wenn auch mit Trauer im Herzen, denn dann wäre jede Hoffnung verloren, den seitherigen herzzerreißenden Jammer unserer Spinner und Weber gründlich zu heben. Ich halte nämlich mit dem Ihnen befreundeten Herrn M. Websky[28] dafür, daß die Leinwand aus Maschinengespinst ein von der Handgespinstleinwand ganz abweichendes Produkt sei, daß es sich den Eigentümlichkeiten der Baumwollengewebe nähere und daß letztere endlich einen vollständigen Sieg über das Flachsgespinst davontragen müsse. England hat uns dann für immer aus dem Felde geschlagen, denn es ist wenig Aussicht vorhanden, daß wir der englischen Konkurrenz jemals werden die Spitze bieten können. Ganz anders stellt sich die Sache, wenn wir bei dem Gewebe aus Handgespinst stehenbleiben und dessen Eigentümlichkeiten in Geltung erhalten, wozu uns die Mittel in der aufrichtigen Belehrung und Bedienung des Publikums zu Gebote stehen. England muß dabei allezeit gegen uns seine sonst mächtigen Segel streichen, denn es fehlt ihm unser niedriger Arbeitslohn! –

Solange mir das Irrtümliche dieser Ansichten nicht klar bewiesen wird, solange beharre ich auf denselben zum Vorteile meines Vaterlandes! Einen anderen Vorteil aber kenne ich nicht, habe ich nicht dabei, und keine Absicht als diese, verbunden mit dem lebhaftesten Wunsche: Unserer arbeitsamen, in den bejammernswertesten Umständen lebenden Armut nach besten Kräften hilfreiche Hand zu bieten, hat meiner Wirksamkeit zum Grunde gelegen. – Verdient mein Betragen demnach ein Verfahren wie das oben gerügte?

Seitendorf, am 3. April 1844 Ed[uard] Pelz

Erste Beilage zu Nr. 88 der privilegirten Schlesischen Zeitung
15. April 1844

Auf den an uns gerichteten Offenen Brief des Herrn Ed[uard] Pelz in der Beilage zu Nr. 85 der ›Schlesischen Zeitung‹ erwidern wir: Wir haben einigen unserer Seitendorfer Weber angedeutet, daß wir ihnen statt Maschinengarn gutes Handgarn (schlechtes geben wir nie aus) zur Arbeit geben würden, um Herrn Pelz Gelegenheit zu geben, sich am Orte durch die Tat zu überzeugen:

1. wieviel ungleicher Handgarn als Maschinengarn
2. wieviel schwieriger es ist, ein gutes Schock Leinwand aus Handgarn als aus Maschinengarn zu verfertigen
3. wieviel mehr Zeit der Weber beim Handgarn braucht
4. wieviel weniger er pro Tag daran verdienen kann und
5. wieviel fester Maschinengarn denn Handgarn ist.

Wenn Herr Pelz ferner als das Urteil des armen Mannes zitiert: ›Laßt euch nicht bange machen, *solange Kramstas an eurer Arbeit zu verdienen wissen, werden sie euch welche geben,* und wenn sie ganz aufhören zu handeln, so treten 20 andere an ihre Stelle‹, so ist der unterstrichene Teil ganz in der Ordnung; wir werden nur Geschäfte fortführen, welche zeitgemäß sind und in denen unser gewiß mäßiger Nutzen mit dem des Arbeiters sich verbinden läßt. Unternehmungen, welche nicht auf diesen Grundlagen ruhen, werden nirgends von Dauer sein. Die Zukunft wollen wir Gott anheimstellen und fordern Herrn Pelz nur noch auf, insofern derselbe unparteiisch sein will, unsre gut arbeitenden Lohnweber auszuschließen (wenn er von herzzerreißendem Jammer der Weber schreibt). Wir bezahlen, mit Bezug auf die festen Garne, welche wir zur Verarbeitung geben, die besten Löhne des Gebirges, und viele Weber-Familien arbeiten seit 40 Jahren für uns und sind uns mit Vertrauen ergeben. Sie wissen, daß wir gegen Lohn nur schlesische Weber beschäftigen, auf gute Ware halten, welche Schlesien Ehre bringt, und daß in hiesiger Gegend nie so viel feine gute Leinwand gemacht worden ist als jetzt.
Freiburg, den 12. April 1844 C. G. Kramsta und Söhne

Weser-Zeitung
Nr. 89 15. April 1844

Berlin, 11. April. Man bietet hier alles auf, um den armen Webern und Spinnern in Schlesien zu helfen. Der von der Seehandlung[29] errichtete Verein läßt von Haus zu Haus seine echten Linnen anbieten. Dadurch geraten aber unsere Leinwandhändler, die mit großen Vorräten sich versehen haben, in einige Verlegenheit, die sie in keiner Art verdient haben. Besser wäre es allerdings gewesen, wenn man früher, wozu die Presse wiederholt aufgefordert hat, mit Spanien Handels-Verträge abgeschlossen und sich in kommerziellen Dingen nicht um politische Theorien bekümmert hätte. [. . .]

№ 89.

Abonnement mit vierteljähriger Vorausbezahlung in Mannheim 1 fl., durch die Post bezogen im ganzen Großherzogthum Baden 1 fl. 24 kr., im Ausland erhöht sich das Abonnement um den Postaufschlag.

Mannheimer Abendzeitung

Inserate die gespaltene Zeile in Petitschrift oder deren Raum 3 kr. Inserate, worüber die Redaktion Auskunft zu ertheilen hat, die Zeile oder deren Raum 4 kr. — Briefe und Gelder erbittet man franco.

Sonntag 14. April 1844.

Deutschland.

** **Mannheim**, 12. April. Die hiesigen israelitischen Einwohner haben auch für den gegenwärtigen Landtag eine Bitte um bürgerliche Gleichstellung mit den christlichen Einwohnern des Landes der zweiten Kammer eingereicht. Wir theilen hier als Vorläufer der deßfallsigen Verhandlungen diese Petition wörtlich mit, da sie kurz und gut die hochwichtige Frage der Judenemancipation wieder anregt:

„Wenn wir nach so vielen vergeblichen Versuchen abermals diese hohe Kammer mit der Bitte um bürgerliche Gleichstellung zu behelligen wagen, so geschieht dies theils im Bewußtsein unseres guten Rechts, theils im Hinblick auf einige neuere Zeitereignisse, welche nicht ohne Rückwirkung auf die Ansichten dieser hohen Kammer bleiben könnten.

Es haben nämlich die rheinischen Provinzialstände, veranlaßt durch viele Petitionen christlicher Einwohner der Rheinstädte, die Gleichstellung unserer Glaubensgenossen in Preußen beantragt.

Dieser Antrag, hervorgegangen aus dem klaren Bewußtsein der Nothwendigkeit, an dem Prinzip der Rechtsgleichheit in jeder Beziehung festzuhalten, hat, so viel wir aus öffentlichen Blättern erfahren konnten, die volle Zustimmung des Volkes erhalten. Es ist dies das schönste Zeugniß politischer Mündigkeit, wenn ein Volk seine Vorurtheile dem Prinzip, das es als gerecht und heilsam erkannt hat, zum Opfer bringt. Sollten wir weniger von dem badischen Volke erwarten dürfen?

Im ganzen badischen Lande wurde in diesem Jahre die Feier des 25jährigen Bestehens unserer Verfassung freudig, man darf sagen mit Jubel, begangen. Diese Feier war kein leeres Scheingepränge, sie hatte eine ernste Bedeutung. Das badische Volk bekundete dadurch, daß es seine Verfassung liebe, daß es die darin gegebenen Garantien als Bollwerke seiner Freiheit erkenne, daß es die darin ausgesprochenen Grundsätze zu den seinigen mache. Wenn diese Auffassung der denkwürdigen Feier auf Wahrheit beruht, so dürfen wir getrost uns der Hoffnung hingeben, das badische Volk werde, sobald es sich überzeugt, daß bei der vorliegenden Frage es sich nur um Anwendung eines Prinzips unserer Verfassung handele, dieser seine volle Zustimmung geben. Dürfen wir unter gleicher Voraussetzung an der Mitwirkung dieser hohen Kammer auch nur zweifeln? Wir erlauben uns die Aufmerksamkeit dieser hohen Kammer auf den §. 7 unserer Verfassungsurkunde zu lenken, welcher besagt:

„Die staatsbürgerlichen Rechte der Badner sind gleich in jeder Hinsicht, wo die Verfassung nicht n a m e n t l i c h und a u s d r ü c k l i c h eine Ausnahme begründet.“

Wir haben daher nach der Verfassung ein Recht auf Gleichstellung, insoweit nicht sie selbst eine Ausnahme enthält. Eine solche ist nur im §. 37 zu finden. Im Uebrigen muß jeder Badener, der seine Verfassung liebt, der ihre Grundsätze anerkennt, der sie zur Wahrheit machen will, unserer Bitte seine Unterstutzung angedeihen lassen.

Wir können darum nicht glauben, daß diese hohe Kammer abermals auf den Beschluß vom Jahre 1831 zurückkommen, und uns das Aufgeben gewisser religiöser oder ceremonieller Vorschriften zur Bedingung der Erlangung der Rechtsgleichheit machen werde. Wir können es um so weniger glauben, als §. 18 der Verfassungsurkunde u n g e s t ö r t e G e w i s s e n s f r e i h e i t allen Landes-Einwohnern verbürgt. Sollte man uns diese Bürgschaft entziehen können? Oder ist es etwa nicht Gewissens-Z w a n g, wenn man die Erlangung von Rechtsgleichheit von Aenderungen in der Religion oder in dem Ceremoniell abhängig macht? Zudem zwingt uns gerade der Beschluß dieser hohen Kammer auf alle Reformen, die etwa uns selbst als zeitgemäß und ausführbar erscheinen, vorerst zu verzichten, um selbst den Anschein zu vermeiden, als wollten wir durch dieselben die politische Gleichstellung erkaufen. Möchte daher diese hohe Kammer, wenn ihr die zeitgemäße Entwickelung unserer religiösen Zustände wahrhaft am Herzen liegt, auf allen, selbst indirekten, Zwang verzichten, und den milden Strahlen der Freiheit überlassen, die Keime religiöser Aufklärung, welche die fortschreitende Bildung mit unsichtbarer Hand unter unsern Glaubensbrüdern verbreitet hat, zur vollen Reife zu bringen.

Uebrigens haben wir nicht nur die Versagung unserer oft wiederholten Bitte um Rechtsgleichheit zu beklagen, wir sind auch genöthigt, uns wegen Entziehung früher schon gewährter Rechte beschwerend an diese hohe Versammlung zu wenden. Die neue Gemeindeordnung hat uns die Wählbarkeit zu höhern Gemeindeämtern entzogen, wider die ausdrückliche Bestimmung des Art 16 der deutschen Bundesacte, welche uns die bis zum Jahr 1815 gewährten Rechte garantirt. Die neue Gemeinde-Ordnung hat uns überhaupt von allen ihren Wohlthaten ausgeschlossen und für uns eine ältere Gesetzgebung bestehen lassen, deren Abschaffung von allen Wohldenkenden und Freigesinnten als heilsam erkannt wurde. So ist eine neue Scheidewand gezogen, ein neuer Grund zur Absonderung erzeugt worden, während Annäherung, ja Verschmelzung als das Ziel legislativer Maßregeln in unsern Angelegenheiten bezeichnet wird.

Wir haben ein angeborenes Recht auf Gerechtigkeit; Humanität und Staatsklugheit fordern Gewissensfreiheit; die deutsche Bundesacte verheißt uns den Genuß der bürgerlichen Rechte; unsere Verfassung stellt alle Badner gleich in jeder Beziehung. So wagen wir denn vertrauensvoll die Bitte:

„Diese hohe Kammer wolle die hohe Staatsregierung veranlassen, einen Gesetzentwurf, der die bürgerliche Gleichstellung unserer Glaubensgenossen ausspricht, vorzulegen; eventuell, diese hohe Kammer wolle die hohe Staatsregierung zur Vorlage eines Gesetzentwurfes, der die uns nachtheiligen Bestimmungen der neuen Gemeindeordnung abändert, veranlassen.“

†○ **Berlin**, 9. April. Es ist ein schlimmes Zeichen, wenn in einem aufgeregten, schwankenden politischen Zustande die Conservativen anfangen, bedenklich zu werden, wenn sie von G e f a h r e n sprechen, in denen der Staat schwebt, und diesem dringend rathen, sich mit den Oppositionselementen, die in ihm toben, zu einigen. Ein solches Schauspiel gewährt uns der alte B ü l o w - C u m m e r o w in seinen neuesten, so eben erschienenen „p o l i t i s c h e n u n d f i n a n z i e l l e n A b h a n d l u n g e n“ (Berlin bei Veit), in denen er sich über die Resultate der jüngsten Landtagsverhandlungen ausläßt. Er stellt die wichtigsten der 53 Stände-Petitionen tabellarisch zusammen und gewährt uns in den beigefügten Bescheiden mit ihrem 23maligen „abgeschlagen“ und „zurückgewiesen“ und dem 13maligen „soll in Erwägung gezogen werden“, ein sehr sprechendes Bild ihrer Resultate. Dann spricht er von dem Zwiespalt, den der Pietismus in die Gemüther geworfen und von der Mißstimmung, welche die Verfassungsangelegenheit in denselben erregt hat. „Täuschen wir uns nicht und täuscht uns das nicht, was jetzt vorgeht, so erkennt weder die Regierung noch die Opposition die Krisis, in der sich das Land befindet, und doch sind beide gleich nahe betheiligt, daß diese sich zum Guten wende. Von allen Krankheiten, welche die Gesellschaft bedrohen, sind keine gefährlicher, als die, welche aus den Gesinnungen entspringen, hat eine solche erst feste Wurzel gefaßt, so wird leider nur zu oft die Krankheit eine unheilbare.“ Der alte Herr weiß nicht, daß die Krankheit nur der Prozeß der Gesundheit ist. Er fordert dringend eine V e r f a s s u n g, um die Gefahr zu beseitigen; wenn das so fortginge, meint er, würde die isolirte Provincial-Verfassung sich immer mehr verkürzern und daraus ein F ö d e r a t i v - S t a a t mit einem erblichen Oberhaupt entstehen. Die ganze politische Stellung beruhe aber auf der Concentrirung seiner Kraft, die in der Verbindung seiner Glieder unter sich und dem Oberhaupt des Staats bestehen müsse, eine Zersplitterung derselben würde nothwendig seine jetzige Größe untergraben. Als ersten Schritt zu einer einigen Verfassung fordert er, wie er schon früher gethan, daß den Ständen das Recht der Steuerbewilligung und Steuercontrolle ertheilt werde. Darin, sagt er sehr richtig, liegt der Ursprung aller Stände und ihr historisches Recht. Dazu wurden sie in früheren Zeiten berufen und darin bestand die materielle Wirksamkeit, welche sie zusammen hielt. Es ist daher das Interesse der Regierung selbst, den Ständen ein solches Recht nicht vorzuenthalten. „Mit welchem guten Grunde kann sie sich auf das Historische berufen, so lange dieses nicht besteht?“ „Da den Ständen bereits die Zusicherung gegeben ist, keine neuen Steuern dem Lande aufzulegen und keine neuen Schulden zu machen, ohne vorher sich mit den Ständen vereinigt zu haben, so handelt es sich nur um die Controlle des Staatshaushalts. Zwar wird alle drei Jahre ein sogenanntes Budget bekannt gemacht, und alle 10 Jahre dem Lande eine Uebersicht von dem Staatsschulden-Wesen mitgetheilt, allein durch beide wird das Land eben so wenig befriedigt, als die Absicht des „Monarchen“ erreicht, das Land von der zweckmäßigen und sparsamen Verwendung der Abgaben zu überzeugen. So lange die Steuer-Controlle den Ständen nicht zu-

Mannheimer Abendzeitung
Nr. 89 14. April 1844

An Mannheims Frauen[29a]

Als die Brandfackel Hamburg in Asche legte[30], da waren Millionen Menschen eifrig bereit, Hilfe zu leisten, und Ströme Goldes flossen den Unglücklichen zu. Städte und Dörfer brachten ihre Gaben, Kaiser und Könige beeilten sich, kaiserliche und königliche Spenden zu schicken; jede andere Angelegenheit trat in den Hintergrund zurück, bis der schreienden Not Abhilfe geworden. Hamburgs Brand war ein großartiges Ereignis und wird nicht in Vergessenheit geraten, solange die Menschen Geschichte schreiben. Damals waren es vorzüglich die Männer, welche ihre Tätigkeit bezeigten, und viele Namen jener Helfer werden fortleben und dankend genannt und gerühmt werden.

Ein anderes, vielleicht gräßlicheres Unglück hat die armen Schlesier betroffen; aber es ist kein Ereignis, bei welchem ein unsterblicher Name, bei welchem ewiger Nachruhm gewonnen werden kann, es ist ein einfaches Familienunglück, kein imposantes Schauspiel, bei dessen großartigem, wenngleich fürchterlichem Anblicke das Herz erschüttert und zu höhren Empfindungen angeregt wird. Es ist ein Familienunglück, das nur von dem Herzen einer Frau ganz begriffen werden kann. Der Frau, welcher der schöne Beruf geworden, im stillen zu wirken und zu beglücken, Familienwohl zu befördern. Nur wir können es daher ganz fassen, das namenlose Elend, dem Tausende unsrer Mitschwestern preisgegeben sind, mitfühlen den ungeheuern Schmerz, der das Mutterherz zerreißt, wenn das Höchste, das Einzige, was es besitzt, langsam dem Hungertode entgegenwankt. Glücklich diejenigen, welche alleinstehen, allein sterben können, deren Tränen keinem verschmachtenden Vater, keiner verhungernden Mutter stumm aber deutlich sagen: Ach! Ich kann Euch keine Nahrungsmittel reichen, kann Euch die treue Liebe nicht vergelten, die Ihr mir bewiesen habt! Glücklich diejenigen, die ihrem Kinde, das sie um Brot fleht, nicht sagen müssen: Ich möchte Dir gerne mein Herzblut opfern, aber Brot – ich habe es nicht!

Wenden wir uns von diesen zermalmenden Szenen hinweg und denken wir darauf, wie dieser dringenden Not gesteuert werden kann. In andern, weniger dringenden Fällen haben sich Frauenvereine gebildet und viel Gutes und Nützliches gewirkt. Man hat Schmuck, weibliche Arbeiten und allerhand Luxusartikel durch Lotterien zu Gelde gemacht und bedeutende Summen wurden erzielt. Konzerte wurden von Dilettantinnen gegeben, die reichen Ertrag geliefert. Zum Besten Hamburgs hat eine Gesellschaft hiesiger Herren eine Vorstellung im Schauspielhause gegeben. Könnten die hiesigen Damen, denen ein solches Talent geworden, nicht ein Gleiches zum Besten der armen bedürftigen Schlesier tun? Wer wird nicht gern das kleine Opfer bringen, als Dilettantin einer Kunst aufzutreten, die zwar in einem roheren Zeitalter eine verachtete war, welche man aber längst von einem würdigeren Standpunkte aufzufassen und nach Verdienst zu ehren gewohnt ist? Das schätzbare jetzige Komitee und der geehrte Oberregisseur werden gewiß mit aller Bereitwilligkeit so löbliche Zwecke unterstützen und bemüht sein, die Einnahme so wenig als möglich durch unbillige Abgaben zu schmälern und zu verhüten, daß der Ertrag nicht, wie bei der angeführten Vorstellung, durch Zulassung des Publikums in die Generalprobe verringert wird.

Möge diese dringende Aufforderung von Nutzen sein, und der hohe Wohltätigkeitssinn sich, wie immer, auch in diesem Falle bewähren. Konnten einst, wie die Geschichte erzählt, Frauen ihren Schmuck und ihre Kleinodien zum Opfer bringen zur Fortsetzung des Krieges gegen den Feind ihres Landes, so werden auch wir fähig sein, diesem hohen Beispiele nachzuahmen und gern etwas aufopfern, um einem quälenderen Feinde Trotz zu bieten, der in den Reihen unserer Mitmenschen wütet. Wir werden gern unsere kleinen Fähigkeiten und Talente zum Besten so vieler Unglücklichen anstrengen, einzig von dem schönen Bewußtsein einer guten Tat belohnt. Keine Blätter werden unsern Ruhm ausposaunen, keine Votivtafeln[31] von unsern Taten sprechen, aber daß wir die Tränen der Verzweifelnden getrocknet, daß wir so manchem Herzen den Glauben an die allwaltende

Liebe wieder zurückgegeben, den es bereits verloren hatte, das, meine Mitschwestern, wird uns eine Quelle der Zufriedenheit und Seligkeit werden, wie Lorbeer und Ehrendenkmale sie nimmer zu schaffen imstande wären.

Laßt den Männern die Ehre und unvergängliche Namen;
Schöner und süßer belohnt uns ein schönes Gefühl.

Mannheim, 12. April 1844

Beilage zur Kölnischen Zeitung
Nr. 110 19. April 1844

Dr. Karl Grüns Vorlesungen[32] zum Besten der schlesischen Weber haben einen Ertrag von 138 Tlrn. geliefert, welche Summe derselbe unterm 5. d. Mts. dem Herrn Ober-Präsidenten der Rheinprovinz übersandte, worauf ihm folgendes Schreiben zuging, das hier, den Teilnehmern gegenüber sogleich als Quittung, veröffentlicht wird:

Die mit Euer Wohlgeboren gefälligen Schreiben vom 5. d. Mts. mir übersandten, zur Linderung des Notstandes der schlesischen Weber bestimmten einhundertundachtunddreißig Taler habe ich der Königlichen Regierung zu Liegnitz zur geeigneten Verwendung zugestellt. – Indem ich Euer Wohlgeboren hiervon ganz ergebenst in Kenntnis setze, kann ich es mir nicht versagen, Ihnen namens unserer schlesischen Mitbrüder meinen aufrichtigsten Dank dafür abzustatten, daß Sie diesen mit Ihrem Talente bereitwillig zu Hilfe gekommen sind und ihnen eine so reichliche Beisteuer erwirkt haben.

Koblenz, den 10. April 1844

Der Ober-Präsident der Rheinprovinz, Schaper
An den Herrn Dr. Karl Grün Wohlgeboren in Köln

Erste Beilage zu Nr. 99
der privilegirten Schlesischen Zeitung
27. April 1844

Langenbielau, 23. April. Gestern nachmittag hat der hiesige Weber und Landwehr-Unteroffizier Wilh. Krause in Abwesenheit seiner Frau sein zweijähriges Kind durch Zuhalten des Halses erwürgt und sich dann selbst aufgehängt. Nahrungslosigkeit machte den Unglücklichen zum Verbrecher.[33]

Illustrirte Zeitung
(Leipzig)
Nr. 49 1. Juni 1844

Das alte und das neue System der Fabrikation

Bei der fortgesetzten Aufmerksamkeit, welche die Entwicklung der Industrie von jedem in Anspruch nimmt, der nicht bloß das Wesen der Erscheinungen nach deren Oberfläche beurteilt und der begreift, daß Deutschland nicht eher eine industriell bedeutende Nation werden kann, als bis es, wie England und Frankreich, praktisch beurteilend und handelnd auftritt und aufhört, seine Stunden nur tiefsinnig, hochpoetisch oder stillgemütlich hinter buntgemalten Fensterscheiben oder in süßer Waldeinsamkeit oder am traulichen Herde zu verträumen, ist es wohl am Orte, darauf hinzudeuten, daß es zwei sehr voneinander verschiedene Systeme der Fabrikation gibt, welche recht scharf ins Auge gefaßt sein wollen, wenn man in irgendeinem bestimmten Falle ein richtiges Urteil fällen will. Ganz Deutschland wird gegenwärtig von der Not der Spinner und Weber im schlesischen Gebirge, wie im vorigen Jahr von der der Strumpfwirker, Weber und Klöppler im Erzgebirge, bewegt, und zu leicht geneigt ist der Menschenfreund, auf Beschäftigungen, welche solche große Not zulassen, einen streng richtenden Blick zu werfen und das Fabrikwesen im allgemeinen als die Quelle aller beklagenswerten Volksübelstände zu betrachten. Nichts kann aber ungerechter sein als diese Ansicht. Die Nachlässigkeit in der Feststellung der Begriffe und deren Bezeichnungen hat es veranlaßt, daß man mit dem Ausdruck Fabrik und Fabrikwesen alle und jede größere sich irgendwo entfaltende Gewerbetätigkeit belegt. Man irrt aber hierin sehr. Die großen Ansammlungen von einzelnen in ihren eigenen Wohnungen arbeitenden Webern, Strumpfwirkern, Klöpplerinnen, Posamentierern, Metall- und Holzarbeitern, wie sie in Deutschland in Städten und Dörfern, sogenannten Fabrikdörfern und Fabrikstädten, wohnen, werden ganz uneigentlich mit dem Namen Fabriken, und diejenigen Kaufleute, welche die Erzeugnisse jener kleinen Gewerbetreibenden für den größeren

Markt zusammenkaufen, ebenso ungehörig mit dem Namen Fabrikanten belegt. Es ist begreiflich, daß unbemittelte Weber, Strumpfwirker, welche bloß von ihrer Hände Arbeit leben, nicht viel Zeit darauf verwenden können, ihr Gewebe und Gewirke zu verkaufen, das sie über den unmittelbaren Ortsbedarf liefern, weil ihre Zahl nicht wie die ihrer Brüderhandwerker, der Fleischer, Bäcker, mit der Ortseinwohnerzahl im Gleichgewicht steht. Daher bildete sich aus dem Bedürfnis heraus unter den Unternehmenderen des Gewerbes eine Klasse von Leuten, welche den Arbeitenden das Erzeugnis abkaufen und es auf Reisen, Märkten und Messen vertreiben. Dieses Geschäftsverhältnis besteht noch überall da, wo, durch irgendwelche Umstände begünstigt, große Ansammlungen von unabhängigen Arbeitern ein und desselben Gewerbes sich vorfinden, so unter anderm bei der Flachshandspinnerei, der Weberei und Strumpfwirkerei. Die große Konkurrenz aber, die unter den kleinen Händlern mit den Gewerbeprodukten, bei der Neigung, die eintönige Arbeit mit der freieren Bewegung beim Kauf und Wiederverkauf zu vertauschen, entstand, rief in notwendiger Folge eine dritte Klasse von Geschäftsleuten hervor, welche den kleinen Händlern, die somit zu Vorkäufern, Verlegern wurden, die Waren abnahmen und nun einen ausgebreiteten Handel damit trieben, was ihre kleineren Kollegen zu tun nicht vermochten. – Auf ganz anderer geschichtlicher Entwicklung beruht aber das moderne Fabrikwesen, wie es sich zuerst in England, dann in Frankreich und endlich in Deutschland ausgebildet hat, das Faktoreisystem oder das System der geschlossenen Etablissements genannt. Während das alte ursprüngliche Manufaktursystem einzelner voneinander unabhängiger und höchstens nur durch die beengenden Bande von Innungen zusammenhängender Arbeiter auf den unermüdlichen Fleiß und die Geschicklichkeit der Menschenhand, auf die größtmögliche Verminderung der Bedürfnisse sowie auf die Regsamkeit spekulierender Verkäufer, Händler und Kaufleute gewiesen ist, stützt sich das neue Fabriksystem auf Maschinenkraft, auf die Fortschritte in den Künsten und Wissenschaften, auf die geistige Befähigung des Arbeiters, mit der er die Maschine zu behandeln und zu beaufsichtigen versteht. Jeder Unbefangene wird daraus mit einem Blicke erkennen, daß da, wo das Fabriksystem großer geschlossener Gewerbsanstalten mit dem Manufaktur-Handelsbetrieb zerstreut wohnender Handarbeiter in Mitbewerbung tritt, letzterer auf die Dauer schlechterdings keine Hoffnung hat zu bestehen, wenn er auch zeitweilig mit noch so großer Anstrengung und Unterwerfung unter materielle Entbehrung gegen seinen Verfall ankämpft. Aus diesem Zusammenstoß des Alten mit dem Neuen erklärt sich zum Teil die beginnende und fortschreitende Zerrüttung mancher unserer Handgewerbe, namentlich der Handspinnerei und Weberei, der Spitzenfabrikation. Die Strumpfwirkerei, nur infolge vorübergehender Konjunkturen darniederliegend, hat sich schon wieder erhoben. Im Gegensatz zu jenem Verhältnisse schreibt sich die Blüte unserer Zeugdruckerei, unserer Tuchmanufaktur von dem Erfassen des Fabriksystems her. Riesig würden auch unsere Maschinenspinnereien emporwachsen und einen sehr großen Teil der bei den Handgewerben vorkommenden Menschen in sich aufnehmen, wenn Erfindungskraft, Geist, Unternehmungslust und Kapital einen Schutz gegen die höchst ausgebildete, unter den günstigsten Verhältnissen arbeitende englische Spinnerei erhalten könnten. Nur allein in der vollkommensten Durchbildung des auf Maschinen- und Menschengeisteskraft gegründeten, vom Kapital durchfluteten modernen Fabriksystems ist der fortschreitenden Verarmung und Verkümmerung unserer Arbeiterbevölkerung Einhalt zu tun. Man fürchte keine Abhängigkeit des Menschen von der Maschine und der Macht des Kapitals: Denn tot ist die Maschine ohne den belebenden Geist des Menschen und unfruchtbar das Kapital ohne seine Tätigkeit, daher sind Maschine und Kapital, Menschenkraft und Geist ewig unzertrennlich abhängig voneinander. Es ist eine Anklage, welche die genauesten Erhebungen als falsch erwiesen haben, daß die Fabrikarbeiter physisch und moralisch gedrückt sind und ihre Gesundheit untergraben wird, während tägliche Tatsachen uns die schmerzliche Überzeugung in die Hand geben, welcher Jammer und welche Not in den Hütten des armen Spinners und Webers herrscht, der wohl unabhängig von der Maschine, aber nicht unabhängig von seinen Lebensbedürfnissen ist. Wir haben durch diese Feststellung der unterscheidenden Merkmale des alten und neuen Arbeitssystemes unsere Leser nur auf den Standpunkt zu führen unternommen, von wo aus sie eine klare Aussicht haben in das Getriebe der industriellen Bewegungen unseres Zeitalters, welche nicht minder in politische als in soziale Fragen der Gegenwart hinüberspielen. Kurz zusammengefaßt befindet sich der Arbeiter wohl, wo Kunst und Wissenschaft in Verbindung mit dem Kapital sich vereinigt haben, ihm die schweren Arbeiten abzunehmen und nur die höhere Tätigkeit seines Geistes zu beanspruchen, oder wo die Art und Weise der Arbeiten durchaus die Kunstfertigkeit der menschlichen Hand, des wunderbaren Werkzeugs, erheischt. Überall aber, wo Vorurteil, Eigensinn, Stumpfsinn und Unkenntnis den ungleichen Kampf der rohen Körperkraft mit dem Geiste fortsetzen, wo man sich wider die Segnungen sträubt, welche Kunst und Wissenschaft den Menschen aus ihrem reichen Füllhorn bieten, da werden Jammer und Elend sich unausbleiblich einstellen.

Ueber die Noth der Leinen-Arbeiter in Schlesien und die Mittel ihr abzuhelfen.

Ein Bericht

an das Comité des Vereins zur Abhilfe der Noth unter den Webern und Spinnern in Schlesien, unter Benutzung der amtlichen Quellen des Königl. Ober=Präsidii und des Königl. Provincial=Steuer=Directorats von Schlesien ꝛc.

erstattet

von

Alexander Schneer.

Der Ertrag ist zum Besten der hilfsbedürftigen Weber bestimmt.

Berlin.

Verlag von Veit und Comp.

1844.

Alexander Schneer
Über die Not der Leinen-Arbeiter in Schlesien und die Mittel ihr abzuhelfen (Auszug), 1844

Die Not in den Industrie-Distrikten

Um Rechenschaft darüber zu geben, wie ich mir die Überzeugung von den tatsächlichen Zuständen verschafft habe, glaube ich der Darstellung der vorgefundenen Verhältnisse einen kurzen Bericht über den Weg, auf welchem ich sie kennengelernt habe, vorausschicken zu müssen.

Das verehrliche Komitee[34] hatte mir unter dem 7. Mai 1844 den schriftlichen Auftrag erteilt, ›in den Distrikten der Provinz, in welchen die Leinen-Industrie besonders ausgebreitet ist, Erfahrungen zu sammeln und mich von der Lage der Dinge an Ort und Stelle zu unterrichten, für den oben angegebenen Zweck alle Ermittlungen vorzunehmen, welche mir zweckmäßig erschienen, und bei Verhandlungen mit Behörden oder den Lokal-Vereinen das Komitee zu repräsentieren‹.

Infolgedessen meldete ich mich bei der Königlichen Regierung in Liegnitz und erhielt von dieser Behörde mit der größten Liberalität unter dem 8. Mai 1844 eine Aufforderung an die Landräte der Kreise Landeshut, Bolkenhain, Hirschberg, Schönau, Löwenberg und Lauban, mir zur Erlangung der gewünschten Nachrichten über die Verhältnisse der Spinner und Weber möglichst hilfreich zu werden.

Die Behörden der genannten Kreise wie auch die des Breslauer Regierungs-Departements, deren Verwaltungs-Bezirk ich bereiste, unterstützten mich auf das zuvorkommendste durch die ihnen beiwohnende Kenntnis der Orts- und Personenverhältnisse, und erteilten mir Anweisungen und Aufforderungen an die Ortspolizei-Behörden, mir die zu erfordernden Nachrichten mitzuteilen oder mich nach Verlangen persönlich zu begleiten.

Das verehrliche Komitee hatte die anderen Vereine in der Provinz von meiner Reise schon vorher unterrichtet und denselben eine Mitwirkung für die Erreichung meiner Reisezwecke empfohlen, und so wurde mir denn von allen Seiten eine nicht genug zu rühmende Gefälligkeit und überall die nötige Auskunft oder Begleitung mit der größten Bereitwilligkeit zuteil.

Was nun die Art zu reisen selbst betrifft, so wandte ich mich zuvörderst immer an das Landrats-Amt des Kreises und verschaffte mir dort die Kenntnis über die hilfsbedürftigsten Ortschaften des Bezirks und über die daselbst zuverlässigsten, zugleich aber auch bei den Einwohnern beliebtesten Personen. Indem ich nun beinahe in jedem Kreise drei bis vier Ortschaften in Begleitung der mir empfohlenen Ortsbehörden oder der Mitglieder von Lokal-Vereinen durchwanderte, besuchte ich in den einzelnen Ortschaften besonders solche Häuser und Familien, deren Not das Gepräge des im Orte herrschenden Elends trug.

Dadurch, daß mir die Begünstigung zuteil wurde, mit den im Orte besonders beliebten Personen in den Hütten der Armen einzutreten, hatte ich weniger mit der Befangenheit zu kämpfen, die sonst sich immer zwischen den Fremden und die armen Gebirgs-Bewohner als Hindernis freierer Mitteilung einstellt. Das ganze Jahr hindurch sieht beinahe niemand aus den besseren Ständen das Haus dieser Armen, höchstens wenn ein Kranker des letzten Trostes bedarf, kommt der Geistliche zu ihnen. Die außerhalb der Heerstraßen in isolierter Lage befindlichen Dörfer werden von Fremden überhaupt wenig betreten. Gegen den Fremden haben diese Menschen also eine allgemeine Scheu, um so mehr, als sie mit dem Fremden immer den Begriff des Steuerboten verbinden, welcher zu ihnen kommt, um ihre Gaben einzutreiben.

Wenn ich nun in der angegebenen Weise gegen 50 Dörfer und kleine Städte genauer durchsuchte, in jedem Orte gegen 15 bis 20 Familien gesehen und gesprochen habe, so glaube ich durch die Besichtigung von ungefähr tausend Häusern eine richtige Anschauung der bestehenden Verhältnisse gewonnen zu haben. Ich versäumte es namentlich nicht, die erhaltenen Ergebnisse durch Besprechung mit ortskundigen Personen aus allen Klassen der Gesellschaft zu berichtigen und die Ansichten der verschiedenartigsten Farben und Schattierungen, sowohl konfessioneller als politischer Meinungen, zu hören.

Soviel über die Auspizien, unter denen ich meine Reise antrat, und die Maßregeln, welche ich zur Erreichung meines Zwecks

– die Sammlung der möglichst zuverlässigsten Erfahrungen über die Lage der Dinge – zur Anwendung brachte.

Ich ging durch die Kreise Löwenberg, Lauban, Hirschberg, Schönau, Landeshut, Bolkenhain, Waldenburg, Schweidnitz, Reichenbach, Strehlen und Glatz, und ich will hier die Geduld mit der Aufzählung der einzelnen Ortschaften, die ich gesehen und durchsucht, nicht ermüden.

Wenn ich mich nunmehr zu den von mir gemachten Beobachtungen über den Notstand wenden soll, so wird, weil der Begriff der Not und des Mangels überhaupt ein relativer ist, eine nähere Verständigung über die Lage der arbeitenden Klassen in der Provinz notwendig.

Man darf, wenn von der Not in einem bestimmten Lande gesprochen wird, nur die Lage der zunächst auskömmlich Gestellten als Maßstab nehmen, aber niemals die Verhältnisse anderer Gegenden oder Länder mit in den Vergleich ziehen.

In der Gegend von Mühlhausen z. B. gibt nach dem ›Tableau de l'état physique et moral des ouvriers par Villermé (Tom. 1. p. 45)‹[35] eine bei der Baumwollen-Industrie beschäftigte arme Familie von Mann, Frau und 4 Kindern wenigstens 33 bis 34 Sous[36] den Tag nur für ihre Nahrung aus; dieses kann aber zur Beurteilung des Elends der Notleidenden in unserer Provinz keine Norm abgeben.

Einen besseren Anhalt für die Beurteilung wird es gewähren, wenn man auf die Besoldung der Schullehrer zurückgeht. Ein Schullehrer soll nach dem Schulreglement d. d.[37] Potsdam, den 18. Mai 1801, haben: 1. freie Wohnung, 2. zur Feuerung 7 preußische Klafter Holz, 3. einen Gartenfleck von einem Scheffel Aussaat, 4. fünfzehn Scheffel Roggen und an Gerste, Erbsen und Hirse zusammen 3 Scheffel, 5. die Freiheit, unter das Gemeindevieh 2 Stück Rindvieh und 1 Schwein unentgeltlich zu treiben, 6. fünfzig Taler bar Geld.

Diese Emolumente[38] sind etwa zusammen auf 80 bis 90 Rtlr. abzuschätzen, und es gibt noch viele Schulen in der Provinz, bei denen der Lehrer auch noch nicht einmal so viel bezieht. Andererseits wird auch die Lage der Arbeiter auf dem Lande mit in Vergleich kommen können. Bei den Knechten steigt der Jahreslohn in den verschiedenen Kreisen von 12 bis zu 30 Rtlr., und dabei erhalten sie freie Wohnung und Kost; die letzte besteht außer dem Brot und Butter des Mittags aus einer Suppe, in welcher das Gemüse mit eingekocht wird, und meistens drei- bis viermal die Woche auch Fleisch. Der Mann erhält bei der Tagearbeit im Akkerbau gewöhnlich 5 Sgr., die Frau 4 Sgr. pro Tag ohne weitere Spenden.

Also nicht die Verhältnisse anderer Provinzen und Länder habe ich im Auge, wenn ich vom Mangel des Unentbehrlichsten spreche, sondern die der Gegend selbst, in welchen sich die Unglücklichen befinden. Und darin werden gewiß alle mit mir übereinstimmen, daß es ein Minimum der Bedürfnisse für jeden Menschen in einem zivilisierten Lande und unter unserem Himmelsstrich gibt, und daß, wenn auch nicht einmal dies befriedigt wird, die wirkliche Not und das Elend vorhanden ist.

Hat der Mensch wenigstens eine feste Wohnung, die ihn gegen das Wetter birgt, hat er eine reinliche und gesunde Kleidung, die ihn bedeckt, besitzt er ein Bett, auf welchem er den von der Arbeit müden Körper ausruhen kann, nährt er sich mit Speisen, die zur menschlichen Nahrung gemeinhin bestimmt sind, und kann er sich endlich im Winter gegen die Kälte mit der nötigen Feuerung schützen: so ist er nicht notleidend zu nennen, wenn auch die Wohnung weniger bequem, die Kleidung weniger gut und die Speisen weniger nahrhaft sind, als man sie einem jeden gern wünschen möchte.

Das, was in den Strafanstalten den Gefangenen in den obigen Beziehungen geboten wird, müßte ohne übertriebene Ansprüche gewiß als dieses Minimum betrachtet werden, aber eine nicht kleine Zahl der Bewohner der Provinz, die man die Perle in Preußens Krone nennt, lebt materiell bei weitem schlechter als die Sträflinge in den Zuchthäusern.

Wenn auch die Wahrheit des Ausspruchs ›Es werden allezeit Arme sein im Lande‹ sich in allen Epochen der Geschichte bewährt hat, so ist doch die Summe der Notleidenden in Schlesien, und namentlich in einer gewerbtätigen und arbeitsamen Klasse der Bevölkerung, wie ich weiterhin zeigen will, so groß, daß man vor ihrer Zahl erschrickt.

Will man sich ein ungefähr richtiges Bild von der Verteilung der Not und ihrer Intensität machen, so denke man sich von dem flachen Lande nach der Riesenkoppe, der Eule und der Heuscheuer[39] überall hin Linien gezogen. Je mehr sich diese Linien den Spitzen nähern, um desto gedrängter erscheint die Zahl der Elenden und um desto härter das Los der Notleidenden. Diese Topographie der Not zeigt sich nicht bloß im großen und ganzen, sondern kann wiederum in den einzelnen Ortschaften als richtig befunden werden. In den langen Gebirgsdörfern, die sich an den Bächen halbe Meilen weit und oft weiter in den Tälern dahinziehen, ist die wahre Not in den untern Teilen, am Ausfluß des Wassers, geringer als in den oberen Teilen; beim Einfluß und in den Häusern der Dorfstraße am Bach geringer als in denen, die sich an die Berge anlehnen, oder wohl gar an die Gipfel derselben gleich den Schwalbennestern angeklebt zu sein scheinen.

Ein erfahrener Bauer sagte mir, indem er sich über einen höheren Beamten beklagte, der kurz zuvor zufällig im Dorfe anwesend war, ›der Herr durchstrich die Dorfstraße in ihren besten Teilen und meinte, hier hätte es keine Not. Ja! mein Gott, das ist grade so, als wenn ich mich in Breslau auf den Ring hinstellen wollte und dann nach den Häusern dort urteilen: in Breslau gibt es keine Armen. Wer bei uns die Not sehen will, der gehe nur abseiten, von der Hauptstraße ab, und in die höher gelegenen Häuser; aber der Weg ist den meisten unbequem, und darum wissen wenige, wie unsere Armut aussieht‹.

Ich habe bei diesen Betrachtungen über den gegenwärtigen Zustand in den betreffenden Distrikten sowohl die bei der Leinen- als die bei der Baumwollen-Industrie beschäftigten Personen im Auge, weil ich jene Untersuchungen erstens für den Verein zur Abhilfe der Not unter den *Webern und Spinnern* vorgenommen, und hierunter sowohl Baumwollen- als Leinen-Arbeiter zu verstehen sind; sodann zweitens der Übergang aus der Leinen-Manufaktur zu der Baumwollen-Industrie noch täglich vor sich geht.

Doch bemerke ich hier im allgemeinen im voraus, daß, wenn es den Baumwollen-Arbeitern auch grade nicht gutgeht, ihre Armut doch noch lange nicht so weit gediehen ist als die der Leinen-Arbeiter, für welche der seit Dezennien stockende Absatz und die seit Jahren andauernde Not das Übel bis zur höchsten Staffel getrieben hat.

Im allgemeinen wage ich es dreist auszusprechen, daß sich eine geordnete Armenpflege in den meisten Ortschaften der Provinz gradezu nur auf dem Papiere vorfindet; die Gesetze, wie sie liegen, sind unter den obwaltenden Verhältnissen unausführbar, und in den meisten der von mir besuchten Ortschaften wird die Armenpflege nur durch die an bestimmten Tagen, gewöhnlich Mittwoch und Sonnabend, freigegebene Bettelei gehandhabt. – Für die Mehrzahl der Kommunen ist die Unmöglichkeit, für die Ortsangehörigen in der vom Gesetz verlangten Weise zu sorgen, evident. – Für Maiwaldau im Schönauer Kreise kann ich diese Behauptung mit der unter dem 10. März 1844 abgefaßten Darlegung der dortigen Armenverhältnisse belegen (s. Beilage B.)[40], und ich bin fest überzeugt, daß in der Mehrzahl der Ortschaften, in denen ich gewesen bin, sich dasselbe deduzieren[41] ließe, wenn sich nur die Ortsvorstände mit gleicher Liebe und Mühe der Sache annehmen wollten, als dies dort geschehen ist.

Doch muß ich bekennen, daß ich an vielen Orten die Erfahrung gemacht habe: Das Elend ist dort geringer, wo angestammte Grundherrschaften in patrimonieller Weise gegen ihre Eingesessenen verfahren. Aber ein reines patrimonielles Verhältnis der Art muß in einer Zeit zu den Seltenheiten gehören, in welcher der Grund und Boden als Gegenstand der Spekulation und des Handels, wie ein bewegliches Gut, in der Hand der Besitzer wechselt.

Wo Rentämter, Wirtschaftsämter, oder wie die abstrakten Privat-Verwaltungs-Institute immer heißen mögen, dem Eingesessenen entgegentreten, dort ist die Not größer; am übelsten sieht es jedoch in betreff der Armen in den Dörfern aus, welche den städtischen Kämmereien oder dem Fiskus gehören. Und diese Stufenleiter ist auch ganz natürlich.

Der Berührungspunkte zwischen Grundherren und Eingesessenen gibt es noch immer unendlich viele, überall sind Dominial-Abgaben oder Leistungen noch vorhanden. Der Herr hat ein Herz, im Fall der Not erläßt er die Abgaben und reicht den Armen wohl auch sonst noch eine Unterstützung. Ich brauche hier zur Erläuterung nur das Verfahren des Grafen von Hochberg als Beispiel zu erwähnen, der auf seinen ausgedehnten Besitzungen den Nichtprofessionierten für die Zeit der obwaltenden Bedrängnisse das Schutzgeld[42] erlassen und noch außerdem namhafte Unterstützungen an Lebensmitteln gewährt hat. –

Ein Amt, schon wie der Name sächlich, verfährt im Auftrage des Herrn, der sehr häufig die im Anschlage schön aussehenden Silberzinsen, mit 4% zu Kapital berechnet, bei dem Ankauf bezahlen mußte, und, was bei den neueren Acquirenten[43] fast allgemein ist, der sich in die Notwendigkeit versetzt sieht, seine Forderungen mit Strenge beizutreiben, weil von der Pünktlichkeit in der Zinsenzahlung an seine Gläubiger sein eigener Besitz abhängt. Das Amt hält sich also an die ihm zustehenden Rechtsmittel, um die schuldigen Leistungen beizutreiben. Ist der Fall etwa gar zu schreiend, und lebt der Grundherr in der Gegend, nun – dann wendet sich der Bedrängte wohl auch ausnahmsweise an den Herrn unmittelbar, und dieser mildert die Strenge der Untergebenen, ja er befiehlt wohl auch bei besondern Gelegenheiten, wohltätig einzuschreiten. – Dort aber, wo die Verwaltung für die Kämmereien oder den Fiskus geführt wird, kommt nur das rein finanzielle Interesse in Rechnung, und der Diensteifer, in der Verwaltung beim Abschluß des Jahres keinen Rest zu haben, führt nicht bloß oft zu dem ›Summum jus summa injuria‹[44], sondern, da alles nach Etats vor sich geht, so geschieht nur auf besonders energischen Hilferuf der Unterbehörden, was sich nicht ganz umgehen läßt.

Wem diese Schilderung zu schroff erscheint, den will ich nur auf das der Kämmerei zu Schmiedeberg gehörige Dorf Hermsdorf, städtisch, und die Domänen-Amts-Dörfer des Liegnitzer Regierungs-Bezirks verweisen, für welchen die etatierte Armenunterstützung so gering ist, daß sie z. B. für 15 volkreiche und arme Dörfer des Rentamts Liebenthal 58 Tlr. 14 Sgr. jährlich beiträgt, wie ich aus zuverlässiger Quelle erfahren habe.

Will man endlich die Not in ihrer höchsten Potenz kennenlernen, so muß man in den Ortschaften, wo es Gemeindehäuser gibt, in denen Arme wohnen, diese besuchen. Weit entfernt von den Zuständen, wie sie England nach Bulwers Schilderung[45] darbietet, ist das Gemeindehaus wirklich die letzte Zuflucht, das scharfe Messer, das der in der Lebensflut Versinkende noch erfaßt, um das kärgliche Dasein eine kurze Zeit zu fristen.

Wie das Volk selbst die Dinge ansieht, kann man aus der

Volkssprache kennenlernen. Die Redensarten ›Es ist ein ordentlicher Mann, er hat sich gewehrt, aber jetzt kann er nicht mehr‹ und ›Dies Stück Arbeit habe ich erobert‹ hört man auf allen Punkten der Industrie-Distrikte wieder. Also als einen Krieg gegen die mächtiger werdende Not betrachtet das Volk selbst seine Existenz, es sieht sich in einem Kampf gegen das unsichtbar drohende Ungeheuer des hereinbrechenden Elends, dem es vorliegt. Es fühlt der eine sich in einem Ringen mit dem andern um die Möglichkeit der Selbsterhaltung, und wird nun dem Kämpfenden durch Anstrengung und Bemühung die Gelegenheit zuteil, sich für eine Zeitlang bei der gewonnenen Arbeit zu erhalten, so betrachtet er dies als eine Eroberung über seine Mitwerber; sich dessen bewußt, daß mit seinem Siege die Niederlage oder der Untergang des andern zugleich verbunden ist.

Wer sich bei flüchtiger Fahrt einen Überblick über den Notstand in den betreffenden Disktrikten zu verschaffen wünscht, dürfte sein Ziel schon annähernd erreichen, wenn er die nachstehenden Sätze und Regeln, die ich aus der Erfahrung entnommen habe, richtig auffaßt und anwendet.

Der Charakter der Not hat beinahe in jedem Orte sein eigentümliches Gepräge, seine besondern äußern Merkmale; namentlich läßt sich die Armut in den städtischen Häusern von der in den ländlichen Hütten leicht unterscheiden. Kennt man nun wenigstens eine oder zwei Wohnungen der ärmsten Leute im Orte von innen und außen, so kann der geübtere Blick schon aus dem Äußern der Wohnung auf den Wohlstand des Einwohners einen ziemlich richtigen Schluß ziehen. Ist es auch eine unumstößliche Wahrheit, die jeder anerkennen wird, der die Verhältnisse nicht bloß vom Hörensagen kennengelernt, daß die Armut und Not fast in jedem Dorfe ihre eigene Physiognomie annimmt, so gibt es doch einige im allgemeinen richtige Regeln und Schlüsse, bei deren Annahme man sich selten getäuscht finden wird.

Spezerei- und Materialwaren-Handlungen auf den Dörfern sind ein Zeichen der weniger verbreiteten Not. Ich nehme hier ausdrücklich die Grenzdörfer nach Österreich hin aus, in welchen der Schmuggelhandel mit Kolonial-Waren in das österreichische Gebiet manchen Krämer ernährt. Von wenigen Abnehmern oder Kunden kann der Krämer sich nicht erhalten, daher beweisen mehrere solche Kaufläden, daß die Klasse derer am Orte zahlreich ist, welche neben der Befriedigung des dringendsten Hungers schon darauf denken können, die Nahrung schmackhafter einzurichten; bei ihnen also kann eine dringende Not nicht vorhanden sein.

Das Haus, vor welchem sich ein Düngerhaufen befindet, oder dessen Anbau eine Scheuer oder einen Stall enthält, ist von einem Wirt bewohnt, dem es nicht so gar arg ergeht. Er hat ein Stück Vieh, muß also auch Land besitzen, und wer im Gebirge nur für einen Teil seiner Nahrung auf eigenem Grund und Boden sorgen kann, der ist nicht zu den Ärmsten zu zählen, denn eine sehr große Zahl der Hauseigentümer auf dem Lande hat kaum so viel Grund und Boden zu eigen, daß die Leiter, welche auf das Dach gelehnt wird, noch auf dem zum Hause gehörigen Boden aufgestellt werden kann.*

In einem Hause, bei welchem sich eine Hundehütte findet, wohnt nach unserer obigen Definition noch kein wirklich Notleidender, denn kann der Bewohner noch einen müßigen Hund füttern, so kann er etwas von seiner eigenen Nahrung missen, und braucht er den Hund als Wächter, so hat er eben einen beweglichen Besitz zu bewohnen. Der wirklich Notleidende im Gebirge läßt, trotz des Mißtrauens, welches einen Grundzug im schlesischen Volkscharakter bildet, seine Hütte unbewacht; denn er weiß, es kann ihm nichts genommen werden, weil er nichts besitzt, und er sagt mit dem armen Manne in der Fabel zu dem Diebe, der in der Nacht zu ihm kommt: ›Du suchst bei mir in der Nacht nach dem, was ich leider auch am Tage nicht in meiner Wohnung finde.‹

Wenn nun das Vorhandensein der angegebenen Kennzeichen für den geringeren Mangel der Einwohner spricht, so zeugt entgegengesetzt ihr Fehlen für die größere Not.

Es gibt sich die größere Armut aber auch auf andere Weise am Äußern der Häuser kund, z. B. in den Schornsteinen von Holz. Vier starke Bohlen, mit Lehm überklebt, bilden den Rauchfang

* Daher entspringt auch die im höheren Gebirge übliche Weise, das Haus mit dem zierlich aufgestapelten Brennholz, eng an die Wände gelehnt, zu umstellen. Es fehlt ihnen an dem nötigen Raume, also wird es zwischen die vorspringenden Pfeiler oder Balken des Hauses künstlich eingezwängt.

in den ärmeren Gegenden des Gebirges. Die Kreis-Polizeibehörden bemühen sich zwar, dieselben wegen der vermeintlichen Feuergefährlichkeit auszurotten, die Armut der Hauseigentümer aber macht die polizeilichen Verfügungen unwirksam. Ja, in einem Dorfe, dessen nähere Bezeichnung ich aus Rücksichten unterlasse, fand ich in vielen ärmlichen Häusern die Feuerungseinrichtung noch in dem Naturzustande, daß der aus dem Ofen entweichende Rauch, sobald er das sogenannte Vorgelege* verlassen hat, sich seinen beliebigen Weg unter dem Strohdache durch ein in demselben offengelassenes Loch selbst suchen kann. Solche Häuser haben gar keine komalisierten[46] Rauch-Abzüge, sondern eine Öffnung im Dache, die einem Taubenschlage ähnlich sieht und aus welcher der Rauch auf dem beschriebenen Wege entweicht. Diese Art der Rauch-Abzüge oder auch die hölzernen Schornsteine sind die weithin sichtbaren Kennzeichen der ärmlichen Lage der Hausbesitzer.

Auch dies ist in den Industrie-Distrikten für ein solches Zeichen anzusehen, wenn an schönen Tagen sich in der Dorfstraße wenige Kinder umhertreiben. Der sehr geringe Lohn nötigt die Eltern dazu, die schwachen Kräfte der Kinder schon mit vier Jahren für die leichteren Arbeits-Verrichtungen in Anspruch zu nehmen. Kann das Kind noch nicht laufen, so findet sich niemand im Hause, der es in die freie Luft tragen kann, denn Vater und Mutter sitzen am Webstuhl oder Spinnrad, die kleinern Geschwister sind mit dem Spulen beschäftigt, und so müssen die Kinder in der Stube und in der Wiege bleiben. Hin und wieder stößt dann die der Wiege nahe sitzende Mutter diese mit einer Hand heftig an, damit sie eine Weile von selbst fortschaukelt und das Kind sie nicht bei der Arbeit stört. Morgen kommt vielleicht schon der Garnsammler ins Haus, ist der Strähn da noch nicht fertig, so gibt es keinen Arbeitslohn, und der Bauer, bei dem die Kartoffeln schon lange auf Borg entnommen worden, will ohne bare Bezahlung keine Lebensmittel mehr verabreichen; und so ist das unruhige Kind, bei dem grade die Zähne hervorbrechen, oft die Schuld, daß es im Hause gar nichts zu essen gibt.

* Zwei Lehmwände in der Rückwand des Ofens von etwa vier Fuß Höhe und zwei Fuß Breite, angebracht in einem bis zum Giebel aufsteigenden offenen Raume.

Dieses Leben vom Borgen ist wahrhaft zum Erstaunen. Der Müller, der Bäcker, der Bauer, der Flachshändler, der Garnhändler – alle borgen dieser armen Bevölkerung, deren einzige Hypothek oft allein in den zwei Händen besteht. Natürlich müssen die Armen alle Gegenstände deshalb teuerer sich anrechnen lassen und schlechter empfangen, als wenn sie bar bezahlten, denn der Darleiher selbst, der eben kein Kapitalist zu nennen wäre, muß mit seiner kleinen Habe Frau und Kinder ernähren, und bei jedem Darlehn läuft er Gefahr, gar nichts wiederzubekommen.

Die Müller und dergleichen Leute sind wohl dadurch für ihre Forderung gedeckt, daß sie dieselbe im Notfalle durch den Schuldner abarbeiten lassen. Dennoch bleibt dieses ganze Kreditwesen etwas, das den Fremden in Verwunderung versetzt und nur dadurch zu erklären ist, daß die betreffende Klasse der Darleiher von einer blutarmen Bevölkerung rings umgeben ist und ihr nichts andres übrigbleibt, als durch so gewagte Geschäfte sich zu ernähren, bei welchen der Profit an dem Bezahlenden für den Verlust an dem nicht Zahlenden entschädigt.

Bevor ich auf die Kleidung, Nahrung usw. näher eingehe, muß ich noch einmal an den oben vorgezeichneten Unterschied zwischen Baumwollen- und Leinen-Arbeitern erinnern.

Die Baumwollen-Arbeiter fertigen eine Ware, deren Haupt-Konsumtion im Lande stattfindet, sie haben zwar niedrige Wochenlöhne, aber sie sind von den sogenannten Fabrikherren in ihren Wohnungen gegen einen Lohn pro Stück mit Arbeit immer versehen, und sie dürfen auf fortwährende Beschäftigung rechnen. Besteht die Familie aus Mann, Frau und vier Kindern, von denen das jüngste 5 Jahre, das älteste 9 Jahre alt ist, so kommt die Familie doch noch immer bei guter Arbeit und angestrengtem Fleiß zu einem wöchentlichen Verdienst von 1 Tlr. 15 Sgr. bis 2 Tlr.

Man nehme hier den schlesischen Schullehrer mit seinen Einkünften, im Betrage von 80 bis 90 Tlr., zum Maßstabe und vergesse nicht, daß der Schullehrer durch seine Erziehung und Bildung einen Anspruch darauf hat, als einer der ersten im Dorfe zu gelten und demgemäß zu leben, so können wir die Lage dieser Arbeiter noch eben für nicht so bedauerlich halten, als sie von vielen geschildert wird, die das Elend in seinen höheren Graden nicht kennen. – Selbst wenn man die Abgaben an die Grundherrschaft, die Kommune, den Staat und die Zinsen für die gewöhnlich auf dem Hause haftenden Schulden abrechnet, so bleibt doch noch so viel übrig, daß die Familie davon ohne fremde Hilfe leben und sich selbständig erhalten kann. – Man wende mir nicht etwa die Vorfälle in Peterswaldau, Langenbielau und Altfriedersdorf ein, als Zeichen, wie höchst bejammernswert die Lage der Menschen sein muß, die sich, wie es in einem Zeitungsartikel hieß, lieber den Bajonetten entgegenstürzen als verhungern. Hier walten ganz eigentümliche Ortsverhältnisse ob. Die Bielauer Weber, denen es wegen ihrer dort einheimischen Fabrikationsweise nie schlechtgegangen ist, sind im allgemeinen als ein munteres und zugleich leichtsinniges Völkchen in der Provinz bekannt und berüchtigt. Der ungezwungene Broterwerb, vielleicht auch der Umstand, daß in unseren Strafanstalten die Sträflinge besonders zum Weben, als einer leicht zu begreifenden Arbeit, angelernt wurden, bewirkte, daß sich eine Menge von Menschen, welche der letztgenannten Kategorie angehörten, in jener Gegend aufsammelte. Hatte nun einmal persönlicher Haß gegen einen Fabrikherrn den Funken in die leicht entzündbare Masse geworfen, so bemächtigte sich alsbald die Dieberei und Raubsucht des Zerstörungs- und Plünderungsgeschäfts, und da jede solche Störung der öffentlichen Ordnung ansteckend wirkt, so wiederholten sich diese Szenen an verschiedenen Punkten, und wir wollen vorläufig hier ununtersucht lassen, ob eine mehr geregelte Verwaltung der Polizei-Obrigkeiten in den genannten Ortschaften nicht imstande gewesen wäre, jene Greuel im Keime zu ersticken.

Der Baumwollen-Weber, der sein Fach ordentlich versteht, braucht also meines Dafürhaltens keine Not zu leiden. Wenigstens ist dies eine Ansicht, die ich mir aus sehr vielen einzelnen Erfahrungen gesammelt habe. Jedoch will ich keineswegs in Abrede stellen, daß es viele bei der Baumwollen-Industrie beschäftigte Menschen gibt, die bei der schlechten Arbeit, die sie nur zu leisten imstande sind, ihr Leben höchst kümmerlich hinbringen.

Wer sich für den Gegenstand interessiert, kann aus der Flugschrift von Heinrich Dürrwald ›Der Baumwollen-Weber am Eulenberge, Schweidnitz 1844‹[47] manche schätzenswerte Belehrung namentlich darüber schöpfen, daß die meisten der dürftigen Baumwollen-Weber Menschen sind, die ihr Fach nicht ordentlich verstehen. Ich habe das Glück gehabt, in dem pseudonymen Verfasser einen Ehrenmann kennenzulernen, der das Beste will, eine genaue Kenntnis der Lokal-Verhältnisse besitzt, der aber bei einem leicht erregbaren Gefühl und einem, durch sein geistliches Amt noch erhöhten Eifer, für die Armen zu sorgen, vieles schwärzer gesehen hat, als es sich im Vergleiche mit anderen Gegenden wohl darstellt.

Nicht volle acht Tage, bevor jene Unruhen ausgebrochen, war ich in der Gegend. Beinahe überall fand ich in den Häusern, die mir als die ärmsten bezeichnet wurden, ordentliche Betten, feste Wohnungen und nicht schlecht bekleidete Menschen, und so habe ich denn schon damals auch den Mitgliedern der Lokal-Vereine und den Polizeibeamten der betreffenden Ortschaften meine Ansicht ausgesprochen, nach welcher jene Gegend mir grade als die am wenigsten notleidende und bedürftige erschienen.[48]

Wenn wir zu den bei der Leinen-Industrie Beschäftigten zurückkehren, so müssen wir hier wieder die Hauptklassen scheiden: Bleicher, Weber, Flachsspinner und Faken oder Putzelspinner, und die Reihe, in der dieselben hier aufgeführt sind, bildet auch die Gradationen der herrschenden Not.*

Der Erwerb des Webers steigt gegenwärtig im allgemeinen von 10 Sgr. bis zu 20 Sgr., der des Flachsspinners von 5 bis 12 Sgr., der des Faken oder Putzelspinners von 2 Sgr. bis höchstens 4 und 5 Sgr., bei allen drei Klassen für die Woche berechnet.

Welches schreckenerregende Elend namentlich bei dieser letzten Klasse vorherrscht, davon kann sich selbst die regste Phantasie keinen Begriff machen; alle Schilderungen, welche Tagesblätter und Zeitungen hiervon enthielten, bleiben, wenn man sie für noch so übertrieben halten wollte, weit hinter der Wirklichkeit zurück. Zahlen frappieren! Nun wohl, man wird sich am leichtesten den Zustand denken können, wenn man erwägt, daß für Hunderte, ja Tausende dieser unglücklichen Familien der tägliche Erwerb von 9 Pf. bis 1 Sgr. 3 Pf., den Mann, Frau und ein Kind erarbeiten, oft für 6 Köpfe ausreichen soll.

* Die Bleicher, als die im allgemeinen wenigst bedürftige Klasse, könnten füglich von dieser Betrachtung ausscheiden.

Wenn ich eine topographische Klassifikation der intensiven Not in den Leinen-Industrie-Distrikten vornehmen sollte, so würde ich den Landeshuter Kreis obenanstellen; in die zweite Reihe den von Schonau, Lauban und Bolkenhain, und in die dritte den von Hirschberg und Löwenberg.

Diese Kreise, zu welchen noch hinzuzurechnen ist der obere Teil des Waldenburger Kreises, die Gegend um Freiburg und die Umgegend von Mittelwalde im Habelschwerdter Kreise (welche letztere zu besuchen ich verhindert war), sind die Distrikte der dichtgedrängten Leinen-Industrie. In den Kreisen Schweidnitz, Reichenbach, Strehlen, Frankenstein und Glatz herrscht die Baumwollen-Manufaktur durchaus vor. Diese Kreise stehen im allgemeinen den Distrikten der Leinen-Industrie in betreff der Not nach; und unter ihnen ist wiederum der Glatzer Kreis noch derjenige, in welchem sich die Umstände der Baumwollen-Arbeiter, durch die lokalen Verhältnisse des Gebirges benachteiligt, am ungünstigsten gestalten.

Seit sieben und mehr Jahren haben sich die Unglücklichen nicht mehr irgendein Kleidungsstück beschaffen können, ihre Bedeckung besteht aus Lumpen, ihre Wohnungen verfallen, da sie die Kosten der Herstellung nicht aufbringen können, die mißratenen Ernten der Kartoffeln, namentlich in den beiden letzten Jahren, haben sie auf die billigeren wilden oder Viehkartoffeln und auf das Schwarz- oder Viehmehl zur Nahrung angewiesen; Fleisch kommt nur bei einigen zu Ostern, Pfingsten und Weihnachten ins Haus, und dann für eine Familie von fünf bis sechs Personen ein halbes Pfund! Schenkt der Bauer ihnen ein Quart Buttermilch, oder tauschen sie es für die Kartoffelschalen bei ihm nach langem Aufsammeln ein, so ist dies ein Festtag. Wenn es zuweilen zu etwas Butter noch ausreicht, so zehrt die ganze Familie an einem Viertelpfund die Woche. Den Kirchenrock haben viele schon lange verkauft oder versetzt; sie schämen sich, in ihren Lumpen zur Kirche zu gehen, und so entbehren sie auch noch des geistigen Trostes bei diesem Elend.

Im letzten Winter hat man von wirklicher Hungersnot unter diesen Armen sprechen können. So sagte mir der 67 Jahre alte Weber Anton Berner, wohnhaft Nr. 107 in Schömberg, mit Freudentränen in den Augen: Er hätte bei der mangelnden Arbeit das

Glück gehabt, daß in der Nähe zwei Pferde krepiert wären, deren Fleisch ihn, sein Weib Antonie und seine drei Kinder eine Zeitlang erhalten. Die mich begleitenden Herren, Bürgermeister Weyrauch, Ratmann Kühn und Kaufmann Pohl, bestätigten die Wahrheit dieser Angabe. – Daß die Weber dazu getrieben werden, von der Schlichte – sauer und stinkig riechender gekochter Stärke – sich zu ernähren, war nach unzweifelhaften Zeugnissen eine nicht seltene Erscheinung. Aus einem wahrheitsliebenden Munde hörte ich von einer Familie, die ich selbst nicht mehr besuchen konnte, welche, sechs Jahre verheiratet, nach mehrtägigem Hunger das Stück Brot hervorsuchte, welches sie, dem abergläubischen Gebrauche folgend, bei ihrer Verheiratung im Hause versteckt, damit es ihnen nie an Brot fehle. Dieses sechs Jahre alte verschimmelte Brot war ihnen ein glücklicher Fund, als sie sich an dessen Vorhandensein erinnerten.

Kinder von sieben und acht Jahren, nicht bloß in den Betten nackt liegend, sondern auch in den Stuben dasitzend, ohne selbst nur mit Lumpen bedeckt zu sein, habe ich besonders in Hermsdorf, Grüßauisch und auch sonst im Landeshuter Kreise bis zur Unzahl gefunden.

Und doch versicherten mich alle ortskundigen Personen, daß ich die Not gar nicht mehr in ihrer Furchtbarkeit sehe, weil ich im Mai gekommen war.

Eine hochgestellte Frau, welche durch ihre überall zweckmäßig gespendeten Wohltaten sich einen Namen geschaffen, der in den Ohren eines jeden Hilfsbedürftigen im Riesengebirge wohlklingt, und die nicht bloß in ihrer Umgegend, sondern in der ganzen Provinz nur mit größter Achtung und Verehrung genannt wird – diese Dame, deren gereiftes Urteil durch die langjährige Kenntnis der diesfälligen Verhältnisse unterstützt wird, versicherte mich, daß, seitdem das Frühjahr herangekommen und die Kräfte von allen Seiten zur Linderung der Not zusammenwirkten, sie diese für nicht schlimmer als in den Vorjahren halten könne.

›Im Sommer geht es überall besser im Gebirge als im Winter‹, sagte mir der mit den Ortsverhältnissen wohlvertraute Herr Hauptmann und Rentmeister Paetzold in Liebenthal, ›denn im Sommer werden die Arbeitskräfte zur Ackerbestellung gesucht, wozu die Mehrzahl doch immer noch fähig und geneigt ist, doch der Sommer ist so kurz, daß nicht länger als 4 Monate im Jahre nicht geheizt zu werden braucht. Wenn sich dagegen die Kälte einstellt, so tritt die Not schon um deshalb stärker hervor, weil das Holz so teuer ist.‹

Viel und vielleicht am meisten trugen in ihren betreffenden Bezirken zur Linderung der Not bei: besonders die Königlichen Institute in Erdmannsdorf und Grüssau[49], die Ankäufe von Garn, welche Se. Exzellenz der Graf von Schaffgotsch in Hermsdorf unterm Kynast im großen besorgen ließ, der umsichtig geleitete, musterhaft eingerichtete und von unermüdlichem Eifer beseelte Verein zu Landeshut und die allerdings nur mit geringeren Kräften auftretenden andern Lokal- und Kreisvereine.

Unter allen den genannten Anstalten ist die Beschäftigungs-Anstalt in Erdmannsdorf die bei weitem wichtigste, durch ihre imposanten Geldmittel die wirksamste und dadurch zugleich numerisch die wohltätigste. Mit größtem Unrecht wurden die gehässigen Insinuationen[50] gegen sie in einer Berliner Zeitung[51] erhoben. Aus dem Munde unzähliger Armen erhielt ich auf die Frage ›Wie geht es euch jetzt?‹ die freudige Antwort ›Oh, jetzt geht es gut, ich arbeite nach Erdmannsdorf.‹ Und wenn ich an dieser Stelle diese einfache Tatsache berichte, um hierdurch jene unverdienten Schmähungen zu widerlegen, so geschieht dies, indem ich mich dazu berufen fühle, der Wahrheit die Ehre zu geben, weil vielleicht wenige gleich mir Gelegenheit gefunden, die Beteiligten mit eigenen Ohren zu hören.

Ehe ich den Leser mit den wirklichen Zuständen durch einzelne Bilder genauer bekanntmache, wie ich sie in den bedürftigsten Hütten nur mit flüchtiger Feder aufzuzeichnen imstande war, will ich hier noch eines Ausspruchs erwähnen, den ein sehr einsichtiger Verwalter der Ortspolizei in einem Gebirgsdorfe getan hat.

›Die Not‹, sagte mir derselbe, ›hat die Unglücklichen nur deshalb nicht zu allerhand Verbrechen getrieben, weil die lange Gewohnheit des Elends sie körperlich und moralisch deprimiert hat, und es ihnen bereits an der zum Verbrechen nötigen Tatkraft fehlt.‹ Und es ist wahr: Zum Verbrechen gehört eine Art von Energie. –

Ober-Langenöls, Laubaner Kreis, den 13. Mai 1844
Haus Nr. 15. Spinner und Einlieger Gottfried Hubrich, verheiratet, hat 4 Kinder. Die Frau hat den Arm gebrochen und hat einen steifen Zeigefinger, sie spinnt aber trotzdem. Hubrich hat die Feldzüge im Befreiungskriege mitgemacht, ist blessiert und verdient mit seiner Frau und einer 15jährigen, noch nicht vier Fuß großen Tochter 1 Sgr. 6 Pf. täglich. Davon haben sie an Miete wöchentlich 3 gGr. zu bezahlen, wofür sie aber schon die warme Stube des Wirts und seine Beleuchtung durch den Kienspan mitbenutzen. Der Rest der Einnahme reicht nicht immer auf Brot für die sechs Personen, sondern höchstens auf Kartoffeln. Von der Klassensteuer, glaubt der Scholz Hennig, wird der Hubrich auf geschehene Reklamation befreit werden; die Gemeindeabgaben zahlt er noch.

Nr. 55. Gottlieb Weise, verheiratet, zwei Kinder im schulpflichtigen Alter, der Mann geht im Sommer auf Ackerarbeit und bekommt dann 4 Sgr. Tagelohn, im Winter spinnt er und verdient kaum 3 Sgr. den Tag. Die Frau webt und erhält für die Webe 1 Tlr. 10 Sgr., sie arbeitet 4 Wochen darauf, und es bleiben ihr nach Abzug der Auslagen auf Beuchen und Schlichten des Garns nicht 10 Sgr. die Woche. Das kleine Häuschen ist verschuldet, und außer der Klassensteuer von 1 Tlr. jährlich haben sie 4 Tlr. 8 Sgr. Grundzins an die Herrschaft und 1 Sgr. wöchentlich an Schulgeld aufzubringen.

Daselbst: Inlieger Wilhelm Grabs, Witwer, hat 4 Kinder, von denen das älteste Mädchen mit der Abwartung der jüngeren Geschwister und der Wirtschaft zu tun hat, so daß sie nicht weben kann; der Grabs kommt auf etwa 10 bis 15 Sgr. wöchentlichen Erwerbs. Der Scholz sagte mir in seiner schlichten Weise: ›Der Mann ist gar apart und macht mit seiner Not keinen Staat.‹

Mittel-Langenöls, den 13. Mai 1844
Nr. 81. Häusler Gottlieb Lachmann, alt 74 Jahre, wohnt mit seiner Tochter allein. Die Stube ist zur Hälfte ohne Diele, geschnittene Kartoffeln und Schalen liegen an der Erde wie im Stall. ›Ich bin selbst nicht mehr fähig, mich zu erhalten‹, sagte der alte Häusler, ›meine Tochter von 40 Jahren ernährt mich. Wir haben

des Tags bei der Weberei mit größter Anstrengung 1 Sgr.; dabei soll ich an das Dominium 4 Rtlr. 8 Sgr. Grundzins zahlen und 6 Handdiensttage[52] leisten und monatlich 2 gGr. Haussteuer entrichten.‹ Das Haus sieht so aus, daß es kaum mehr bewohnbar erscheint, die Schlafkammer unter dem Dach ist dem Wind und Wetter preisgegeben; auf der Treppe zu derselben bin ich eingebrochen.

Nr. 77. Anna Rosina Scholz geb. Köhler, Witwe, hat zwei Kinder, das ältere, ein Mädchen von 22 Jahren, ist blödsinnig, stumm und auf den Beinen gelähmt. Die zweite Tochter, 16 Jahre alt, arbeitet mit der Mutter abwechselnd. Außerdem befindet sich bei diesen Leuten eine blinde Schwägerin von 60 Jahren und eine noch ältere zweite Schwägerin, die bereits seit $^3/_4$ Jahren kontrakt[53] darniederliegt. ›Da ich mit der Abwartung und Pflege von diesen elenden drei Personen zu tun habe‹, sagt die Rosina Scholz, ›so verdient meine zweite Tochter und ich im Monat höchstens 1 Tlr. 20 Sgr., dazu kommt eine Unterstützung von 7 Sgr. 6 Pf. monatlich von der Gemeinde, und davon gehen 2 gGr. königliche Haussteuer ab, so daß wir 5 Personen die Woche mit 13 Sgr. bestehen müssen.‹ Das blödsinnige Mädchen schreit, die Mutter will sie schlagen, weil sie gern noch mehr essen möchte. – Der Scholz Lachmann versichert mich, daß die Gemeinde nicht imstande ist, eine größere Unterstützung bei der sehr verbreiteten Armut im Dorfe aufzubringen. Ich habe den Scholzen als einen sehr ruhigen und verständigen Mann kennengelernt, weshalb ich seiner Versicherung gern glaubte, daß er mich in hundert Häuser im Dorfe führen wolle, in denen eine gleich große Not herrscht.

Friedersdorf, Laubaner Kreis, den 13. Mai 1844

Nr. 112. Häusler Gottlieb Lachmann, flicht Körbe zum Obstsammeln, die Frau und Tochter spinnen. Er verdient etwa 1 Sgr. 6 Pf. täglich, die beiden Frauen zusammen 1 Sgr. Das Haus ist dem Einfallen nahe, unter dem ganz durchlöcherten Schobendache befindet sich das aus einigen Lumpen in einer Bettstelle bestehende Lager, dem Regen, Schnee und Winde preisgegeben, und vor der Kälte nicht geschützt. In der ungedielten Stube läuft von den schlechten Wänden das Wasser herab, so daß man sich auf dem schlüpfrigen Lehmboden vor dem Hinstürzen hüten muß. Mitten in der Stube läuft das Regenwasser in einer großen, mit einem Feldsteine bedeckten Zisterne zusammen, aus welcher nach starkem Regen gegen 15 Kannen Wasser geschöpft werden. Der Häusler Lachmann zahlt 6 gGr. jährlich Gemeindeabgaben, 2 gGr. monatlich Haussteuer und 3 Tlr. jährlichen Grundzins an die Herrschaft.

Wenn im Dorf Legate[54] ausgeteilt werden, so wird der Lachmann dabei beteiligt.

Nr. 79. Häusler David Frommelt, verheiratet. Die Frau ist 38 Jahre alt, sie haben 9 Kinder, ein Kind, 4 Jahre alt, ist kontrakt und hat das Bett noch nicht verlassen; das jüngste Kind, 1 Jahr alt, ist gleichfalls rachitisch. Das Haus ist dem Einsturz nah, die Mutter schläft mit den Kindern in der Wohnstube, in welcher (wie in allen armen Häusern des Gebirges) auch im Sommer zum Kochen gefeuert wird, ohne daß die Fenster geöffnet werden können. Die verehelichte Frommelt spinnt und verdient noch bei der Menge der Kinder durch ihren angestrengten Fleiß 1 Sgr. 6 Pf. täglich. Der Mann arbeitet im Sommer auf dem Acker und verdient die Woche 1 Tlr., im Winter ist die Not desto größer. Sie haben grundherrliche Abgaben 4 Tlr., Haussteuer 1 Tlr., Schulgeld jährlich 1 Tlr. 5 Sgr. und die Zinsen von 35 Tlr. Kapital zu 5 Prozent von diesem geringen Erwerbe noch in Abzug zu bringen.

Neuwarnsdorf, Laubaner Kreis

Nr. 24. Häusler Elger, Mann, Frau und Mädchen von 12 Jahren. Die Frau liegt seit 8 Jahren krumm im Bette, der Mann verdient kaum so viel mit dem Weben, daß er sich selbst dabei erhalten kann.

Nr. 13. Hier fand ich zwei Familien von zusammen 13 Köpfen in einer kleinen Stube. Die Luft war in dem engen und niedrigen Zimmer zum Ersticken, 4 Webstühle und diese Menge von Menschen im geheizten Raume nah aneinander gedrängt! Dabei klagen alle über Kälte.

Grunau, Hirschberger Kreis, den 15. Mai 1844

Nr. 210. Häusler Carl Büttner, verheiratet, hat 4 Kinder, zwei davon und er selbst spulen. Jede Person verdient damit den Tag 6 Pf. Die Frau webt für die Erdmannsdorfer Anstalt und erhält 1 Tlr. 25 Sgr. pro Webe, worauf sie drei Wochen zubringt, also die Woche 18 Sgr. 4 Pf. Verdienst. Die Familie hat somit 27 Sgr. 4 Pf. wöchentlichen Erwerb, jedoch zahlen davon ab: Zinsen von der Hypothekenschuld per 100 Tlr. – 5 Tlr., Klassensteuer 1 Tlr., an die Herrschaft jährlich 1 Tlr. 6 Sgr. 6 Pf., Gemeindeabgaben und Grundsteuer 2 Tlr., Schulgeld für 2 Kinder jährlich 3 Tlr. 8 Sgr., zusammen 12 Tlr. 14 Sgr. 6 Pf.; so bleibt ihnen die Woche 20 Sgr. ›Ehe die Erdmannsdorfer Unterstützung uns zuteil wurde‹, sagte die Frau, ›hatte ich pro Webe in der letzten Zeit nur 1 Tlr. bis 1 Tlr. 5 Sgr., also pro Woche noch 6 bis 8 Sgr. weniger.‹

Nr. 201. Gottlieb Hornig, verheiratet, zwei Kinder. ›Jetzt, seitdem die Erdmannsdorfer Anstalt und der Verein in Hirschberg hilft, ist es nicht mehr so schlimm‹, gibt der Hornig an, ›aber im Winter hatten wir Zeiten zu überstehen, wo wir grade nur auf Borg leben konnten. Ich habe mehrfach vom Garnhändler das Garn geborgt bekommen und nachher für die Schleierwebe weniger geboten bekommen als ich für das Garn bezahlen sollte, so daß ich die verarbeitete Ware dem Garnhändler als Bezahlung des Garns ohne weitere Herausbezahlung zurückgeben mußte.‹

Nr. 197. Ehrenfried Neumann, 64 Jahre alt, verheiratet, die Frau 61 Jahre alt, schleppt sich mühsam fort, indem sie schon lange krank ist. Die Tochter, 29 Jahre alt, erhält beide Eltern durch Weben. Das Haus ist dem Einfallen nahe, die Stube ist nicht ganz 5 Fuß hoch. – ›Ehe die Erdmannsdorfer Anstalt anfing‹, sagt die Tochter, ›da wir keine Arbeit hatten, haben wir das Letzte weggegeben, um uns nur zu erhalten. Ein kleiner Vorrat von Kartoffeln mußte uns ernähren. Jetzt haben wir doch wenigstens morgens und abends eine Mehlsuppe und mittags ein paar Kartoffeln und Brot, zuweilen auch etwas Butter dazu.‹ – ›Mit der Kleidung‹, sagt die alte Mutter mit Schluchzen, ›sind wir nun so heruntergekommen, daß ich mich vor den Leuten nicht mehr sehen lassen mag.‹

Herischdorf, Hirschberger Kreis, den 17. Mai 1844

Nr. 151. Ehrenfried Ziegert, alt 72 Jahre, verheiratet, die Frau 69 Jahre, eine Schwester der Frau 64, eine Schwestertochter 69 Jahre. Mann und Frau weben, die beiden andern Weiber spulen.

Die Frau arbeitet nach Erdmannsdorf und verdient die Woche	– Tlr.	18 Sgr.	4 Pf.
der Mann, für den Kaufmann, erwirbt	–	5	–
die beiden Spulfrauen, je 5 Sgr.	–	10	–
zusammen	1 Tlr.	3 Sgr.	4 Pf.
oder jährlicher Erwerb	55 Tlr.	4 Sgr.	– Pf.
dazu Miete von einer Stube	3	–	–
Miete vom Garten	5	–	–
die ganze Einnahme	63 Tlr.	4 Sgr.	– Pf.
Auf dem Hause sind aber 400 Tlr. Schulden, davon Zinsen zu 5%	20 Tlr.	– Sgr.	– Pf.
Grundzins an die Herrschaft	3	–	–
Gemeindeabgaben	2	–	–
Grundsteuer	1	–	–
	26 Tlr.	– Sgr.	– Pf.

So bleiben denn der Familie nur 37 Tlr. 4 Sgr., von denen sie sich erhalten soll, das Haus sieht dabei innerlich reinlich und ordentlich aus. Der Ziegert antwortete auf die Frage: Warum er sich nicht lieber einmiete und das Haus verkaufe, da eine Stube für 3 Tlr. zu haben wäre, während er doch jetzt zu 26 Tlr. wohne, indem das so verschuldete Haus doch eigentlich den Gläubigern gehöre? ›Bei dem Alter, in dem ich und meine Frau stehen, in welchem wir dem Grabe schon so nahe sind, während wir den eigenen Besitz doch einmal gewohnt sind, wäre es uns schon lieber, man trüge uns aus dem Hause, als daß wir hinausgehen.‹

Berbisdorf, Schönauer Kreis, den 18. Mai 1844

Nr. 29. Carl Maywald, 30 Jahre alt, die Frau Friederike Christiane, 36 Jahre alt. Der Mann webt für die Erdmannsdorfer Anstalt, die Frau spult. Jetzt stehen sie sich per Woche auf 18 Sgr. 4 Pf.,

›Weberelend‹ (um 1850). Holzschnitt von Friedrich Wilhelm Gubitz

wovon die Familie mit 3 Kindern existieren muß. Die beiden jüngern Kinder von 5 und 7 Jahren sind so skrofulös, daß ihre Beine völlig ein schiefes Kreuz bilden. Die Eltern sehen abgezehrt aus und sind in Lumpen gekleidet. Außer an Festtagen, wie Ostern, kommt kein Fleisch ins Haus, sonst gibt es täglich bloß Brot, da die Kartoffeln hier bis auf 1 Taler der Scheffel zu stehen kommen. Kommunalabgaben, Miete und Schutzgeld gehen vom geringen Erwerb noch ab.

Nr. 75. Anna Helena Hornig, Einliegerin und Spinnerin, 39 Jahre alt, unverheiratet. Als Kind von 3 Jahren verbrannte sie sich beim Brande des Hauses ihre Hände, so daß an der linken Hand die Finger ganz verkehrt und verkrüppelt sind, an der rechten Hand steht nur der Zeigefinger aus dem Handteller heraus, und dabei spinnt sie und verdient noch täglich 6 Pf. In derselben Stube fand ich den Sohn der Wirtin Anna Susanna Riffer, Carl Friedrich, 5 Jahre alt, auch am Spinnrade schon ziemlich fertig den Faden ziehen.

Tiefhartmannsdorf, Schönauer Kreis, den 18. Mai 1844
Nr. 158. Inlieger Chr. Opitz, 44 Jahre alt, die Frau Christiane geb. Grän, 43 Jahre alt, kann sich mit einem starken Bruch selbst sitzend nur an zwei Krücken erhalten. Der Mann kommt mit Tagearbeit und Flickschneidern zuweilen auf 10 Sgr. die Woche, häufig kann er aber gar nichts erwerben. Die Frau erwirbt mit Spinnen 2 Sgr. per Woche, 2 Sgr. 6 Pf. erhalten sie Unterstützung die Woche. Die Stube, in welcher sich die Lager befinden, für die Eltern aus einer Bettstelle, für die beiden Knaben von 10 und 13 Jahren aber nur aus Lumpen bestehend, hat das Ansehen eines Viehstalles, die Bewohner sind nur in Lumpen gehüllt, man kann kaum mehr sagen gekleidet.

Maiwaldau, Schönauer Kreis, den 18. Mai 1844
Nr. 6. Christian Ehrenfried Däsler ist Buscharbeiter oder sucht Tagearbeit; hat er Arbeit, was höchstens 6 Monate im Jahre der Fall ist, so bekommt er 4 Sgr. 6 Pf. den Tag. Die Frau, Johanne Christiane geb. Heilmann, ist Weberin, – der Stuhl steht leer. Sie spulte, als ich dort war, da sie keine andere Beschäftigung fand.

Im Winter hat sie gesponnen, ebenso der Mann; beide verdienen dann zusammen 2 Sgr. pro Tag. Sie haben 2 Söhne, der eine von 17 Jahren ist beim Bauern Knecht, der andere, 13 Jahre alt, besucht noch die Schule.

In derselben Stube befindet sich die Einliegerin Marie Juliane Grundmann, 72 Jahre alt, sie erhält 1 Sgr. wöchentlich Armenunterstützung, außerdem verdient sie täglich 6 Pf. mit dem Spinnen. Deren Tochter Johanne Friederike Grundmann, unverheiratet, hat zwei Kinder, für welche sie 20 Sgr. an Alimenten bezieht; sie spinnt gleichfalls und verdient 1 Sgr. 6 Pf. täglich.

Das Haus ist reinlich, obwohl ärmlich. Der 13jährige Knabe schläft jetzt auf der Bodenkammer mit Lumpen bedeckt, im Winter liegt er in der Stube auf der sogenannten Hölle – dem Anbau des Ofens. Die Einlieger Grundmanns schlafen auf der Bodenkammer, auf Moos und Waldstreu gebettet.

Die Wirtsleute Däsler haben zu tragen 4 Tlr. 20 Sgr. Grundzins, 4½ Tage Handdienste, Haussteuer 24 Sgr., Klassensteuer 1 Tlr., Gemeindeabgaben 1 Tlr., Schulgeld für den Sohn 1 Tlr. 22 Sgr.; zusammen 9 Tlr. 21 Sgr., wenn man die Abgeltung der Dienste mit 15 Sgr. berechnet. Die Grundabgabe an die Herrschaft ist schon seit 4 Jahren gestundet.

Nr. 91. Gottl. Maiwald, verheiratet, 3 Kinder, der Mann webt nach Erdmannsdorf, die Tochter von 12 Jahren webt Hausleinen und bekommt 3 Pf. für die Elle. Die Frau spult. ¾ Jahr hatten sie keine Arbeit gefunden; da haben sie die Kleider versetzt und die Federn aus den Betten verkauft. Das Haus ist jetzt wegen der Grundzinsen zur Subhastation[55] gestellt.

Nr. 59. Gottlieb Keul, verheiratet, 7 Kinder, von denen das älteste 13 Jahre, das jüngste ¼ Jahr alt. Der Keul webt bei Tage und wacht bei Nacht im Dorfe, wofür er die Nacht 1 Sgr. 6 Pf. bezieht. Die Weberei bringt ihm etwa 15 Sgr. die Woche. Diese 9 Personen müssen von Brot für 1 Sgr. pro Tag und den Kartoffeln satt werden, denn der Keul hat noch folgende Lasten zu tragen: 5 Tlr. 2 Sgr. Grundzins, 4½ Tage Handdienste, 1 Tlr. Gemeindeabgaben, die Grundsteuer und Schulgeld für 3 Kinder.

Hermsdorf, städtisch, den 20. Mai 1844
Nr. 12. Häusler Krause, verheiratet, hat 4 Kinder, ist Weber. Sein Schwiegervater ist in etwas besseren Verhältnissen, deshalb prügelt der Mann seine Frau, sobald sie nichts zu essen haben, zum Teil aus Verzweiflung, um von dem Schwiegervater noch so das Letzte zu erpressen.

Nr. 31. Häusler Fischer, Mutter, Sohn, Schwiegertochter und Kinder leben vom Spinnen, daselbst die verwitwete Einliegerin Lösche mit drei Kindern, deren Mann bei einem Holztransport erschlagen worden. Die Witwe mit den drei Kindern hungerte im Winter und hatte nur dem braven Ortsrichter Gebauer die Erhaltung ihres Lebens zu danken.

Nr. 62. Häusler und Putzelspinner Finger. Der Mann war Witwer und hatte 1 Kind, heiratete eine Witwe mit 3 Kindern. Jetzt führen die Eheleute, obgleich sie zusammen wohnen und zusammen leben, gesonderten Erwerb und gesonderte Wirtschaft.

So kann die Not die natürlichen Verhältnisse umgestalten! Dergleichen Fälle sind mir mehrere vorgekommen: z. B. fand ich in Grüssau-Hermsdorf Nr. 240 die Spinner-Familie Hoffmann. Die Mutter liegt seit dem Winter, die Tochter ist auch halb kontrakt, Mutter und Tochter leben zusammen, der Vater, 70 Jahre alt, für sich; was jeder erwirbt oder erbettelt, verzehrt er allein. Ich erinnere mich, ähnliche Verhältnisse in verschiedenen Orten wiedergefunden zu haben; ich habe leider nur diese beiden Fälle in meiner Schreibtafel notiert, daher kann ich die anderen nicht genauer bezeichnen.

Als ich die Gründe und nähere Auskunft dieses unnatürlichen Zustandes verlangte, so sagte der Mann, dessen Unterricht die beste Lehre für diejenigen sein möge, die da glauben, der Kommunismus müsse unter dem Volke seine unbedingten Sympathien finden: ›Ja, ich verdiene mehr und brauche weniger wie ‚Meine‘ (die Frau), und da haben wir uns so eingerichtet.‹

Nr. 194. Witwe Hertwig hat das Haus für fünf Taler erkauft, und diese elende Hütte sieht aus, als ob sie um mehr als die Hälfte zu teuer bezahlt wäre. Sie hat vier Kinder und ernährt sie aufs kläglichste von der Weberei. Die Kinder schlafen auf der nackten Diele. Sie hat 15 Sgr. Grundsteuer, 1 Tlr. 14 Sgr. herrschaftliche Grundzinsen, 1 Tlr. Kommunalsteuer, und jetzt bei den durch die Hilfsanstalten günstigeren Verhältnissen kommt die Familie auf einen Erwerb von 10 Sgr. die Woche.

Nr. 195. Häusler Leder, verheiratet, hat 4 Kinder, das jüngste, 3 Wochen alt, liegt in wenigen Lumpen in einem kleinen Waschgefäß auf der Bank am heißen Ofen, um den Platz für den Spuler zu beschaffen. In derselben Stube wohnt und schläft der verheiratete Inlieger Badermann. Die Bettstelle des letzteren und die der Häusler Lederschen Eheleute ist keine 5 Fuß voneinander entfernt. Die Frau des Badermann ist 60 Jahre alt, vom Schlage gerührt, blind und epileptisch; der Mann teilt trotzdem dasselbe Lager mit ihr, welches aus schlechtem Stroh und Lumpen besteht. Man denke sich die Entbindung der armen Wirtin bei der epileptischen Nachbarin!

Doch wozu soll ich den Leser durch alle die Jammerhöhlen, durch welche ich fünf Wochen lang gewandert, mit mir herumführen. Auch der Hartherzigste muß bei diesen Bildern, welche das ungeschmückte Skelett der Wirklichkeit wiedergeben, die Überzeugung gewinnen, daß hier Not und wahres Elend vorhanden ist. Ich brauche ihn nicht erst in alle die hungernden Familien zu geleiten, die ich in Tränen gefunden, nicht in die Häuser, wo ich gerade eintrat, um das letzte Röcheln der ohne ärztliche Hilfe Dahinscheidenden zu hören. Es werden die aus amtlichen Quellen geschöpften Nachrichten genügen, um einen Begriff von der Zahl der Notleidenden zu erlangen.

Bereits im Jahre 1837 sind mit außerordentlichen Bewilligungen von Staatsmitteln unterstützt worden:

			Bedürftige Klasse I	Bedürftige Klasse II
im Kreise Landeshut in	62	Gemeinden	3272	3754
„ Bolkenhain in	24	„	1018	1659
„ Hirschberg in	51	„	2803	1983
„ Schönau in	38	„	1550	2090
„ Löwenberg in	111	„	2155	
		Summa		20 284

Hierbei sind in die erste Klasse gesetzt worden solche Personen, die ganz hilfsbedürftig sind, als Kranke, Altersschwache und überhaupt Arbeitsunfähige. In die zweite Klasse kommen die nur durch die Zeitverhältnisse in Not Geratenen. Sieben Jahre sind seit jener Epoche im zunehmenden Elende an uns vorübergegangen; der Leinwandhandel und die Leinwand-Industrie ist seitdem noch mehr gesunken, die Zahl der Notleidenden hat sich seitdem vermehrt.

Zur Kritik der in der Beilage mitgeteilten Übersicht muß ich besonders anführen, daß sie um deshalb kein richtiges Bild von der Summe der Armen abgeben kann, weil die ersten Listen, deren Resultat sie ist, zu dem Zwecke angefertigt worden, als Rolle für die Verteilungen der milden Spenden oder der lohnenden Arbeit für die Vereine zu dienen, es also nicht bloß auf die Hilfsbedürftigkeit überhaupt, sondern auch auf die Würdigkeit der Armen ankam. Nimmt man aber auch an, daß die erste Sichtung in dieser Beziehung nicht so gar streng gewesen ist, so ist der relative Maßstab der Not überhaupt ein willkürlicher, und zuletzt sind mehr oder minder alle statistischen Nachrichten nicht genau.*

Soviel geht jedenfalls aus diesen Zahlen und unsern Schilderungen hervor, daß die Summe der Hilfsbedürftigen größer ist,

* [. . .] Hiervon überzeugt, kann man auch auf die Nachrichten keinen großen Wert legen, nach welchen in Schlesien überhaupt 12 347 gewerbsweise und 8820 als Nebenbeschäftigung betriebene Leinen-Webstühle vorhanden sein sollen, zusammen also 21 167. Ich möchte wenigstens die Zahl nach den Ortschaften, die ich gesehen habe, für viel bedeutender schätzen. Nimmt man aber auch nur diese Zahl für richtig an, schätzt man nicht unrichtig die Zahl der Spinner vierfach so groß, die Zahl der Bleicher, Spuler usw. auf $^2/_3$ der Weberzahl, so kommt man schon auf eine Summe von etwa 120 000 Arbeitern. Rechnet man noch deren Kinder hinzu, so werden die großen Ziffern in der folgenden Übersicht[56] nicht zu hoch erscheinen.

als es die meisten geträumt haben, und die Not intensiv bedeutender ist, als es diejenigen glauben mögen, welche sich nicht die Mühe nehmen, dergleichen Zustände in der Nähe zu sehen.

Wenn wir aus der Kabinettsordre vom Jahre 1808 oben nachgewiesen haben, daß auch damals schon Not vorhanden war, wenn ferner alle erfahrenen Verwaltungsbeamten und alle Personen, welche mit den Landesverhältnissen vertraut sind, versichern, daß diese Not seit einem Menschenalter andauert, so liegt das Verlangen nach der Beantwortung der Frage sehr nahe:

›Woher hat denn plötzlich die Not dieser Volksklassen im Jahre 1843 dieses Aufsehen gemacht und diese erstaunenswerte Teilnahme gefunden? Woher hat man auf einmal den Blick auf jenen wunden Fleck geworfen und eine Heilung des seit Dezennien offenen Schadens beansprucht, da man doch sonst die, an der Heerstraße[57] liegende, soziale Krankheit unbeachtet ließ?‹

Ich will es versuchen, das reiche Material, aus dem eine gründliche Beantwortung jener Frage geschöpft werden müßte, hier nur in aphoristischer Skizze anzudeuten, um durch diese Abschweifung von dem eigentlichen Ziele nicht zu weit abgeführt zu werden.

Die frivole Richtung des ancien régime, welche sich nicht bloß in Frankreich, sondern beinahe in ganz Europa einheimisch gemacht hatte, wurde verlassen, sobald ernstere Interessen durch die allgemeinen europäischen Kriege in Anregung kamen.

Das sorglose Schlummerlied des üppigen Wohllebens wurde mit den ernsten Kriegsweisen vertauscht, und was das Sprichwort als unmittelbaren Satz der Erfahrung ausspricht, ›Not lehrt beten‹, bewährte sich an den mitteleuropäischen Völkern als eine Wahrheit.

Die Zeit des Voltaire'schen Witzes ging vorüber, überall wandte man sich dem Positiven zu. Die derben Lehren der Historie führten zu einer erhöhten Moralität, zu einem lebendigeren Erfassen der höheren Zwecke des Menschen, zu einer gesteigerten Religiosität.

Dieses lebendigere Teilnehmen an Staat und Kirche bekundet sich in Schrift und Tat. Die Segnungen des langen Friedens gewähren ihm ein freies Feld der Entwicklung, und die verschiedenen Richtungen und Parteiungen, welche sich in Beziehung auf

Politik und Religion gegenseitig anfeinden und bekämpfen, sind ebenso viele erfreuliche Zeugen dafür, daß an die Stelle der unbewußten Sorge für das leibliche Wohl die bewußte für die höheren Interessen des Individuums und der Gesellschaft getreten ist.

Was uns nun zuvörderst in Deutschland betrifft, so wird diesem regen Verlangen, sich an dem Gemeinwohl beteiligen zu können, durch die Staatseinrichtungen wenig Vorschub geleistet, und dieser Drang nach einer politischen Wirksamkeit machte sich denn in Vereinen Luft, welche diejenigen Sphären mit Emsigkeit aufsuchen, die eine alles umfassende Regierung nicht zu ihrer ausschließlichen Domäne erwählt hat. Diese Neigung zur Assoziation, welche namentlich durch den Mangel eines anderen Feldes zur Entfaltung einer politischen Tätigkeit unterstützt wird, findet in der Titelsucht noch eine neue Nahrung.

Zum anderen ist es die leichteste Weise, seinen religiösen Sinn zu bekunden, wenn man sich mit dem Himmel durch opera operato[58] und wohltätige Gaben abfinden zu können glaubt, daher bei allen Unglücksfällen in den letzten Dezennien die reichlichen Spenden. Man denke nur z. B. an den Hamburger Brand. –

Drittens aber haben die vermehrten Mittel der Kommunikation entferntere Gegenden einander nähergerückt, und die billigeren Transportmittel die Zahl der Reisenden vermehrt und dadurch die Zahl derer vergrößert, die sich selbst überzeugen und die Kunde des Gesehenen verbreiten.

Viertens hat die Tagespresse, welche ihre Schwingen seit der letzten Zensur-Instruktion[59] in Preußen freier zu heben gelernt hat, begierig nach einer Gelegenheit gespäht, ihre vereinigten Kräfte einmal nicht gegen ein abstraktes Wesen, sondern gegen ein positives Übel richten zu können.

Wenn nun andererseits der Wohlstand im ganzen in Deutschland gestiegen ist, die höheren oder wohlhabenden Klassen der Gesellschaft bei uns aber den niederen oder ärmeren so fernstehen, daß sie kaum wissen, ob diese armen Menschen ebenso empfinden, fühlen und denken wie sie, wenn sie ferner durch eine glatte Literatur ohne markige Effekte übersättigt war, und außer den Salons auch ein anderes Leben kennenzulernen begierig wurde, so bildeten diese angedeuteten Zustände und Verhältnisse den leicht fangenden Zündstoff, in welchen die Mystères[60] zur Explosion kommen. Haben wir denn in unserer Nähe keine solchen Höhlen des Jammers, fragte man sich, und jeder Ort wurde eifersüchtig auf seine Mystères. Breslau prunkte mit seinen Kasematten durch alle deutschen Tagesblätter und Zeitschriften; und so erinnerte man sich denn auch der Armen im schlesischen Gebirge, die in diesem Jahre hungerten und darbten, wie sie es seit Dezennien in nicht viel geringerem Maße, damals aber ohne Eugène Sues beredte Fürbitte, getan.

Man vergesse ferner nicht, daß noch der Stand der zu Leipzig vereinigten Fabrikherren und Schutzzollmänner, der, nach zuverlässigen Nachrichten, nicht bloß gute Artikel für Schutzzölle, sondern auch schlechte gegen Schutzzölle bezahlen soll, ein Interesse dabei hatte, von der Sache der Not besondern Lärm schlagen zu lassen; und endlich, daß auch kommunistische und andere politische Richtungen von dem näheren Eingehen auf die Frage Nutzen zu ziehen hofften.

Also braucht es nicht in Erstaunen zu setzen, daß diese so alte Sache neuerdings ein so allgemeines Aufsehen gemacht und so rege Teilnahme gefunden hat. Mit gutem Gewissen und nach reiflicher Prüfung der Verhältnisse kann man hierüber nur zu dem Urteil gelangen: Das große Aufheben, welches von der Not der Leinen-Arbeiter neuerdings gemacht worden, war kein Unrecht, weil das Übel bereits ein altes ist, sondern es ist vielmehr Unrecht, daß nicht schon vor Jahrzehnten der jetzige Lärm über die Sache geschlagen wurde. –

Von dem, was vor etwa 20 Jahren in Breslauer und Berliner Zeitungen darüber geschrieben wurde, kann nicht die Rede sein, denn es verscholl ohne wahrnehmbare Folgen.

Der Aufstand

Verlauf und Deutung

Beilage zu Nr. 131 der privilegirten Schlesischen Zeitung
7. Juni 1844[1]

Breslau, 6. Juni. Es haben am 4ten d. Mts. bedauerliche Exzesse von seiten der Baumwollenweberei-Fabrik-Arbeiter in Peterswaldau und Langenbielau stattgefunden, welche die Zerstörung der Werkstätten und des sonstigen Eigentums von einem Fabrik- und Handlungshause in Peterswaldau und einem zweiten in Langenbielau zur Folge gehabt haben. Die erforderlichen Maßregeln sind von seiten der Militär- und Zivil-Behörden getroffen worden und lassen auch die neuesten eingegangenen Berichte erwarten, daß jetzt schon der gewöhnliche Zustand der Ruhe an beiden Orten wiederhergestellt sei.

Deutsche Allgemeine Zeitung
Nr. 160 8. Juni 1844

Aus Schlesien, 4. Juni. Soeben hat ein Haufe Weber aus Peterswaldau, Langenbielau und der Umgegend in Peterswaldau (dem Konsistorialpräsidenten Grafen Stolberg gehörig) die Gebäude und Vorräte des Fabrikanten Zwanziger demoliert und zerstört. Die Familie des Zwanziger ist auf das Schloß des Grafen Stolberg geflüchtet. Das angemessene Einschreiten der Prediger Schneider und Knüttel hat vorläufig weiteren Unfug gehemmt, wozu Geldausteilungen des Fabrikanten Wagenknecht, der sein Haus nur durch diese bewahrt hat, beigetragen haben mögen. Es ist Militär aus Schweidnitz requiriert, das jeden Augenblick erwartet wird.

Deutsche Allgemeine Zeitung
Nr. 162 10. Juni 1844

Breslau, 6. Juni. Die Nachricht wird Ihnen wohl schon zugekommen sein, daß in der Gegend von Reichenbach und namentlich in Peterswaldau und Langenbielau mehrere tausend arme Weber sich rottiert haben und seit zwei Tagen tumultuieren sollen (Nr. 160). Die Fabriken der ansehnlichsten Handlungshäuser, z. B. Zwanziger u. a., sollen demoliert worden und selbst die Handlungsbücher und Papiere vernichtet sein. Schon gestern ist eine Militärdivision von Schweidnitz mit schwerem Geschütz gegen die Ruhestörer marschiert. Heute sind auch von Breslau eiligst mit der Freiburger Eisenbahn Schützen und Musketiere abgegangen, die schwere Kavallerie desgleichen. Von Ohlau sind die Husaren requiriert, nach Neisse, Glogau, Glaz und anderen Garnisonsstädten gingen heute Stafetten deshalb ab. Der Ober-Präsident von Merckel[2] sowie der kommandierende General Graf von Brandenburg sind ebenfalls schon auf dem Schauplatz. (Auffallend erscheint es, daß sowohl die ›Allgemeine Preußische Zeitung‹ vom 9. wie die ›Schlesische‹ und ›Breslauer Zeitung‹ vom 6. Juni – die beiden letzten vom 4. und 5. Juni sind uns nicht zugekommen – dieser Vorfälle noch mit keiner Silbe erwähnen. Die Red.)

Allgemeine Preußische Zeitung
Nr. 160 10. Juni 1844

Berlin, 9. Juni. Aus Schlesien eingetroffene Berichte melden, daß am 4ten d. M. ein Tumult der Baumwollenweberei-Arbeiter in den Dörfern Peterswaldau und Langenbielau stattgefunden hat, bei welchem mehrere Fabrikgebäude demoliert worden sind. Es wurde sofort Militär aus Schweidnitz requiriert, welches, nachdem jede gütliche Aufforderung zur Ruhe vergeblich gewesen war, von seinen Waffen Gebrauch machen mußte, infolgedessen mehrere Tumultuanten tot auf dem Platze blieben. Nach den getroffenen energischen Maßregeln durfte man beim Abgang der Berichte erwarten, daß fernere Exzesse nicht vorkommen würden.

Die ›Deutsche Allgemeine Zeitung‹ zitiert diese Meldung der ›Allgemeinen Preußischen Zeitung‹ in Nr. 163 vom 11. Juni 1844 und ergänzt sie durch folgendes Zitat aus der ›Leipziger Zeitung‹:

Über den Grund dieser Vorgänge berichtet ein Schreiben aus Breslau in der ›Leipziger Zeitung‹ folgendes: ›Die Weber waren bisher in den Büchern der Kaufleute tief verschuldet. Die Kaufleute suchten sich durch die Arbeiten der Weber nach und nach, so gut es ging, bezahlt zu machen. Nun kamen die vielen Wohltätigkeitsvereine mit direkten Bestellungen und besseren Löhnen. Die Weber arbeiteten also nur für die Vereine, die Kaufleute erhielten keine Befriedigung durch Arbeit und drohten mit Exekution, wenn sie die Schulden nicht in barem von den Webern erhielten. Diese Drohungen scheinen die Weber gereizt zu haben. Daher der Aufstand: Nicht gegen die Regierung oder Verwaltung, sondern gegen die Schuldbücher der Kaufleute und Fabrikanten. Diese Bücher sollen meist zerschnitten und vernichtet worden sein, wo man ihrer habhaft wurde.‹

Berlinische Nachrichten von Staats- und gelehrten Sachen
Nr. 133 10. Juni 1844

Aufruf

Mit recht schmerzlichem Gefühle mache ich den Einwohnern von Langenbielau bekannt, daß ich den Befehl bekommen habe, mit Infanterie und Artillerie in diesen mir seit langen Jahren so lieb gewordenen Ort einzurücken, um Unordnungen und Exzesse zu verhüten, welche leider nach dem, was vorgefallen ist, noch zu fürchten sind. Ich erkläre hiermit, daß bis jetzt noch kein Gewehr und Geschütz scharf geladen ist und hege auch die Hoffnung, daß ich ebenso friedlich, wie ich eingerückt bin, auch wieder ausrücken werde. Ebenso bestimmt aber erkläre ich auch öffentlich, daß ich bei vorkommender Widersetzung gegen die Anordnungen und Vorschriften der Zivil- und Polizeibehörden sofort von der Gewalt der Waffen Gebrauch machen werde. Um die Ordnung im Bereich der Truppen aufrechtzuerhalten, muß ich verlangen, daß alles Zusammentreten von mehr als 5 oder 6 Menschen vermieden werde. Die Patrouillen, welche ich durch das Dorf schicke, haben den Befehl, alle Leute, die sich in größerer Anzahl versammeln, zuerst höflichst zu ersuchen, auseinanderzugehen, bei Nichtbefolgung dieser Bitte aber aufs entschiedenste das Verlassen der Straße zu fordern und schließlich mit Gewalt durchzusetzen. Auch muß ich wünschen, daß nach Verordnung der Polizeibehörde in den Wirtshäusern für jetzt keine Versammlungen gehalten werden, indem die Nichtbefolgung dieser Anordnungen für Wirte und Gäste die übelsten Folgen haben könnte. Ganz besonders aber wende ich mich nun noch schließlich recht vertrauensvoll an die alten bewährten Landwehrmänner des ehemaligen Schweidnitzer Landwehr-Bataillons, die mich wohl noch genügsam kennen werden und gewiß überzeugt sind, daß ich in Langenbielau niemand übelwill. Von ihnen hoffe ich ganz bestimmt, daß sie mich auf alle Weise in meinen Bestrebungen unterstützen werden, Ruhe, Friede und Eintracht in ihrer Mitte wiederherzustellen.

Langenbielau, den 6. Juni 1844

von Schlichting[3], Major und Bataillons-Kommandeur

Berlinische Nachrichten

von Staats- und gelehrten Sachen.

In der Haude und Spenerschen Zeitungs-Expedition. [Redakteur: S. H. Spiker.]

№ 133. Montag, den 10. Juni 1844.

Inland.

Berlin, vom 10. Juni.

Se. Majestät der König haben Allergnädigst geruht

Dem Kaiserlich österreichischen wirklichen Kämmerer und Podestà von Verona, Edlen von Orti-Manara, den Rothen Adler-Orden dritter Klasse, dem Land- und Stadtgerichts-Rath von Vincke in Lübbecke, dem Ober-Prediger Weber zu Barby uud dem Kreis-Physikus Dr. Strauch zu Landshuth den Rothen Adler-Orden vierter Klasse, so wie dem Land- und Stadtgerichts-Boten Lindner in Lobsens, das Allgemeine Ehrenzeichen zu verleihen;

Den Ober-Landesgerichts-Rath von Viebahn zu Münster zum Geheimen Justiz-Rath; und

Den bisherigen Wegebau-Inspektor Prange zu Merseburg, zum Regierungs- und Bau-Rathe zu ernennen;

Dem Ober-Langesgerichts-Kalkulator Leidholdt zu Naumburg, dem Land- und Stadtgerichts-Salarien- und Deposital-Kassen-Rendanten Jeremias zu Halle a. d. S. und dem Land- und Stadtgerichts-Deposital-Kassen-Rendanten Holzhausen zu Erfurt den Charakter als Rechnungs-Räthe, desgleichen den Justiz-Kommissarien und Notarien Günther zu Sangerhausen, Friedrich zu Zahna und Senff zu Zeitz, so wie dem Patrimonial-Landrichter Eichapfel zu Weissenfels und dem Patrimonialrichter August Wilhelm Schulze zu Delitzsch, den Amts-Charakter als Justiz-Räthe; und

Dem in den Ruhestand versetzten Land- und Stadt-Richter Consbruch zu Petershagen den Charakter als Justiz-Rath zu verleihen.

Potsdam, den 8. Juni.

Ihre Königl. Hoheiten der Prinz und die Prinzessin Friedrich der Niederlande sind aus dem Haag hier eingetroffen und im Königl. Schlosse Sanssouci abgestiegen.

Der bisherige Privat-Docent Licentiat der Theologie Karl Bindemann in Greifswald ist zum außerordentlichen Professor in der theologischen Facultät der dortigen Universität ernannt; und

Dem Erzieher Sr. Königl. Hoheit des Prinzen Friedrich Karl,, Sohnes Sr. Königl. Hoheit des Prinzen Karl von Preußen, Oberlehrer Bogen, das Prädikal „Professor" beigelegt worden.

An die Stelle des abgegangenen Justiz-Kommissarius Wendland ist der Justiz-Kommissarius und Notarius Valentin zu Köslin in gleicher Eigenschaft an das Kammergericht versetzt; und

Der bisherige Kammergerichts-Assessor Eckardt zum Justiz-Kommissarius bei dem Ober-Landesgerichte in Köslin und zugleich zum Notar in dem Departement desselben bestellt worden.

Se. Erc. der Kaiserl. Russ. General der Infanterie und Mitglied des Reichsraths, Graf Cancrin, ist von Stettin, und der Kammerherr und Schloßhauptmann von Breslau, Graf v. Schaffgotsch, von Breslau hier angekommen.

Der Kaiserl. Russ. Wirkl. Geh. Rath und Mitglied des Reichsraths, Graf v. Pahlen, ist nach Dresden von hier abgegangen.

Bekanntmachung.

Das korrespondirende Publikum wird in Bezug auf die Versendung von Päckereien nach Rußland darauf aufmerksam gemacht, daß bei der häufigen Aenderung der Vorschriften in Bezug auf die Erlaubniß, Gegenstände aus dem Auslande in Rußland einzuführen, jeder Absender vor der Absendung zuverlässige Erkundigung darüber einziehen muß, ob die nach Rußland zu versendenden Gegenstände dort eingeführt werden dürfen, oder nicht. Die aus der Nichtbefolgung dieser Vorsicht entspringenden nachtheiligen Folgen haben die Absender sich selbst beizumessen. Es kann daher auch die Rückerstattung oder Ermäßigung des Porto's für die vergebliche Hin- und Zurücksendung der zur Post gegebenen Gegenstände bis zur russischen Gränze in dem Falle nicht erfolgen, wenn etwa jenen Gegenständen der Eingang in Rußland versagt werden sollte. Berlin, den 31. Mai 1844.

General-Post-Amt.

Bekanntmachung.

Wir bringen hierdurch zur öffentlichen Kenntniß, daß bereits vom 17. d. Mts. ab die am 1. Juli d. J. fälligen Zinsen der hiesigen drei ein halb procentigen Stadtobligationen im Lokale unserer Sparkasse an den Wochentagen von 9 bis 12 Uhr Vormittags, mit Ausnahme der drei letzten Tage dieses Monats gezahlt werden sollen. Bei Einlieferung der Coupons hat jeder Interessent ein Verzeichniß der Coupons, nach den verschiedenen Sorten geordnet und mit Auswerfung des betreffenden reducirten Geldbetrages, der Kasse einzureichen. Da der reducirte Betrag der Coupons der 25 Thaler Stadt-Obligationen in ganzen Pfennigen nicht abschließt, so wird der 33ste und 35ste Coupon mit je 13 sgr. 1 pf., und der 34ste und 36ste Coupon mit je 13 sgr. 2 pf bezahlt werden. Diejenigen, welche behindert werden, die Zinsen noch vor dem 1sten Juli d. J. abzuheben, können letztere auch in den folgenden Monaten vom 4ten jedes Monats an, in den gedachten Stunden in Empfang nehmen. Gleichzeitig machen wir darauf aufmerksam, daß diejenigen Coupons, auf welche binnen vier Jahren nach dem Fälligkeits-Termine die Zahlung nicht abgehoben wird, nach dem Inhalt derselben verfallen sind, und somit die Forderung von rückständigen Zinsen mit dem Ablaufe von 4 Jahren verjährt ist. Auch fordern wir die Inhaber sämmtlicher noch auf 4 Procent lautenden, nicht convertirten und daher zum 1. Januar 1843 gekündigten Stadt-Obligationen wiederholt auf, die Valuta derselben nunmehr zu erheben. Endlich bringen wir hierbei den Interessenten mit Bezugnahme auf unsere Bekanntmachung vom 28. Dezember 1843 in Erinnerung, daß nachstehende Stadt-Obligationen zum 1. Juli d. J. gekündigt worden sind:

1) Littera A. No. 14. bis 18. und 37. Littera A. No. 649. bis 654. 12 Stück à 1000 Thlr. 12,000 Thlr. 2) Littera B. Nr. 74. bis 85. Litt. B. No. 583—594. Litt. B. No. 728—732. 781. bis 783. 786—788. Litt. B. No. 961. 962. 964. bis 966. 968—972. 1008. und 1010. 48 Stück à 500 Thlr. 24,000 Thlr. 3) Litt. C. Nr. 902—914. 916—922. 20 Stück à 300 Thlr. 6000 Thlr. 4) Litt. D. No. 643. 644. 646—656. 658—674. Litt. D. No. 1387—1396. 1398. bis 1404. 1406—1417. und 1419. Litt. D. No. 1420—1440. 1471—1479. Litt. D. No. 1700—1715. 1717—1728. 1730. und 1731. 120 Stück à 200 Thlr. 24,000 Thlr. 5) Litt. E. No. 2785—2808. 2811—2846. Litt. E. No. 5208—5222. 5224—5234. 5237—5270. 120 Stück à 100 Thlr. 12,000 Thlr. 6) Litt. F. Nr. 2732—2735. 2737—2749. 2752—2775. 2777—2795. Litt. F. No. 5881—5905. 5907. 5908. 5910—5916. 5919—5944. Litt. F. No. 5945—5950. 5952—5958. 5960—5968. 5970—5990. 5992. 5993. 5995—6008. und 6010. Litt. F. No. 6135—6142. 6144—6162. 6164. 6165. 6167—6193. 6195—6198. Litt F. Nr. 6199—6217. 6219—6259. Litt. F. No. 8610—8618. 8621—8635. 8639—8674. Litt F. No. 14,541. bis 14,600. 420 Stück à 50 Thlr. 21,000 Thlr. 7) Litt. G. No. 1920—1936. 1938—1940. 1943—1947. 1949. 1951. bis 1971. 1973—1989. 1991—2020. 2022—2026. 2028. bis 2036. 2038—2049. Litt. G. No. 2337—2362. 2364—2375. 2377—2437. 2439—2459. Litt. G. No. 8233—8271. 8273—8301. 8303—8322. 8324—8334. 8336—8354. 8356. 8357. Litt. G. No. 9791—9837. 9839—9863. 9865—9878. 9880. 9881. 9883—9896. 9898—9915. Litt. G. No. 10,509—10,513. 10,515. 10,517—10,534. 10,536—10,548. 10,550—10,570. 10,573—10,591. 10,593—10,599. 10,601—10,604. 10,606—10,617. 10,619—10,638. Litt. G. No. 11,877—11,891. 11,895—11,911. 11,913—11,928. 11,930—11,940. 11,942. 11,943. 11,945. 11,948. 11,949. 11,951—11,969. 11,972—12,008. Litt. G. Nr. 14,822—14,829. 14,831—14,837. 14,839. 14,841—14,866. 14,868. bis 14,937. 14,939—14,941. 14,943. 14,945—14,947. und 14,949. 840 Stück à 25 Thlr. 21,000 Thlr., zusammen 1580 Stück über 120,000 Thaler, und daß auch gleichzeitig mit der obigen Zinszahlung die Empfangnahme des Kapital-Betrages dieser gekündigten Obligationen erfolgen kann. Berlin, den 5. Juni 1844.

Ober-Bürgermeister, Bürgermeister und Rath hiesiger Königl. Residenz.

Berlin, 9. Juni. Se. Majestät der König haben Allergnädigst geruht, dem Hauptmann von Seelhorst des 31sten Infanterie-Regiments die Anlegung des von Sr. Königl. Hoheit dem Großherzog von Sachsen-Weimar ihm verliehenen Ritterkreuzes des Ordens vom weißen Falken zu gestatten.

Berlin, 10. Juni. (Milit.-Wochenbl.) Dem Gen.-Lieut. Rühle v. Lilienstern sind, mit Belassung desselben in seinem Verhältniß zur Allgemeinen Kriegsschule, die vereinigten Stellen des Gen.-Inspectors des Militär-Erziehungswesens und des Präses der Ober-Militär-Examinations-Commission übertragen worden.

— Das neueste Ministerialblatt für die gesammte innere Verwaltung enthält unter Anderm nachstehende Verfügungen: 1) die Bestätigung der Statuten der Gesellschaft für christliche Erbauungsschriften im Großherzogthum Posen. Die Schriften sollen in deutscher und polnischer Sprache zur Erbauung und Belehrung, welche auf die Bibel gegründet ist, rein evangelisch abgefaßt werden. 2) Des Ministers des Innern vom 6. v. M., daß bei Stadtverordneten-Wahlen Jeder, der selbst zum Candidaten vorgeschlagen worden, allerdings über die übrigen Candidaten mitstimmen kann. 3) Desselben an sämmtliche k. Oberpräsidenten, vom 20. April, wegen Aufstellung jährlicher Uebersichten von dem Zustande der bestehenden Sparkassen. 4) Des Unterrichts-Ministers an sämmtliche k. Regierungen, vom 24. März, deren Mitwirkung bei Errichtung von Turnanstalten für den Unterricht in der Gymnastik, betreffend. 5) Desselben an die k. Provinzial-Schul-Collegien, vom 22. April, wie es als Regel vorausgesetzt werde, daß alle Schüler an den Turnübungen Theil nehmen und nur diejenigen befreit seyn sollen, deren Aeltern, vermöge „motivirter Erklärung" die Theilnahme nicht wünschen. Dabei wird angerathen, „auf die noch obwaltenden Vorurtheile mancher Aeltern gegen das Turnen eine schonende Rücksicht zu nehmen, und auch in den hoffentlich seltenen Fällen, wo ohne vollgenügende Motive die Dispensation von der Theilnahme an den Leibesübungen nachgesucht wird, einem solchen Verlangen zu willfahren." Ferner wird genehmigt, daß bei allen Anstalten, wo der Aufwand für die Errichtung und Unterhaltung der Turnplätze, so wie für die den Lehrern der Gymnastik zu gewährende Besoldung oder Remuneration weder aus den Fonds der betreffenden Schule, noch den Zuschüssen der betreffenden städtischen Gemeinden gedeckt werden kann, von allen Schülern, mit Ausnahme der Freischüler, ein mäßiger, nach den jedesmaligen Verhältnissen zu bestimmender Zusatz zu dem bisherigen Schulgelde, welcher aber nirgends mehr, als einen Thaler jährlich betragen darf, durch die Schulkasse erhoben werde. — 6) Des Finanz- und des Ministers des Innern, vom 16. April, wonach die Eisenbahn-Directionen aufmerksam zu machen sind, daß nicht Gegenstände leichteren Gewichts in der Nähe der Schienen aufgestellt oder niedergelegt werden. Es war nämlich bei einer inländischen Eisenbahn der Fall vorgekommen, daß ein, auf das Bahnterrain niedergelegter Gegenstand leichten Gewichts durch einen heftigen Sturm auf die Schienen geworfen, und die danach drohende Gefahr eines Unglücks nur durch plötzliches Anhalten vermieden wurde.

— Die in der neuesten Nummer der Gesetzsammlung concessionirte und bestätigte Wilhelms-Bahn, ist eine Eisenbahn, welche sich in der Nähe von Cosel der Oberschlesischen Eisenbahn anschließen und über Ratibor nach der Landesgrenze, bei Oderberg, zum Anschluß an die Kaiser Ferdinands-Nordbahn führen soll. Das Grundcapital beträgt 1 Mill. 200,000 Thlr. Bei dem Bau muß den im militärischen Interesse zu machenden Bedingungen genügt und die Bahn bis zum Schlusse des künftigen Jahres vollendet seyn, wenn zu eben dieser Zeit der Bau der Kaiser Ferdinands Nordbahn bis an die preuß. Landesgränze geführt worden ist. Dem Finanzminister bleibt die Genehmigung des Fahrplans und die Abänderung desselben vorbehalten. Die Generalversammlungen werden in Ratibor gehalten. Die Actien lauten auf 100 Thlr. Für die Transporte der Militär-Verwaltung ist die Gesellschaft verpflichtet, nöthigenfalls auch außerordentliche Fahrten einzurichten, auch bleibt es der Militärverwaltung vorbehalten, sich zu ihren Transporten eigener Transport- und Dampfwagen zu bedienen. Ueber die desfallsige Kostenvergütung an die Bahn wird eine besondere Vereinbarung getroffen.

— Vorgestern Abend, kurz vor Sonnenuntergang, hatten wir hier das um diese Jahreszeit seltene Phänomen von Nebensonnen. Die Witterung bleibt fortwährend trocken und die Dürre ist sehr groß, wenn gleich die Kornfelder vortrefflich stehn.

Potsdam, 9. Juni. (Privatmitth.) Am 7. Juni früh um halb sieben Uhr fuhr Se. M. der König nach Charlottenburg und J. M. die Königin folgte mit der übrigen königl. Familie um halb zehn Uhr nach, um im engen Familienkreise, der noch durch die verwittwete Großherzogin von Mecklenburg-Schwerin, welche gegenwärtig in Sanssouci wohnt, vermehrt wurde, diesen Tag still zu begehen. Se. k. H. der Prinz von Preußen hat itzt sein Sommerpalais auf dem Babertsberge bezogen. — Am 8. Juni trafen JJ. MM. der König und die Königin mit einem Extra-Eisenbahnzuge von Berlin hier wieder ein und begaben sich sofort nach Charlottenhof. Um 12 Uhr traf der kais. russ. Staatsminister Graf v. Nesselrode hier ein, fuhr aber sogleich nach Charlottenhof zum Diner. —

Potsdam, 8. Juni. (Privatmitth.) Des Freitags Morgens kommt stets der Transport der Verurtheilten hier an, um am folgenden Morgen weiter nach dem Zuchthause geführt zu werden. In der Nacht machten dieselben den Versuch zu ihrer Befreiung, indem sie einen Strohsack in Streifen zerschnitten und der Länge nach zusammenbanden. Der erste, welcher die gefährliche Reise antrat, hatte den Strick nicht gehörig am Fenster befestigt und stürzte daher mit demselben von einer beträchtlichen Höhe so hart zur Erde daß er nicht weiter konnte. Durch sein Geschrei kamen die Wärter herbei und schafften den Gefallenen nach dem Krankenhause. — Die sorgfältige Ueberwachung der Eisenbahnzüge von Berlin nach Potsdam scheint sich immer mehr als nothwendig herauszustellen, indem die Eisenbahn theils zur schnellen Beförderung des gestohlenen Guts, so wie der Diebe von diesen häufig benutzt zu werden scheint. So wurde vor einigen Tagen ein gefährlicher Dieb ergriffen, welcher zwei gewaltsame Diebstähle in Berlin ausgeführt hatte, und am folgenden Tage wieder zwei andere, bereits in Berlin gestrafte, Diebe ertappt.

Breslau, 7. Juni. (Privatmittheil.) Seit drei Tagen drängen sich die Nachrichten, welche hier über die unter den Fabrikarbeitern und Webern ausgebrochenen Unruhen im Reichenbacher Kreise verbreitet werden. Die hiesigen Zeitungen haben bereits einen kurzen Bericht über diese traurige Begebenheit veröffentlicht, aber nicht in der Ausdehnung, daß er Uebertreibungen und Unwahrheiten kräftig entgegenwirken dürfte. Deshalb theile ich Ihnen den bis itzt bekannten Verlauf des traurigen Ereignisses, so weit ich ihn verbürgen zu können glaube, etwas ausführlicher mit. — Eine Anzahl Fabrik-Arbeiter und Weber glaubte sich seit längerer Zeit von dem Kaufmann Zwanziger in Peterswaldau bei Reichenbach am Lohne verkürzt, und wurde nicht allein deshalb, sondern auch, angeblich, wegen mehrerer harten Aeußerungen dieses Herrn zuletzt so erbittert, daß sie ein Pasquill auf ihn verfertigten und Verse aus demselben vor seinem Hause zahlreich versammelt absangen. So auch am 4. Juni Abends. Hr. Z. ließ endlich einige (man spricht von zweien) der Unruhigsten festnehmen, wodurch leider die Erbitterung so gesteigert wurde, daß sich die Leute, welche aus der Nachbarschaft schnell verstärkt wurden, zusammenrotteten und das Innere des Kaufmannshauses gänzlich zerstörten. Man erzählt, daß das Geld aus den Kassen auf die Straße geworfen, sämmtliche Waaren, Papiere, Bücher und Kleidungsstücke aber zerhackt und auf alle Weise vernichtet worden seyen. Ein anderer Kaufmann rettete sich nur dadurch, daß er sich mit dem versammelten Haufen in Unterhandlungen einließ und eine namhafte Summe Geldes unter sie vertheilte. Die indeß immer mehr verstärkte Menge begab sich nun nach Langenbielau, wo sie auf das Fabrikant Dierig'sche Haus losgieng, weil gewisse Versprechungen, im Falle der Vertheidigung und Verschonung, den Arbeitern nicht gehalten worden wären. Wie groß die Erbitterung gewesen seyn muß, geht daraus hervor, daß man auf die erlassene Aufforderung des, inzwischen aus Schweidnitz requirirten, Militärs, sich auseinander zu begeben, nicht Rücksicht nahm und es endlich, nachdem einmal vergeblich blind gefeuert worden war, zum scharfen Feuern kommen ließ, wodurch Mehrere getödtet und verwundet wurden. Fast die ganze Besatzung der Festung Schweidnitz ist ausgerückt und itzt vorläufig durch die hiesigen Schützen, welche gestern früh durch einen Extrazug der Breslau-Freiburger Eisenbahn an Ort und Stelle befördert wurden, ersetzt worden. Aus Brieg gieng gestern Abend auf demselben Wege Militär hier nach den beunruhigten Districten durch. — Wie weit diese traurige Katastrophe, zu welcher sich schon seit einem Jahre allerhand Anzeichen kundgaben, itzt gediehen seyn mag, ist hier noch nicht bekannt; so viel ist aber gewiß, daß auch später noch gütliches Zureden nichts gefruchtet hat. Man fürchtete sogar, daß die Menge noch vor ihrer Unterdrückung nach Freiburg ziehen könnte, um dort die Etablissements des Hauses Kramsta völlig zu vernichten. Wie wir hören, sind die Verstärkungen der Militärmacht, zum Theil mit Kanonen, in der Gegend von Peterswaldau und Langenbielau eingetroffen, und in Reichenbach haben sich die bürgerlichen Schützen-, Grenadier- und übrigen Bürger-Compagnien bewaffnet, um die Thore und öffentlichen Plätze zu beschützen. Zum Schlusse theile ich Ihnen noch folgenden

Berlinische Nachrichten von Staats- und gelehrten Sachen
Nr. 133 10. Juni 1844

Aufruf

Soeben hier eingetroffen, finde ich Bielau in einem Zustande, welchen ich nie zu sehen gefürchtet habe. Ist noch ein Funke Eurer alten Liebe und Anhänglichkeit an Eure Grundherrschaft in Euren Herzen, lebt noch ein Gefühl für Ordnung und Recht in Euch, so bitte, so beschwöre ich Euch, entsagt allem sträflichen Unternehmen und kehrt in den Zustand zurück, welchen so lange zu bewahren Euer Ruhm war. Glaubt nicht, daß ein anderes Interesse als das für Euer Wohl, für den Ruf Eures Orts, mich diese Bitte an Euch tun läßt. Ich hege noch die Überzeugung, daß, wenn nicht ein unglückliches Ungefähr mich in diesen Tagen von Euch ferngehalten hätte, Auftritte, die – ich kann es nicht verhehlen – Euch schänden, vielleicht unterblieben wären. Nun zu Euch zurückgekehrt, will ich es versuchen, in Eurer Mitte und unter Euch in Güte die Ordnung wiederherzustellen, welche sonst unausbleiblich und gewiß strenge und durch die Gewalt der Waffen wieder aufrechterhalten würde. Gott und Eure Liebe mögen mich hierin unterstützen.
Langenbielau, den 6. Juni 1844

Graf von Sandreczky-Sandraschütz[4]

Beilage zu Nr. 134 der privilegirten Schlesischen Zeitung
11. Juni 1844

Breslau, 10. Juni. Nach den aus Langenbielau über die dort stattgefundenen Exzesse eingegangenen Nachrichten waren am 5ten d. [Mts.] bei dem ersten notwendigen Einschreiten des Militärs einige Menschen totgeblieben und mehrere verwundet, die öffentliche Ruhe und Sicherheit hiernächst aber bald wiederhergestellt worden. Diese Ruhe dauert auch fort, so daß schon ein Teil des in dasige Gegend abgerückten Militärs zurückgezogen worden ist. Die Schuldigen sind, ohne allen Widerstand zu finden, verhaftet worden und erwarten die gesetzliche Strafe.

Aachener Zeitung
Nr. 162 11. Juni 1844

Vom Fuße der Hohen Eule, 5. Juni. Unter den Leinwand-Manufaktur-Distrikten Schlesiens nimmt der kleine, aber stark bevölkerte Reichenbacher Kreis eine der ersten Stellen ein, denn in ihm befinden sich Fabrik-Dörfer wie Langenbielau und Peterswaldau, wo das erste allein 12 000 Einwohner zählt. Prachtvolle Gebäude, nur selten von ländlichen Feldbauer-Wirtschaften unterbrochen, geben ihm nicht nur ein städtisches, sondern fast großstädtisches Aussehen; aber in ihm und umher, in den kleinen Gebirgs-Dörfern, herrscht das bitterste Elend unter den von hochmütigen Fabrikanten (wie sie genannt werden) geknechteten Leinwand-, jetzt meistenteils Baumwoll-Webern. Die Bezeichnung ›a Bielauer Waber‹ bringt dem nächsten Umwohner das kläglichste Bild eines bleichen, schwindsüchtigen, augenschwachen Menschen vor die Seele, der mit seinem Gebirgsstabe in der Hand, mit blauer Leinwandjacke bekleidet, mühsam sein Leinwandschock in das Tal hinabschleppt. – Und diese ›armen, siechen Menschen sind aufständisch geworden‹. Wahrlich, die Not muß unerträglich gewesen sein! Schon vor Weihnachten hatte in Bielau ein bedeutender Auflauf stattgefunden. Mehrere Hunderte dieser Unglücklichen waren mit Trommel und Trompete in den herrschaftlichen Hof gezogen und hatten den Grafen S.[5] zu sprechen gewünscht. Als man aber ihre Sprecher gefangensetzen wollte, hatten die übrigen so drohende Anstalten gemacht, daß man sie sofort freiließ und die ganze Menge mit den besten Versprechungen zu begütigen suchte. Man hat, glaube ich, auch einiges getan. Nun aber haben sich gestern abend in dem eine Stunde davon gelegenen Peterswaldau weit bedenklichere Vorfälle zugetragen. Das Handlungshaus Z. u. S.[6] hatte sich seit langer Zeit durch die gewöhnliche, leinwandkaufmännische Menschenfreundlichkeit den Webern so verhaßt gemacht, daß ein aufmerksamer Beobachter einen endlichen Ausbruch dieses Hasses voraussehen mußte. Die Leidenschaft gebiert Dichter, und so war denn auch unter den Webern, man weiß nicht wie, ein Spottgedicht[7] entstanden, in dem sich ihre Gesinnung gegen die hartherzigen Fabrikanten sehr erbittert kundgab. Seit Pfingsten ungefähr sang man die Spottverse allabendlich vor der Wohnung von Z. u. S. ab. Endlich, als am gestrigen Abende wieder ein bedeutender Haufe diese Ehrenbezeugung dem Hause darbrachte, verliert der Chef desselben die Geduld und läßt einige der ärgsten Schreihälse festnehmen. Die Nachricht hiervon verbreitet sich wie ein Lauffeuer. Die Menge der Weber vergrößert sich von Minute zu Minute, selbst aus den benachbarten Dörfern werden Hilfstruppen requiriert. Mit Schreien und Toben dringen sie an, zerschmettern die Türen, sämtliches Mobiliar und bemächtigen sich der Kasse, deren Inhalt sie unter sich verteilen. Die Bewohner des Palais hatten sich vorher geflüchtet. Von dort ziehen die Aufrührer zu einem anderen Fabrikanten, der sich ebenfalls durch ›Zwacken am Lohne‹ verhaßt gemacht hatte. Dieser weiß aber die Gefahr von sich abzuwenden, indem er eine namhafte Summe Geldes unter die Leute austeilt und sich für die Zukunft anheischig macht, schonender zu verfahren. Für diesen Augenblick ist die Ruhe wiederhergestellt, aber – es herrscht solche Wut und Erbitterung unter dem armen Volke, daß es einer großen Vorsicht von seiten der Behörde bedürfen wird, sollen diese bedauerlichen Auftritte sich nicht wiederholen.

Allgemeine Preußische Zeitung
Nr. 161 11. Juni 1844

Berlin. 10. Juni. Wir sehen uns heute in den Stand gesetzt, unsere gestrige vorläufige Mitteilung über die Exzesse der Baumwollen-Fabrikarbeiter im Reichenbacher Kreise durch folgende Details, die zugleich zur Verhütung von Entstellungen dienen mögen, zu ergänzen. Der am 4. d. M. zu Peterswaldau ausgebrochene Tumult, welcher, wie bereits gemeldet, gegen einen dortigen Fabrikunternehmer gerichtet war und die Demolierung der Wohnung desselben sowie die Vernichtung des Hausrats und der Warenvorräte zur Folge hatte, wobei der Eigentümer sich samt seiner Familie nur mit Mühe durch die Flucht retten konnte, tat sofort die Unzulänglichkeit der den Behörden zu Gebote stehenden Mittel zur Unterdrückung des Exzesses dar. Die landrätliche Behörde sah sich daher veranlaßt, von der Kommandantur zu Schweidnitz Militärhilfe zu requirieren, die ihr auch sogleich in einem Kommando von 200 Mann Infanterie unter Anführung eines Stabsoffiziers gewährt wurde. Durch das Einschreiten der bewaffneten Macht wurden die Tumultuanten aus den Trümmern der zerstörten Gebäude entfernt und die Ruhe und Ordnung in Peterswaldau wiederhergestellt. Kaum war dies geschehen, als die Nachricht von dem Ausbruche eines zweiten Tumults in dem nahegelegenen Fabrikorte Langenbielau, mit mehr als 10 000 Einwohnern, eintraf. Da, der Meldung zufolge, auch hier mit Zerstörung der Fabriken gedroht wurde, so brach der die Militärmacht befehligende Offizier auf der Stelle mit 160 Mann nach Langenbielau auf, während 40 Mann als Besatzung in Peterswaldau zurückblieben. Die Bewegung in Langenbielau war inzwischen gleichfalls rasch vorgeschritten. Ein dortiger Kaufmann hatte denjenigen, die ihn vor der drohenden Menge schützen würden, Geld versprochen, und da die Zahlung dieser Belohnung etwas stockte, brach der Aufruhr plötzlich los. Ein jenem Kaufmann zugehöriges Haus wurde gestürmt und demoliert und die Zerstörung eines zweiten nur durch das unterdes von Peterswaldau herangekommene Militär verhindert. Inzwischen schwoll der Haufe der Aufrührer immer mehr an; die vorschriftsmäßige Aufforderung zum Auseinandergehen ward mit Steinwürfen beantwortet. Da hierdurch mehrere Soldaten schwere Verletzungen empfingen, so mußte der kommandierende Offizier von der Feuerwaffe Gebrauch machen lassen, wodurch einige der Tumultuanten – die Angaben schwanken zwischen 5 und 9 – getötet und mehrere verwundet wurden. Da aber, des hierdurch zur Stelle erreichten Effekts ungeachtet, die Zusammenrottung im ganzen fortwährend mehr anwuchs (es sollen an 2000 Mann mit Steinen und Knütteln bewaffnet dem Militär gegenübergestanden haben), so hielt der befehligende Offizier es für geraten, sich zunächst mit den Truppen in Verbindung zu setzen, welche er zu seiner Verstärkung von Schweidnitz zu erwarten hatte und bis zu deren Ankunft eine passende Stellung einzunehmen. Der Sukkurs ward, nach Weisung des General-Kommandos zu Breslau, durch die Kommandantur von Schweidnitz gewährt. Vier weitere Kompanien gingen sofort ab, um Langenbielau zu besetzen. Am 6. Juni früh waren nach den neuesten Berichten Peterswaldau und auch Langenbielau ruhig, nachdem jedoch tags zuvor am letzteren Orte auch das früher durch das Militär beschützte Gebäude demoliert worden war. Soweit die uns bis jetzt zugegangenen Nachrichten, denen wir noch hinzufügen, daß von seiten der obersten Zivil- und Militär-Behörden der Provinz die kräftigsten und schleunigsten Maßregeln ergriffen worden sind, um der Wiederkehr ähnlicher Auftritte wie den obigen rechtzeitig zuvorzukommen. Ein zufälliges Zusammentreffen ist es, daß in der Nacht vom 6. zum 7. und vom 7. zum 8. d. M. in Breslau unbedeutende Straßenaufläufe stattgefunden haben, welche, durch das Unterbleiben eines bei der Ankunft Sr. Königl. Hoheit des Prinzen Adalbert[8] erwarteten Zapfenstreichs veranlaßt, von Handwerksgesellen und Lehrlingen ausgegangen waren. Die Exzesse beschränkten sich auf das Einwerfen von Fensterscheiben; mehrere der Ruhestörer wurden verhaftet. Das zweckmäßige Zusammenwirken der königlichen und städtischen Behörden sowie die allgemeine Entrüstung der Bürgerschaft lassen erwarten, daß eine Wiederholung nicht stattfinden wird.

Das Abonnement beträgt:
2 Rthlr. für ¼ Jahr.
4 Rthlr. - ½ Jahr.
8 Rthlr. - 1 Jahr.
in allen Theilen der Monarchie ohne Preiserhöhung.
Insertions-Gebühr für den Raum einer Zeile des Allg. Anzeigers 2 Sgr.

Allgemeine Preußische Zeitung.

Alle Post-Anstalten des In- und Auslandes nehmen Bestellung auf dieses Blatt an, für Berlin die Expedition der Allg. Preuß. Zeitung: Friedrichsstraße Nr. 72.

№ 161. Berlin, Dienstag den 11ten Juni 1844.

Inhalt.

Amtlicher Theil.

Abgereist: Se. Excellenz der General-Lieutenant und kommandirende General des 3ten Armee-Corps, von Weyrach, und

Se. Durchlaucht der General-Major und Commandeur der 6ten Landwehr-Brigade, Fürst Wilhelm Radziwill, nach Treuenbrietzen.

Nichtamtlicher Theil.

Inland.

Berlin, 10. Juni. Wir sehen uns heute in den Stand gesetzt, unsere gestrige vorläufige Mittheilung über die Exzesse der Baumwollen-Fabrikarbeiter im reichenbacher Kreise durch folgende Details, die zugleich zur Verhütung von Entstellungen dienen mögen, zu ergänzen. Der am 4ten d. M. zu Peterswaldau ausgebrochene Tumult, welcher, wie bereits gemeldet, gegen einen dortigen Fabrikunternehmer gerichtet war und die Demolirung der Wohnung desselben, so wie die Vernichtung des Hausraths und der Waaren-Vorräthe, zur Folge hatte, wobei der Eigenthümer sich sammt seiner Familie nur mit Mühe durch die Flucht retten konnte, that sofort die Unzulänglichkeit der den Behörden zu Gebote stehenden Mittel zur Unterdrückung des Exzesses dar. Die landräthliche Behörde sah sich daher veranlaßt, von der Kommandantur zu Schweidnitz Militairhülfe zu requiriren, die ihr auch sogleich in einem Kommando von 200 Mann Infanterie unter Anführung eines Stabs-Offiziers gewährt wurde. Durch das Einschreiten der bewaffneten Macht wurden die Tumultuanten aus den Trümmern der zerstörten Gebäude entfernt und die Ruhe und Ordnung in Peterswaldau wiederhergestellt. Kaum war dies geschehen, als die Nachricht von dem Ausbruche eines zweiten Tumults in dem nahegelegenen Fabrikorte Langenbielau, mit mehr als 10,000 Einwohnern, eintraf. Da, der Meldung zufolge, auch hier mit Zerstörung der Fabriken gedroht wurde, so brach der die Militairmacht befehligende Offizier auf der Stelle mit 160 Mann nach Langenbielau auf, während 40 Mann als Besatzung in Peterswaldau zurückblieben. Die Bewegung in Langenbielau war inzwischen gleichfalls rasch vorgeschritten. Ein dortiger Kaufmann hatte denjenigen, die ihn vor der drohenden Menge schützen würden, Geld versprochen, und da die Zahlung dieser Belohnung etwas stockte, brach der Aufruhr plötzlich los. Ein jenem Kaufmann zugehöriges Haus wurde gestürmt und demolirt und die Zerstörung eines zweiten nur durch das unterdeß von Peterswaldau herangekommene Militair verhindert. Inzwischen schwoll der Haufe der Aufrührer immer mehr an; die vorschriftsmäßige Aufforderung zum Auseinandergehen ward mit Steinwürfen beantwortet. Da hierdurch mehrere Soldaten schwere Verletzungen empfingen: so mußte der kommandirende Offizier von der Feuerwaffe Gebrauch machen lassen, wodurch einige der Tumultuanten — die Angaben schwanken zwischen 5 und 9 — getödtet und mehrere verwundet wurden. Da aber, des hierdurch zur Stelle erreichten Effekts ungeachtet, die Zusammenrottung im Ganzen fortwährend mehr anwuchs (es sollen an 2000 Mann, mit Steinen und Knütteln bewaffnet, dem Militair gegenübergestanden haben), so hielt der befehligende Offizier es für gerathen, sich zunächst mit den Truppen in Verbindung zu setzen, welche er zu seiner Verstärkung von Schweidnitz zu erwarten hatte, und bis zu deren Ankunft eine passende Stellung einzunehmen. Der Sukkurs ward, nach Weisung des General-Kommando's zu Breslau, durch die Kommandantur von Schweidnitz gewährt; vier weitere Compagnieen gingen sofort ab, um Langenbielau zu besetzen. Am 6. Juni früh waren nach den neuesten Berichten Peterswaldau und auch Langenbielau ruhig, nachdem jedoch Tages zuvor am letzteren Orte auch das früher durch das Militair beschützte Gebäude demolirt worden war.

So weit die uns bis jetzt zugegangenen Nachrichten, denen wir noch hinzufügen, daß von Seiten der obersten Civil- und Militair-Behörden der Provinz die kräftigsten und schleunigsten Maßregeln ergriffen worden sind, um der Wiederkehr ähnlicher Auftritte, wie die obigen, rechtzeitig zuvorzukommen.

Ein zufälliges Zusammentreffen ist es, daß in der Nacht vom 6ten zum 7ten und vom 7ten zum 8ten d. M. in Breslau unbedeutende Straßen-Aufläufe stattgefunden haben, welche, durch das Unterbleiben eines bei der Ankunft Sr. Königl. Hoheit des Prinzen Adalbert erwarteten Zapfenstreichs veranlaßt, von Handwerksgesellen und Lehrlingen ausgegangen waren. Die Exzesse beschränkten sich auf das Einwerfen von Fensterscheiben; mehrere der Ruhestörer wurden verhaftet. Das zweckmäßige Zusammenwirken der Königlichen und städtischen Behörden, so wie die allgemeine Entrüstung der Bürgerschaft, lassen erwarten, daß eine Wiederholung nicht stattfinden wird.

Provinz Preußen. Die Königsberger Allgemeine Zeitung meldet unterm 7. Juni, nach jetzt zu Königsberg eingelaufenen Nachrichten sei die Abreise Ihrer Majestät der Kaiserin von Rußland verschoben worden und solle erst zwischen dem 22. und 26. Juni stattfinden; auch sei es nunmehr ungewiß, ob die Landreise durch Preußen oder die Seereise nach Stettin gewählt werde; das Letztere gelte aber als das Wahrscheinlichere. — Zu Tilsit brach am 5. Juni nach Mitternacht in den Hofgebäuden des Weinhändlers Sanio Feuer aus, welches sich mit solcher Schnelligkeit verbreitete, daß in Zeit von wenigen Stunden die Hinter- und Nebengebäude des ganzen Quartiers vom Rathhause bis zur ersten Auffahrt an der Memel mit Ausnahme des Packhofs ein Raub der Flammen wurden. Der Schade ist sehr groß. — Der Frost, die scharfen Nord- und Ostwinde im vorigen Monat und die anhaltend trockene Witterung haben auf die aufgegangene Saat, besonders auf Erbsen und Roggen, einen verderblichen Einfluß geübt. Eben so leiden bereits die Gartengewächse und Obstbäume durch Frost und Dürre.

Provinz Schlesien. Die Schlesische Zeitung will wissen, die durch den Mäßigkeits-Verein in Ober-Schlesien in ihrem Erwerb geschmälerten Schänkwirthe machten jetzt Versuche, durch ein anderes billiges Getränk, welches den Namen Wein führen und „durch alle möglichen Mittel“ hergestellt werden solle, die der Branntweinpest Entführten der früheren Völlerei wieder zu gewinnen. — Für die nothleidenden Gebirgsbewohner ist zu Glogau die bedeutende Summe von 918 Rthlrn. gesammelt worden. — Am 2ten und 3. Juni wurde zu Oels das hundertjährige Jubiläum der katholischen Kirche, in Beisein des General-Administrators des Bisthums Breslau, Weihbischofs Latussek, feierlichst begangen.

Rhein-Provinz. Se. Excellenz der kommandirende General des 8ten Armee-Corps, Herr von Thile II., traf am 3. Juni in Trier ein, um an den folgenden Tagen die dortige Garnison zu inspiziren; zu gleichem Zweck begiebt sich derselbe nach Luxemburg und Saarlouis. — Zu Saarlouis fand am 2. Juni die feierliche Einweihung der von Sr. Majestät dem Könige dem dortigen Bataillon des 30sten Landwehr-Regiments verliehenen Fahne statt. „Es hatten sich“, heißt es in der Trierschen Zeitung, „zu dieser Feier, außer den bei den Uebungen gegenwärtigen, viele inaktive und seit längerer Zeit verabschiedete Landwehr-Offiziere aus dem Umkreise eingefunden, um das lebendige Interesse an einem Ereigniß zu bekunden, welches im preußischen Staate nicht dem stehenden Heere allein, sondern auch dem Bürger, dem ganzen Volke angehört. Auch die Civil-Beamten und Vorstände der Bürgerschaft wohnten der Feier bei und schlugen in Gemeinschaft mit den Offizieren jeder einen der zahlreichen Nägel ein, mit welchen die Fahne an den Schaft befestigt ist. Ein schönes Schauspiel, dessen Bedeutung dadurch um so höher wurde, weil in demselben die Gesinnungen, mit welchen die Einwohner von Saarlouis die Wehrverfassung des Staats, wie ihr Verhältniß zu derselben, aufgefaßt haben, einen unzweideutigen, ehrenvollen Ausdruck fanden.“ — Prof. Bauerband hat am 5. Juni seine akademischen Vorlesungen an der Universität Bonn mit einer Einleitungs-Rede (über die Bedeutung der Begründung eines dem im preußischen Rheinlande geltenden Recht gewidmeten

---

Königliches Schauspielhaus.

Ein neues Drama von Lafont. — Ein neues Divertissement von Stullmüller und Gährich.

Vor kurzem wurde zweimal rasch nach einander und mit Beifall aufgeführt das zweiaktige Drama: „Dornen und Lorbeer, oder: Das ungekannte Meisterwerk“. Im Französischen ist das Stück einaktig und führt auch nur den einen Titel: „Le chef-d'oeuvre inconnu“. Es hat den jungen pariser Dichter Karl Lafont zum Verfasser und wurde am 17. Juni 1837 auf dem Théâtre français zum erstenmale aufgeführt. Die deutsche Bearbeitung ist von W. Friedrich. Die französische Kritik machte dem Stück den Vorwurf, es sei eine Reminiscenz des „Chatterton“, eine Unterstellung, die im National vom 26. Juni 1837 siegreich widerlegt wurde. Die Geschichte der Haupt-Person — des Bildhauers Rolla, der in dem Augenblicke stirbt, als er es zu einer öffentlichen Anerkennung des Kunstwerthes seiner Leistungen gebracht hat und mit dem Lorbeer bekränzt wird — gränzt in ihren Neben-Beziehungen an die Mythe von Pygmalion und in der Hauptsache an die Katastrophe im Leben Torquato Tasso's, Torregiano's, Andr. Chenier's, am meisten aber Correggio's; und des letzteren Ausruf „Auch ich bin ein Maler“ findet in unserem Drama nur seine Variation und Modulation im Munde eines florentinischen Bildhauers, der ebenfalls mit seinen Leidenschaften und Geschicken gern dem Tode verfällt, nachdem er in Erfahrung gebracht, Michel Angelo Buonarotti habe sich günstig über seine Skulpturen ausgesprochen. Das Oehlenschlägersche Trauerspiel „Correggio“ findet sich in dem Lafontschen aus dem romantischen Bereich mehr in das conversationelle gezogen; höhere poetische Weihe ist beiden nicht zuzusprechen, wie denn auch der florentinische Riese Michel Angelo in beiden Dramen verzeichnet ist, indem er sich bei Oehlenschläger wie ein mit der Peitsche um sich hauender Fuhrmann gerirt, während er bei Lafont blos den Kunstkritiker macht und nicht anders als hinter den Coulissen in die Handlung eingreift. Ihm sind übrigens die rührenden Schlußworte in den Mund gelegt; denn wenn Leonore den sterbenden Rolla mit den Worten: Rolla, ranime toi. C'est le laurier de Raphaël et de Pétrarque bekränzt, entgegnet Buonarotti: C'est le laurier de Virgile; il n'ombragera qu'un tombeau! — Das Stück fand weniger durch seinen Werth als Künstler-Drama, als durch die meisterhafte Leistung des Herrn Hendrichs (Rolla) die günstigste Aufnahme. Letzterer ist zur Genugthuung aller Kunstfreunde für die hiesige Hofbühne gewonnen und wird, bei der Rückkehr von einer Reise nach dem Rhein, noch in diesem Monat als engagirtes Mitglied auftreten. Wir heißen ihn willkommen.

Das einaktige Divertissement „Der verliebte Dorfschneider“, von dem Königlichen Solotänzer Herrn Toni Stullmüller, welches am 6. Juni zur ersten Aufführung kam, ein Bauernschwank im Genre Eulenspiegels, sprach die ermunterte Versammlung an und wird auch fernerhin Erfolg haben. Am meisten Glück machte die zehnte Scene, worin das Liebespaar, Franz und Hannchen, sich in artigen Tanzgruppirungen schäkernd und kosend ihre Liebe gestehen und der Dorfschneider Spitz, um doch auch einen Gegenstand zu haben, dem er seine Leidenschaft gestehen kann, sich aus Stroh eine Puppe konstruirt, der er nun die nämliche Liebes-Erklärung macht, wie sie von den jungen Leuten im Vordergrunde ausgeführt wird. Die Musik, von dem Königl. Kammer-Musikus Herrn Gährich, ist als Begleiterin der angeführten Scene höchst geschmackvoll und hat auch sonst verschiedene pikante und sinnige Momente; unstatthaft dürfte es aber sein, größere allbekannte Tonstücke fremder Meister ganz und in solcher Weise, wie es in diesem Divertissement geschehen ist, den vorkommenden Tänzen unterzulegen. Die komische Ballet-Musik duldet nicht blos, sondern liebt Anklänge und Parodieen von fremden Compositionen, nicht aber pure Wiederholungen derselben. — Bei der Ausführung zeichneten sich Herr Reichner (Franz), Herr Stullmüller (Spitz) und Dem. Polin eben so aus als das Corps de Ballet die verschiedenen Gruppirungen exakt und malerisch durchführte.

—u.

Königsstädtisches Theater.

Gastspiele.

In dem bekannten, seit langer Zeit vom Repertoire verschwunden gewesenen Lustspiel „die Memoiren des Teufels“ wurden uns am 8. Juni zwei Gäste vorgeführt: Herr Hegel, vom Hof-Theater zu Detmold, gab den Robert, und Herr Gerber, vom Hof-Theater zu Oldenburg, den Chevalier von Rapinière. Beide empfehlen sich durch ihre Leistungen auf vortheilhafte Weise und möchten eine gute Erwerbung für die Königsstädtische Bühne sein. — Herr Hegel, ein noch junger Mann, hat eine stattliche schlanke Figur, ein hübsches Aeußere und ein biegsames, höchst wohllautendes Organ, so wie ein feines, gewandtes Benehmen, ist also im Besitz sämmtlicher Requisite zu einem jugendlichen Liebhaber und Bonvivant. Er löste seine Aufgabe zur allgemeinen Befriedigung. Mit ruhigem Ernst spielte er die Scene im ersten Akt, der Baronin von Ronquerolles gegenüber; leicht und gewandt war er in der Maske des Teufels im zweiten, feurig und lebhaft in der Schlußscene des dritten Akts. Vor Allem ist seine reine und präzise Aussprache zu loben, bei der dem Zuhörer auch nicht eine Sylbe verloren geht. — Herr Gerber spielte den Rapinière, diesen Feinschmecker, Geizhals und Dummkopf in Einer Person, ganz ausgezeichnet. Man sah schon in dieser Rolle, daß wir es hier mit einem verständigen Schauspieler zu thun haben, der schon eine gewisse Stufe im Tempel der Kunst erstiegen hat. Sein Mienenspiel prägt jedes Wort, das er spricht, scharf aus; nur wirkt sein provinzieller Dialekt mitunter etwas störend, ein Uebelstand, den er jedoch durch größeres Aufmerken beseitigen könnte. — Herr Hegel, der schon während des Stücks sich des lautesten Beifalls erfreute, wurde am Schluß gerufen.

Vermischtes.

Am 6. Juni fand zu Erfurt das erste Gesang- und Musikfest des (aus der Verbindung des dortigen Männergesang-Vereins mit dem Artillerie-Sänger-Verein, der Schützen-Liedertafel, dem Quartett-Verein, der Thomas-Liedertafel und dem Sängerkreise entstandenen) erfurter Sängerbundes, der jetzt etwa 330 Mitglieder zählt, unter freudiger Theilnahme der Einwohner Erfurts statt.

Am 1. Juli wird in Lübeck ein großartiges Sängerfest stattfinden: 25 verschiedene Liedertafeln, zusammen nahe an 400 Sänger, versammeln sich dort, um geistliche und weltliche Lieder, letztere vor dem Burgthor unter freiem Himmel, zu singen. Dies ist nun das fünfte derartige Fest, welches eine Anzahl norddeutscher Liedertafeln veranstaltet.

Karl Löwe als geistlicher Komponist.

Unter dem Titel „Biblische Bilder“ sind vor kurzem bei Bote und Bock zu Berlin von dem, als Lieder- und Balladen-Komponist berühmt gewordenen, in Stettin lebenden Musik-Direktor Löwe drei Charakterstücke für das Pianoforte erschienen, in welchen, da ihnen Bibelstellen zum Grunde gelegt sind, die erzählten Begebenheiten, oder die durch solche erregten Gefühle und Empfindungen, musikalisch zu malen und wiederzugeben die Intention des Komponisten war.

Nr. 1. „Bethesda“ überschrieben, malt, nachdem in einer Introduction (im Grave-Tempo, D-moll) die fromme Stimmung der vom Teiche Bethesda Heilung erwartenden Kranken geschildert wurde, in dem darauf folgenden Allegro assai (ebenfalls D-moll) die Bewegung des Wassers nach den Textworten: „Denn ein Engel fuhr herab zu seiner Zeit in den Teich und bewegte das Wasser.“ Am Schlusse soll wohl, durch das nochmalige Ergreifen des im lebhafteren Tempo und in Dur durchgeführten Motivs der Introduction, das von Dank durchdrungene Gefühl des von Jesus besonders geheilten Kranken gemalt werden.

Nr. 2. „Gang nach Emmahus“ betitelt, bringt ein sehr ausdrucksvolles Adagio in H-moll, das von einer wahrhaft heiligen Empfindung durchweht wird. Nachdem das höchst gesangreiche Thema zuerst im Diskant durchgeführt wurde, nimmt es die linke Hand, während die anderen Stimmen einfach figuriren, als Mittelstimme auf; dann führt es der Diskant, melismatisch verziert, mit einer harmonischen Behandlung nochmals durch, und so wird das Ende durch ein Coda, in H-dur schließend, befriedigend herbeigeführt.

In Nr. 3 wird nach einer kurzen Einleitung in Es-dur das geschäftige Treiben der „Martha“ in einem bewegten, fugenartig beginnenden Allegro B-dur, und, nach einem kurzen recitativartigen Satze in einem Adagio Es-dur die fromme Empfindung der sich nur mit dem Göttlichen beschäftigenden Schwester, von der Jesus sagt: „Maria hat das beste Theil erwählt“, charakteristisch durch die Musik geschildert.

Alle drei Musikstücke, zwar in einem sich der modernen Schreibart nähernden, aber immer edlen Style gehalten, sind keinesweges allzu schwer auszuführen und bekunden die Meisterschaft des besonders als Harmoniker ausgezeichneten, originellen Tondichters aufs neue.

Die äußere Ausstattung des in drei einzelnen Lieferungen erschienenen Werkes ist zeitgemäß.

—u.

Aachener Zeitung
Nr. 163 12. Juni 1844

Breslau, 6. Juni. Soeben erfahren wir, daß die Weber der Gebirgsdörfer Bielau, Peilau, Peterswaldau usw. in vollem Aufstande sind. Heute morgen fand eine große Bewegung unter dem hiesigen Militär statt, und jeden Augenblick kann man den General-Marsch schlagen hören. Die Schützen-Abteilung ist schon nach dem Schauplatz der Unruhen mit der Eisenbahn abgegangen, da die von Schweidnitz aus dahin kommandierte Infanterie bei den Unruhestiftern nichts ausrichten konnte. Sogar sollen mehrere Offiziere verwundet sein. Der Weber sind 20 000 beisammen, – wobei man füglich ein Fragezeichen machen sollte. Andere geben deren Zahl auf 5000 an. Die Ursache des Aufstandes ist der Hunger. Mehrere Fabrikbesitzer in Langenbielau sind schon oft um Erhöhung des Arbeitslohnes ersucht worden, – allein vergebens. Gestern brach der Sturm los. Häuser wurden demoliert, Fenster eingeworfen und die vorhandenen Papiere vernichtet. Viele Staats-Schuldscheine, Aktien u. dgl. sind ein Raub der Zerstörungswut geworden. Gestohlen soll nichts sein. Bis heute 12.00 Uhr trafen schon 5 Estaffetten[9] ein. Man ist gespannt auf den Ausgang, d.h. ob man die Weber und überhaupt den Pauperismus mehr berücksichtigen werde als jetzt, denn daß in wenigen Tagen die Unruhestifter verhaftet und die anderen wieder an ihrer Arbeit sind, scheint uns wahrscheinlich. Allein, wenn man gerechte Klagen nicht hört, wenn die Herren Fabrikanten allein verdienen wollen, – wer bürgt für die Wiederholung solcher Szenen, wer beklagt jene Herren, denen in den letzten Tagen so viel Schaden erwachsen ist. Der König verweilt jetzt in Schlesien, vielleicht überzeugt er sich selbst an Ort und Stelle, wie die Sachen in unserem Gebirge stehen.

Berlinische Nachrichten von Staats- und gelehrten Sachen
Nr. 135 12. Juni 1844

Breslau, 7. Juni. Seit drei Tagen drängen sich die Nachrichten, welche hier über die unter den Fabrikarbeitern und Webern ausgebrochenen Unruhen im Reichenbacher Kreise verbreitet worden. [...] Der Kaufmann Zwanziger ließ endlich zwei der unruhigsten festnehmen, wodurch die Erbitterung so gesteigert wurde, daß sich die Leute, welche aus der Nachbarschaft schnell verstärkt worden, zusammenrotteten und das Innere des Kaufmannshauses gänzlich zerstörten. Man erzählte, daß das Geld aus den Kassen auf die Straße geworfen, sämtliche Waren, Papiere, Bücher und Kleidungsstücke aber zerhackt und auf alle Weise vernichtet worden seien. Ein anderer Kaufmann rettete sich nur dadurch, daß er sich mit dem versammelten Haufen in Unterhandlungen einließ und eine namhafte Summe Geldes unter sie verteilte. Die indes immer mehr verstärkte Menge begab sich nun nach Langenbielau, wo sie auf das Fabrikant Dierigsche Haus losging, weil gewisse Versprechungen, im Falle der Verteidigung und Verschonung, den Arbeitern nicht gehalten worden wären. Wie groß die Erbitterung gewesen sein muß, geht daraus hervor, daß man auf die erlassene Aufforderung des inzwischen aus Schweidnitz requirierten Militärs, sich auseinander zu begeben, nicht Rücksicht nahm und es endlich, nachdem einmal blind gefeuert worden war, zum scharfen Feuern kommen ließ, wodurch mehrere getötet und verwundet wurden. Fast die ganze Besatzung der Festung Schweidnitz ist ausgerückt und jetzt vorläufig durch die hiesigen Schützen, welche gestern früh durch einen Extra-Zug der Breslau-Freiburger Eisenbahn an Ort und Stelle befördert wurden, ersetzt worden. Aus Brieg ging gestern abend auf demselben Wege Militär hier nach den beunruhigten Distrikten durch. – Wieweit diese traurige Katastrophe, zu welcher sich schon seit einem Jahre allerhand Anzeichen kundgaben, jetzt gediehen sein mag, ist hier noch nicht bekannt, so viel ist aber gewiß, daß auch später noch gütliches Zureden nichts gefruchtet hat. Man fürchtete sogar, daß die Menge noch vor ihrer

Unterdrückung nach Freiburg ziehen könnte, um dort die Etablissements des Hauses Kramsta völlig zu vernichten. Wie wir hören, sind die Verstärkungen der Militärmacht, zum Teil mit Kanonen, in der Gegend von Peterswaldau und Langenbielau eingetroffen, und in Reichenbach haben sich die bürgerlichen Schützen-, Grenadier- und übrigen Bürgerkompanien bewaffnet, um die Tore und öffentlichen Plätze zu beschützen.

Allgemeine Preußische Zeitung
Nr. 163 13. Juni 1844

Berlin, 12. Juni. Nach den neuesten aus Schlesien eingetroffenen Nachrichten ist zwar auch in Alt-Friedland, im Waldenburger Kreise, ein Exzess vorgefallen, welcher mit dem am 4. Juni in Peterswaldau verübten in nahem Zusammenhange steht, indem mehrere Haufen Tumultuanten in Alt-Friedland am 7. Juni die Wohnung eines Handlungsgehilfen aus der in Peterswaldau zerstörten Fabrik überfallen und die vorhandenen Warenvorräte, Garne und Gelder der Plünderung preisgegeben haben. Weitere Exzesse sind jedoch, ohne daß es militärischer Hilfe bedurfte, durch die Maßregeln der Zivilbehörden verhindert worden.

In Leutmannsdorf, im Schweidnitzer Kreise, hat ein starker Zusammenlauf von Tumultuanten stattgefunden, diese haben sich indes durch die Anmahnungen und Warnungen der Behörden von allen Exzessen abhalten lassen.

In Peterswaldau und Langenbielau ist die Ruhe vollkommen wiederhergestellt und im übrigen in keinem Teile des Gebirges, weder im Regierungsbezirk Breslau noch in dem der Regierung zu Liegnitz, gestört worden. Gegen etwaige Versuche, Exzesse zu wiederholen, sind die erforderlichen Maßregeln getroffen, die Rädelsführer befinden sich in Schweidnitz in Haft und die gerichtliche Untersuchung ist bereits eingeleitet.

Trier'sche Zeitung
Nr. 165 13. Juni 1844

Breslau, 5. Juni. Der fortdauernde Notstand der schlesischen Gebirge, wo eine Bevölkerung von mehr als 50 000 Menschen im tiefsten Elende schmachtet, wo tatsächlich bereits manche verhungert sind, wo laut unsern Zeitungen erst kürzlich ein Mann aus Nahrungsmangel seine Kinder erwürgt und sich dann selbst erhängt hat, hat endlich eine traurige Katastrophe herbeigeführt. Gestern ist im Reichenbacher Kreise unter dieser Bevölkerung ein Aufstand ausgebrochen. Noch fehlen genauere Nachrichten über diese Vorfälle. Gewiß ist, daß die Häuser und Fabriken mehrerer reicher Leinwandkaufleute in dem Dorfe Peterswaldau und den anliegenden Dörfern gestürmt, geplündert und demoliert worden sind und daß die Kaufleute selbst nur durch Hingabe ihres gesamten baren Vermögens sich vom Tode haben retten können. Aus der Festung Schweidnitz sind heute anderthalb Bataillone Linienmilitär in die aufrührerischen Distrikte gesandt worden. Wenn man die ursprüngliche Ehrlichkeit und Gutmütigkeit unserer Gebirgsbewohner kennt, so weiß man, daß nur die äußerste Not sie zu verzweifelten und gesetzlosen Schritten getrieben hat. Diese Vorgänge liefern jetzt faktisch den Beweis, daß die Mißverhältnisse der industriellen Arbeit und ihrer Verwertung bei uns bereits denselben Grad wie in Frankreich und England erreicht haben. –

Nachschrift, 6. Juni früh. Soeben sind auf dem Bahnhofe der Freiburger Eisenbahn mehrere Abteilungen der hiesigen Schützengarnison nach Schweidnitz befördert worden. Man sagt, daß die Truppen aus den Dörfern zurückgeworfen worden sind und auf freiem Felde biwakieren. Sie haben scharf gefeuert, es ist Blut geflossen. Die Stadt Reichenbach, wo keine Garnison liegt, ist gesperrt. Die Bürgergarde hält die Tore mit geladenem Gewehre besetzt. Man fürchtet, daß sich die Aufstände auch auf andere Gebirgsbezirke, wo dasselbe Elend herrscht, ausdehnen. Nächstens ein Weiteres und Genaueres.

Aachener Zeitung
Nr. 164 13. Juni 1844

Breslau, 7. Juni. Zwei Ereignisse werden hier jetzt mit einer ungewöhnlichen Lebhaftigkeit besprochen: Der Aufstand der Weber und die Kabinetts-Ordre in betreff des Aktienhandels[10]. Über ersteres beobachtet unsere hiesige Presse ein tiefes Stillschweigen, man weiß nicht, aus welchen Gründen. – Was könnte sie wohl wirken, wenn sie hier vermittelnd aufträte! Glaubwürdige Leute, welche direkt von dem Schauplatze der Unruhen kommen, stellen die Vorgänge sehr bedrohlich dar. Die Zahl der aufständischen Weber ist bis auf mehrere tausend angewachsen (die Angabe schwankt zwischen 3 und 6000), von denen die meisten bewaffnet sind. Nachdem sie in Peterswaldau an den Etablissements des Hauses Z. und S. ihre Wut ausgelassen und den ganzen Vorrat von Weben, die Bücher und sämtliche Papiere vernichtet, sind sie nach Langenbielau gezogen, woselbst sie viel bedeutendere Zerstörungen vorgenommen haben. Namentlich sollen sie es auf die Scharkat-Webstühle[11] abgesehen und die meisten davon zertrümmert haben. [. . .] Diese Auftritte werden hoffentlich dazu beitragen, die allseitige Aufmerksamkeit und tätige Hilfeleistung abermals den verhungernden Webern zuzuwenden. [. . .]

Deutsche Allgemeine Zeitung
Nr. 165 13. Juni 1844

Den Verlust, den hiesige und Breslauer Garnhandlungen durch die Schreckensszenen in Schlesien jedenfalls vorderhand erleiden (denn wer soll bezahlen, wenn selbst die Wechsel zerrissen sind?), schätzt man auf $^1/_2$ Mill. Taler.

Aachener Zeitung
Nr. 165 14. Juni 1844

Breslau, 8. Juni. Der in Reichenbach erscheinende ›Oberschlesische Wanderer‹ bringt folgende Notizen über die Weber-Unruhen, die ich Ihnen zur teilweisen Vervollständigung meiner Berichte hier mitteile: ›Reichenbach. In dem benachbarten Dorfe Peterswaldau haben am 4. und 5. d. M. Auftritte stattgefunden, wie sie bisher in Schlesien noch nicht vorgekommen sind. Ein großes reiches Kaufmannshaus hatte die Löhne der Weber gegen frühere Zahlungen bedeutend herabgesetzt, was den Unwillen derselben erregte. Mehrmals hatten sie dies geäußert und um bessere Preise für ihre Arbeiten gebeten. So geschah, daß sie, als sie am 4. Juni ihr Gesuch wiederholten und abermals abschläglich beschieden wurden, im Verein mit Webern anderer Fabrikdörfer nach dem genannten Kaufmannshause zogen, vor demselben ein Spottlied sangen, dann die Fenster der Fabrik einwarfen und hierauf diese sowie die zu derselben gehörigen Gebäude, fünf an der Zahl, völlig zerstörten. Die erbitterten Weber zertrümmerten nicht allein sämtliche in den Häusern vorgefundenen Möbel und Gerätschaften, Betten, Kleidungsstücke usw., sondern vernichteten auch das sehr reichhaltige Warenlager roher und fertiger Waren oder gaben es der Menge preis. Dies währte vom Abend des 4ten bis Mitternacht. Die Eigentümer der Fabrik suchten sich mit ihren Angehörigen in Sicherheit zu bringen und begaben sich hierher (nach Reichenbach). Die Weber setzten am Morgen des 5ten ihr Zerstörungswerk fort und deckten sogar einen Teil der Dächer ab, worauf sie sich, nachdem ihre Rache gesättigt war, entfernten. Als der Vorschlag gemacht wurde, die Gebäude nicht zu demolieren, sondern kurzweg zu verbrennen, wurde angeführt, daß dann die Eigentümer Brandgelder erhalten würden, während es jetzt nur gelte, sie ebenfalls zu armen Leuten zu machen. Bald nach ihrer Entfernung traf Militär von Schweidnitz ein, welches man sich von dort erbeten hatte. Dasselbe kam jedoch zu spät auf dem Schauplatze an, und bei der Räumung des Gehöftes wurde leider ein Mann, der, wie man sagt, keinen Teil an den Exzessen genommen hatte, durch den Bajonettstich eines Soldaten in die rechte Seite dergestalt verwundet, daß man an seinem Aufkommen zweifelt. Als das Militär erschien, war alles bereits zerstört, und außer einigen Personen, die handgemein wurden, befanden sich nur ruhig dastehende Zuschauer auf der Straße des Dorfes. So endete der zweite verhängnisvolle Tag in Peterswaldau. Das Militär marschierte hierauf zum Teil nach Langenbielau, wohin die Masse der Weber gezogen war und auch noch anderweitiges Militär sich befand. Da die Weber auch hier drei Fabrik-Etablissements zerstörten, so ließ der Kommandierende nach der fruchtlos erlassenen Aufforderung, ‚von ihrem Vorhaben abzulassen' und nachdem die Weber Steine geworfen hatten, Feuer geben, wodurch 13 Weber getötet und mehrere teils schwer, teils leicht verwundet wurden. Der Abend machte dem Kampf ein Ende. Die Weber zogen sich in die Berge und in das Gebüsch zurück, und das Militär bewachte den Ort. [. . .]‹ Soweit der ›Oberschlesische Wanderer‹. Nach den neuesten hier eingetroffenen Nachrichten ist die Zahl der aufrührerischen Weber auf 20 000 angewachsen, worunter 4000 Böhmen sich befinden. Es steht zu besorgen, daß binnen kurzem ihre Zahl sich um das Doppelte vergrößert, namentlich aus dem Landeshuter Distrikte. – [. . .]

Allgemeine Zeitung
(Augsburg)
Nr. 166 14. Juni 1844

Aus Schlesien, 8. Juni. Im Kreise Reichenbach, und zwar in den beiden volkreichen Dörfern Langenbielau und Peterswaldau, hat sich in den ersten Tagen dieser Woche ein Aufruhr der Baumwollenweber gegen die Fabrikherren entsponnen, der ziemlich ernster Art ist und ein Einschreiten der militärischen Macht nötig gemacht hat. Die niedrigen Arbeitslöhne, bei welchen jene Arbeiter kaum mehr ihr Leben aufs allernotdürftigste fristen können, sind die Ursache des Aufstandes.

[. . .]

Weser-Zeitung
Nr. 141 16. Juni 1844

Die Veranlassung zu den zerstörenden Auftritten in Peterswaldau wird nach der ›Magdeburger Zeitung‹ folgendermaßen angegeben: Am 3. d. M. zog ein Haufe Weberburschen vor das Wohnhaus des Baumwollen-Fabrikanten Zwanziger (Firma: Zwanziger und Söhne) und sang dort ein die Handlungsweise gedachter Herren darstellendes Lied, das sie schon vorher an die Türen angeheftet hatten, von wo es durch Zwanziger wieder entfernt worden war. Das Lied ist aus dem Bewußtsein des Kontrastes zwischen der üppigen, sich breitmachenden Herrlichkeit der Fabrikherren und der elenden Lage der Arbeiter hervorgegangen. Die Härte Zwanzigers nämlich in Bedrückung der Weber ist sprichwörtlich geworden. (Er war vor 30 Jahren noch ganz mittellos und hat sich jetzt ein Vermögen von 230 000 Tlr. erworben; besonders wird über den einen Sohn desselben bitter geklagt.) Bei dieser Gelegenheit gelang es den Fabrikherren, einen der tumultuarischen Sänger in Haft zu bekommen. Darauf rottete sich am folgenden Tage nachmittags um $4^1/_2$ Uhr ein Haufe Weber von Peterswaldau und der nächsten Umgebung zusammen, zog vor die Wohn- und Fabrikgebäude der Zwanziger und begehrte die Auslieferung des Gefangenen. Als diese nicht erfolgte, begann das Werk der Zerstörung. Das palastartige Gebäude wurde dermaßen demoliert, daß davon nichts als die Mauern und das Dach übrigblieben; die kostbaren innern Einrichtungen wurden zertrümmert, alle Möbel durch die Fenster hinausgestürzt, Öfen und Fußböden zerstört, die Handlungsbücher nebst allen Briefschaften vernichtet, zum Teil verbrannt, die vorrätigen Waren teils fortgeschleppt, teils unbrauchbar gemacht, die Kasse erbrochen und das Geld auf die Straße geworfen, wo es von dem Haufen der Weiber und Kinder aufgelesen wurde. Bemerkenswert ist, daß der ganze Vorfall im Beisein von mehreren tausend Zuschauern stattgefunden, ohne daß ein einziger Lust gezeigt, die Weber von ihrem Beginnen abzumahnen. Ehe sie zu Zwanziger gingen, kamen sie an dem Hause eines anderen Fabrikanten vorbei, der vor die Türe trat, und die Weber durch das Anerbieten seines baren Geldvorrats (100 Tlr.) und durch die Erinnerung an seine frühere Handlungsweise, die möglichst billig gewesen, zu beschwichtigen suchte. Man antwortete ihm: Auf ihn sei es nicht abgesehen, er sei keiner der schlimmsten; das Geld wollten sie nehmen, weil sie es brauchten. Darauf ging es zu Zwanziger. Als das Werk der Zerstörung beendet, zogen sie weiter nach Langenbielau und namentlich zu den Gebrüdern Dierig, während andere Haufen sich gegen zwei andere dortige Fabrikanten wandten. Während sie bei Dierigs plünderten und demolierten, kam das Bataillon aus Schweidnitz dazu und gab zuerst in das Gehöft hinein auf die Masse eine blinde Salve. Als dies keinen Erfolg hatte, wurde scharf geschossen, worauf 13 (?) gefallen sind. Die Toten sind den Tag darauf beerdigt worden. Anstatt sich abschrecken zu lassen, wurde der Weberhaufe nur um so wütender und drang mit Steinen und Knütteln auf das Militär ein. Erst nachdem mehr Militär aus Frankenstein mit Kanonen in die Dorfschaften einrückte, konnte den ferneren Zerstörungen Einhalt getan werden. – Zu Waldenburg und Freiburg ist bis zum 8ten dieses Monats kein Militär gewesen. Die Maschine in Wüstegiersdorf ist noch unversehrt, da sie von den Schützen besetzt ist. Zur Deckung der Albertischen Leingarn-Spinnmaschine[12] in Ober-Waldenburg ist der Bergrat ermächtigt worden, 100 Bergknappen[13] zu kommandieren. Die Tumultuanten lagern in benachbarten Büschen: Es sollen sich bei ihnen mehrere mit Büchsen bewaffnete böhmische Raubschützen und Pascher zeigen.

Mannheimer Abendzeitung

Nr. 145 19. Juni 1844

Berlin, 13. Juni. Den letzten Briefen aus Schlesien zufolge haben die Fabrikherren sich dazu verstanden, den Lohn, welchen sie, namentlich in Langenbielau, herabgesetzt hatten, zu erhöhen, und die Weber sind größtenteils zu ihren Stühlen zurückgekehrt. Auch wird die Zahl des versammelten Haufens jetzt nur auf 4000, die der herabgekommenen Böhmen auf 400 angegeben, die letztern haben die geraubten Sachen in Sicherheit gebracht. Die Briefe melden, daß die Weber überall mit der entschiedensten Willenskraft aufgetreten sind. In einem Fabrikgebäude fanden sie den Keller voll Wein, rührten aber nichts davon an. Man soll nicht sagen, riefen sie, daß wir besoffen gewesen sind. Von welcher Wut sie aber beseelt waren, zeigt uns ein Gedicht, welches sie in Langenbielau gemacht, und in dem sie die einzelnen Fabrikbesitzer dieses Ortes mit Namen durchhecheln. Es ist daher auch nicht zu erwarten, daß diese Bewegung sich jetzt schon stillen werde. Der Erfolg, welchen die Aufrührer errungen haben, wird sie nur dazu ermutigen, bald wieder aufzustehen und einen noch höhern Lohn zu verlangen, und sie können letzteres noch oft tun, um so viel zu erhalten, daß sie einigermaßen menschlich leben können.

[. . .]

Sonntagsblatt zur Weser-Zeitung
Nr. 19 23. Juni 1844

Ein Rückblick ins schlesische Gebirge
(Aus der ›Vossischen Zeitung‹)[14]

Breslau, 13. Juni. Dem Reisenden, der jetzt den Weg von Schweidnitz nach dem Gebirge zurückgelegt, kann es wohl, wie mir am 11. d. M., begegnen, daß er ein unfreiwilliger Zuschauer der Eröffnungs-Szenen zum Nachspiel des furchtbaren Dramas wird, dessen Schauplatz die Dörfer Peterswaldau und Langenbielau am 4. und 5. d. M. waren. Drüben verlieren sie sich mit ihren stolzen prächtigen Häusern in den Bergen, heut, so scheint es, von einem wahren Gottesfrieden übergossen; hier auf der Chaussee fährt ein Korbwagen an uns vorüber, von Husaren eskortiert. Auf ihm sitzt mit vier Infanteristen ein Mann im stattlichen Bauernrock, der uns verschmitzt und höhnisch zulächelt. Nach kurzer Frist kommt uns in Langenbielau selbst ein Flecht-Wagen entgegen, Husaren, die Pistolen zum Anschlagen bereit in der Hand, umgeben ihn. Auf ihm sitzen drei geschlossene Männer; zwei derselben sehen scheu und nachdenklich vor sich hin, der dritte lacht den Bewohnern des Dorfes zu, welche von allen Seiten herbeiströmen oder schon erwartungsvoll an den Türen und Fenstern stehen. Ja, es sind die Eröffnungs-Szenen zum Nachspiel des Dramas, das sich jetzt zwischen den Mauern der Gefängnisse von Schweidnitz entwickeln wird. Dorthin, wo sich eine aus Breslau abgesendete Untersuchungs-Kommission befindet und wo am 12. überhaupt 69 der Teilnahme an den Exzessen vom 5. Bezichtigte inhaftiert waren, bringt man diese vier Individuen, welche neuerdings in die Arme der weltlichen Gerechtigkeit gefallen sind. Gehen wir an den einzelnen, durch andere Häuser getrennt nebeneinander liegenden Gebäuden der Herren Dierig vorüber bis gegen das Ende des Dorfes, wo ein Weg von Peterswaldau einmündet. Das Etablissement der Herren Hilbert und Andretzky liegt hier an der Straße und fiel zuerst in Langenbielau unter den Streichen der Wütenden. – Noch sehen wir überall auch äußerlich das Werk der Zerstörung. Kein Fenster, nur einige Trümmer der Scheiben vom Giebel der Gebäude bis zur Sohle, die Kreuze zerbrochen oder ausgerissen, die eisernen Stäbe, wo die Fenster mit Gittern verkleidet sind, zum Teil zerschlagen, die Türen da und dort zersprengt, vor den Häusern Überreste zertrümmerter Gerätschaften, an den Wänden deutliche Zeichen von zahllosen Steinwürfen. Und so treten wir zwar einigermaßen vorbereitet in das Innere ein, aber der erste Blick überzeugt uns, wie unzulänglich alle unsere trüben Erwartungen waren. Wir schreiten über Trümmer, wohin sich unser Fuß wendet; nichts ist verschont geblieben, was nicht auch den Hieben einer mit dämonischer Wut geschwungenen Axt widersteht. Wir sehen nichts als kahle Wände, auf den Fußböden in einem wild aufgeschichteten Haufen zersplitterte Scheiben und Steine, welche sie vernichteten, Möbel, nur schwer in den kleinen Stücken zu erkennen, in welche sie einzeln zerstückt worden sind, zerrissene Papiere und Tapeten, aufgeschnittene Betten, niedergeschlagene Öfen; was irgend wertvoll war und ohne Schwierigkeit weggebracht werden konnte, ist verschwunden. Nach den Schildereien an den Wänden sind Axtschläge gerichtet worden, das Mauerwerk bröckelt überall nieder, mit so furchtbarer Gewalt wurde von ihm abgesprengt, was an ihm befestigt war. Selbst die Klinken an vielen Türen sind losgerissen. So in den Wohngemächern, so in den Comptoirs, so auf den höchsten Böden und im tiefsten Keller. Eiserne Türen sind aufgebrochen worden, wo man Vorratskammern mutmaßte, nicht das ordinärste Hausgerät ist der systematischen Verwüstung entgangen. In den Kellern finden wir noch die Überreste von Flaschen; in wenigen Minuten waren sie von der rasenden Rotte ausgetrunken worden, und mit blutenden Händen, verletzt durch die schnell abgebrochenen Hälse, eilten sie wiederum ihrem finsteren Werke zu. In beiden Etablissements richtete sich der Angriff vorzugsweise gegen die Warenlager und Material-Vorräte, es sind dieselben zum größten Teile verschwunden, und, ich muß es schon hier anführen, nicht ohne Auswahl zwischen dem mehr und minder Kostbaren. Hier liegen noch einzelne Fetzen, hier zerschnittene Weben, hier umgestürzte Fässer mit Farben und anderen Stoffen. Ich vermag nur einzelne Züge des traurigen Bildes zu entwerfen, welches die bezeichneten Gebäude in Langenbielau wie Peterswaldau noch jetzt nach dem Verlaufe mehrerer Tage bieten. Nur ist am letzteren Orte, wenn ich so sagen darf, die Verwüstung noch auserlesener und vollendeter, noch mehr auf das kleine Detail gegangen. Man hat hier alles in kleine Stücke zerschlagen, selbst die Dachbedeckungen durchbrochen. Seltsamerweise haben die Treppen-Geländer in sämtlichen Häusern das gleiche Los geteilt, ein besonderer Haß scheint sich gegen dieselben gerichtet zu haben; sie sind bis zum Boden hinauf umgeschlagen worden, und wahrscheinlich wurde an sie immer schließlich die Hand gelegt, weil sonst schwer abzusehen, wie nicht der eine oder andere aus der Menge, welche die Räume wild durcheilte, durch einen Fall zu Schaden gekommen sein sollte. Von einem noch tieferen Entsetzen muß man ergriffen werden, wenn man die Überreste der herrlichen Maschinen erblickt, welche in dem Etablissement des Herrn Dierig zerstört worden sind. Die hölzernen wie die metallenen Bestandteile derselben sind gleichmäßig zerstückt, die stärksten eisernen Räder in Stücke zerschlagen, kostbare kupferne Walzen wenigstens durch einzelne Hiebe mit der raffiniertesten Bosheit unbrauchbar gemacht. Von allen diesen schönen Jacquard'schen und Schönherr'schen Stühlen sind nur wenige Trümmer zurückgeblieben, die aufgespannten Fäden hängen durchschnitten nieder. Die Arbeiter, welche an ihnen ihren reichlichen Unterhalt gefunden haben, zeigten mir, Tränen in den Augen, wie die ›Rebellen gewirtschaftet hätten‹. Nur die große Dampfmaschine ist der Vernichtung entronnen. Der Maschinist erklärte sich, von den Wütenden aufgefordert, augenblicklich bereit, das Werk zu zeigen, warnte sie jedoch, irgend etwas zu beschädigen, weil er für die Folgen nicht stehen könnte. Sie folgten ihm, soviel das Gemach faßte, andere warfen Steine zum Fenster hinein, welche glücklich zum Teil an den eisernen Fensterstäben abprallten. Die Maschine war in der höchsten Spannung. Die Eingedrungenen musterten sie, erstaunt und verwundert, tippten sanft an diese und jene Schraube und riefen einander zu: Das sei doch sehr schön. Plötzlich öffnete sich ein Sicherheits-Ventil, der Dampf brauste, und mit dem Schrei ›Hier sei Pulver‹ stürzten sich alle von dem gefährlichen Platze. Wenn ich schon hier bei dem Versuche, das zu schildern, was ich selbst gesehen, die Schwierigkeit meiner Aufgabe lebhaft fühlte, so wage ich kaum an eine Darstellung der Ereignisse vom 4. und 5. Juni zu gehen, weil ich dieselbe nur aus Mitteilungen und Nachrichten Dritter zusammenfügen kann, wenn ich sie auch von den zuverlässigsten und achtbarsten Personen empfangen habe. Dem Richter muß es vorbehalten bleiben, alle die zahlreichen Tatsachen, in welchen sich das Geschehene charakteristisch ausdrückte, in einen organischen Zusammenhang zu bringen, und aus ihnen das eigentliche und wahre Motiv, das die Frevler entzündete und leitete, herauszuschälen. Ich bin nur imstande, diejenigen Angaben, welche nach meinem individuellen Ermessen entweder unzweifelhaft sind oder die höchste Wahrscheinlichkeit für sich haben, zu wiederholen, und mit der aus ihnen gebildeten Ansicht zu begleiten.

Trier'sche Zeitung.

№ 171. Mittwoch, 19. Juni 1844.

Deutschland.

*[κ]Berlin, 13. Juni. Die Excesse in Peterswaldau und Langenbielau haben auch hier nicht geringe Bestürzung erregt; Privatmittheilungen brachten eine beunruhigende Nachricht nach der andern; unter den Blättern gab zuerst der Reichenbacher Wanderer eine detaillirte Uebersicht über die Ereignisse, dann hat die Allg. Preuß. Zeitung sich bemüht, das Factum vollständig festzustellen, um Entstellungen zu verhüten. Nach ihrer Darstellung würde dem Weitergreifen des Aufstandes bereits ein Ziel gesetzt sein. Es ist in der That von der größten Wichtigkeit, daß die Behörden rasch eingeschritten sind, denn der Punkt ist gefährlich genug, um eine solche contagiöse Bewegung mit Schnelligkeit über die verwandten, angränzenden Bezirke auch andrer deutschen Staaten zu verbreiten. Es erfüllt uns mit Schmerz, daß diese Auftritte, welche vielfach die Ruhe andrer Staaten bedroht haben, nun auch in Deutschland Fuß gefaßt haben. Wir fürchten nur zugleich, daß die öffentliche Meinung je nach den verschiedenen Interessen sich über die Quelle des Uebels gar verschiedenen Vorstellungen und mannichfachen Täuschungen hingeben werde. Diejenigen, die in dem Aufblühen der Industrie den Fluch der modernen Zeit erblicken und die deutsche Nation wieder einzig auf die Pflege des Ackerbaues zurückzurufen suchen, werden in dem Aufstand ein Anzeichen der die Industrie nach ihrer Meinung nothwendig begleitenden Folgen erblicken. Aber der entsetzlichste Auftritt dieser Art, der jemals die friedlichen Gaue Deutschlands in Schrecken setzte, der Bauernkrieg im sechzehnten Jahrhundert, fällt in die Zeiten, wo noch an Industrie in Deutschland nicht zu denken war, er hatte aber seinen Grund nicht im Ackerbau, so wenig die heutigen Aufstände ihren Grund in der Industrie haben, sondern in den Verhältnissen, unter welchen damals von den Bauern der Ackerbau getrieben wurde und welche späterhin allmählig der Bildung und dem klaren Bewußtsein der Freiheit wichen. So kann auch in den Bedingungen, unter welchen Industrie getrieben wird, niemals aber in der Industrie an und für sich der Grund eines argen Uebels liegen. Man wird zunächst die Fabrikherrn, die Kaufleute beschuldigen, gegen welche sich auch diesmal die ganze Wuth des Aufruhrs gewendet hat; der Arbeiter, dessen Blick in die allgemeinen Verhältnisse nicht weit reicht, wälzt immer zuerst alle Schuld seiner betrübten Lage auf den Fabrikherrn, auf den Capitalisten, mit dem er zu thun hat, weil er ihn begüterter sieht; und man behauptet auch in dem vorliegenden Falle, daß einige Fabrikherrn mit ihren Arbeitern nicht ganz glimpflich verfahren, und dadurch den Anstoß zu der Bewegung gegeben haben. Dem sei nun, wie ihm wolle, und immerhin mag bisweilen Härte, Unfreundlichkeit, Eigennutz und Habsucht das Verhältniß zwischen dem Capitalisten und dem Arbeiter trüben, so ist es doch gerade die Industrie und ihr vortheilhafter Betrieb, welche die, wie man gewöhnlich voraussetzt, von Haus aus einander feindlich gegenüberstehenden Mächte, das Capital und die Arbeit, einander nahe bringt und die Fähigkeit beider verwirklicht. Sie sind beide auf einander innigst bezogen, beide bleiben in ihrer blosen Möglichkeit, in ihrer Nichtigkeit, wo sie nicht zusammen wirken. Das Capital ist todt, ist gar nicht da, wo es nicht durch die Arbeit verwerthet wird; die Arbeit kann nicht zu Stande kommen, wo kein Material da ist, das sie umschaffe und durch dessen Umbildung sie sich einen Werth erwerbe. So ist das Schicksal des Fabrikherrn und des Arbeiters auf das innigste verknüpft; der eine erlangt seine Freiheit, seine sichere Stellung nur durch den andern. Diese Beziehung kann aber nur dadurch dauernd erhalten werden, abgesehen von physischen und moralischen Eigenschaften, welche die beiden Contrahenten mitbringen, daß Arbeit nie dem Arbeiter fehle, und daß der Fabrikherr seinerseits einen leichten Absatz seiner Producte habe, um die Arbeit angemessen zu bezahlen. Entfaltet die Production eine ungehemmte Thätigkeit, hervorgerufen und begleitet von einer ausgedehnten Consumtion, so wird nirgends ein Grund zur Klage sein; der Lohn der Einen wird immer ausreichen, der Profit der Andern immer beträchtlich sein. Bei solchem Stand der Dinge wird gar kein Anlaß zu Mißverhältnissen sein; denn sollte dieser oder jener Fabrikherr seinen Arbeitern lästig werden oder umgekehrt, so ist durch die Concurrenz der Fabrikherrn wie der Arbeiter dafür gesorgt, daß diese Unbequemlichkeiten leicht gehoben werden können. Der letzte Grund zu einer allgemeinen Bewegung kann daher nicht in dem Betragen eines einzelnen Capitalisten aufgesucht werden, welches nur etwa den zufälligen Anlaß geben könnte, sondern in einem größern Mißverhältniß, über welches auch der Capitalist keine Macht hat. Der weniger weit sehende Arbeiter freilich wird diesem die Schuld allein beimessen; dazu kommt die Erhitzung der Phantasie durch allerlei schwärmerische Theorien; für den gedrückten Arbeiter wird der gröbste Communismus zur Religion, für welche er auch als Märtyrer zu sterben sich glücklich preist. Das Lied, das unter den Arbeitern in Peterswaldau verbreitet war, soll voll von communistischen Ansichten sein, und ihr verwüstender Zug hatte nach ihrer Erklärung keine andere Absicht, als die, auch die Andern zu „armen Leuten" zu machen. So zeigt sich der rohe Communismus in seiner ganzen negativen Gewalt, da es ihm auf die eine oder andere Weise nur auf Ausgleichung ankommt. Seiner leidenschaftlichen Aufregung entgeht es, wie in allen Gestaltungen des socialen Lebens gerade das Verschiedene und Ungleiche in einandergreift und sich gegenseitig hält und stützt. Aber diesen Wirren ist nicht mit Feuer und Schwert ein Ende zu machen; dem Ausbruch freilich ist nicht anders zu begegnen, als mit hemmender Gewalt, aber den Wirren muß vorgebeugt werden. Communistische Schwärmerei ist die Folge der Zerrüttung socialer Zustände, ist nur der Ausdruck, den sich das Gefühl eingerissener Unordnung und das Bedürfniß nach angemessnerer Organisation giebt, ist nur ein negatives Resultat, in sich selbst ohnmächtig einen neuen Zustand zu gebären. Sie ist ein wüstes, unbefriedigtes Verlangen, das durch seine Spannung die Noth des Augenblicks vergessen läßt, und das klare Bewußtsein in seltsame Trunkenheit einhüllt. In seiner Ermahnung zum Frieden auf die 12 Artikel der Bauerschaft in Schwaben sagt Luther: „Ist euch nun noch zu rathen, meine lieben Herren! so weicht ein wenig um Gottes willen dem Zorn. Einem trunknen Mann soll ein Fuder Heu ausweichen, wie viel mehr sollt ihr das Toben und die störrige Tyrannei lassen, und mit Vernunft an den Bauern handeln, als an Trunkenen und Irrenden." Die Hauptsache ist, dieser Schwärmerei ihre Bedingungen, ihre Nahrung zu nehmen. Sie wächst nur auf einem unterwühlten, zerrissenen Boden socialer Zustände. Wo die großen Zweige der materiellen Interessen, jeder zu seiner Vollkommenheit ausgebildet, in einander greifen, wo die materiellen Interessen allseitig und organisch ausgebildet, die Arbeitskräfte einer Nation vollständig und zweckmäßig verwendet sind, da findet der Communismus keinen Boden und keinen Anklang, denn in diesem Falle ist Alles, was der Communismus auch in seiner feinsten und scharfsinnigsten Ausbildung verlangt, in einer der Freiheit des Menschen entsprechenden, in einer bei weitem vernünftigeren Weise realisirt, als in seinen Plänen vorgezeichnet liegt. Aber um dieses Ziel zu erreichen, gilt es, die Industrie aus dem Nothstande, in dem sie sich befindet und in welchem sie mit solchen Bewegungen, wie die jetzt vorgehenden sind, nothwendig schwanger geht, zu befreien, und sie zu einem kräftigen, vollen Dasein zu erheben. Die kümmerliche, elende Industrie ist die Mutter alles Jammers, aller Verbrechen; die blühende Industrie ist die Urheberin aller Freiheit, Bildung, Bequemlichkeit, und wie sollte sie es anders sein, da sie das Band ist, wodurch die Intelligenz sich mit der Natur in Beziehung setzt. Durch sie Naturüberwindung, Arbeit und Thätigkeit, Emancipation von der Scholle, Wohlstand und Verwerthung aller Kräfte der Nation. Aber sie will entwickelt sein, sie will alle ihre Zweige zur Theilnahme an derselben Ausbildung gebracht wissen. Denn, so einer von ihnen zurückbleibt, so kranken alle; denn sie sind auf einander hingewiesen, um durch gegenseitigen Austausch, durch gegenseitige Production und Consumtion sich zu erhalten, und wie die einzelnen Zweige der Industrie sich in dieser Weise einander halten und tragen, so ist es mit den großen Zweigen der materiellen Interessen überhaupt, mit Ackerbau, Industrie und Handel. Werden aber unsre Industriezweige, die innigst mit dem nationalen Leben verwachsen sind, und durch die natürlichen Bedingungen unsres Bodens gefördert werden, oder die später bei uns Aufnahme gefunden haben, und eine Quelle unsres Nationalreichthums geworden sind, und zahlreiche Arbeitskräfte an sich gezogen haben, werden diese der freien Concurrenz mit andern Nationen blosgestellt, die durch viele Umstände einen Vorsprung in der Entwicklung ihrer Industrie haben, oder ihre ganze Kraft auf dieses Feld werfen müssen: dann, wird ihnen die Muße, die Kraft, der Muth entzogen, der zu ihrer gedeihlichen Entwicklung nöthig ist, dann muß der Werth unter den Kosten-Aufwand herabsinken — denn wohlfeil kann nur eine entwickelte Industrie arbeiten —, dann müssen die Arbeitslöhne ins Unbedeutende und Unzureichende herabsinken, vor dem Andrang fremder Fabrikate stellt die inländische Industrie die Arbeit ein und muß die Arbeitskräfte, die sie bisher herangezogen hat, in ihre Nichtigkeit zurücksinken lassen. Das harmonische Verhältniß zwischen dem Capitalisten und dem Arbeiter löst sich und gibt der Erbitterung Raum. Die Capitalien, die auf industrielle Etablissements angelegt waren, verlieren ihren Werth und drücken den Werth der andern herab; die Erzeugnisse der Agricultur sinken im Preise, weil im Inland wenig Nachfrage ist wegen Mangels an Verdienst; und der Handel unterliegt, je mehr die Arbeit im Inlande abnimmt; denn nur so reich ist eine Nation, als sie arbeitet, wie schon Adam Smith gesagt hat. Das sind die Folgen einer nicht allseitig entwickelten Industrie, einer in den Anfängen stecken gebliebenen und alsbald der Concurrenz des weit vorausgeeilten Auslandes preisgegebenen Industrie; und so nicht bald entschiedne Hilfe kommt, so steht zu befürchten, daß auch das sparsamste, nüchternste unter allen Völkern zügellose Ausartungen in den Bezirken anderer Industriezweige erleben wird. Denn sie fast alle sind in Deutschland auf gleiche Stufe herabgebracht. Was soll man zu jener Bekanntmachung des königl. Hüttenamtes zu Saynerhütte (in der Köln. Zeitung vom 9. Mai Nr. 130) sagen, nach der die Lieferung von 900,000–950,000 Pf. schottischen Roheisens auf dem Wege der Submission für dies Etablissement in Verding gegeben werden soll, da doch dies Hüttenamt durch seine technischen Anlagen, seine günstige Lage und Communicationsmittel, seine gehaltreichen Eisensteingruben andern derartigen Etablissements weit voransteht? Die Bergleute hat man in Straßenbauten beschäftigt; und überhaupt sind in jenen und andern Gegenden die Bergleute auf halbe Arbeitszeit oder ganz außer Dienst gesetzt. Wir glauben zuversichtlich, daß es Deutschland noch nicht an Mit-

Trier'sche Zeitung
Nr. 171 19. Juni 1844

Berlin, 13. Juni. Die Exzesse in Peterswaldau und Langenbielau haben auch hier nicht geringe Bestürzung erregt. Privatmitteilungen brachten eine beunruhigende Nachricht nach der andern. Unter den Blättern gab zuerst der Reichenbacher ›Wanderer‹ eine detaillierte Übersicht über die Ereignisse, dann hat die ›Allgemeine Preußische Zeitung‹ sich bemüht, das Faktum vollständig festzustellen, um Entstellungen zu verhüten. Nach ihrer Darstellung würde dem Weitergreifen des Aufstandes bereits ein Ziel gesetzt sein. Es ist in der Tat von der größten Wichtigkeit, daß die Behörden rasch eingeschritten sind, denn der Punkt ist gefährlich genug, um eine solche kontagiöse[15] Bewegung mit Schnelligkeit über die verwandten, angrenzenden Bezirke auch andrer deutscher Staaten zu verbreiten. Es erfüllt uns mit Schmerz, daß diese Auftritte, welche vielfach die Ruhe andrer Staaten bedroht haben, nun auch in Deutschland Fuß gefaßt haben. Wir fürchten nur zugleich, daß die öffentliche Meinung je nach den verschiedenen Interessen sich über die Quelle des Übels gar verschiedenen Vorstellungen und mannigfachen Täuschungen hingeben werde. Diejenigen, die in dem Aufblühen der Industrie den Fluch der modernen Zeit erblicken und die deutsche Nation wieder einzig auf die Pflege des Ackerbaues zurückzurufen suchen, werden in dem Aufstand ein Anzeichen der die Industrie nach ihrer Meinung notwendig begleitenden Folgen erblicken. Aber der entsetzlichste Auftritt dieser Art, der jemals die friedlichen Gaue Deutschlands in Schrecken setzte, der Bauernkrieg im sechzehnten Jahrhundert, fällt in die Zeiten, wo noch an Industrie in Deutschland nicht zu denken war; er hatte aber seinen Grund nicht im Ackerbau, sowenig die heutigen Aufstände ihren Grund in der Industrie haben, sondern in den Verhältnissen, unter welchen damals von den Bauern der Ackerbau getrieben wurde und welche späterhin allmählich der Bildung und dem klaren Bewußtsein der Freiheit wichen. So kann auch in den Bedingungen, unter welchen Industrie getrieben wird, niemals aber in der Industrie an und für sich der Grund eines argen Übels liegen. Man wird zunächst die Fabrikherren, die Kaufleute beschuldigen, gegen welche sich auch diesmal die ganze Wut des Aufruhrs gewendet hat. Der Arbeiter, dessen Blick in die allgemeinen Verhältnisse nicht weit reicht, wälzt immer zuerst alle Schuld seiner betrübten Lage auf den Fabrikherrn, auf den Kapitalisten, mit dem er zu tun hat, weil er ihn begüterter sieht. Und man behauptet auch in dem vorliegenden Falle, daß einige Fabrikherren mit ihren Arbeitern nicht ganz glimpflich verfahren und dadurch den Anstoß zu der Bewegung gegeben haben. Dem sei nun wie ihm wolle, und immerhin mag bisweilen Härte, Unfreundlichkeit, Eigennutz und Habsucht das Verhältnis zwischen dem Kapitalisten und dem Arbeiter trüben, so ist es doch gerade die Industrie und ihr vorteilhafter Betrieb, welche die, wie man gewöhnlich voraussetzt, von Haus aus einander feindlich gegenüberstehenden Mächte, das Kapital und die Arbeit, einander nahebringt und die Fähigkeit beider verwirklicht. Sie sind beide aufeinander innigst bezogen, beide bleiben in ihrer bloßen Möglichkeit, in ihrer Nichtigkeit, wo sie nicht zusammenwirken. Das Kapital ist tot, ist gar nicht da, wo es nicht durch die Arbeit verwertet wird. Die Arbeit kann nicht zustande kommen, wo kein Material da ist, das sie umschaffe und durch dessen Umbildung sie sich einen Wert erwerbe. So ist das Schicksal des Fabrikherrn und des Arbeiters auf das innigste verknüpft. Der eine erlangt seine Freiheit, seine sichere Stellung nur durch den andern. Diese Beziehung kann aber nur dadurch dauernd erhalten werden, abgesehen von physischen und moralischen Eigenschaften, welche die beiden Kontrahenten mitbringen, daß Arbeit nie dem Arbeiter fehle und daß der Fabrikherr seinerseits einen leichten Absatz seiner Produkte habe, um die Arbeit angemessen zu bezahlen. Entfaltet die Produktion eine ungehemmte Tätigkeit, hervorgerufen und begleitet von einer ausgedehnten Konsumtion, so wird nirgends ein Grund zur Klage sein. Der Lohn der einen wird immer ausreichen, der Profit der andern immer beträchtlich sein. Bei solchem Stand der Dinge wird gar kein Anlaß zu Mißverhältnissen sein, denn sollte dieser oder jener Fabrikherr seinen Arbeitern lästig werden oder umgekehrt, so ist durch die Konkurrenz der Fabrikherren wie der Arbeiter dafür gesorgt, daß diese Unbequemlichkeiten leicht gehoben werden können. Der letzte Grund zu einer allgemeinen Bewegung kann daher nicht in dem Betragen eines einzelnen Kapitalisten aufgesucht werden, welches nur etwa den zufälligen Anlaß geben könnte, sondern in einem größern Mißverhältnis, über welches auch der Kapitalist keine Macht hat. Der weniger weit sehende Arbeiter freilich wird diesem die Schuld allein beimessen. Dazu kommt die Erhitzung der Phantasie durch allerlei schwärmerische Theorien. Für den gedrückten Arbeiter wird der gröbste Kommunismus zur Religion, für welche er auch als Märtyrer zu sterben sich glücklich preist. Das Lied, das unter den Arbeitern in Peterswaldau verbreitet war, soll voll von kommunistischen Ansichten sein, und ihr verwüstender Zug hatte nach ihrer Erklärung keine andere Absicht als die, auch die andern zu ›armen Leuten‹ zu machen. So zeigt sich der rohe Kommunismus in seiner ganzen negativen Gewalt, da es ihm auf die eine oder andere Weise nur auf Ausgleichung ankommt. Seiner leidenschaftlichen Aufregung entgeht es, wie in allen Gestaltungen des sozialen Lebens gerade das Verschiedene und Ungleiche ineinandergreift und sich gegenseitig hält und stützt. Aber diesen Wirren ist nicht mit Feuer und Schwert ein Ende zu machen. Dem Ausbruch freilich ist nicht anders zu begegnen als mit hemmender Gewalt, aber den Wirren muß vorgebeugt werden. Kommunistische Schwärmerei ist die Folge der Zerrüttung sozialer Zustände, ist nur der Ausdruck, den sich das Gefühl eingerissener Unordnung und das Bedürfnis nach angemessener Organisation gibt, ist nur ein negatives Resultat, in sich selbst ohnmächtig, einen neuen Zustand zu gebären. Sie ist ein wüstes, unbefriedigtes Verlangen, das durch seine Spannung die Not des Augenblicks vergessen läßt und das klare Bewußtsein in seltsame Trunkenheit einhüllt. In seiner Ermahnung zum Frieden auf die 12 Artikel der Bauernschaft in Schwaben sagt Luther: ›Ist euch nun noch zu raten, meine lieben Herren! So weicht ein wenig um Gottes willen dem Zorn. Einem trunknen Mann soll ein Fuder Heu ausweichen, wie viel mehr sollt ihr das Toben und die störrige Tyrannei lassen und mit Vernunft an den Bauern handeln, als an Trunkenen und Irrenden.‹ Die Hauptsache ist, dieser Schwärmerei ihre Bedingungen, ihre Nahrung zu nehmen. Sie wächst nur auf einem unterwühlten, zerrissenen Boden sozialer Zustände. Wo die großen Zweige der materiellen Interessen, jeder zu seiner Vollkommenheit ausgebildet, ineinandergreifen, wo die materiellen Interessen allseitig und organisch ausgebildet, die Arbeitskräfte einer Nation vollständig und zweckmäßig verwendet sind, da findet der Kommunismus keinen Boden und keinen Anklang, denn in diesem Falle ist alles, was der Kommunismus auch in seiner feinsten und scharfsinnigsten Ausbildung verlangt, in einer der Freiheit des Menschen entsprechenden, in einer bei weitem vernünftigeren Weise realisiert als in seinen Plänen vorgezeichnet liegt. Aber um dieses Ziel zu erreichen, gilt es, die Industrie aus dem Notstande, in dem sie sich befindet und in welchem sie mit solchen Bewegungen, wie die jetzt vorgehenden sind, notwendig schwanger geht, zu befreien und sie zu einem kräftigen, vollen Dasein zu erheben. Die kümmerliche, elende Industrie ist die Mutter allen Jammers, aller Verbrechen. Die blühende Industrie ist die Urheberin aller Freiheit, Bildung, Bequemlichkeit, und wie sollte sie es anders sein, da sie das Band ist, wodurch die Intelligenz sich mit der Natur in Beziehung setzt. Durch die Naturüberwindung, Arbeit und Tätigkeit, Emanzipation von der Scholle, Wohlstand und Verwertung aller Kräfte der Nation. Aber sie will entwickelt sein, sie will alle ihre Zweige zur Teilnahme an derselben Ausbildung gebracht wissen. Denn so einer von ihnen zurückbleibt, so kranken alle. Denn sie sind aufeinander hingewiesen, um durch gegenseitigen Austausch, durch gegenseitige Produktion und Konsumtion sich zu erhalten, und wie die einzelnen Zweige der Industrie sich in dieser Weise einander halten und tragen, so ist es mit den großen Zweigen der materiellen Interessen überhaupt, mit Ackerbau, Industrie und Handel. Werden aber unsre Industriezweige, die innigst mit dem nationalen Leben verwachsen sind und durch die natürlichen Bedingungen unsres Bodens gefördert werden, oder die später bei uns Aufnahme gefunden haben und eine Quelle unsres Nationalreichtums geworden sind und zahlreiche Arbeitskräfte an sich gezogen haben, werden diese der freien Konkurrenz mit andern Nationen bloßgestellt, die durch viele Umstände einen Vorsprung in der Entwicklung ihrer Industrie haben oder ihre ganze Kraft auf dieses Feld werfen müssen, dann wird ihnen die Muße, die Kraft, der Mut entzogen, der zu ihrer gedeihlichen Entwicklung nötig ist, dann muß der Wert unter den Kostenaufwand herabsinken – denn wohlfeil kann nur eine entwickelte Industrie arbeiten –, dann müssen die Arbeitslöhne ins Unbedeutende und Unzureichende herabsinken, vor dem Andrang fremder Fabrikate stellt die inländische Industrie die Arbeit ein und muß die Arbeitskräfte, die sie bisher herangezogen hat, in ihre Nichtigkeit zurücksinken lassen. Das harmonische Verhältnis zwischen dem Kapitalisten und dem Arbeiter löst sich und gibt der Erbitterung Raum. Die Kapitalien, die auf industrielle Etablissements angelegt waren, verlieren ihren Wert und drücken den Wert der andern herab. Die Erzeugnisse der Agrikultur sinken im Preise, weil im Inland wenig Nachfrage ist wegen Mangels an Verdienst. Und der Handel unterliegt je mehr die Arbeit im Inlande abnimmt, denn nur so reich ist eine Nation, als sie arbeitet, wie schon Adam Smith gesagt hat. Das sind die Folgen einer nicht allseitig entwickelten Industrie, einer in den Anfängen steckengebliebenen und alsbald der Konkurrenz des weit vorausgeeilten Auslandes preisgegebenen Industrie. Und so nicht bald entschiedne Hilfe kommt, so steht zu befürchten, daß auch das sparsamste, nüchternste unter allen Völkern zügellose Ausartungen in den Bezirken anderer Industriezweige erleben wird. Denn sie fast alle sind in Deutschland auf gleiche Stufe herabgebracht. [. . .]

Der Sprecher oder: Rheinisch-Westphälischer Anzeiger
Nr. 59 19. Juni 1844

Die schlesischen Weber haben ihre passive Stellung mit einer aktiven vertauscht: sie haben revoltiert. Der Reichenbacher Kreis hat Szenen erlebt, welche man in Deutschland für unmöglich hielt. Einem Handelsherrn in Peterswaldau, der sich durch ›Lohnabzwacken‹ auszeichnete, ist alles im Hause demoliert worden; die Kasse wurde geplündert und – geteilt. Militär mußte einmarschieren. In Langenbielau kam es zur Emeute[16], das Militär gab Feuer. Man zählte fünf bis neun Tote. Die Arbeiter organisierten sich zu einer Truppe von 2000 Mann, das Militär reichte nicht aus; ein von den Soldaten besetztes Gebäude wurde demoliert. [. . .]

Aachener Zeitung
Nr. 171 20. Juni 1844

Breslau, 14. Juni. Der Aufstand der Weber, welcher anfangs ein sehr ernstes Ansehen gewann, ist bereits zum größten Teil gedämpft. Es war zwar vorauszusehen, daß sie der militärischen Übermacht sehr bald erliegen mußten, daß dies aber schon jetzt und unter solchen Umständen geschehen würde, das glaubten selbst die nicht, welche in der Revolte wenig mehr als einen ganz gewöhnlichen Tumult erblickten. Schon gestern sind einige hundert Weber unter starker militärischer Eskorte nach Schweidnitz gebracht worden, viele sind in ihre Heimat zurückgekehrt und haben sich somit selbst dem Arme der Gerechtigkeit überliefert, während andere noch in einzelnen Haufen in den Wäldern umherirren. Gegen letztere sind heute morgen ernste Maßregeln veranlaßt worden. Die Bauern des Schweidnitzer Kreises nämlich haben Befehl erhalten, auf Pferden die Wälder und Schluchten zu durchsuchen und alle Aufrührer, welche sie vorfinden, nach Schweidnitz abzuliefern. Von hier aus sind bereits drei Untersuchungsrichter dahin abgegangen. Sie sind also, da sie dem Elende entlaufen wollten, ihm gerade in die Arme geraten. Es zirkulieren jetzt eine Menge Einzelheiten, welche von der Härte der Fabrikanten gegen die Weber Zeugnis geben. Die Regierung wird gewiß jetzt auf ernstliche Mittel denken, dem erschrecklichen Notstande im Gebirge abzuhelfen. Über dieses Kapitel ließe sich gar vieles sagen, wir kommen auch nächstens wohl darauf zurück, sobald nur eine leidenschaftslose Erörterung möglich ist. – [. . .]

Deutsche Allgemeine Zeitung
Nr. 173 21. Juni 1844

Aus Schlesien, 16. Juni. Die unmittelbaren Folgen unserer Weberunruhen sind traurig genug: zerstörte Häuser, 15 Verwundete, 11 Tote, einige 60 Verhaftete; wieviel Jammer, Not und Elend begreifen diese wenigen Worte in sich! In den törichtesten, unverantwortlichsten Übertreibungen haben wir seit längerer Zeit von der Not unserer Weber hören und lesen müssen. Deutschland ward zur Hilfe aufgerufen, und insofern sich im Darreichen von Gaben eine edle Gesinnung kundgibt, ist eine solche weit und breit offenbar geworden. Irren würde man, wollte man die beklagenswerten Auftritte, die stattgefunden haben, der Not der Weber zuschreiben, die in dem geschilderten Maße gar nicht, am wenigsten aber so allgemein stattgefunden hat, wie angegeben worden ist. Die Weber litten nicht mehr Not als alle übrigen Tagelöhner, die aus der Hand in den Mund leben, zu einer Zeit, wo der Arbeit wenig, die Konkurrenz groß, die Lebensmittel aber ungewöhnlich teuer waren. War ihre Bedrängnis größer als die der bezeichneten Klassen, so kam sie zum großen Teil her aus ihrer Unbehilflichkeit, Ungeschicklichkeit, ihrem Widerwillen gegen jede andere Arbeit. Hunderte von Weberburschen und Webermägden würden vom Bauer bereitwillig in Dienst, in Arbeit genommen worden sein, hätten bei Straßenbauten und sonst Beschäftigung gefunden; aber sie hätten streng arbeiten und gehorchen müssen, und sie wollten nur soviel arbeiten als ihnen gefiel und nur solange als ihnen recht war, nach Lust und Belieben Tabak rauchen, Karten spielen und tanzen. Jedes rauhe Lüftchen scheuend und jeden Regentropfen, die Hacke und den Spaten nie zur Hand nehmend, die Beschäftigung, die sie nähren sollte, kaum kennend, wurden sie zu allem untauglich, weil sie sich selbst zu nichts anderm geschickt machen wollten. Der ordentliche fleißige Weber, der sein Gewerbe verstand und mit Ernst und Redlichkeit trieb, hat keine Not gelitten, keine andere als die der unvermeidliche Lauf der Zeiten mit sich brachte und von jeher mit sich gebracht hat. [. . .]

Kölnische Zeitung
Nr. 173 21. Juni 1844

Vom Rhein, 19. Juni. Auf die Kunde von den beklagenswerten Ereignissen, bei welchen in Schlesien Blut vergossen worden, ist ein Schrei des Entsetzens durch ganz Deutschland gegangen. Man hatte vielfach nicht glauben wollen, daß die Verhältnisse in jenen Fabrikgegenden so unnatürlich seien. Unnatürlich aber sind sie, wenn Menschen, deren Liebe zur Ruhe und zum Frieden und deren Genügsamkeit von jeher sprichwörtlich gewesen, sich zu Tausenden erheben und Gewalttätigkeiten mit einer Erbitterung ausüben, die von der letzten Stufe der Verzweiflung Zeugnis abgibt. Man sieht aus dem, was wir bis jetzt über die Auftritte in Langenbielau und Peterswaldau erfahren haben, daß die schlesischen Arbeiter ganz auf derselben Stufe angelangt sind wie vor einer Reihe von Jahren die unglücklichen Seidenweber in Lyon[17]. Wo gleiche Ursachen, da sind auch gleiche Wirkungen. Hier wie dort war der Beweggrund zu den Ruhestörungen nicht mehr und nicht weniger als ein Grad von Not und Verkommenheit, der sich nicht mehr ertragen ließ. Daß es in unserm Deutschland dahin kommen könne, war noch vor nicht langer Zeit von manchen Seiten her mit großer Zuversicht in Abrede gestellt worden, und man hatte den Teil der Presse, welcher auf Abhilfe der Not drang und sich der unglücklichen Arbeiter annahm, der Übertreibung beschuldigt. Die Presse hat leider keine Gespenster heraufbeschworen, das beweist die Wirklichkeit mit ihren schrecklichen Auftritten. Von großer Kurzsichtigkeit zeugt es aber auch jetzt wieder, daß, wie mehrere Blätter melden, von Schlesien aus der Versuch gemacht worden ist, die Unruhen als Folge ›des vielen Geschreibes über Armut und Not‹ darzustellen und höhern Ortes anzudeuten, daß es nicht zum Äußersten gekommen sein würde, wenn die Presse nicht ›aufgereizt‹ hätte. Wir erwarten zuversichtlich, daß eine so plumpe und einfältige Auffassung bei den Behörden wie beim Volke ohne allen Anklang bleibt; denn sie zeugt von einer wahrhaft beklagenswerten Beschränktheit der Ansichten und einem höchst mangelhaften Begriffsvermögen. [. . .] Es ist bekannt, daß wir in Deutschland noch immer Leute haben, die alles Unheil von der ›schlechten Presse‹ herleiten. Aber die Weber in Schlesien haben keine Flugschriften und keine Zeitungen gelesen; sie haben sich, wie weiland der arme Conrad, ihre Lieder selbst gemacht, die sie beim Sturme auf fremdes Eigentum absangen. Die armen Leute bekümmerten sich nicht um Theorie und Zeitungsartikel, sie wollten nur Brot. Wer kann die Not ermessen, die in jenen Fabrikdörfern seit Jahren um sich gegriffen hat; wer die Seufzer und Tränen zählen, welche der unendliche Jammer hervorgepreßt? Diese Ursachen jener Szenen der Gewalttätigkeit zu erforschen und ohne alle Rücksicht, die hier doppelt übel am Platze sein würde, zu enthüllen, ist Pflicht des Staates, Pflicht der Presse, Pflicht endlich jedes ehrlichen Mannes. [. . .] In unserer Rheingegend erwartet man, daß ein Ausschuß von Männern niedergesetzt werde, welcher die Fragen, die sich bei diesen schlesischen Unruhen in den Vordergrund gedrängt, zu prüfen hat, und der nicht allein aus Beamten, sondern *mindestens zur Hälfte aus Nichtbeamten* besteht, und zwar aus Bürgern aller Provinzen. Daß die Fabrikarbeiter in diesem Ausschusse eine bestimmte Anzahl von Vertretern haben müßten, denen ebensowohl Sitz und Stimme zu erteilen wäre wie Beamten, Fabrikherren und Kaufleuten, ist so notwendig und einfach, daß es sich von selbst versteht. [. . .] Vor jenem Ausschusse müßten natürlich vor allen Dingen die Arbeiter der verschiedenen Fabrikations- und Gewerbzweige abgehört werden, und bei dem günstigen Zustande unserer Finanzen und bei unserm Budget kann eine Ausgabesumme von 100 000 oder 200 000 Talern, die zu diesem Zwecke etwa verausgabt würde, gar nicht in Betracht kommen. Es geschieht so viel für Künste und höhere Bildung; darum wird die Forderung nicht unbillig sein, daß nun auch eine verhältnismäßig geringe Summe aufgewandt werde, um die Lage derjenigen Klasse unserer Mitbürger genau kennenzulernen, welche man heutzutage Proletarier nennt, die wir aber lieber *arme Leute* nennen wollen. Denn in dem Worte *arm* liegt alles, geistiges wie physisches Elend, es ist ein ganzer Inbegriff von Not und Verkommenheit. [. . .]

Königlich privilegirte Berlinische Zeitung von Staats- und gelehrten Sachen

(Vossische Zeitung)
Nr. 144 22. Juni 1844

Breslau, den 17. Juni (Privatmitt.). Unleugbar herrschte in Peterswaldau schon seit längerer Zeit unter einem großen Teile der Arbeiter eine starke Gärung, ein Geist der Unzufriedenheit, der nur eines zufälligen Anstoßes bedurfte, um in lichten Flammen auszubrechen. Man glaubte sich nicht allein über mehrfache, in kurzen Zeiträumen vorgenommene sehr erhebliche Herabsetzungen der Arbeitslöhne, sondern auch über eine harte und eigenwillige Behandlung beklagen zu müssen, welche den Gegensatz zwischen Kaufherrn und Arbeiter immer schroffer herausstellen zu wollen schien. In dem Gedichte: ›Das Blutgericht in Peterswaldau im Jahr 1844‹ fanden die aufgeregten Gemüter ihren Brennpunkt und gewissermaßen ihre Fahne; es ist ein offenes Manifest aller der Klagen und Beschwerden, welche bis dahin nur verstohlen und leise von Mund zu Mund wanderten. In seinen größtenteils wohllautenden und regelmäßig gebauten Versen spricht sich eine drohende Verzweiflung, ein wilder Haß und Grimm besonders gegen das am 4. zuerst angegriffene Handlungshaus aus, welches man offenkundig zu immer höherem Reichtum und Glanze neben der steigendsten Not aufblühen sah. Dieses in jeder Beziehung merkwürdige Dokument enthält neben der Schilderung des Trübsals und Jammers auf der einen und Pracht und Üppigkeit auf der andern Seite überraschend verständige Ansichten und Anschauungen. Und so denke man sich die Wirksamkeit und Gewalt einer, nach einer volkstümlichen Melodie (›Es liegt ein Schloß in Österreich‹) abgesungenen Schilderung. Das Lied eilte wie ein Aufruf von Haus zu Haus; es fiel als Zündstoff in die gärenden Gemüter. Man heftete es, so wird gesagt, an das quaest. Etablissement an, und kleine Scharen sangen es vereint vor demselben ab. Einer der Sänger wurde ergriffen und der Ortspolizei zur Bestrafung übergeben. Neue Scharen erschienen und verlangten die Auslieferung desselben. Umsonst wurden sie an die Gerichte gewiesen; der erste Schlag fiel, und nach wenigen Minuten drangen jene Scharen wutschnaubend in das Comptoir ein. Ich hege die ernste und wohlüberlegte Meinung, daß es in diesen ersten Momenten des Angriffs nur und allein galt, den Haß, die Rache und Wut in Zerstörung und Verwüstung auszulassen. Bald aber fand man Geld, reiche Vorräte, kostbare Materialien, und nur wenige vielleicht von den Eingedrungenen waren jetzt imstande, die lockende Versuchung zu besiegen. Jenes Rachewerk wurde vollständig ausgeführt, zertrümmert, zerschnitten und zerfetzt, was vorhanden war und irgend mit einiger Schwierigkeit zu transportieren gewesen wäre, daneben aber gestohlen, was die Habgier reizte. Die Eingedrungenen warfen die Waren und Materialien zum Fenster hinaus; unten erneute sich fortwährend die Zahl derer, welche die Beute davontrugen, Männer, Weiber und Kinder. Das eine Gebäude ist durch einen ziemlich breiten und tiefen Wassergraben von dem Hofe getrennt. In diesen Graben wurden aus dem Gebäude so viele Fabrikate geworfen, daß dieselben zuletzt eine Brücke bildeten. Unzweifelhaft erschienen auf dem Schauplatz auch viele Personen, um die Sachen aufzunehmen und für die Eigentümer zu retten. In der Tat sind viele Stücke bereits abgeliefert worden von jenen rechtlich Gesinnten sowohl als gewiß auch von solchen, die nach den obrigkeitlichen Aufforderungen sich fürchteten, im Besitze der – dahingestellt in welcher Absicht – davongetragenen Sachen zu bleiben. Man darf nicht vergessen, daß dies Drama in Peterswaldau drei förmliche Abteilungen hatte. Gegen 6 Uhr, wenn ich nicht irre, zogen die Tumultuanten nach Hause, gegen 8 Uhr abends fanden sie sich wieder ein, um bis 2 Uhr in der Nacht ihr Werk fortzusetzen, wie zum dritten Male – jedesmal gewissermaßen in Reih und Glied, singend, wie einige behaupten, eine weiße Fahne voran – am Morgen des 5., um es zu vollenden. – Daß in diesem großen reichbevölkerten Dorfe und in solchen Zeiträumen weder die Ortspolizei noch andere einflußreiche Personen Gelegenheit fanden, um sich und andere zuverlässige Individuen zur Abwehr der Frevler und zur Verteidigung der angegriffenen Häuser zu vereinigen, wird gewiß jeder mit mir schwer erklärlich finden. Am 5., nachdem das Zwanzigersche Etablissement, ich möchte sagen, bis auf die nackten Wände zerstört war, und ein anderer in Peterswaldau ansässiger Fabrikant die nahende und drohende Schar mit Geld beschwichtigt hatte, wurde beschlossen, weiterzuziehen, da ›noch mehrere dran müßten‹. Die Meinungen waren geteilt. Endlich, und dieser Beschluß kam erst, wie mir glaubhaft versichert wird, nach einer Prügelei der Majorität und Minorität zustande, brach die Schar nach Langenbielau auf, einen Weg von einer halben Meile längs den Bergen hin benutzend. Gegen 12½ Uhr wurde sie dort, etwa 300 Mann stark, in Reih und Glied hinter einer, mutmaßlich aus einer herabgerissenen Gardine bestehenden Fahne marschierend, zuerst erblickt. Wer sich am Wege fand, wurde gefragt, ob er Weber sei, und mußte sich anschließen. Bei Langenbielau wurde haltgemacht und aufs neue beratschlagt. Endlich fiel eine Rotte das aus einem Gehöft bestehende Etablissement der Herren Hilbert und Andretzky, welches sie unmittelbar an der von Peterswaldau und Langenbielau ausmündenden Straße fanden, an. Diese Herren beschäftigten notorisch nur sehr wenige Weber und haben sich niemals einen Vorwurf wegen Härte oder Bedrückung zugezogen. Zunächst im Dorfe liegen, durch andere Häuser getrennt, die Etablissements der beiden, in der Handelswelt wohlbekannten Brüder Dierig. Im Dorfe, wo sich die Nachricht von den in Peterswaldau begangenen Exzessen und der Ankunft der Peterswaldauer mit Blitzesschnelle bereits verbreitet hatte, strömten von allen Seiten die Einwohner zusammen; eine Menge bescholtener, unruhiger, zum Teil schon früher bestrafter Subjekte gesellte sich in Erwartung der kommenden Dinge zu ihnen; viele Fremde erschienen auf dem Platze. Um militärischen Schutz war gebeten worden, noch fehlte er. Einer der Dierigschen Comptoiristen rief die Haus- und Fabrikenarbeiter sowie die gutgesinnten Bewohner des Dorfes auf, dem drohenden Angriff der Peterswaldauer zu begegnen. Eine Fahne wurde aufgesteckt, man scharte sich um dieselbe und trieb nach einem furchtbaren Kampfe die Peterswaldauer in die Flucht. So an einem Orte des weit ausgedehnten Dorfes, indes sich am andern bald zeigte, was von der Zusammenrottung jener erwähnten Subjekte zu erwarten war. Die von den HH. Dierig den zur Verteidigung ihres gefährdeten Eigentums Bereiten versprochene Geldausteilung begann. Doch die Masse der Fordernden wuchs mehr und mehr, sie drängten sich unruhig mit Schimpfwörtern und Drohungen an die mit der Verteilung Beauftragten, auch wenn sie eben erst Geld erhalten hatten, und als dieselben baten, die Ordnung zu erhalten, weil sonst nicht jeder bedacht werden könne, stürzte sich plötzlich die Masse mit wütendem Geschrei auf sie, entriß ihnen das Geld und zwang sie unter Mißhandlungen, ihre Person zu retten. Das Werk der Zerstörung begann nun auch in den 3 großen Dierigschen Etablissements. Die Peterswaldauer fanden sich wieder ein, aber endlich erschien auch die militärische Hilfe, bin ich recht berichtet, 120 Mann von dem in Schweidnitz garnisonierenden Infanterie-Regimente. Alle Aufforderungen des Kommandeurs, friedlich den Platz zu verlassen, blieben ohne Erfolg, von allen Seiten eine drohende, schreiende, mit Steinen, ja zum Teil mit Pfählen und Äxten bewaffnete Menge, Ausrufungen des Hohns und der Wut; nach dem Kommandeur selbst sollen verwegene Hände gegriffen haben. Die Soldaten richten endlich eine Salve über die Köpfe hinweg, der höhnische Ruf: ›sie hätten wohl mit Kot geladen‹, folgt, aber die folgenden Salven strecken 11 Personen tot und vielleicht 24 verwundet nieder. So viele Verwundete hatten sich wenigstens bis zum 11. d. M. bei den Ärzten in Langenbielau gemeldet, unter ihnen 3 schwer Verletzte, werden bei einem Kaufmann im Dorfe verpflegt. Unter den Toten befindet sich auch leider eine Frau, welche über 200 Schritte weit vom Kampfplatz an ihrer Haustür gestanden, und ein Knecht, der als Zuschauer auf einer nahen Gartenmauer gesessen hatte. Nachdem die Truppen gefeuert hatten, zogen sie sich, von der racheschnaubenden, wutbrüllenden Menge und von einem Steinhagel verfolgt, zurück. Welch ein militärisches Bedenken obwaltete, das letzte und wichtigste Gebäude, vor dem aufgestellt die Soldaten gefeuert hatten, schützend zu besetzen, und an den vergitterten Fenstern vor Steinwürfen gedeckt, nachdem man einmal zum äußersten Mittel geschritten war, mindestens eine drohende Defensive einzunehmen und die andringenden Scharen in Schach zu halten, vermag ein Nicht-Militär nicht zu entscheiden. Vielleicht sollte weiteres Blutvergießen um jeden Preis vermieden werden. Bis in die späte Nacht hinein hausete nun die entfesselte Wut zerstörend und räuberisch in diesen schönen Gebäuden, Maschinenwerken und Lagern, frei und ungestört. Viele hatten sich in den Maschinen-Kammern mit eisernen Stangen versehen. Die Schar verteilte sich in den einzelnen Räumen und Gemächern. Nur dieses und jenes Zimmer entging durch Zufall, oder weil die Nacht zu zeitig einbrach, den kleinen Kompagnien, welche ein Gelaß nach dem andern durcheilten. Wieder wurde aus den Fenstern geworfen, was ihnen in die Hände fiel und transportabel schien. Unten standen Hunderte, die reiche Beute fortschleppend, und mancher, bisher als unbescholten bekannt, soll sich arg kompromittiert haben. Nur die Handlungsbücher waren glücklich gerettet. Der Verlust, welchen die Brüder Dierig erlitten, ist sehr bedeutend. Gestützt auf die sorgfältigsten Nachforschungen, darf ich die feste Überzeugung aussprechen: In Langenbielau handelte es sich nicht um ein Rachewerk und Volksgericht, sondern um Raub und Plünderung, daneben um die Befriedigung des gereizten Grimms. Von den Herren Hilbert und Andretzky sprach ich bereits; die Herren Dierig waren beliebt in der ganzen Gegend weit und breit und verehrt von allen ihren 4000 Arbeitern. Niemals ist eine Beschwerde gegen sie laut geworden; gutmütig, leutselig, eine Stütze der Bedrängten, Helfer den Armen, haben sie zu keiner Zeit, mit eignen Opfern unglückliche Konjunkturen überwindend, die Löhne herabgesetzt, sich niemals eine Bedrükkung oder Verkürzung erlaubt. Das ruft jetzt jedermann, und keiner vermag einen Grund anzugeben, weshalb gerade sie als Opfer der Exzesse gefallen sind. Schon sind an das Breslauer Komitee zur Abhilfe der Not unter den Webern und Spinnern die ehrendsten Zeugnisse für das schöne Verhältnis der Herren Dierig zu ihren Arbeitern mit der dringlichen Bitte gelangt, schnell mit Darlehen an die Kreishilfs-Vereine einzuschreiten, damit die Unbeschäftigten bis zur Wiedereröffnung des Dierigschen Etablissements Arbeit erhielten und einem unübersehbaren Elende vorgebeugt werde. Ein noch ehrenvolleres Zeugnis waren die bitteren Tränen, welche ich in den Augen vieler, aus weiter Ferne mit fertigen Fabrikaten gekommener Weber sah, als sie erfuhren, was »ihren lieben Herren« geschehen sei. Man befürchtet, daß sie ihr Geschäft aufgeben und sich nach so bitterer Erfahrung in das Ausland übersiedeln möchten. Unsere provinzielle und vaterländische Industrie würde dadurch einen empfindlichen Schlag erleiden. Am 11. war in Langenbielau von den angesehensten Personen eine Eingabe, erinnere ich mich recht, an die Königl. Regierung unterzeichnet worden, in welcher gebeten wird, den Hrn. Dierig sowie den HH. Hilbert und Andretzky, ›den tüchtigsten Kaufleuten und biedersten Männern‹, mit Staatsmitteln zur Wiederaufnahme ihres Geschäftes behilflich zu sein. Um mein obiges Urteil zu belegen, bedarf es nur noch der Erinnerung an eine Tatsache. *Schon im Januar* d. J. ergab sich die traurige Notwendigkeit, von Langenbielau aus, ein früher angebrachtes Gesuch bei der Behörde zu erneuern. Es ist, so heißt es in der Eingabe, in diesem wie wohl in jedem Winter, namentlich aber in solchen Jahren, wo die Geschäfte stocken, ein großer Andrang nach Arbeit, der zum größten Teile nicht befriedigt werden kann, da viele der Fabrikanten ihre Geschäfte wesentlich infolge ungünstiger Handels-Konjunkturen beschränken mußten, woraus sich die Notwendigkeit ergab, daß jeder die schlechten, liederlichen Arbeiter verabschiedete und soviel als möglich sein Eigentum redlichen Arbeitern anvertraute. Infolgedessen sind eine Menge Leute brotlos geworden, größtenteils faule, saumselige, liederliche Menschen, die es sich zur Aufgabe zu machen scheinen, gute und brave Leute zu beunruhigen, Unzufriedenheit und Aufruhr anzustiften. Der vorige Sonntag, namentlich aber Montag, zeichnete sich darin besonders aus, indem Saufgelage gehalten, Straßentumulte, nächtliche Schwärmerei etc. auf eine Art und Weise stattgefunden haben, die jeden braven Bewohner empört und *ernstliche Besorgnisse* eingeflößt haben. *Nur durch energische Maßregeln* ist der Trieb zu Unordnungen, Freveln usw. zu unterdrücken, durch Nachsicht und Milde wird diese Hefe der Bewohner *verleitet,* den *ärgsten* Mißbrauch und Frevel mit polizeilichen Vorschriften zu treiben. Ich weiß nicht, ob und welche energischen Maßregeln seitens der angegangenen Behörde getroffen worden sind. Aber die Prophezeiungen vom Januar haben sich leider zu schnell pünktlich erfüllt. Erwähnenswert ist noch, daß die Polizei-Gewalt in Langenbielau (13 000 Einwohner) durch *einen* Gendarmen ausgeübt wird. L. S.

Erste Beilage zur Königl. privilegirten Berlinischen Zeitung von Staats- und gelehrten Sachen
(Vossische Zeitung)
Nr. 144 22. Juni 1844

Breslau, den 19. Juni (Privatmitt.). Den am 7. d. M. verübten Straßenfreveln[17a] ist die Strafe auf dem Fuße gefolgt. Schon heut bringt in Gemäßheit der Verord. vom 30sten September 1836 die seitens des Kriminal-Senats des Königl. Oberlandesgerichts ernannte Untersuchungs-Kommission zur öffentlichen Kenntnis, daß 18 von den am 7. ergriffenen Personen wegen Straßen-Unfugs und Ungehorsams gegen Warnungen und Befehle der Obrigkeit mit den gesetzlichen Freiheits- und resp. Leibesstrafen belegt worden sind. Unter den 18 namentlich aufgeführten Personen befinden sich 9 Lehrlinge, 5 Gesellen, ein Hausknecht, ein Gärtner, ein Formenstecher und ein Handlungs-Diener. Die schnell beendete Prozedur, vereint mit der Publikation der bestraften Schuldigen, wird unzweifelhaft einen sehr heilsamen Einfluß auf diejenigen ausüben, die jetzt noch etwa Gelüste trügen, ihre Courage an Fensterscheiben zu probieren und unter dem Schutze der Dunkelheit wildes Unwesen zu treiben. Einen andern Charakter hatten die Straßen-Exzesse am 6. und 7. nicht, wie ich Ihnen schon geschrieben, und unsre beiden, ein mysteriöses Schweigen beobachtenden Zeitungen haben es zu verantworten, wenn jetzt eine kolossale Übertreibung und Unrichtigkeit nach der andern den Weg nach dem Auslande findet, wenn angeblich Häuser demoliert und Offiziere tödlich verwundet worden sind. Die armen Fensterscheiben fielen als Opfer, wo sie der Rotte erreichbar waren; sie unterschied nicht christliche und jüdische Wohnungen, sie respektierte weder die Kirche noch das Hospital, und ist, wie einige wissen wollen, hier und da wirklich der Ruf: »Nieder mit den Aktienmännern« laut geworden, so ist es wohl erklärlich, daß vielleicht einige unter oder neben den losen Banden wenigstens den Versuch nicht unterlassen konnten, den Handlungen niederträchtigen Mutwillens eine bestimmte Färbung und Richtung [zu] geben. Gestern am frühesten Morgen waren an einigen Häusern Plakate angeheftet, deren Inhalt neuerdings bezeugt, wie die einmal geweckte reine Skandal-Lust nur allmählich wieder erstirbt. Nur diese Lust, welche jetzt ihrer Ohnmacht, aktiv aufzutreten, innegeworden ist, hat jene Plakate mit ihren bodenlos gemeinen Ausdrücken und Herausforderungen geschaffen. – Unsere Börse scheint wiederum eine festere Haltung annehmen zu wollen. Die beiden Deputierten der hiesigen Kaufmannschaft sind heut von Berlin zurückgekehrt und haben als Resultat ihrer Mission nur die Bestätigung der schon früher verbreiteten Nachricht, daß die Bank die Diskontierung von Aktien und Zusicherungs-Scheinen auf eine gewisse Höhe zu übernehmen angewiesen sei, mitgebracht.

Kölnische Zeitung
Nr. 175 23. Juni 1844

Berlin, 19. Juni. [. . .] Einzelne Kaufleute haben großen Schaden gelitten und binnen weniger Stunden vierzig- bis fünfzigtausend Taler verloren; dabei ist die Entrüstung gegen sie nicht milder geworden, und mehrere haben bereits erklärt, sie würden nicht wieder zurückkommen und ihre Geschäfte von neuem beginnen. Die Bürger in den kleinen Städten und Ortschaften sind aber nicht minder gegen die Kaufleute gestimmt. Das Militär, welches dieselben zu ihrem Schutze forderten und empfingen, wurde von den Gemeinden als eine von allen zu tragende Einquartierungslast abgewiesen; die Fabrikanten mußten es daher auf ihre Kosten unterbringen und verpflegen; die Bürger behaupteten, sie selbst bedürften gar keines Schutzes und fürchteten nichts von den Webern. Unter solchen Umständen kann es wohl sein, daß die Not der Weber sich noch mehrt, wenn das überhaupt möglich ist, da die Fabriken zum Teile ganz stillstehen werden. Es ist dieser Tumult eine Manifestation des Proletariats, der im kleinern Maßstabe Auftritte wiederholt, wie wir dieselben längst in anderen Ländern kannten. [. . .] Wir sehen von allen Seiten das Begehren der unteren Klassen nach Arbeit und genügender Verwertung derselben; wir sehen auch den fortstrebenden Geist der Zeit in den Bemühungen aufgeklärter Männer, Patrioten und Menschenfreunde, die sowohl in den Wegen der Religion wie der vernünftigen Rechtsideen durch Vereine zu helfen streben, mittels welcher die unteren Klassen gehoben und ihre Stellung in der Gesellschaft anerkannt werden sollen. Kann dieses durch die Lehren christlicher Moral oder durch praktische Aufklärungen über ihre Zustände und ihr Elend geschehen, wenn die *Wirklichkeit* nichts daran ändert? Die Proletarier verlangen kein Mitleid, sie verlangen *Arbeit,* welche Brot gibt, und Rechte, welche den Erwerb schützen und sichern. Daher kommen jetzt auch die seltsamen Vorwürfe, daß die Presse so vieles an der herrschenden Unzufriedenheit verschulde, daß die Zeitungen und Flugschriften keinen geringen Anteil an den Tumulten der Weber im Gebirge haben, weil jene Blätter und Schriften dem stummen und so lange geduldigen Elende Sprache gegeben und den Menschen über ihr Unglück Aufklärung verschafft haben. Hr. E. Pelz, ein Landmann aus dem schlesischen Gebirge, als Schriftsteller unter dem Namen Treumund Welp bekannt, der gegenwärtig hier in Berlin ist, um als Abgesandter seiner Gemeinde über Mißstände Beschwerde zu führen, nicht aber, wie ein rheinisches Blatt sagt, um als Abgeordneter der Weber zu verhandeln, – dieser Hr. Pelz hatte vor einigen Tagen eine Unterredung mit einem hochgestellten Staatsbeamten, welcher das Benehmen der Presse und die schriftstellerische Tätigkeit des Hrn. Pelz selbst als die Hauptgründe der beklagenswerten Unruhen angab. Pelz hat sich zum Bauer gemacht und eine Reihe Schriften über die Verhältnisse der arbeitenden Klassen herausgegeben. Er hat das Leben der armen Weber und deren Not auch getreu geschildert, der Wahrheit gemäß, und bekämpft als Socialist eindringlich dasjenige Fabrikwesen, das einzelne bereichert, indem er für das Manufakt auftritt und die Vorteile eines freien Arbeiterstandes darstellt, der nach seiner Meinung glücklich gegen die Maschinen ankämpfen könnte, wenn er gehörig organisiert wäre; denn er ist genügsam. Die Bevölkerung der Länder steigt mit jedem Jahre, und mit jedem Jahre werden die Hände und lebendigen Wesen unnötiger durch Erfindung vollkommnerer Maschinen. Zwischen beiden liegt eine weite Kluft: wer wird endlich sie ausfüllen? Der Staat kann unmöglich gegen die Maschinen auftreten, die Erfindungen des Geistes zerstören. Der Staat in seiner jetzigen Organisation und alle Kulturstaaten der Gegenwart können dies nicht.

Deutsche Allgemeine Zeitung
Nr. 176 24. Juni 1844

Berlin, 21. Juni. [. . .] Die Idee, die Presse habe durch erregende Theorien den Ausbruch der Katastrophe beschleunigt, sie sei überhaupt die provozierende Urheberin bedenklich werdender Zustände, diese recht bequeme Idee wird leider in manchen Kreisen gar nicht so absurd gefunden und soll nicht bloß durch die von Schlesien eingereichten offiziellen Berichte hindurchschimmern. Die Sache hat eine sehr ernste Seite, betrachten wir sie näher. Daß gewisse erregende Theorien, gruppiert um den ›Assoziationsbetrieb‹ der Zeit, vorhanden sind, daß sie durch die Presse ein Organ und durch dieses Organ einen Weg in das Volk bis zu seinen niedrigsten Schichten finden: wer wollte das in Abrede stellen? Daß aber die Exzesse der Weber in unmittelbar provoziertem Zusammenhange mit den Äußerungen der Presse stehen, und zwar dergestalt stehen, daß eine Modifikation der populären Presse ratsam erscheine, diese Auffassung der Dinge ist ebenso beschränkt wie arglistig. [. . .]

Es läßt sich nicht leugnen, ein Geist der Widerspenstigkeit, des Grimms und der neidischen Unzufriedenheit geht durch die niederen Klassen, und jeder, der zu beobachten versteht, wird die Schattierungen in seiner nächsten Umgebung herausfinden. Es sieht in der Welt so aus, als ob ihr ein Pfeiler der beschränkenden und abteilenden Ordnung genommen wäre, und als ob von unten auf etwas mit übermächtiger, fortreißender, ungebändigter Kraft empordränge. Wir leben in Europa inmitten der Entwicklungen der allgemeinen, europäischen Revolution, und ihr Bewußtsein schwankt sichtbar hinüber zu dem Kampfe der arbeitenden Klassen gegen das Bürgertum, nachdem dasselbe die Aristokratie der Geburt überwunden und sich als Aristokratie geltend gemacht. König Friedrich Wilhelm III.[18] hat in seiner klaren Seele, in seinem Herrscherinstinkt den Abgrund der Epoche nicht bloß geahnt, sondern sehr wohl erkannt. [. . .]

Allgemeine Zeitung
(Augsburg)
Nr. 176 24. Juni 1844

Preußen. Vom Rhein, im Juni. Das Ereignis im schlesischen Kreise Reichenbach führt zu den erstesten Betrachtungen. Die Baumwollenweber haben geplündert und demoliert, es hat eine Art Organisation der Unordnung stattgefunden. Von den Leinwebern hört man dagegen keinen Exzeß, und gerade diese sind als bedürftig bekannt. War auch der Aufstand nicht so gewaltig, als ihn einzelne Korrespondenzen offenbar in demokratischem Interesse geschildert, so mochte er doch mehr bedeuten, als man ihn amtlich beschrieben liest. Ein angeblich gut unterrichteter Korrespondent meldet, es sei aus Peterswaldau von einem hohen General (v. Staff?) ein Bericht an das Kriegsministerium eingegangen, wonach neben einzelner Not die Unzufriedenheit wesentlich dadurch entstanden, daß man eine Menge von Flugschriften verbreitet habe, die, falsch begriffen, die Arbeiter gegen ihre Fabrikherren aufsässig gemacht hätten. Andrerseits meldet die ›Aachener Zeitung‹[19], ein in Schlesien wohlbekannter Schriftsteller, Treumund Welp, sei im Auftrag der Weber nach Berlin abgereist. Was bedeutet das? Es gab eine Zeit, da man der Presse alles Unheil zuschrieb, das nur irgendwo ausbrach; hoffentlich ist jener amtliche Bericht (der veröffentlicht werden sollte) kein Erzeugnis solcher Ansicht. Hätte wirklich eine Flugschriftenliteratur im sonst so ruhigen, guten Schlesien verderblich gewirkt? Hatten diese Flugschriften recht, und sind die Fabrikanten wirklich so hartherzig, so unbekümmert um körperliches und geistiges Wohl der Arbeiter, zahlen sie, anstatt in barem Gelde, in Waren, verkürzen sie die Arbeitslöhne? Oder ereignet sich in der schlesischen Fabrikwelt bloß dasselbe wie anderswo: Verminderung der Arbeit durch Maschinen, Häufung von Reichtum gegenüber der Bedrängnis der Arbeiter, mannigfachere Gelegenheit zur Entsittlichung, wie dies überall stattfindet und noch neulichst Lord Ashley[20] und Leon Faucher[21] in bezug auf englische Zustände so schrecklich geschildert haben? Gibt es in Schlesien keine Volksschulen, kein Fabrikgesetz (wie es durch die rheinischen Provinzialstände veranlaßt worden), keine Sparkassen? Diese Punkte verdienen jetzt reiflich und ohne Aufschub erwogen zu werden. Deutschland hat noch mehr Industriegegenden, überall kann einmal eine schlechte Konjunktur eintreten, einzelne böse Geister deuten gern jeden Mißstand aus – und sollen sich da Exzesse wie in dem sonst so heitern Langenbielau wiederholen? Die schlesische Presse selbst hat schwerlich Veranlassung gegeben; sie ist viel zu besonnen. (Wir verweisen nur auf Sohrs treffliche Provinzialblätter[22].) Möglich, daß man dort nachteilig wirkende Flugschriften verbreitet hat, aber es müßte dies bald öffentlich bekannt werden, damit man sich davon überzeuge. Eine solche Anklage gegen die Presse ist zu wichtig, als daß sie nicht entschieden bewahrheitet werden müßte, wenn sie bewahrheitet werden kann. Aus ein oder zwei radikalen Pressen in Rheinland-Westfalen gehen allerdings jetzt sehr beklagenswerte Produkte hervor, welche allgemeinen Genuß versprechen, das Christentum aufheben und eine Art von Hellenentum empfehlen, die Frauen emanzipieren wollen und wie all der lästerlich komische Unsinn heißt; sie werden unterdessen weder im bergischen Lande noch in Bielefeld viel wirken, denn dort herrscht noch viel religiöser Sinn – in Schlesien sind sie vielleicht gar nicht gekannt. Die Schriftchen von Welp über schlesische Fabriken sind auf der einen Seite exaltiert, andrerseits engherzig, der Ton darin jedenfalls tadelnswert. So heißt es (Brief 1, S. 8): ›Die Magen der Maschinenhände müßten froh sein, mit Kartoffeln, Brot und Wasser gestopft zu werden, aber die Personen der Fabrikbesitzer müßten Wildbraten und Austern mit Champagner hinunterspülen, damit es nur rutsche‹; oder S. 22: ›Wenn es einmal Kastenwesen geben muß, so ziehe ich die Adelsclique einer noch viel ärgern Geldmännerclique bei weitem vor. Der Adel ließ sich auch wohl vom Volk füttern, gönnte ihm auch kaum das nackte Leben und trug endlich das Seine zu mancherlei Demoralisationen bei; aber er pferchte die Menschen nicht ein und erhielt dem Vaterlande wenigstens kräftige Streiter.‹ Solche Schreibweise kann nur erbittern; aber auch diese Flugschriften können nicht so bedeutenden Einfluß gehabt haben, wenn die Fabrikanten wirklich nach Kräften das ihrige tun, den nun einmal unvermeidlichen Vermögensunterschied in etwa auszugleichen, wenn

Kirche, Schule, Sparkassen, Kleinkinderbewahranstalten und ähnliche Mittel das minder gebildete Volk heben und sichern. Die strenge Bestrafung der Rädelsführer ist notwendig, sie muß aber weder allein erfolgen noch allein bekanntgemacht werden, man muß nachforschen, woher auf einmal im friedlichen, fröhlichen Schlesien diese Erscheinung, ob die Not, ob Ungerechtigkeit einzelner Fabrikanten, ob Einwirkung verderblicher Schriften sie veranlaßt, oder dies alles zusammengewirkt, und das Resultat solcher Untersuchung muß gewissenhaft und wahrhaft publiziert werden. Noch haben wir in der Tagespresse wenig Stimmen des Tadels über die schändliche, auf keine Weise zu rechtfertigende Verletzung des Eigentums gelesen, und das tut uns leid. Nun wirke sie mit zur redlichen Untersuchung in versöhnendem Tone, und vergesse nicht, daß auch die Fabrikanten ihre Rechte haben, die in ihrer Industrie durch Plünderung gehemmt wurden und die, wenn man sie schutzlos ließe, keinen einzigen Arbeiter mehr beschäftigen würden. Was die ›Trier'sche Zeitung‹ aus Breslau meldet, die Arbeiter hätten förmliche Vedetten[23] aufgestellt, mit Räubern im Böhmerwalde sich verbinden wollen, ist wohl nur Phantasiegebild aus einer Schillerschen Reminiszenz. [. . .]

Das ›Schweidnitzer Kreisblatt‹ enthält nachstehende, von den zu Breslau erscheinenden Zeitungen wiederholte Bekanntmachung: ›Bei der am 4. und 5. d. M. erfolgten Beschädigung der Wohn- und Fabrikgebäude des Kaufmanns Zwanziger zu Peterswaldau und mehrerer Fabrikbesitzer zu Langenbielau, insbesondere des Kaufmanns Wilhelm Dierig, Friedrich Dierig, der Handlung Hilbert und Andretzky, haben die Aufrührer die Warenvorräte geplündert, nach allen Seiten hin zerstreut und zum Teil sich in deren Besitz gesetzt. Viele Personen aus dem hiesigen und den benachbarten Kreisen, welche auch selbst nur als Zuschauer zugegen gewesen, haben einen Teil dieser Waren an sich genommen und sind noch in dem Besitz derselben. Es ist zu hoffen, daß die meisten dieser Personen dies nur um deshalb getan haben, um die Sachen ihren Eigentümern zu erhalten; und es versteht sich von selbst, daß diese ihren Eigentümern gegen ihren Willen entzogenen Waren den letzteren zurückgegeben werden müssen. Demgemäß werden sämtliche Ortsgerichte angewiesen, in ihren Gemeinden Haus für Haus die Aufforderung bekanntzumachen, daß jeder die von ihm in Besitz genommenen Waren und sonstigen Gegenstände der vorgedachten Art sofort an die Ortsgerichte, unter Bezeichnung der Eigentümer derselben, welche teils aus der Bezeichnung, teils aus dem Orte, wo jeder dieselben in Besitz genommen hat, zu ersehen sind, binnen 24 Stunden abliefere. Hierbei ist die Bedeutung hinzuzufügen, daß alle diejenigen, welche die geplünderten Sachen nicht freiwillig herausgeben und später in deren Besitz getroffen werden, die Vermutung gegen sich begründen, daß sie dieselben entwendet haben, wonächst sie der strengsten Ahndung der Gesetze nicht entgehen werden. Die Staatsgewalt wird die leider auf kurze Zeit an mehreren Orten unterbrochene Ruhe und Sicherheit mit allen ihr zu Gebote stehenden Mitteln wiederherzustellen und zu schützen, jede fernere Nichtbefolgung obrigkeitlicher Befehle aber aufs strengste zu strafen wissen. Zu dem guten Sinne der Gemeindemitglieder darf vertraut werden, daß diese sich beeilen werden, der vorstehenden Aufforderung pünktlichst nachzufolgen. Die Ortsgerichte fordere ich auf, die an dieselben etwa bereits abgelieferten und noch abzuliefernden Sachen hierher zu meiner weitern Verfügung zu übersenden, und wenn denselben bekannt ist, daß einzelne geplünderte Sachen besitzen, ohne daß sie dieselben binnen 24 Stunden herausgeben, diese ihnen ohne weiteres abzunehmen und ebenfalls unter Anzeige der betreffenden Sachen und der näheren Umstände jedenfalls einzusenden. Langenbielau, 8. Juni 1844. v. Kehler[24], als Kommissarius der Königlichen Regierung zu Breslau.‹

Mannheimer Abendzeitung
Nr. 150 25. Juni 1844

Aus Schlesien. Sie werden bereits von dem in einigen Weberdörfern Schlesiens ausgebrochenen Aufstande gehört haben. Was ist die Ursache? Jeder Weber, wie jeder andere Mensch, dessen Gehirn und Herz noch nicht vertrocknet und versteinert sind, könnte es Ihnen sagen. Allein, der ›dumme, beschränkte Proletarier-Verstand‹ ist zugleich so böswillig und verleumderisch, daß er nicht Glauben finden darf. – Die wahrhaft weisen Männer, sowohl die, welche sich Turmwarte der Zeit nennen, als jene, die, auf hochgeschichteten Geldsack-Pyramiden thronend, verächtlich auf das unten sich abplackende und geschundene ›Gepöbel‹ hinblicken, wissen es besser, die Unruhestifter, die Anreizer sind – die Zeitungsschreiber! Diese sind es natürlich auch, welche die ›Weber-Revolte‹ veranlaßt haben. Obgleich es nun feststeht, daß die Weber gar keine Zeitung lesen, daß es ihnen dazu an Geld wie an Muße gebricht, obgleich jeder Kundige weiß, daß die Weber von unsern Zeitungen ebensowenig Notiz nehmen als der Kaiser von China, so kommt das alles nicht in Betracht. Sie sind einmal von den Artikeln über den elenden Zustand der Armen, der arbeitenden Klasse, aufgereizt und zur Empörung getrieben worden. Nicht ihre erbärmlich belohnte Arbeit, nicht der Hunger, nicht die tausendfachen Entbehrungen gegenüber der reichen Ernte, den klingenden Geldstücken, der Pracht und Verschwendung, der Hartherzigkeit und dem Hohne der wohlhabenden Fabrikanten, Kapitalisten und Spekulateure brachte ihre verhaltene Wut zum Ausbruch, sondern einige Tagesskribenten! – Trotzdem kann ich nicht umhin, Ihnen auf der andern Seite das, was so im Volke über Veranlassung und Hergang der Sache als Wahrheit gilt, zur Vergleichung mitzuteilen.

In Peterswaldau, allwo mehrere reiche Fabrikanten und viel sehr arme Weber leben, befindet sich ein Haus der ersten Art unter der Firma: Zwanziger. Dieser Zwanziger, der, sowie seine Söhne und, dem edlen Beispiele nachahmend, alle seine Kommis und Diener, den armen Weber von jeher hart und herabwürdigend behandelt haben soll, fing nach Beendigung der diesjährigen Leipziger Ostermesse an, den Lohn der Weber nochmals herabzusetzen.

Auf der Messe, erzählt man sich, habe er zwar sehr gute Geschäfte gemacht, der eine Sohn aber eben deshalb die Lohnherabsetzung vorgeschlagen, weil dann die Leute genötigt würden, noch mehr Ware als jetzt in derselben Zeit zu liefern, wofern sie auch soviel verdienen wollten als bisher. – Als Herr Zwanziger, in dessen Wohnung man Treppengeländer von Kirschbaum- und Mahagoniholz, Spiegelfenster, Tapeten und Teppiche und alles andere von beinahe fürstlicher Pracht fand, seinen in engen Stuben zusammengedrängten, auf moderigem Stroh und unter Lumpen und Lappen gelagerten und schlecht genährten Webern die Erniedrigung des Lohnes ankündigte, machten ihm die letztern über solches Verfahren demütigende Vorstellungen. ›Wir können uns ohnehin kein Brot mehr kaufen, und wenn Sie uns noch das bißchen Lohn weiter verkürzen, so müssen wir, da das Betteln so streng verboten ist, vollends mit den Unsrigen verhungern.‹ So sprachen die Weber. ›Dann freßt Heu und Gras, es ist draußen reichlich gewachsen!‹ so tröstete der reiche Herr Zwanziger die verzweifelnden Armen. [. . .]

Fortsetzung in Nr. 151, 26. Juni 1844

Um auf unsere Weber zurückzukommen, bemerke ich noch, daß ihrer bereits an 200 gefänglich nach Schweidnitz gebracht sein sollen. Auf diejenigen, welche sich in die Wälder und sonsthin entfernt haben, wird von den Behörden, namentlich durch die eigens dazu mit ihren Pferden und Knechten aufgebotenen Bauern, gefahndet. Die Untersuchung ist in vollem Gange. Eine Kommission ist vom Breslauer Oberlandesgericht gekommen, um die Sache beschleunigen zu helfen. Strenge Bestrafung steht den Schuldigen bevor, die aber vielleicht die lebenslängliche Einsperrung ins Zuchthaus als eine Gnade ansehen, da sie hier wenigstens nicht gerade hungern dürften und für ihre Kinder möglicherweise in etwa gesorgt wird. Der Vorschlag, zur Aufnahme einiger 60 000 armer Menschen aus dem Gebirge für 10 bis 20 Millionen Taler Arbeitshäuser zu bauen, dürfte der Beachtung wert sein. Denn es scheint überall unter den Spinnern und Webern eine dumpfe Gärung vorzuherrschen, und auch das übrige arbeitende Volk spricht laut seine Teilnahme für die Unglücklichen aus. Das Ereignis in den beiden Weberdörfern hat ganz Schlesien in eine fieberhafte Spannung versetzt.

Das Volk fühlt es vorläufig mehr instinktmäßig, als daß es sich in seiner Totalität klargeworden wäre, daß es trotz seiner Mühe und Anstrengung immer mehr mit seinem Schweiße und den Früchten seiner Arbeit dem nichtstuenden Kapital dienstbar und von ihm ausgesogen wird. Allein, es fängt an, über seine Lage nachzudenken. Seine Teilnahme an der Weberangelegenheit zeigt sich z. B. auch darin, daß das aus 25 Versen bestehende Lied, welches die Weber in jenen beiden Dörfern gedichtet und gesungen haben, schon in den wenigen Tagen von vielen Tausenden abgeschrieben ist. [. . .]

Deutsche Allgemeine Zeitung
Nr. 178 26. Juni 1844

Berlin, 23. Juni. [. . .] Nachträglich kommt uns ein Lokalblatt der Provinz Preußen zu, worin ein Kommis des Hauses Dierig in Langenbielau das, was er mit angesehen, treuherzig und sehr lehrreich für das Verständnis des inneren Lebens in der heutigen Bourgeoisie erzählt. In seinem ersten Brief schreibt er aus Langenbielau vom 4. Juni über die Vorfälle in Peterswaldau, das bekanntlich mit Langenbielau rivalisiert. Der Mann schreibt ganz objektiv, sieht sich die Dinge mit philosophischer Ruhe an, ist kosmopolitisch und human. ›Unsere Weber‹, sagt er mit vielen unserer geistreichen Autoren, ›befinden sich noch immer in sehr bedrängter Lage und sind zwar, so möglich, mit ihrem Schicksale zufrieden, nur klagen sie über die Härte und Kälte, mit der sie von ihren Oberen behandelt werden. Letztere Handlungsweise reizt sie aufs äußerste, wie Sie aus nachstehendem ersehen werden, und läßt sie in ihrer Wut ihre menschliche Natur verleugnen.‹ Nun folgt eine ziemlich bemäntelte Schilderung (der Briefsteller sagt von den Webern, sie wären gereizt durch manche Motive) der Schreckensszenen in Peterswaldau, wir erfahren, daß die Tumultuanten die Spiegel und Öfen mit Äxten einschlugen und die Tapezierung der Wände vernichteten. Der Briefsteller aus Langenbielau schließt: ›Nur auf dies eine Haus hatten es ‚die Leute' abgesehen, sonst haben sie niemandem Leid zugefügt. Man erwartet ehestens Militär.‹ Der 4. Juni vergeht, der Fronleichnamstag erscheint, und ›die Leute‹, die bedrängten Leute, die von manchen Motiven gereizten Leute, die sich über die Härte und Kälte ihrer Oberen beklagenden Leute kommen nach – Langenbielau, wo unser Kommis sitzt. Hören wir ihn nun: ›Die Kunde traf hier ein, ‚die Rebellen' (so sind die kurzsichtigen, schwachsinnigen Menschen heutzutage, also auf der politischen Bühne, also im Kreise des Bürgertums! Nirgend eine Ahnung von dem solidarischen Verband in den Autoritäten, von der durchgreifenden Konsequenz zwischen Gesinnung und Tatsachen; in dieser Beziehung ist die Welt weit dümmer geworden und macht täglich Rückschritte) würden auch nach Langenbielau herüberkommen. ‚Der Pöbel' hatte nämlich bei dem Hause Hilbert und Andretzky haltgemacht, und als dort nichts mehr zu zerstören war, wälzte sich der ganze ‚Raubschwarm' unter Hurra-Geschrei nach der Fabrik von Christian Dierig.‹. Also man merke wohl auf: Solange die Weber bloß in Peterswaldau plündern und wüten, sind sie gereizte Leute, die sonst niemandem etwas zuleide getan; wie sie nach Langenbielau marschieren, sind sie ›Rebellen‹; wie sie beim nächsten Nachbarn plündern, sind sie ›Pöbel‹; wie sie mit Äxten vor dem Hause des Herrn Dierig stehen, sind sie ›Raubschwärme‹. Wahrlich, dieser Kommis gehört zu einem sehr großen Publikum! Er erzählt übrigens, den Tatsachen nach, manches Neue: ›Herr Friedrich Dierig rückte mit einem Beutel Geld nach dem andern heraus, dies schien zwar anfangs auch zu helfen, bald mußte man aber die traurige Erfahrung machen, daß dieselbe Hand, die soeben Geld empfangen, noch in derselben Minute mit Steinen in die Fenster schlug ... Selbst die Polster wurden mit Messern zerschnitten, die Flügel und Tische mit Äxten zerschlagen ... Herr Wilhelm Dierig hatte mittlerweile ein Gegencorps zu errichten gesucht, und war dieses, unterstützt durch eine Tafel, welche ‚Befriedigung' versprach, auch endlich zusammengebracht worden. Mit diesem Haufen ging ein tüchtiger Mann, der sich mit einer einfachen Fahne versehen hatte, auf die Gegenpartei los und schlug sie in die Flucht, bei welcher Gelegenheit einer erschlagen wurde ... Man muß nicht glauben, daß Hunderte fochten, nein, Tausende von Menschen waren auf den Beinen, und fast der ganze Troß, der jetzt auf Dierigs Seite war, bestand aus Leuten, die vorhin zur Gegenpartei gehört hatten, die also nur durch Geld sich hatten dingen lassen ... Der Major trat hervor und ermahnte mehrmals zur Ruhe, widrigenfalls er von scharfen Patronen würde Gebrauch machen müssen. Er hatte noch nicht zu sprechen aufgehört, als mehrere Steine nach ihm geworfen wurden. Dessenungeachtet ließ er noch nicht scharf feuern, sondern erst durch Platzpatronen das Volk schrecken ... Die Zurückgeworfenen stürmten immer heftiger und in immer größeren Massen heran, und so sah sich das Militär genötigt, abzuziehen ... Es wäre gewiß zu solchen Exzessen nicht gekommen, wäre das Schweidnitzer Militär uns sogleich zu Hilfe geeilt. Es steht nur zwei Stunden von uns und kam erst in 24 Stunden . . .‹ Soweit der lehrreiche Kommis, dessen vollständige Briefe man nachlesen kann in der ›Schaluppe zum Dampfboot‹ vom 13. Juni, welches in Danzig erscheint.

Der Abonnement beträgt:
1⅓ ℛ für ¼ Jahr.
3 ℛ „ ½ „
6 ℛ „ 1 „
Insertions-Gebühr für den Raum einer Petit-Zeile: 3 Grote.

Alle Post-Aemter des In- und Auslandes nehmen Bestellung auf dieses Blatt an, für Bremen die Expedition der Weser-Zeitung: Am Schlachtpforte № 7.

Weser-Zeitung.

№ 149. Bremen, Mittwoch, 26. Juni. 1844.

Inhalts-Anzeige.

Deutschland.

* **Bremen,** 24. Juni. Kann den Hansestädten, bei ihrer Stellung zum Welthandel, wohl nicht länger die Befähigung abgesprochen werden, in Handelsangelegenheiten mit praktischer Sachkenntniß zu urtheilen, so finden wir für sie darin auch gleichzeitig die Verpflichtung, die Anwendung der ihnen so vorzugsweise gebotenen Mittel — einer richtigen Beurtheilung der merkantilischen Zustände und der daraus folgenden Entwicklung ihrer Ansichten über dieselben — nicht bloß auf den eigenen engen Wirkungskreis zu beschränken, sondern ihre Erfahrungen wie ein Gemeingut Deutschlands zu betrachten, das mit ihnen daher auch gleiche Ansprüche daran hat.

In dem Sinne und von dem Gesichtspunkte aus ergeben unsre heutigen Mittheilungen, ja wir möchten in der obigen Erklärung gewissermaßen eine Rechtfertigung dafür niederlegen, wenn wir uns heute mit einem Gegenstande befassen, der uns freilich nicht direct berührt, der aber einen Theil des gemeinsamen Vaterlandes, und durch ihn zunächst auch ganz Deutschland betrifft.

Wir hoffen sonach in unsrer Absicht nicht verkannt zu werden, und dann lohnt es sich auch schon der Mühe des Versuchs, durch theilnehmendes Entgegenkommen dem Inlande da eine günstigere Meinung von uns abzuringen, wo diese sich uns freilich schon von selbst zuneigen sollte, wo man aber anscheinend sich darin gefällt, uns dieselbe im unbegründeten und daher unaufgeklärten Vorurtheile vorzuenthalten.

Die neulichen Unruhen in Schlesien sind es nämlich hauptsächlich, die uns für diesmal wieder die Feder in die Hand gegeben haben. Die Zeitungen haben es sich schon angelegen sein lassen, in jetziger thatkarger Zeit dieses Ereigniß zur Genüge, selbst mit daran geknüpften Betrachtungen auszubeuten, und wenngleich wir gern zugestehen, daß solche Nachrichten meist eine wenig zuverlässige Autorität sind, so läßt sich doch wohl soviel mit Gewißheit daraus abnehmen, daß die Ursache des Uebels zunächst in Mangel an Arbeit und dadurch veranlaßten Nahrungssorgen der hartbedrängten Weber zu suchen ist.

Mancher dürfte uns vielleicht zur Beruhigung (?) auf England hinweisen, wo dergleichen Unruhen allerdings leider mehr an der Tagesordnung sind, eben deshalb aber auch in ihrem Entstehen sowohl, wie auch in ihren Folgen ungleich weniger zu bedeuten haben. Aber ganz etwas Anderes will es sagen, und von gar ernster Bedeutung ist es, wenn solche Auftritte sich in dem ruhigen, besonnenen Deutschland ereignen, wo sich der Volksgeist durchaus nicht dem zuneigt, und wo, blos um etwa einen Spektakel zu machen, keine derartige, die bürgerliche Sicherheit beeinträchtigende Aufläufe stattfinden. Da ist es die Noth, die zu dem, dann vielleicht Unvermeidlichen drängt, da ist wenigstens eine triftige Ursache vorhanden, und da handelt es sich nicht, wie etwa in England, um ein besser Leben, sondern um das Leben selbst, um dessen Fristen oder um's Verhungern! *)

Es drängt sich uns bei dieser Gelegenheit unwillkürlich der Gedanke auf, als ob durch solche Wahrzeichen die Vorsehung eine ernstliche Mahnung geben wolle, da, wie es scheint, die Vertreter der Volksinteressen über diese selbst noch immer nicht zu einer klaren Einsicht gelangen können oder wollen.

Um diese Einsicht zu gewinnen ist vor allem die Erkenntniß der Ursache des Uebels erforderlich, und die liegt unsrer Ansicht nach:

1) In der Unvollkommenheit des Fabrik- und Maschienenwesens, und
2) in dem Mangel an Absatz der Fabrikate im Auslande.

Wenn nun in den Zeitungen die Noth der Weber hauptsächlich dem stets herabgedrückten Arbeitslohne durch die Fabrikherren zugeschrieben wird, so mag dies theilweise nicht ohne Grund sein, aber es fragt sich dann immer erst, in wie ferne diese selbst durch die Umstände dazu etwa gezwungen wurden. — Am Ende kommt doch alles nur auf den Umfang des Absatzes an, denn haben die Fabriken voll auf zu thun, so können die Fabrikanten in Betreff des Lohnes durchaus nicht willkürlich verfahren; im Gegentheile dürften sie sich dann eher dem Willen der Arbeiter fügen müssen, und dann bedürfen diese auch keines anderen Anwalts als der Concurrenz selbst; namentlich die Fabrik-Institute in Sachsen haben zu verschiedenen Zeiten den Beweis davon geliefert. — Daher muß es auch zunächst die Sorge der Regierung sein, durch zweckfördernde Anordnungen, und durch Tractate mit fremden Mächten, dem Absatze der Fabrikate ein möglichst großes Feld zu eröffnen! — Aber durch solche, dem entgegengesetzte unglückliche Tractate wie der Zollverein-Holländische, wird das Deutsche Fabrik-Interesse geradezu untergraben, und so muß man diesem auch einen ungünstigen Einfluß auf die Schlesischen Ereignisse beimessen. — Das sind Wirkungen die sich nicht wegläugnen lassen! —

Was die nöthige Vervollkommnung des Maschinenwesens anbelangt, so ist schon mehrfach in diesen Blättern darauf hingedeutet, daß — im Hinblick auf das Vorbild Englands — zum Schutze des Fabrik- und Maschinenwesens Seitens der Regierungen großartige Unterstützungsmaßregeln getroffen werden müßten, soll dieser mächtige Nahrungszweig deutscher Industrie nicht durch die Ueberflügelung und Ueberfluthung Englands gänzlich zu Grunde gehen. Wahrlich ist es die allerhöchste Zeit zum kräftigen Einschreiten, soll überall noch etwas geschehen, und nie hätte man es so weit kommen lassen müssen.

Nicht zu verkennen ist es, daß die preußische Regierung gewiß wohl das Gute beabsichtigt, daß sie z. B. den Handel zu heben wünscht, wovon namentlich auch das Institut der Seehandlung Zeugniß giebt, aber der Ausführung scheint alles practische Wesen zu ermangeln, und es erregt Bedauern zu sehen wie oft, trotz aller pecuniairen Opfer, grade das Gegentheil von dem geschieht was man bezweckt, oder aber, daß der Zweck selbst ganz verkannt oder verfehlt wird.

Die Seehandlung macht in jeder Hinsicht sehr kostspielige Unternehmungen nach transatlantischen Ländern, wie es heißt hauptsächlich mit, um dadurch den Absatz einheimischer Industrie-Artikel zu fördern, wie denn auch verschiedentlich ansehnliche Einkäufe von Leinen für sie gemacht sind, um in schlechten, absatzlosen Zeiten den Fabrikanten unter die Arme zu greifen. Das verdient in der wohlmeinenden Absicht volle Anerkennung, aber es verfehlt den wahren Zweck, der darauf gerichtet sein sollte, von Grund aus und demnach auch auf die Dauer einzugreifen, statt eine augenblickliche Hülfleistung zu gewähren, die eben auch nur für den Augenblick von Einwirkung sein kann. Gleichzeitig aber paralysirt die Seehandlung ihre Unterstützung schon dadurch wieder, wenn sie selbst den Fabrikanten spielt, Garne spinnt, Leinen webt, und andere Waaren bis zum Kleinsten hinab anfertigen läßt, und so als Selbst-Fabrikant und Verkäufer mit in Concurrenz tritt, während sie, darüber erhaben, im Interesse des Landes sich darauf beschränken sollte, ihren jetzigen Mit-Concurrenten im Großen mit den erforderlichen Mitteln zur Erreichung ihres Zweckes an Handen zu gehen. — „Der Staat muß wohl Handel fördern, aber er soll nicht selbst Handel treiben" — das lehrt uns eine gesunde Handelspolitik und das Princip möchten wir auch zunächst im vorliegendem Falle in Anwendung bringen. Wir wagen daher auch — oder vielmehr, wir wagen nichts dabei — zu behaupten, daß die Seehandlung unendlich viel Gutes hätte thun können, wenn sie das Capital, welches sie in Unternehmungen über See, oder in eigenen Fabrikoperationen seit einer Reihe von Jahren angelegt hat, zur Unterstützung einer großartigen Einrichtung des allgemeinen Fabrik- und Maschinenwesens hergeliehen hätte, denn nur durch, auf solche Weise herbeigeschaffte große Mittel wird es möglich sein, nach einem, in Uebereinstimmung zu verfolgenden großen Plane, mit Aussicht auf Erfolg den Engländern concurrirend entgegen zu treten. — Wir wollen es dabei durchaus nicht tadeln, wenn man anfänglich Anstand genommen hat, zum Nachtheil der arbeitenden Classe das Maschinenwesen einzuführen, aber nachdem die Umstände nur die Wahl zwischen Nachfolge oder gänzlichem Untergange, im Fall des Verharrens beim Alten, gelassen haben, kann und darf die Entscheidung nicht mehr schwer sein, wohl aber kann die Ausführung unmöglich werden, wenn man ferner in Unentschlossenheit die Zeit unbenutzt verstreichen läßt. — Andrerseits giebt es denn auch Mittel und Wege, den für die Händearbeit unvermeidlichen Verlust einigermaßen wieder zu ersetzen, und zu dem Behuf wollen wir, trotz der entgegenstreitenden, nicht belegten, dagegen aber wohl widerlegten Ansicht des Herrn Bülow-Cummerow nochmals den Vorschlag der Einführung der Twistfabrikation in Deutschland, unter Anwendung von Schutzzöllen (s. W. Ztg. Nr. 60) einer ernstlichen Prüfung und demnächstigen Würdigung anempfehlen. Es mag in den Zollvereinsstaaten vielleicht befremden, daß solch ein wohlgemeinter Rath aus einer englischen Interessen ergebenen Hansestadt kommt, aber eben darin mag der Beweis der Grundlosigkeit solcher nichtssagenden Andichtungen liegen, und um so mehr wäre es wohl an der Zeit, dergleichen kleinliche, Deutschlands Einheit zersplitternde Gedanken, fahren zu lassen. — Wenn wir uns dagegen die oben gemachten Bemerkungen und Andeutungen überall erlaubten, so ist es fern von uns, in fremde Händel uns zu mischen, sondern wir wollen das Ergebniß unserer Geschäftserfahrungen nur auf ein öffentliches Institut in Anwendung gebracht haben, dessen Zweck gewiß zunächst mit auf die Förderung des Wohles Deutschlands, durch Hebung seines Handels hinzielt, und da glauben wir, daß unsere Stimme weder vorlaut, noch am unrechten Platze sei **). Einen allgemeinen erfreulichen Anklang hat hier, als eine für den Handel heilversprechende Sache, die Errichtung eines Handels-Amts in Berlin unter dem Vorsitze des auch hier hochgeschätzten Herrn v. Rönne gefunden, und wenn es, wie wir nicht bezweifeln, diesem verdienten Staatsmanne gestattet wird, seine, namentlich während seines mehrjährigen Aufenthalts in den Ver. Staaten, gewonnenen Ansichten, einer gesunden, frischen und practischen Handelspolitik, — entfesselt von altersverknöcherten, egoistischen Theorien, — unter Mitwirkung praktischer Geschäftsmänner, in Ausübung zu bringen, so dürfen wir davon eine segensreiche Einwirkung auf das ganze Handelsinteresse Deutschlands, sowohl in seinen eigenen inneren Verhältnissen, so wie auch bei Erlangung der ihm gebührenden ehrenvollen, auf gleicher Reciprocität beruhenden Stellung nach Außen hin erwarten!

Wir können uns nicht enthalten, an diesen Umstand zugleich die Hoffnung der endlichen Feststellung eines liberalen Systems des Zollvereins, selbst auch nach Außen, aber nur dann, wenn man uns mit gleicher gegenseitiger Liberalität entgegen kommt, zu knüpfen. — Es ist kürzlich wieder verschiedentlich in den Zeitungen über einen nahe bevorstehenden Anschluß der Nordseestaaten gerüchtsweise gesprochen, aber gewiß ganz ohne Grund, und wir sprechen es als unsere bescheidene Meinung aus, daß ein solcher gar nicht zu erwarten steht, noch gehofft werden kann, so lange die Vertreter des Zollvereins sich nicht geneigt finden, an die Stelle seiner seitherigen nur einseitig fiscalen Tendenz, das allgemeine Interesse und die Förderung deutschen Handels zu setzen. Ohne dieses bestimmt ausgesprochene Endziel des allgemeinen Wohles, dürfte eine allgemeine Theilnahme für das Interesse Deutschlands weder wünschenswerth noch möglich sein. — Will man daher, wie wir es wohl annehmen dürfen, einen weiteren Anschluß, so schlage man ohne Weiteres den deutschen, d. h. den geraden Weg ein, denn mit den Umwegen, auf denen man bei den vielen Windungen sein Ziel nicht erkennen kann, ist es schon zu lange versucht, als daß davon noch etwas zu hoffen sein sollte!

☞ **Köln,** 20. Juni. Die Bürger des hiesigen Mittelstandes hatten es sich in den Kopf gesetzt, dem scheidenden Regierungspräsidenten von Gerlach eine Ehrenbezeugung zu veranstalten, da sie der Meinung sind, die Regierung habe diesen Beamten deshalb nach Erfurt versetzt, weil sie seine Popularität am Rhein nicht gern sähe. Man betrachtete die Versetzung als eine Degradations-Strafe, und suchte den Grund derselben besonders darin zu finden, daß Hr. von Gerlach im vorigen Sommer die bekannte Fahrt der Kölner nach dem Düsseldorfer Landtage nicht verhindert habe. In dieser Voraussetzung hielt man berathende Versammlungen in einem öffentlichen Weinhause, bei welcher Gelegenheit die widerstreitendsten Meinungen sich äußerten. Die gebildete Minorität sprach sich dahin aus: man müsse mit solchen Demonstrationen sparsam sein, und die Persönlichkeiten nicht von der Sache getrennt in's Auge fassen; die heißblütige Majorität wollte indeß ihr Feuer in einem Fackelzuge zu Ehren des Präsidenten aufflammen lassen. Jener soll aber von diesem selbst verboten oder verbeten worden sein, und man sucht sich nun mit einem Ehrenbecher auf Subscription zu begnügen. Wie schwierig es der Polizei zuweilen ist, den entschiedenen Willen der hiesigen kräftigen Bürgerschaft zu lähmen, zeigt sich auch bei dieser Gelegenheit. Die Anzeige einer Bürgerversammlung zu angegebenem Zwecke war vom Censor zurückgewiesen worden, und man soll sich nun ohne Weiteres zu dem Mittel entschlossen haben, durch die Straßen der Stadt einige Leute wandeln zu lassen, die an langen Stäben befestigte Tafeln mit der Inschrift trugen: „Versammlung bei K. – heute Abend 8 Uhr." Ungesetzlich kann diese Umgehung der Censur wohl kaum genannt werden, originell ist sie jedenfalls.

Im herkömmlichen Style wurde gestern dem Hrn. von Gerlach ein solennes Essen im Casinosaale gegeben. Der Anwesenden mochten an 180 Personen sein; viel Militair und Beamte, daneben Bürger aller Stände und auch zwei Advokaten. Nachdem der Oberbürgermeister, Hr. Steinberger den üblichen Trinkspruch auf den König ausgebracht, wurde „Heil Dir im Siegerkranz" gesungen. Dann erhob sich Hr. Justizrath Holthoff und sprach einige herzliche Worte zu Ehren des Scheidenden, die von diesem dankend beantwortet wurden. Am heutigen Abend wird die Gesellschaft „Meisterschaft" in Verbindung mit dem „Männergesang-Verein" dem Präsidenten ein Ständchen bringen, und ihm das Diplom als Ehrenmitglied des Vereins überreichen.

Die schlesische Arbeiter-Revolte hat tiefen Eindruck gemacht. Dies traurige Ereigniß wird den socialen Erlösungstheorien, die in mehreren rheinischen Blättern geistreiche Vertheidiger finden, unbedingtere Geltung als bisher verschaffen, da es auf so unwidersprechliche Weise nicht allein die Entartung unsres deutschen Industriewesens, sondern auch die kläglichen Zustände der Gesellschaft im Allgemeinen, namentlich die klaffende Spaltung zwischen Kapitalisten und Proletariern zeigt. Auffallend erschien es, daß die hiesige Zeitung einige Tage lang über die schlesischen Unruhen nichts Anders mittheilte, als was die Allg. Preuß. Ztg. brachte, während benachbarte Blätter ausführliche Privatmittheilungen enthielten. Der Grund hiervon beruhte in einem Verbot der Regierung, das auf telegraphischem Wege von Berlin anlangte. Seit den letzten Tagen scheint indeß diese Maaßregel aufgehoben, da nun auch die Kölnische mehrere gediegne, im socialistischen Geiste geschriebene Artikel von Berlin rc. über den Arbeiteraufruhr brachte. Beachtenswerth ist, daß die Expedition im gestrigen Blatte eine Geldsammlung „für die armen Hinterbliebenen der bei den jüngsten unglücklichen Ereignissen gefallenen schlesischen Weber" eröffnete. —

Die Elberfelder Zeitung ist seit Mitte dieses Monats in einem größern Format erschienen, und Hr. Rave hat bereits zu redigiren angefangen. In No. 168 erhalte ich von demselben eine „orthopädische Dressur" wegen meiner Notiz über ihn in No. 141 dieses Blattes. Hr. Rave behauptet, daß er an Se. Excellenz den Kultusminister noch nie eine Zeile geschrieben, geschweige ein christlich-politisches Glaubensbekenntniß abgelegt habe. Er fragt: „wozu auch ein solches Ding?" Er sei nicht erst gestern „in die Worte und Phrasen spinnende, raspelnde, haspelnde Fabrik, Journalismus genannt" gekommen. Seit 12 Jahren sitze er an einem Stuhle(!) derselben und webe, wenn auch nicht so geschickt, doch sicher so emsig als irgend ein „Großspinner (!)" der jungen Presse. Während dieser Zeit habe er über die verschiedenartigsten Gegenstände mit selbstständigem Urtheile gesprochen und der Regierung täglich Richtschnur und Maßstab seiner Grundsätze und Gesinnungen gegeben (sic!). Im Beginne der Rheinischen Zeitung sei er nicht blos Uebersetzer gewesen, er sei es überhaupt nie gewesen, denn er habe „alle Artikel der auswärtigen Politik selbstständig behandelt, und im Anfange eigene Aufsätze geliefert." Als aber später, fährt er fort, die Rhein. Ztg. immer mehr die Richtung nach dem religiösen, philosophischen und politischen Nihilismus einschlug, machte er ihr seine Verbeugung, und — erklärte ihr, daß eben seine politisch-religiöse Ueberzeugung ihm nicht erlaube, als urtheilendes Mitglied weiter mit ihr zu gehen. Von da an habe er nur die Blätter des Auslandes bearbeitet. Ist dies Geständniß allerdings rührend, so wirkt das folgende wahrhaft erschütternd. Hr. Rave äußert nämlich:" Ich bin ein ältlicher Mann, sagt Ihr? Ach, leider! Ich habe meine guten 40 Jahre. Wollte Gott, ich könnte 10 davon der jungen Presse, die mitunter so rücksichtslos in's öffentliche Leben tanzt, als gäbe es für sie keine Möglichkeit, einen Fuß zu verrenken, abgeben. Nach den dreißiger Jahren wächst der Verstand des Menschen nicht sonderlich mehr ... „Nachdem ich dieß gelesen, muß ich aufrichtig bedauern, Hrn. Rave einen ältlichen Mann genannt zu haben; das Entgegengesetzte wäre richtiger gewesen. Zu diesem Bedauern gesellt sich aber unwillkührlich noch ein zweites verschiedenartiges, nämlich, daß es möglich ist, in den Rheinlanden, deren politische Bildung so rasch fortschreitet, einen Redacteur bei einem öffentlichen Blatte angestellt zu finden, dessen Verstand, wie er selber behauptet, nunmehr fast stille steht.

Köln, 22. Juni. Durch Reskript des königl. General-Prokurators ist nun auch das Barreau in Kenntniß gesetzt worden, daß durch allerhöchste Cabinetsordre vom 15. Mai letzthin sämmtlichen Justizbeamten, insbesondere den Advokaten und Notarien, jede Theilnahme an ausländischen Berathungs-Vereinen, namentlich aber die Theilnahme an der „mainzer Advokaten-Versammlung" untersagt sei. — (K. Z.)

— 19. Juni. Der Erzbischof von Köln, Clemens August Frhr. v. Droste-Vischering, beabsichtigt eine Reise nach Rom zu machen. Dem Vernehmen nach hat er schon nach Berlin geschrieben um einen Ministerialpaß zu verlangen. (D. Z.)

Von der **Wupper,** vom 19. Juni. Man erzählt sich hier, daß von höchster Stelle ein außerordentliches Interesse an der in diesem Herbste zu Berlin Statt findenden Deutschen Gewerbe-Ausstellung bezeigt werde, und daß der König sogar die Absicht habe, am Schlusse derselben zu Ehren der Industrie ein ähnliches Fest den Ausstellenden zu geben, wie es in Paris geschehen. Die Ankündigungen von einzusendenden Gegenständen sollen eine glänzende Vertretung des Deutschen Gewerbfleißes jetzt schon außer Frage stellen. (Aach. Z.)

---

*) Nach den Zeitungsangaben ist der ganze Verdienst einer Weber-Familie von Mann, Frau und Kind in Schlesien jetzt nur 14 Sgr. pr. Woche! — Wie weit ist das vom Verhungern, und wo bleibt dagegen die sogenannte Noth in England, von der Herr Bülow-Cummerow so viel Aufhebens macht?

**) Nachdem wir Obiges geschrieben hatten, fanden wir in der A. P. Z. einen Aufsatz, der versucht, die Vertheidigung der Seehandlung als mit andern concurrirenden Selbst-Fabrikanten zu übernehmen. Wie oben gesagt, bezweifeln wir durchaus nicht die gute Absicht der Seehandlung bei ihren Unternehmungen, aber ohne uns auf die Particularien selbst einzulassen, die wir auch nicht zur Genüge kennen, vermögen wir nur bei unserer ausgesprochenen Meinung zu beharren, daß der Staat selbst nicht Handel treibend, sondern nur Handel fördernd sein soll.

Weser-Zeitung
Nr. 149 26. Juni 1844

Köln, 20. Juni. [. . .] Die schlesische Arbeiter-Revolte hat tiefen Eindruck gemacht. Dies traurige Ereignis wird den sozialen Erlösungstheorien, die in mehreren rheinischen Blättern geistreiche Verteidiger finden, unbedingtere Geltung als bisher verschaffen, da es auf so unwidersprechliche Weise nicht allein die Entartung unsres deutschen Industriewesens, sondern auch die kläglichen Zustände der Gesellschaft im allgemeinen, namentlich die klaffende Spaltung zwischen Kapitalisten und Proletariern zeigt. Auffallend erschien es, daß die hiesige Zeitung einige Tage lang über die schlesischen Unruhen nichts anderes mitteilte, als was die ›Allgemeine Preußische Zeitung‹ brachte, während benachbarte Blätter ausführliche Privatmitteilungen enthielten. Der Grund hiervon beruhte in einem Verbot der Regierung, das auf telegraphischem Wege von Berlin anlangte. Seit den letzten Tagen scheint indes diese Maßregel aufgehoben, da nun auch die ›Kölnische‹[25] mehrere gediegene, im sozialistischen Geiste geschriebene Artikel von Berlin über den Arbeiteraufruhr brachte. Beachtenswert ist, daß die Expedition im gestrigen Blatte eine Geldsammlung ›für die armen Hinterbliebenen der bei den jüngsten unglücklichen Ereignissen gefallenen schlesischen Weber‹ eröffnete[26].

Mannheimer Abendzeitung
Nr. 153 28. Juni 1844

Berlin, 22. Juni. Was wird die Regierung tun, um den armen Webern in Schlesien zu helfen und einem künftigen Aufstande derselben vorzubeugen? Diese Frage ist jetzt in aller Mund: aber niemand ist, der Antwort gibt. Man hört nur von der beabsichtigten strengen Untersuchung gegen die Aufrührer und der Bestrafung der Rädelsführer. Als ein Schriftsteller, der über diese Angelegenheit geschrieben hat und dessen Name in der letzten Zeit oft genannt worden ist, kürzlich zum Minister Arnim[27] kam, machte ihm dieser geradezu den Vorwurf, daß er das Volk aufgewiegelt habe. So befindet man sich also in dem alten Irrtum. Die Presse ist an allem schuld, Mirabeau[28], Sieyès[29] und die paar anderen Schreier und Skribenten haben die Französische Revolution gemacht. Durch strenge Strafen würde das Übel nur ärger gemacht. Dadurch bekämen die Weber erst, was ihnen jetzt fehlt, politisches Bewußtsein. Sie würden erfahren, wie grausam unser Kriminalrecht sei. Könnte jemand die Weber mit der ewigen Gefängnisstrafe schrecken wollen? Tausende von ihnen befinden sich in einer so elenden Lage, daß die Gefängnisse für sie ein Palast sind! Und daß die Gefängnisstrafe ewig dauern werde, daran glaubt niemand. [. . .]

Beilage zu Nr. 150
der privilegirten Schlesischen Zeitung
29. Juni 1844

Unsere nachstehende Erklärung ist von dem hiesigen Herrn Zensor am 15ten d. M. gestrichen, jedoch auf die von uns erhobene Beschwerde von dem Ober-Zensurgericht zum Druck verstattet worden, was wir zur Vermeidung von Mißdeutungen über die Verspätung vorausschicken wollen.

Erklärung

Noch tief gebeugt von dem furchtbaren Schlage, der uns am 5ten d. M. aus heiterem Himmel getroffen, müssen wir mit schmerzlicher Entrüstung vernehmen, daß sich lieblose Gerüchte jetzt an die Ehre unseres Namens – wie jene zerstörungswütige und räuberische Rotte an unser Eigentum, die Frucht langjähriger, mühevoller Arbeit – wagen. Wir sollen, so heißt es, die Verteilung von Geld versprochen, damit begonnen, jedoch auf die Nachricht von der Ankunft des Militärs innegehalten und somit den Angriff der durch die Täuschung Gereizten gegen unser Etablissement gewissermaßen selbst verschuldet haben; ja, man geht so weit, unsern Schwager, den Pastor Seiffert, als denjenigen zu nennen, der uns die erwähnte Nachricht gebracht und den Rat, innezuhalten, erteilt habe.

Wir weisen das Gerücht als lügenhaft und verleumderisch zurück. Nahe bedroht durch die in Langenbielau eingedrungenen Frevler, riefen wir mit der Zusage einer Belohnung die Gutgesinnten zur Verteidigung unseres Eigentums auf. Die Verteilung des Geldes begann, aber die damit Beauftragten vermochten bald nicht mehr die einzelnen zu berücksichtigen. Eine unruhige, aufgeregte, sich fortwährend vergrößernde Masse drängte sich heran. Viele, die Geld empfangen hatten, traten mit neuem Begehr an sie, und, als sie in freundlichem Tone baten, die nötige Ordnung zu erhalten, weil sie sonst nicht jedem gerecht werden könnten, stürzte sich plötzlich die Masse mit Wutgeschrei auf sie, entriß ihnen das Geld und zwang sie mit Mißhandlungen zur

schleunigen Flucht. Dies ist die Tatsache, welche jetzt von einem tückischen Gerüchte zur Folie benutzt wird, und hiernach ist besonders die zu Mißdeutungen leicht Anlaß gebende, auch bei andern Punkten durchaus ganz unrichtige Darstellung der ›Allgemeinen Preußischen Zeitung‹[30] zu berichtigen. Wir unterfangen uns nicht, die Motive der Ereignisse vom 4ten und 5ten hier untersuchen zu wollen. Aber imstande, mit gutem Gewissen zu sagen, daß wir uns niemals irgendeine Bedrückung, Härte oder Verkürzung gegen die 4000 Arbeiter, welche wir, zum Teil mit eigenen Opfern, für unser Etablissement bis jetzt beschäftigten, erlaubt haben und unausgesetzt bemüht waren, die vaterländische Industrie zu heben, wie auch bei den unglücklichsten Konjunkturen für den fleißigen und redlichen Arbeiter gute Arbeitslöhne zu erhalten – dürfen wir uns von jeder moralischen Verantwortlichkeit für das, was geschehen ist, freisprechen.
Breslau, den 15. Juni 1844

Die Brüder Wilhelm und Friedrich Dierig
in Langenbielau

Aachener Zeitung
Nr. 187 6. Juli 1844

Die ›Berlinische Zeitung‹ enthält folgende Erklärung: ›Um falschen Gerüchten und ferneren unrichtigen Aufsätzen in öffentlichen Blättern vorzubeugen, bringe ich hiermit zur öffentlichen Kenntnis, daß ich nicht die Weber bei dem Aufstande in Peterswaldau am 4. d. M. durch Geld beschwichtigt, auch selbige von mir keines verlangt haben, sondern der Zweck ihres Kommens zu mir war nur allein der, mir mitzuteilen, daß mir und meinem Eigentum nicht der geringste Schaden zugefügt werden sollte, indem sie zu jeder Zeit mit dem von mir für ihre Arbeit erhaltenen Lohne sowie auch mit der Behandlung zufrieden gewesen wären. Nur einige waren darunter, welche mich um Branntwein ansprachen; da ich aber mit diesem nicht genügen konnte und mochte, suchte ich selbige durch eine geringe Kleinigkeit an Geld zu befriedigen, wofür sie sich ein Glas Branntwein kaufen konnten, um nicht unter ihnen durch eine gänzliche Verweigerung eine Mißstimmung hervorzubringen.

Peterswaldau, den 27. Juni 1844

Friedrich Wagenknecht‹

Privilegirte Schlesische Zeitung
Nr. 156 6. Juli 1844

Bekanntmachung

Sobald der Landrat von Prittwitz-Gaffron, Reichenbacher Kreises, von den Exzessen in Peterswaldau Nachricht erhalten und sich an Ort und Stelle verfügt hatte, requirierte er sofort Militär aus Schweidnitz. Ein Detachement von 200 Mann unter dem Kommando des Majors Rosenberger traf am 5ten d. Mts. mittags zu Peterswaldau ein, wo die Plünderung aber schon erfolgt war. Als er sich demnächst mit 150 Mann nach Langenbielau begab, war das Haus der Kaufleute Hilbert und Andretzky daselbst schon geplündert. Am 6ten d. Mts. trafen des Herrn Ober-Präsidenten Exzellenz und der Herr General-Major v. Staff, welchem das Kommando über die zusammengezogenen und noch heranzuziehenden Truppen übertragen war, in der Gegend des Aufruhrs ein. Auch war die von Schweidnitz herbeigerufene Verstärkung, 6 Kompanien Infanterie mit einer Batterie von 4 Kanonen, angekommen. Schon in der vierten Morgenstunde dieses Tages wurde unter Zurücklassung eines Kommandos in Peterswaldau Langenbielau militärisch besetzt. In dem letztern, sehr ausgedehnten, von mehr als 12 000 Menschen, die sich großenteils von Baumwollenweberei ernähren, bewohnten Dorfe herrschte an diesen und den nächstfolgenden Tagen eine große Aufregung, indem sich fortwährend Haufen sammelten, der größte Teil der Weber und sonstigen Handwerker die Arbeit eingestellt hatte und mit ihren beutelustigen Frauen und Kindern in der Umgegend herumzogen und durch ihre Annäherung Schrekken unter den Fabrikanten verbreiteten, auch alle Achtung vor dem Gesetz und den Behörden aus den Augen setzten.

Es gelang indes in wenigen Tagen, die Ruhe wiederherzustellen, indem die am meisten aufgeregten Ortschaften Langenbielau, Peterswaldau und Leutmannsdorf militärisch besetzt und die ganze Gegend mit Truppen dergestalt überzogen wurde, daß neue Zusammenrottungen nicht unbemerkt bleiben konnten, an den bedrohten Orten schleunige Hilfe eintraf, und die Überzeugung geweckt wurde, daß der Staat auf jede Weise die Unruhen zu unterdrücken entschlossen und bereit wäre. Dabei wurden in den unruhigen Ortschaften starke Sicherheitswachen aus Mitgliedern der Gemeinden organisiert, welche sich möglichst in Verbindung setzten und Tag und Nacht patrouillierten.

Die ermittelten Rädelsführer und strafbarsten Teilnehmer des Aufruhrs sind unter Mitwirkung des Militärs verhaftet und nach Schweidnitz transportiert. Die Zahl der seitens der Polizei Verhafteten beträgt gegen 70. In Gemäßheit der Verordnung über das Verfahren bei Untersuchungen wegen Aufruhrs und Tumultes vom 30sten September 1836, hat das hiesige Königliche Ober-Landesgericht eine Untersuchungs-Kommission ernannt, welche in Schweidnitz seit dem 10ten d. Mts. mit Führung der Untersuchung beschäftigt ist und seinerzeit in betreff der rechtskräftig Verurteilten das Erkenntnis öffentlich bekanntmachen wird.

Neuere Exzesse sind bis heute nicht zu unserer Kenntnis gelangt. Auch liegen uns noch keine sicheren Nachrichten darüber vor, daß die Zahl der infolge des Aufruhrs arbeitslos Gewordenen erheblich wäre. Selbst diejenigen Fabrikanten, welche sehr bedeutende Verluste zu beklagen haben, beschäftigen ihre Arbeiter wieder.

Zur sofortigen Unterdrückung etwaiger fernerer Unruhen befindet sich noch eine angemessene Militärmacht in Reichenbach.

Über die eigentlichen Ursachen der stattgehabten aufrührerischen Bewegungen, Zerstörungen und Plünderungen sowie die ferneren Folgen davon für die Fabrikanten und die seither von ihnen beschäftigten Arbeiter kann man bis jetzt nur Vermutungen haben. Auch läßt sich der bedeutende Wert des vernichteten und geraubten Eigentums mit Sicherheit nicht angeben. Ein allgemeiner Notstand hat sich bei den Webern jener Gegend keineswegs eingefunden; es fehlte ihnen im ganzen nicht an Arbeit, und ihr Lohn reichte zur Bestreitung ihrer notwendigsten Lebensbedürfnisse aus.

Insbesondere fanden fleißige und geschickte Weber, bei gutem Betragen und Sparsamkeit, stets ihren Lebensunterhalt, zumal die gewöhnlichen Lebensbedürfnisse bisher keineswegs ungewöhnlich hoch waren. Auch konnten Tagearbeiter bei ländlichen Beschäftigungen in der Regel Verdienst finden. Die Hauptschuldigen sind größtenteils Menschen, die im Rufe der Liederlichkeit standen.

Breslau, den 28. Juni 1844

Königliche Regierung Abteilung des Innern

Vorwärts!
(Paris)
Nr. 54 6. Juli 1844

Die Weber am Riesengebirge im Juni 1844

Im Königreiche des schwarzen einköpfigen Adlers ging alles herrlich! Seit Jahren schon wurden die ›unbequemen‹ Redner und Schriftsteller zur Ruhe gebracht oder verbannt; die ›unangenehmen‹ Geistes-Produkte noch vor dem Drucke erwürgt oder doch bald nach demselben polizeilich eingesteckt oder in den Papier-Mühlen ›auf höchsten Befehl‹ eingestampft. Die Zeitungen priesen täglich das unnennbare Glück des Volkes und seufzten pflichtschuldigst recht oft über die ›bösartigen Leute‹, welche ein bißchen mißvergnügt zu sein wagten. Allwöchentlich lasen die erstaunenden Untertanen des angedeuteten Reiches, daß die Staatsschuld vermindert, die Steuer erniedrigt, Kirchen auf Kirchen gebaut, alte Dome ausgebessert, die Soldaten frisch eingekleidet, rote Adler mit und ohne Laub ausgeteilt, neueste Museen neben den neuen gegründet, Adelsdiplome ausgeteilt wären. Sie lasen mit steigender Rührung, wie fromm christlich sie selber gemacht werden, die königlichen Kammer-Junker dreifache Löhnung, und wie sie, die bürgerlichen Bewohner des Landes, vor dem geheimen Gericht väterliche Stockschläge bekommen sollten. Ja, man las sogar in jenen Reichs-Annalen, daß viele nie gesehene und nie gehörte Schauspiele und Musikfeste, für den der Geld habe, aufgeführt und etliche Millionen Taler dazu aus dem Staatsschatz genommen würden. Um den Luxus des Hofes geschmackvoll im großen zu betreiben, waren die geeignetsten Anstalten getroffen: dadurch – so lehrten die weisen Zeitungen und die hohen Beschützer derselben – werde den Arbeitern Verdienst gegeben und dem lästigen Übel des Volks-Elends ›von oben herab‹ weit vorgebeugt. Übrigens baute man viele Eisenbahnen, um armes Gesindel zu beschäftigen und von bösen Gedanken abzuhalten, wie auch um die Reichen friedfertig (in der Angst um ihre Prozentchen) zu bewahren. Auch stach die schwarze Adlerflotte in See (bestehend aus einem Kriegsschiffe), um der Welt Respekt vor dem Adler einzuflößen. Alle Kanzeln rauschten vom Lobe der hohen Regierung, alle Schullehrer mußten ihren Schülern Lobpredigten auf selbige einbleuen, und wenn ein alberner Professor dagegen zweifelte, so jagte man ihn fort ›mit allerhöchster Bewilligung‹. Welche Nation war demnach glücklicher als die in Rede stehende? [. . .]

Da, im Juni 1844, zu Peterswaldau und Langenbielau in Schlesien, standen eines Tags fünftausend Weber – Stöcke, Messer, Steine in den magern Händen – und lieferten einigen Bataillonen Soldaten eine wütende Schlacht! Und sie räumten in den Palästen ihrer Fabrikfürsten auf, und vertilgten die Schuldbücher und die Kreditbriefe, aber sie stahlen nicht und betrogen nicht! Die Arbeiter in Breslau und die Schiffer in Glun sprangen auch in die Höhe und setzten sich erst, als ihnen die Reiterknechte auf die Köpfe säbelten. – Der Adler aber erschrak.

Das geschah im ›glücklichen‹ Reiche? 1844? Ei, da haben entweder die Zeitungen vorher zuviel Rühmens gemacht vom dortigen Glücke, oder die fünftausend Weber sind toll. O nein, sie sind bei Verstande! Die Sache ist sehr einfach: Diese Fabrikarbeiter hungerten teils leiblich, teils quälte sie geistiger, tiefster Kummer ob der unseligen Lage, zu der sie der böse, heutige Zustand verdammt hatte. [. . .]

Mit einem Worte: Zum ersten bedeutenden Male auf vaterländischem deutschen Boden, im sonst so stillen, gemütlichen Schlesien, ist ein Vorbote der sozialen Umänderung aufgetaucht, der die Welt unaufhaltsam im erhabenen Entwicklungsmarsche der Menschheit entgegenwandelt. – Laßt uns nicht den Stein werfen auf diese Fabrikfürsten als Personen; sie sind erzogen in dem alten verderbten Zustande der Verhältnisse. Wohl wissen wir, daß auch oft sie der Konkurrenz erliegen und daß Geist und Herz und Vernunft ihnen längst umnebelt, ja ausgelöscht sind durch die Zaubergewalt des Weltgespenstes, des Geldes. Aber unser ganzes Leben sei geweiht fortan, den Mitbürgern zu beweisen, daß, solange Privathabsucht, Monopol, falsche Wertung des Menschen und der Gegenstände, kurz, solange die Nationalökonomie im alten Schlendrian bleibt, keine menschliche wahre Gesellschaft möglich ist.

Deutsche Allgemeine Zeitung

Nr. 189 7. Juli 1844

Aus Schlesien, 3. Juli. [. . .] Man hat uns erzählt von der Hungersnot im schlesischen Gebirge, von der Not der Weber überhaupt, von den Bedrückungen, die Kaufleute und Fabrikanten sich gestattet haben, man hat ungescheut einzelne Tatsachen angeführt, sich auf dieselben berufen, und diese Tatsachen haben bei näherer Untersuchung sich als falsch ergeben. Man hat uns nicht erzählt, wie die Unredlichkeit vieler Spinner und Weber seit länger als einem halben Jahrhundert ebensoviel wie ihre Ungeschicklichkeit dazu beigetragen hat, sie zugrunde zu richten. Es ist alles geschehen, das Volk in dem Wahne zu erhalten, ihre Leiden seien unverschuldet, ihre Beschäftiger hat man verdächtigt und dadurch mittelbar zu Haß und Aufreizung getrieben. Die Stimmen, die sich gegen diese Ansichten erhoben, wurden entweder in dem allgemeinen Lärm überhört oder überschrien. Es ist von jener Seite nichts geschehen, dem Volke zu sagen: Raffe dich auf aus deiner Trägheit, deinem Stumpfsinn, schaue um dich, rühre die Hände, gebrauche den Kopf, denke nach. Es ist nichts geschehen, ihm zu sagen, daß es schädlich sei, zu saufen und zu liedern, in wilder Ehe zu leben und wenig zu arbeiten, daß es schmachvoll sei, anzuklagen andere, und nicht auf sich selbst zu schauen. Die ihr geschrieben habt über die Not in unsern Bergen, habt ihr wirklich geschrieben infolge unmittelbarer Anschauung, habt ihr gründlich und gewissenhaft untersucht, ob diese Not in Wahrheit in dem von euch bezeichneten Maße stattfand, und wenn, ob die von euch bezeichneten Motive die alleinigen gewesen sind? Gerade weil wir nicht lichtscheu sind, weil wir die höchste Achtung vor der freien Presse haben und sie nicht herabgewürdigt sehen wollen zur Dienerin der Schmeichelei und der Verleumdung, gerade deshalb sagen wir aus vollster Überzeugung, daß die Tagespresse, welche sich mit der Darstellung der Weberverhältnisse beschäftigte, zum großen Teil Übertreibungen, halbwahre, unwahre Tatsachen brachte. [. . .]

Peterswaldau mit evangelischer Kirche

Langenbielau-Oberstadt im Eulengebirge

Privilegirte Schlesische Zeitung
Nr. 157 8. Juli 1844

Die neueste Nr. 6 des Ministerial-Blatts für die gesamte innere Verwaltung enthält [. . .] nachstehende königl. Kabinetts-Ordre: ›Ich habe wahrgenommen, daß den verwahrlosten oder der nötigen Aufsicht entbehrenden Kindern, den durch Krankheit oder andere Unglücksfälle in Hilfsbedürftigkeit geratenen Armen, den entlassenen, der Besserung fähigen Verbrechern etc. an sehr vielen Orten nicht diejenige Fürsorge gewidmet wird, welche dringend notwendig ist, um den großen Übeln zu steuern, welche aus der Vernachlässigung der Jugend in den niedern Volksklassen, dem Pauperismus und der Hilflosigkeit entlassener Sträflinge etc. hervorgehen. Abhilfe ist hier nur durch Vereinigung vieler, aus innerem Antriebe wirkender Kräfte zu beschaffen, und es ist daher Mein Wille, daß die mit der Verwaltung und Beaufsichtigung des Armenwesens beauftragten Behörden die Förderung und Unterstützung von Vereinen, die zu jenen Zwecken freiwillig zusammentreten, auf alle Weise sich angelegen sein lassen, und dieses hinführo als eine ihrer Amtspflichten erkennen. In welcher Weise die Bildung solcher Vereine am wirksamsten durch die Behörden zu fördern und deren Tätigkeit mit sicherem Erfolge auf diesen Zweck hinzuleiten ist, darüber will ich Ihre gutachtlichen Vorschläge möglichst bald erwarten. Inzwischen haben Sie die Chefs der Provinzialbehörden von Meiner Willensmeinung vorläufig in Kenntnis zu setzen und dieselben aufzufordern, diese Angelegenheit zum besonderen Gegenstand ihrer Aufmerksamkeit und Bestrebungen zu machen, und kräftigst dahin zu wirken, daß dort, wo es an dergleichen Vereinen jetzt noch mangelt, solche baldigst durch Ihr Beispiel und Ihre Ermunterung ins Leben gerufen werden.
Sanssouci, den 13. Nov. 1843. Friedrich Wilhelm.
An die Staatsminister Eichhorn[31] und Grafen v. Arnim.‹

Allgemeine Zeitung
(Augsburg)
Nr. 197 15. Juli 1844

Aus Schlesien, 9. Juli. Man ist von einigen Seiten geneigt, die vor kurzem vorgekommenen bedauerlichen Ereignisse in Langenbielau und Peterswaldau kommunistischen Umtrieben zuzuschreiben, ist aber damit im Irrtum. Eine kurze und wahre Darstellung der Lage der Sachen wird zeigen, daß der Aufstand völlig improvisiert war. In den genannten beiden und einer Anzahl anderer Dörfer des Reichenbacher Kreises ist die Baumwollenweberei eine der Hauptbeschäftigungen der sehr zahlreichen Bevölkerung. Die allerwenigsten dieser Weber arbeiten auf eigene Rechnung, sondern die Mehrzahl bekommt die Garne von den Fabrikanten und erhält einen festgesetzten Lohn. Die letzten Jahre ging das Geschäft zwar ziemlich schwunghaft, erlitt aber zwischendurch Stockungen, von denen die Fabrikanten Veranlassung nahmen, den Lohn herabzusetzen. Mittlerweile wuchs die Zahl der Weber von Jahr zu Jahr und es entstand ein Drängen nach Arbeit, das den Fabrikanten es leichter machte, den Arbeitslohn beliebig zu verkürzen. Gerade in der neuesten Zeit ging es mit dem Geschäft recht gut, dennoch fand nicht nur keine Erhöhung dieses Lohns statt, sondern einzelne Fabrikherren wiesen die Weber, wenn sie eine solche in Anspruch nahmen, mit schroffen Reden zurück. Ein Fabrikant in Peterswaldau, in dessen Haus großer Luxus herrschte, trieb es, so wie seine Kommis, besonders weit. Er verhöhnte die Weber, wenn sie ihre Not und ihr Elend darstellten. So füllte er das Maß bis zum Überfließen, und es brach gegen ihn der erste Sturm der Verzweiflung los. Ähnlich wie mit diesem war es bei einigen Fabrikanten in Bielau; daher, als man von den Vorgängen in Peterswaldau hörte, auch hier die Masse in Gärung geriet. Neben jenen Bezeichneten gibt es aber in den beiden Dörfern noch eine Menge andere, welche ihre Geschäfte zwar nicht so umfangreich betreiben, aber dennoch auch Tausende von Arbeitern beschäftigen. Diese hatten sich der Härte weniger schuldig gemacht, ja mehrere derselben standen bei ihren Webern so in Gunst, daß diese ihnen während des Aufruhrs Sicherheitswachen stellten und ihnen auch nicht das mindeste versehren ließen. Daß einzelnes liederliches Gesindel die Gelegenheit zum Plündern benutzte, darüber wird man sich nicht wundern, sowenig als darüber, daß Meuterer das Feuer zu schüren bemüht waren.

Paris, 1844. **Nr. 64.**

Abonnements-Preise

in Paris:

Ein Jahr.	24 Francs.
Sechs Monate. . . .	13 „
Drei Monate. . . .	8 „

Auswärts:

Ein Jahr.	28 Francs.
Sechs Monate. . . .	15 „
Drei Monate. . . .	9 „

—

Insertionen: die Zeile à 50 Centimes.

—

Man abonnirt:

für Paris:
im Bureau central pour l'Allemagne, rue des Moulins, 17, und in der Buchhandl. von Jules Renouard et Cie, rue de Tournon, 6;
in den Departements:
bei allen Postämtern und Messagerien;
Deutschland, Schweiz, England:
in allen Buchhandlungen;
Belgien:
bei den Messagerien;
Nord-Umerika:
bei den Herren Eichthal und Bernhard, Spruce-Street, Nr. 3, in New-York.

—

Erscheint Mitwoch und Sonnabends.

—

(Sonnabend.) **Pariser Deutsche Zeitschrift.** (10. August)

Vom 1sten Juli d. J. an hat Herr C. F. Bernays die Redaction des „Vorwärts" übernommen und wird es von nun an auch unterzeichnen.

Kritische Randglossen

zu dem Artikel

„Der König von Preußen und die Socialreform Von einem Preußen."

(„Vorwärts" Nr 60.)

Von Karl Marx.

nenden deutschen Bewegung vergleichen. Er versäumt dies, Sein Raisonnement läuft daher auf eine Trivialität hinaus, etwa darauf, daß die Industrie in Deutschland noch nicht so entwickelt ist wie in England, oder daß eine Bewegung in ihrem Beginn anders aussieht, als in ihrem Fortschritt. Er wollte über die Eigenthümlichkeit der deutschen Arbeiter-Bewegung sprechen. Er sagt kein Wort über dies sein Thema.

Der „Preuße" stelle sich dagegen auf den richtigen Standpunkt. Er wird finden, daß kein einziger der französischen und englischen Arbeiter-Aufstände einen so theoretischen und

mannsbücher, die Titel des Eigenthums, und während alle andern Bewegungen sich zunächst nur gegen den Industrieherrn, den sichtbaren Feind kehrten, kehrt sich diese Bewegung zugleich gegen den Banquier, den versteckten Feind. Endlich ist kein einziger englischer Arbeiter-Aufstand mit gleicher Tapferkeit, Überlegung und Ausdauer geführt worden.

Was den Bildungsstand oder die Bildungsfähigkeit der deutschen Arbeiter im Allgemeinen betrifft, so erinnere ich an Weitlings geniale Schriften, die in theoretischer Hinsicht oft selbst über Proudhon hinausgehn, so sehr sie in der Ausführung

Vorwärts!
(Paris)
Nr. 64 10. August 1844

Am 27. Juli 1844 erschien in dem Pariser Exil-Organ ›Vorwärts!‹ ein Artikel unter der Überschrift ›Der König von Preußen und die Sozialreform‹. In ihm wertete der Junghegelianer Arnold Ruge (1802–1880), der noch Anfang 1844 zusammen mit Karl Marx die ›Deutsch-Französischen Jahrbücher‹ herausgegeben hatte, die schlesischen Unruhen als eine lokale Hunger-Revolte, die kaum geeignet sei, die Herrschenden in Preußen zu erschrekken. Mit zwei langen Artikeln im ›Vorwärts!‹ vom 7. und 10. August 1844 vollzieht Marx den ideologischen Bruch mit Ruge und gibt seine knappe Deutung des Weberaufstands.

Kritische Randglossen zu dem Artikel
›Der König von Preußen und die Sozialreform.
Von einem Preußen‹

Von Karl Marx

[...]
Der ›Preuße‹ stelle sich dagegen auf den richtigen Standpunkt. Er wird finden, daß *kein einziger* der französischen und englischen Arbeiter-Aufstände einen so *theoretischen* und *bewußten* Charakter besaß wie der schlesische Weberaufstand.

Zunächst erinnere man sich an das *Weberlied*, an diese kühne *Parole* des Kampfes, worin Herd, Fabrik, Distrikt nicht einmal erwähnt werden, sondern das Proletariat sogleich seinen Gegensatz gegen die Gesellschaft des Privateigentums in schlagender, scharfer, rücksichtsloser, gewaltsamer Weise herausschreit. Der schlesische Aufstand *beginnt* gerade damit, womit die französischen und englischen Arbeiter-Aufstände *enden*, mit dem Bewußtsein über das Wesen des Proletariats. Die Aktion selbst trägt diesen *überlegenen* Charakter. Nicht nur die Maschinen, diese Rivalen des Arbeiters, werden zerstört, sondern auch die *Kaufmannsbücher*, die Titel des Eigentums, und während alle andern Bewegungen sich zunächst nur gegen den *Industrieherrn*, den sichtbaren Feind, kehrten, kehrt sich diese Bewegung zugleich gegen den Bankier, den versteckten Feind. Endlich ist kein einziger englischer Arbeiter-Aufstand mit gleicher Tapferkeit, Überlegung und Ausdauer geführt worden.

[. . .]

Weser-Zeitung
Nr. 203 28. August 1844

Breslau, 17. August. Gönnen Sie mir in Ihrem auch hier sehr geachteten Blatte ein Plätzchen, wo ich mich über unsere Zustände frei und unverhohlen aussprechen darf. Zunächst ein Wort über die Presse! Der aufmerksame Beobachter wird schon längst zwischen preußischer und schlesischer Presse unterschieden und gesehen haben, daß unsere Zeitungen, wie Aschenbrödel in der Ecke kauernd, an harten Brotrinden nagten, während ihre Schwestern, die rheinischen z. B., noch hier und da einen gesunden kräftigen Bissen erwischten. In der Tat, wir sind wieder in dem Jahre 1839, wo wir von Glück sprechen konnten, wenn ein auf das Inland Bezug habender Artikel der Staatszeitung unverstümmelt den Händen des Zensors entschlüpfte. Der erste verkrummte Weberarm, der sich gegen das Eigentum des Herrn Zwanziger erhob, hat Schlesien die Gleichberechtigung mit den übrigen Provinzen des preußischen Staates geraubt und uns einer Spezialverwaltung anheimgegeben, um die wir nicht zu beneiden sind. Der Ober-Präsident, Herr v. Merckel, hatte schon längst mit Mißbilligung auf den Eifer gesehen, mit dem sich unsere Presse der armen Spinner und Weber annahm, man sagt, weil er mit eifersüchtelnder Beharrlichkeit die seiner Obhut anvertraute Provinz dem Könige als ein Eldorado geschildert. Als nun aber jene tragischen Szenen im Gebirge vorfielen, mußte er, um bei seiner Meinung zu bleiben, einen Grund auffinden, der diese Katastrophe veranlaßt haben könnte. Natürlich war es die Presse. Sogleich verordnete er die Verstopfung dieser Quelle wenigstens für so lange Zeit, bis seine in einem detaillierten Berichte niedergelegte Meinung von oben her konzessioniert würde. Vom Wagen aus, der ihn nach dem Orte der Exzesse tragen sollte, dekretierte er verschärfte Zensur, und so ist es geblieben bis auf den heutigen Tag. Wenn man bis jetzt aber bloß vermutet, daß man in Berlin sich zu der v. Merckelschen Ansicht bekannt und für Schlesien Spezial-Zensurinstruktionen gegeben habe, so ist es jetzt außer allem Zweifel. Einem hiesigen Publizisten war ein Artikel vom Zensor gestrichen worden, der einige soziale Fragen behandelte. Das für den Verfasser günstige Erkenntnis des Ober-Zensurgerichts kam aber zu einer Zeit an, wo die Weberunruhen schon ausgebrochen waren. Der Zensor strich den Artikel also noch einmal. Heute, also ungefähr nach 2 Monaten, ist das abermalige Erkenntnis des Ober-Zensurgerichts auf die abermalige Beschwerde des Verfassers jenes Artikels eingegangen und lautet zugunsten des Zensors. Es heißt darin, daß nach Art. X. des Edikts vom 18. Oktober 1819[32] die Erlaubnis zum Druck nur auf ein Jahr gelte. Der Grund dieser Bestimmung sei, daß die Beurteilung über Zulässigkeit des Abdrucks durch die jedesmaligen Zeitumstände bedingt sei. Nun existiere aber eine Allerhöchste Ordre vom 14. Juli d. J., wonach ›Besprechungen von Gegenständen, welche die unteren Volksklassen gegen die höheren, die Armen gegen die Reichen aufzuwiegeln geeignet sein könnten, bis auf weiteres den in der Provinz Schlesien erscheinenden Zeitungen, Wochenblättern und Flugschriften gar nicht gestattet sein sollen‹. Wir sind dem Ober-Zensurgerichte dankbar, daß es uns über unsere Lage endlich Gewißheit verschafft hat.

Weser-Zeitung
Nr. 268 13. November 1844

Breslau, 7. Nov. (›Magdeburger Zeitung‹) Die Untersuchungs-Kommission des hiesigen Königl. Oberlandesgerichts, bestehend aus dem Oberlandesgerichtsrat Bergius, Oberlandesgerichtsassessor Weymar und Kammergerichtsassessor Pratsch, macht in der heutigen ›Breslauer Zeitung‹ das Ergebnis der Kriminaluntersuchung wider die Teilnehmer an den schlesischen Arbeiterunruhen im Juni d. J. bekannt.

1) In betreff des Tumults in Langenbielau sind 35 teils zu Festungs-, teils zu Zuchthausstrafe verurteilt worden, unter ihnen z. B. der Weber Burkhardt unter Versetzung in die 2. Klasse des Soldatenstandes, Verlust der Nationalkokarde und des National-Militärabzeichens, zu neunjähriger Festungsstrafe, der Weber Umlauf wegen Tumults zu achtjähriger Festungsstrafe, der Schuhmacher Rohleder unter Versetzung in die zweite Klasse etc. zu siebenjähriger Festungsstrafe, der Weber A. Winkler wegen Tumults zu 6½jähriger Zuchthausstrafe und 30 Peitschenhieben, der Weber Herford wegen Tumults und großen Diebstahls unter Verlust der Nationalkokarde zu 6jähriger, der Weber Franke ebenfalls zu 6jähriger Zuchthausstrafe, noch 3 wegen Tumults zu 6jähriger Festungsstrafe, 5 zu 5jähriger, 6 zu 4½ bis 4jähriger, 12 zu 3½ bis 3jähriger Zuchthaus- oder Festungsstrafe, 4 zu 2½jähriger Zuchthaus-, 1 zu 1jähriger Festungsstrafe.
2) In betreff des Tumults zu Peterswaldau wurde ebenfalls gegen 35 erkannt, von denen 2 zu 5jähriger Zuchthaus- oder Festungsstrafe, 3 zu 4jähriger Zuchthausstrafe, 16 zu 3½ bis 5jähriger Zuchthaus- oder Festungsstrafe, 9 zu 2¼ bis 2jähriger Zuchthaus- oder Festungsstrafe, 2 zu 1jähriger Zuchthausstrafe, die übrigen 4 zu milderen Strafen verurteilt wurden.
3) In betreff des Tumults zu Friedersdorf wurden 11 verurteilt. Die höchste Strafe bestand wegen Tumults und Diebstahls unter Verlust der Nationalkokarde in 6jähriger Zuchthausstrafe und

20 Peitschenhieben, die geringste wegen Tumults in 1½jähriger Zuchthausstrafe.

4) In betreff des Tumults in Leutmannsdorf wurden von 6 Angeklagten 2 wegen Aufruhrs zu 4jähriger, 1 zu 3jähriger, 1 zu 2½jähriger und 2 zu 2jähriger Zuchthausstrafe verurteilt.

Vorwärts!
(Paris)
Nr. 95 27. November 1844

Vierundzwanzig Peitschenhiebe und zehn Jahre Schanzarbeit[33]

So lautet das bekannte Urteil des Königl. Kriminalgerichtes zu Breslau gegen die Rebellen von Peterswaldau. Wenn eine Epoche dem Grabe zueilt, samt allen ihren Einrichtungen und Gesetzen, samt ihrer Religion und ihrer Moral, dann bäumt sie sich noch mehrmals wild empor in ganzer Scheußlichkeit, dann schleudert sie wütiger als je ihre Strafverordnungen auf die Personen, welche als Vorläufer der neuen Zeit Bahn brechen wollen. Es hat wieder einmal sich aufgerichtet, das blutbespritzte preußische Landrecht, das greise sündige Ungeheuer, und hat sich an Menschen und Menschenblut gelabt.

Vierundzwanzig Peitschenhiebe und zehn Jahre Schanzarbeit . . . Wißt Ihr, was das heißt? Seht Ihr in oder bei den königlichen preußischen Festungen ersten Ranges ein Rudel menschenähnlicher Gestalten auf brennender staubiger Chaussee, im Wassergraben, im Straßenkot, auf den Wällen die härteste, widerlichste Arbeit verrichten, die man nur Maschinen übergeben sollte, tragen sie eine schändlich doppelfarbige Kleidung, grün die eine, gelb die andere Hälfte von oben bis unten, ist ihr Hals in einen Ring geschlossen mit zwei weit hinragenden Eisenhörnern, schleppen sie Kette und Kugel am Fuß und marschieren Liniensoldaten mit geladenen Flinten nebenher: dann habt Ihr die preußischen Schanzverdammten vor Euch.

Vierundzwanzig Peitschenhiebe und zehn Jahre Schanzarbeit. – Wie das die tückischen Herzen der Regierungsknechte und der Kirchenbuben kitzeln muß! Sie reiben sich froh die Hände und blinzeln gen Himmel und sprechen mit Salbung: also geschehe allen, die Gott, König und Geld lästern.

Vierundzwanzig Peitschenhiebe und zehn Jahre Schanzarbeit! – Warum nicht lieber erschossen oder gehangen? Das wäre ›zu radikal‹, das wäre ›nicht christlich‹, das wäre ›aufregend‹, das wäre vor allen Dingen dreist. Aber Deutschlands Tyrannen sind feige Despoten, ebenso christlich wie ihre Untertanen.

Und wofür diese Strafe?

Dafür, daß sie durch die Fabrikfürsten in tiefste Verzweiflung gestürzt worden.

Dafür, daß ihnen endlich der Blick hell geworden, indem sie eingesehen, daß alle Menschen Brüder sind und gleich und gleiches Lebensrecht besitzen.

Dafür, daß sie den absoluten König höhnten, ihn, der fünfzehn Millionen für Theater und Kirchen verausgabt hat und sich einen Landesvater nennt.

Dafür, daß sie Eigentum und Geld aufgehoben wünschten, indem ihr einfacher Sinn richtiger sah als die aberwitzige Weisheit der Professoren und Priester.

Dafür, daß sie endlich selber Hand ans Werk legten und niederschmetterten, was ihnen als verworfen erschienen. Dafür vierundzwanzig Peitschenhiebe und zehn Jahre Schanzarbeit!

Die Proletarier Deutschlands haben hier eine Niederlage, aber nur zum Scheine, erlitten. Jene schlesischen Weber sind die verlornen Posten einer siegreichen Zukunft. Wie jedoch dieselbe sich bewerkstelligen möge, ob friedlich oder blutig, dieses wird von der Energie der friedlichen Propaganda abhängen und von dem Grade der Bereitwilligkeit, mit der die deutschen Privilegierten die Ohren öffnen. Bricht aber das Schlimmste herein*, dann könnte eine neue Frage entstehen, nämlich: Ob der kleine deutsche König das ganze große deutsche Proletariat, oder ob umgekehrt das deutsche Proletariat den deutschen König zu Peitschenhieben und Schanzarbeit verurteilen wird? Die Lösung dieses letzteren Dilemmas bleibt der Geschichte überlassen.

* Wir hoffen es nicht.

Telegraph für Deutschland
Nr. 165 Oktober 1844

Schreiben des Kommunistischen Arbeiterbildungsvereins in London[34] an den Redakteur[35] des ›Telegraphen für Deutschland‹

Geehrter Herr Redakteur!
Überzeugt von Ihren freisinnigen und gerechten Grundsätzen und aufgemuntert durch Ihre Teilnahme an dem traurigen Lose der arbeitenden Klassen, nehmen wir uns die Freiheit, Sie mit nachfolgender Bitte zu belästigen, und hoffen, daß Sie uns die Erfüllung derselben nicht versagen werden.

Als uns nämlich durch die deutschen Zeitungen die Nachricht von dem Arbeiteraufstande in Schlesien zukam und wir zu gleicher Zeit das furchtbare Elend kennenlernten, welches denselben hervorgerufen, konnten wir nicht anders, als den tiefsten und innigsten Anteil an dem Schicksale unserer unglücklichen Mitbrüder zu nehmen. – Wir konnten und mußten mit ihnen und für sie fühlen, denn auch wir stehen in ähnlichen Verhältnissen wie sie; auch unsere und unserer Familien Existenz hängt von der Laune eines Meisters ab, auch wir leben morgen von dem, was wir heute verdient haben; auch wir haben Hunger gelitten, ja wir leiden ihn oft noch!

Ja! Wir fühlten und fühlen tief, wir erkennen aber auch, daß bloßes Gefühl ohne Tat unfruchtbar und unnütz ist; denn das Gefühl ist nur schätzenswert, wenn es uns zum Handeln treibt. – Deswegen haben wir, eine Anzahl deutscher Arbeiter, eine Sammlung für die schlesischen Weber veranstaltet, deren Betrag von sechs Pfund Sterling wir Ihnen hierbei mit der inständigen Bitte übersenden, denselben womöglich an die Familien derjenigen gelangen zu lassen, welche entweder während der Unruhen geblieben sind oder jetzt infolge derselben im Gefängnisse schmachten. – Unser Scherflein ist klein, aber wir haben getan, was in unseren Kräften stand. Muß doch heutzutage der Arbeiter, wenn er seinen unglücklichen Mitbrüdern helfen will, es an seinen notwendigsten Bedürfnissen ersparen!

Der Grund aber, warum wir unseren Beitrag bloß für die Familien der Gebliebenen und im Gefängnis Schmachtenden bestimmen, ist: weil wir dieselben als die Märtyrer der heutigen schlechten Organisation der Gesellschaft betrachten.

Freilich können wir Unruhen wie die schlesischen und böhmischen nur beklagen, weil wir wohl einsehen, daß solche teilweise Aufstände nicht geeignet sind, unserem Stande diejenigen Rechte zu verschaffen, welche ihm gehören und welche er zu erlangen strebt; aber fern sei es auch von uns, unsere unglücklichen Brüder anzuklagen, selbst wenn sie uns Schaden bringen sollten. – Nein! Wir klagen die Gesellschaft an, die uns als Parias behandelt; die uns alle Lasten auferlegt, die uns keine Rechte gewährt; die uns dem Elend und dem Hunger preisgibt.

Ja, wir müssen und wollen unter allen Verhältnissen mit unseren Leidensgenossen sympathisieren, aber auch mit den Männern, deren Bestreben es ist, eine bessere soziale Organisation der Gesellschaft und insbesondere eine Organisation der Arbeit herbeizuführen. Mit Vertrauen blicken wir auf sie, welcher politischen Meinung, welchem Stande sie auch immer angehören mögen, und wünschen und hoffen, daß es ihrem Streben gelingen werde, die große Aufgabe des neunzehnten Jahrhunderts zu lösen – die Emanzipation der arbeitenden Klassen, des Proletariats. Wir von unserer Seite werden nichts fehlen lassen, um uns in den Augen der öffentlichen Meinung einer Emanzipation würdig zu zeigen. Wir haben bereits eingesehen, daß die bloße politische Umgestaltung eines Staates uns zu nichts dienen würde, als etwa von andern als unsern jetzigen Meistern ausgebeutet zu werden, und aus diesem Grunde sind uns auch alle die Männer fremd, deren Streben rein politischer Tendenz ist. – Uns ist es gleich, ob der Staat monarchisch, konstitutionell oder republikanisch ist, solange er sich nur auf Gerechtigkeit gründet.

Wir wollen uns endlich einmal aus dem Schlamme erheben, in welchem unser Stand schon seit so langer Zeit versunken ist: – nicht durch Gewalt, sondern durch Bildung unserer selbst, durch gute Erziehung unserer Kinder. Hierzu aber haben wir vor allem eine gesicherte Existenz nötig. Nur wenn der fleißige Arbeiter immer Arbeit und eine seiner Arbeit angemessene Vergütung findet, nur wenn unsere heute uns zu Boden drückenden materiellen Sorgen erleichtert werden, können wir uns zur geistigen Freiheit erheben und uns einer völligen Emanzipation würdig machen.

Dieses, Herr Redakteur, sind die Gefühle, welche uns bewogen, für unsere leidenden Brüder in Schlesien eine Sammlung zu veranstalten; möge unser Tun noch viele Nachahmer finden. Dieses der Zweck, welchen wir uns vorgesteckt und welchen wir ohne Furcht frei und offen bekennen in der festen Überzeugung, daß er gerecht ist und daß er uns der Mitwirkung und des Beifalls aller rechtlichen Männer versichern muß.

Indem wir, geehrter Herr Redakteur, die Veröffentlichung dieses Briefes in Ihrem geschätzten Blatte Ihrem Gutachten anheimstellen, bleiben wir mit größter Hochachtung

Ihre ergebensten

Im Namen und Auftrag des deutschen wissenschaftlichen Arbeitervereins in London:

Karl Schapper Joseph Moll
Adolph Lundmann Anton Müller
A. Lehmann

London, den 21. September 1844

Der Sprecher oder: Rheinisch-Westphälischer Anzeiger
Nr. 104 28. Dezember 1844

Aus Schlesien, den 14. Dezember. Verteilung des von den deutschen Arbeitern in London den armen schlesischen Webern gesendeten Geldes.

Heute versammelten sich in dem Gasthofe zur Krone in Reichenbach unter Gegenwart der Herren Gerichtsscholzen Neumann und Schnabel aus Langenbielau sowie des Gerichtsscholzen Herrn Schreyer aus Peterswaldau die von denselben ausgewählten ärmsten Familien aus diesen beiden Gemeinden, welche entweder durch den Tod oder durch gefängliche Einziehung ihrer Ernährer in die drückendste Not versetzt worden sind, um nach Verhältnis der Bedürftigkeit die Unterstützung in Empfang zu nehmen, welche das Mitleiden und die Liebe der deutschen Arbeiter in London für sie gesendet. Der Betrag von 6 Pfund Sterling (40 Tlr. 15 Sgr. Preußisch Courant[36]) war durch den Herrn Buchhändler Campe[37] in Hamburg nach Breslau übersendet, und ich, Ferdinand Peinert, Kandidat der Theologie in Olbersdorf bei Reichenbach, mit der Verteilung derselben betraut worden, welches ehrenvollen Auftrages ich mich hiermit entledige.

Mit Rücksichtnahme auf den biederen Brief der deutschen Arbeiter in London, welcher im ›Telegraph‹ und im ›Sprecher‹ abgedruckt ist, und der den versammelten armen Weberfamilien vorgelesen wurde, waren erschienen:

	empfangen Tlr.	Sgr.
A. Aus Langenbielau		
1) Frau Schindler, Witwe des gebliebenen Färbers Schindler, hat 3 Kinder	4	–
2) Frau Winzig, Witwe des gebliebenen Färbers Winzig, hat 3 Kinder	4	–
3) Der 80jährige Anlauf, dessen Sohn geblieben	2	15
4) Die alte Witwe Meyer, deren Sohn geblieben	2	15
5) Der Knabe Rauer, dessen Vater eingezogen	2	–

B.	Aus Peterswaldau, wo keiner geblieben		
6)	Frau Oertel, zwar ohne Kinder, aber schwanger	2	15
7)	Frau Kube, hat ein Kind von 3 Jahren	2	15
8)	Frau Schröer, hat 3 Kinder, wovon das eine die Schule besucht	3	15
9)	Frau Schwarzer, mit 2 kleinen Kindern	3	–
10)	Frau Koch, mit 3 Kindern und schwanger	4	–
11)	Des Webers Gillner 3 Kinder, ohne Mutter, bei den Großeltern in Pflege	3	15
12)	Frau Hübner, mit 1 Kind von ½ Jahr	2	15
13)	Frau Krause, hat 1 Kind von 3 Jahren	2	15
14)	Die alte Frau Hampel, deren Mann ebenfalls eingezogen ist, aber keine Kinder hat	1	15
	Summa	40	15

Mit Tränen des Dankes grüßen die Empfänger ihre braven Brüder in der Ferne!

Zur Beglaubigung unterschrieben:
Schnabel, Ger.-Scholz
Neumann, Ger.-Scholz
Schreyer, dito aus Peterswaldau
Kand. Ferd. Peinert in Olbersdorf, als Kommissionär

Zu vorstehendem Protokoll mag aus dem durch die Zeitungen publizierten, vom Oberlandesgericht zu Breslau gegen die Teilnehmer an den schlesischen Weber-Unruhen gefällten Erkenntnisse bemerkt werden, daß von den Männern, deren Frauen und Kinder oben angeführt sind, der Weber Koch zu 4 Jahren Zuchthaus und 20 Peitschenhieben, der Weber Schreier (oder, wie oben, Schröer) zu 3½ Jahren Zuchthaus, die Weber Kube und Krause zu 3 Jahren Festung, der Ziegelstreicher Hampel zu 2¼ Jahren Zuchthaus, der Weber Gillner und der Rauher Ertelt (oben: Oertel) zu 2 Jahren Zuchthaus, der Weber Schwarzer zu 2 Jahren Festung und der Weber Hübner zu 5 Jahren Zuchthaus und 30 Peitschenhieben verurteilt worden sind.

Fabrikgebäude von Christian Dierig in Langenbielau, 1842

Wilhelm Wolff
Das Elend und der Aufruhr in Schlesien
1844

Die blutigen Auftritte in *Peterswaldau* und *Langenbielau* zu Anfang des Monats Juni haben das Interesse nicht bloß Deutschlands, sondern auch anderer Länder erregt und die allgemeine Aufmerksamkeit nach *Schlesien* hingewandt. Unterdes brachten die Zeitungen, wenn auch nicht die hiesigen, so mannigfaltig voneinander abweichende Berichte, unter denen sogar einige die Verunglimpfungen gegen unsere armen Weber so unverschämt und weit trieben, daß ich durch eine möglichst treue Schilderung des Ereignisses der Wahrheit einen Dienst zu erweisen glaube. Doch zuvor müssen wir eine kurze Rundschau halten, um den Zustand, in welchem der schlesische Proletarier, der ›arme Mann‹, sein Leben verbringt – fast klingt's wie Hohn, solch Dasein als ›Leben‹ zu bezeichnen –, näher kennenzulernen, damit klarwerde, auf welchem Grunde die jetzigen Früchte erwachsen und gereift sind. Ganz besonders aber wird sich unser Blick auf die Zustände der Weber im Gebirge zu richten haben, da hier die unausbleiblichen Folgen eines der *Gerechtigkeit*, der *Gleichheit* und *Brüderlichkeit* feindlichen Prinzips, in welchem unsere jetzigen Verhältnisse sämtlich wurzeln, am ersten, greifbarsten und in der betrübendsten Weise ans Tageslicht getreten sind und nun selbst dem blödesten Auge nicht mehr verborgen bleiben können. Zwar ist das Elend des schlesischen gemeinen Mannes, die Not und Entbehrung des Besitzlosen in unserer Provinz gewiß nicht größer als in manchen andern Teilen Deutschlands, nicht bitterer als das Los der arbeitenden Klassen anderswo. Wir dürfen nur an Frankreich, England und das grüne, aber hungernde Irland denken! Wir haben aber so oft von dummen oder feilen Seelen den glücklichen Zustand Deutschlands, Preußens, Schlesiens, das Nichtvorhandensein des Proletariats auf deutscher und also auch auf schlesischer Erde preisen hören, daß es gut ist, auch hier einmal den Schleier weggerissen und das darunter stehende ›große Glück‹ den Augen des Publikums bloßgelegt zu sehen. – Schlesien, unter zwei Elemente: das *deutsche* und *slavische* geteilt, von zwei religiösen, seit kurzem immer heftiger gegeneinander gehetzten Religionsparteien[38] bewohnt, früh schon wegen seiner vielen Herzogtümer ein Miniaturbild Deutschlands, äußerlich vereinigt unter Friedrich II.[39], sich fortschleppend im überall aufgehäuften mittelalterlichen Unrat, so gut es gehen wollte, trat endlich infolge der Jenaer Schlacht[40] mit den übrigen Provinzen des preußischen Staates aus der eigentlichen Feudal- in die moderne Entwicklungsperiode über. Das Zunftwesen fiel, eine Masse ›Gerechtigkeiten‹[41] verschwanden, das bürgerliche Verdienst sollte von nun an dem adligen gleichgelten, die Städte, nicht mehr nach Korporationen und feindlichen Interessen gesondert, ihre Angelegenheiten selbständig besorgen. Die Klöster wurden aufgehoben, ihre Güter eingezogen und zum Teil für einen unglaublichen Spottpreis verkauft, teilweise auch an Adlige verschenkt. Endlich hörte die *Erbuntertänigkeit* auf; die Kinder des Landmanns durften dem gnädigen Herrn nicht mehr um einige schlesische Taler jährlichen Lohns, halb ungemachtes, selbst nicht vom Vieh beneidetes Essen und reichliche Prügel dienen, wenn sie nicht wollten. Sie brauchten, falls sie ein Handwerk zu erlernen wünschten, sich nicht mehr loszukaufen, keine Abgabe zu zahlen bei der Verheiratung. Der Bauer konnte in ein anderes Dorf sich begeben, ohne Abzugsgeld zu zahlen, und hatte nicht weiter nötig, den dritten Teil seines Feldes für die herrschaftlichen Schafe zur Weide liegen zu lassen. Das Landvolk aber verstand die ›Freiheit‹ zuerst sehr falsch. Es glaubte von Martini 1810 an, ganz ›frei‹ zu sein[42]. Die Auflehnung vieler Orte ward streng unterdrückt und den Landleuten durch königliche Kabinettsordres auseinandergesetzt, daß sie alles übrige nach wie vor zu entrichten hätten. Somit blieben alle Fronden und Hofdienste, alle Geld- und Naturalleistungen, Silberzinsen, Grundgeld, Hundehafer, Garnspinnen, Hühner-, Gänse-, Eier-, Besen- und Wächterzins usw. in voller Kraft. Immerhin war es eine bedeutende Erleichterung; der Bauer fing einigermaßen an, sich als Mensch zu fühlen, und trug gern und willig zur Rettung des Staates nach Kräften, meist über seine Kräfte, bei. Seine Tätigkeit, von einigen drückenden Fesseln befreit, wurde eine ganz andere; mit der Steigerung mehrten sich die Früchte. Zwar arbeitete er auch jetzt noch für den gnädigen Herrn; wenn die Verbesserung seines Ackers, der Neubau seines Hauses der Wirtschaft einen Mehrwert von 2000 Tlrn. verlieh, so gewann der Gutsherr, ohne nur die Hand zu rühren, beim Verkauf 200 Tlr. an Laudemien[43] oder an Marktgroschen. Gleichwohl fuhr ersterer in seinem Fleiße fort. Nach den Gesetzen über ›Regulierung der gutsherrlichen und bäuerlichen Verhältnisse‹ stand es ihm frei, sich abzulösen. Dies geschah an vielen Orten. Eine Masse von Millionen Talern floß in die gutsherrlichen Kassen; beträchtliche Summen an jährlichen Renten übernahm der Bauer und gab Äcker und Wiesen hin. So war er frei. Nur glaube man nicht, die Feudalzeit sei jetzt völlig aus unserer Provinz gewichen: In *Nieder-* wie noch mehr in *Oberschlesien* blüht und grünt an tausend Orten der Frondienst, und was daran hängt, lustig fort. Das Dreschgärtner-Verhältnis wurde vielfach gelöst, meist zum Vorteil der Gutsherrschaften. Diese warben dann Lohnleute an; und da bei steter und rascher Zunahme der Bevölkerung, und gerade in den unteren Klassen, die Zahl der Arbeitsbewerber auch zunahm, so bekamen sie für geringen Lohn Menschen, soviel sie brauchten. Der Dreschgärtner, an seinen 2 bis 3 Morgen nicht das ganze Jahr Beschäftigung findend, suchte welche nebenbei und drückte so den Lohn herab, während die neuen Dresch- und andere Maschinen viele Menschenhände ersparten. Aber die Besitzenden gewannen; die kleinen weniger, die großen im Unverhältnis mehr. Für letztere wurde das *Pfandbrief-System* geschaffen; der Bauer erhielt kein Geld unter Vermittlung und Garantie des Staates geliehen. Dennoch ging's. Dagegen blieb der Häusler, der Inlieger, der Tagelöhner, was er gewesen: *ein arbeitender Sklave.* Doch mit dem Unterschiede, daß er jetzt, am Ende seiner Kräfte oder von zeitiger Krankheit aufgerieben, weit weniger für sich gesorgt sieht als früher. Das Nützlichkeitsprinzip, d. h. die *Selbstsucht*, ist zur Tagesordnung geworden. Sie rät, dem Armen sowenig als möglich zu geben, wenn er arbeitslos oder -unfähig ist. An vielen Orten auf dem Lande, die ich namhaft machen könnte, erhält der Arme, der sich nichts mehr verdienen kann, wöchentlich 1 Brot und vierteljährlich 1 Metze Graupe, ½ Metze Salz und – 15 Silbergroschen. Wie er damit auskommt, da mag er zusehen. Gibt er sich dem Betteln hin, so wird er ins Korrektionshaus[44] gesperrt oder man verbietet den Wirten, wie ich speziell aus dem Nimptscher

Kreise weiß, das Almosengeben bei 5 Tlrn. Strafe. Der Arbeitslohn ist zwar nicht gestiegen, aber die Abgaben. Der Arme muß jetzt im ›Gemeinde-Gebot‹ eine Menge Schreibereien tragen helfen, die man sonst nicht kannte. Er muß weit mehr an Straßen- und andern Gemeinde-Arbeiten teilnehmen als sonst. Leistungen an Kirche und Schule haben sich für ihn erhöht. Dabei zahlt der Inlieger an vielen Orten der Grundherrschaft ein jährliches *Schutzgeld* von 1 bis 2 Tlr. Schutzgeld! Grausam ironische Benennung! Er zahlt es zu dem Zweck, um, wenn ihn die Not und seine von der Gesellschaft unbeachtet gebliebene Erziehung, richtiger Verwilderung, sein physisches Elend und seine geistige Verdumpfung zum Verbrecher gemacht haben, die Kosten für sein Unterkommen im Zucht- oder Korrektionshause seinem Gutsherrn bestreiten zu helfen. Unterdes arbeitete das Volk fleißiger als je. Und da nur die Arbeit den Reichtum erzeugt, so stieg der letztere von Jahr zu Jahr. Weil aber der Reichtum denen, die ihn schufen, nur in äußerst homöopathischer Verdünnung zugute kam, so hatten *die* desto mehr, welche sich der Früchte fremder Arbeit zu bemeistern verstanden und vermochten. Die Wohlhabenheit der Glücklichen tat sich steigend durch größere Pracht, bessere Kleidung, luxuriöses Essen, Wohnen usw. kund. Die Reichen gaben der Armut ein verführerisches Beispiel, mindestens einen Maßstab, an welchem sich das Mißverhältnis zwischen den *bloß Konsumierenden* und den *Produzierenden* leicht nachweisen ließ. Soweit es tunlich, suchte der Arme sich auch etwas besser zu kleiden, sobald er einige Groschen erübrigt hatte, und da er die höhern Klassen immer mehr dem bloßen Genuß, oft dem raffiniertesten, verschwenderischsten hingegeben sah, so verlangte er gleichfalls nach einem solchen. Er fand ihn – im *Branntwein*; denn das Bier war für ihn zu schlecht, besonders aber – zu teuer. Die Gutsherren und die Liqueurfabrikanten in Stadt und Land beeilten sich, dem Bedürfnis zu genügen, das Getränk immer wohlfeiler zu liefern und doch soviel Gewinn daraus zu ziehen als möglich. Der Branntwein wurde nun immer mehr das *erste* Bedürfnis des Arbeiters; es ersetzte ihm das Fleisch, das Bier und den Wein der Reichen, oft auch das Brot. In Niederschlesien minder gewaltig, stieg der Branntweinsoff dagegen in Oberschlesien zu einer solchen Höhe, daß endlich die katholische Geistlichkeit an seine Ausrottung Hand angelegt hat. Was man auch über die dabei angewandten Mittel denken mag, immerhin ist der Anstoß zu einer neuen Wendung der Dinge auch hier gegeben. Von der Kanzel herab hört dort der Bauer, daß der Branntwein ›eine Erfindung des Teufels ist‹, er wird durch den Aberglauben von seinem Laster kuriert, er hört, daß der Schänker nur durch ihn reich geworden ist. Der Bauer wird bald einsehen, daß auch der Gutsherr einen recht bedeutenden Vorteil aus seinem Soff zog – durch die hohe Pacht des Schänkers. Der Landmann hat nur noch einen Schritt im Nachdenken zu tun, und er wird begreifen, daß er durch seine Arbeit, seine Mühe, seinen Schweiß noch auf vielerlei Weise den Gutsherrn und andere bereichert. –

Die jungfräuliche Gestalt der Gewerbefreiheit[45] wurde zwar nicht von den Privilegierten, Zünften, Innungen und Zwangsberechtigten, aber von der übrigen Menge mit Freuden begrüßt. In der Stadt wie auf dem Lande konnte nun jeder, ohne ein Meisterstück zu liefern, ohne eine ›Gerechtigkeit‹ zu kaufen, sein Handwerk ausüben. Der ganz natürliche Drang, möglichst schnell selbständig zu werden, einen eigenen Herd zu begründen, lockte, nebst dem Sprichwort: ›Handwerk hat einen goldenen Boden‹, eine Menge junger Leute zur Ergreifung eines solchen. Man zahlte nur Gewerbsteuer, in der Stadt etwa noch fürs Bürgerrecht und – man war fertig.

Allein, es zeigte sich bald, daß, wenn die Zünfte als Monopole nur eine gewisse Zahl mit der Bedingung einer gewissen Summe hereinließen und alle übrigen, die kein Geld hatten oder der Gunst entbehrten, ausschlossen, mochte aus ihnen werden, was da wollte, die Gewerbefreiheit nicht mehr und nicht weniger als auch auf ein *Monopol* hinauslief, und zwar auf das Monopol des *Kapitals* im Bunde mit der *Spekulation*.

Diesen war jetzt die Herrschaft bloß leichter gemacht; früher gehörte noch ein Meisterstück, Kenntnis des Gewerbszweiges und etwas Nepotismus, ein bißchen Patriziertum und dergleichen dazu; jetzt war die ganz freie Rennbahn eröffnet. Es ist unschwer einzusehen, daß in einem Kampfe der gefesselte oder waffenlose dem freirührigen, wohlgepanzerten und stark bewehrten Streiter unterliegen muß. Dem ersteren gleicht der auf seiner Hände und seines Geistes Arbeit allein und lediglich Angewiesene, während der Kapitalist, der die Mittel und Werkzeuge zur Produktion besitzt, den zweiten repräsentiert. Der bloße Handwerker, der Krämer, der Kleinhändler, der sogenannte Mittelstand, fand sich nach und nach von den reichen Kapitalisten, von den Handelsherren en gros, von den großen Fabrikunternehmern zu seinem Erstaunen nicht bloß überflügelt, sondern in die schnödeste Abhängigkeit versetzt – mit so gewaltigen Mächten war eine vorteilhafte Konkurrenz auf die Dauer unmöglich. Man ward Lohnarbeiter für einen vom hohen Gebieter bestimmten Preis. Ward der Lohn verringert, es blieb nur die Wahl, nach dem niedrigen Satze fortzuarbeiten oder zu – hungern. An Bewerbern um Arbeit fehlte es nicht. Die Bevölkerung wuchs und wächst ja von Jahr zu Jahr. Die unterste Klasse der Proletarier nahm auch in Städten auffallend zu. Häuser- und andere Bauten zogen im Sommer die wenig verdienenden Leute vom Lande herein. Kam der Winter und versiegte die Arbeitsquelle – man war einmal da, man blieb. Die Mädchen und Knechte begaben sich nach der Stadt aufs Dienst; sie machten es billiger und gingen nicht wieder zurück. Daneben Steigung der Miete, der Holz- und Lebensmittel-Preise. Wo die Accise[46] beliebt ward, außerdem noch eine Überbürdung des Armen zugunsten des Reichen. Denn während der letztere sich's mit seinen gebratenen Gänsen, Enten, Fasanen, Kapaunen, Rebhühnern, Krammetsvögeln, Hasen, Rehen und Hirschen, für die er keine Steuer zahlt, wohl sein läßt, muß der Arme für sein bißchen Schweine- oder Rindfleisch erst dem Staat und der Kommune abgeben. Ja, hier in *Breslau* entrichtet der Arme für das Brot, was er ißt, zugleich für den Reichen, der Semmel, Kuchen usw. vorzieht, die Steuer mit. Denn Breslau hat den Zuschlag, den jede Kommune bis auf die Höhe von 50 pCt. zu erheben berechtigt ist, für Weizen und Roggen ganz gleichgestellt, da doch die Semmelesser gewiß eher die Zuschlagssumme aufbringen könnten als die bloßen Brotesser. In den Stadtkommunen mehrte sich nun die Zahl der hilflosen Armen. Das Armenwesen lag und liegt noch an den meisten Orten im argen. Trotz der immer größeren Summen, welche dieser Zweig jährlich erforderte, wurde wenig Ersprießliches damit ausgerichtet. ›Bloß nicht sterben‹ ergab sich etwa für den Armen noch als günstigstes Resultat. Die

Schuld liegt gleichwohl nicht an der Art und Weise der Armenpflege, sondern in unsern ganzen Zuständen. Die ganze Gesellschaft ist samt ihrer Grundlage verurteilt und gerichtet, sobald und solange überhaupt noch eine ›Armenpflege‹ existiert. In der Stadt wie auf dem Lande vermehrte Bedürfnisse. Der Handwerker und Geschäftsmann mußte seiner Kunden, des äußern Scheins wegen, um mit seinen Rivalen gleichen Schritt zu halten, vieles feiner einrichten, sich besser kleiden usw. Selbst viele Herrschaften verlangen ausdrücklich von ihren Dienstboten, daß sie sich immer nett und ›nach etwas aussehend‹ herausputzen, weil sie dem Hause Ehre machen müssen. Da wollen die andern auch nicht zurückbleiben.

Die *Gewerbefreiheit* war die letzte Staffel, auf welche sich das Privateigentum stellen mußte, damit seine unheilvollen Konsequenzen selbst dem gewöhnlichsten Verstande klarwerden könnten. Der Handel nach dem Osten ging mehr und mehr ein; der russische Schwager[47] mochte in diesem Bezuge nichts von Verwandtschaft wissen; die sonst blühenden Grenzstädte verfielen; die Tuchmanufaktur, wie viele andere Zweige, sanken zusehends. Die Kapitalisten hörten deshalb nicht auf, gute Zinsen zu beziehen; ging's nicht auf *dem* Wege, so wußten sie auf einem andern sich schadlos zu halten. Nur die Handwerker und andere Arbeiter verloren. – Der sonstige Flor unserer *Leinenindustrie* fing an zu schwinden; die Konkurrenz anderer Länder trat uns in den Weg; ein Teil unserer Kaufleute begann, unsolide Waren zu liefern, er sandte wohlfeile, aber *schlechte* Leinwand auf den Weltmarkt und war zufrieden, wenn er durch *unreelle Bedienung* seinen Gewinn in die Tasche stecken konnte. Die Flachskultur blieb ziemlich stehen, wo sie sonst gewesen, d. h. sie blieb schlecht. Die zahlreichen Spinner, welche im flachen Lande wie im Gebirge ehemals einen zwar geringen, aber sichern Verdienst hatten, fanden nur noch zu solchen Preisen mit ihrer Ware Absatz, daß sie oft nicht mehr das Salz in die Suppe gewannen. Die Spinnrädchen wurden nicht verbessert, man bediente sich fortwährend der alten. Das Ausland spann unterdes mit Maschinen; es spann viel und wohlfeil. Nun bauten wir auch Maschinen und machten vollends eine Menge Spinnerhände überflüssig. *Daneben traten Baumwollenwaren vielfach an die Stelle der Leinwand.* Mindestens ebenso nachteilig als auf die Spinner wirkte die neue Gestaltung der Dinge auf die Weber ein. Die Nachkommenschaft eines Webers war von jeher gleichsam vorausbestimmt, wieder am Webstuhl zu sitzen, und wenn sonst noch einige Mitglieder der Familie sich durch Spinnen ernährt hatten, fiel dies hinweg oder brachte nichts ein. Die Bevölkerung mehrte sich, mit ihr der Begehr nach Arbeit, deren gerade immer weniger und täglich minder lohnend wurde. Die kleineren Kaufleute, denen nur unbedeutende Kapitalien zu Gebote standen, richteten wenig mehr aus. Die Macht über die Weber konzentrierte sich in den Händen der reichen Fabrik- und Handelsherren. Von ihnen mehr und mehr abhängig, sah sich der Weber gezwungen, für einen Lohn zu arbeiten, welcher ihn mit den Seinigen am Hungertuche nagen hieß. Aber die Reichen gewannen, wie immer, und wurden immer reicher, während der Arme stets ärmer ward, stets tiefer in Armut und Sklaverei versank. Die Klagen der Weber bezogen sich übrigens weit weniger auf Arbeitslosigkeit als auf den jämmerlichen Verdienst, den die angestrengteste Arbeit eintrug. Aber nicht genug, daß fortwährende Herabsetzung des Lohnes die armen fleißigen Menschen in täglich größeres Elend stürzte, es wurden auch von vielen Fabrikanten unzählige Mittel angewandt, es ihnen unmöglich zu machen, sich aus den Händen derer zu befreien, die an ihrem Schweiß sich bereicherten. Der Weber mußte, weil er selbst von Mitteln entblößt war, das Garn vom Fabrikanten entnehmen und ihm die fertige Leinwand verkaufen. Da der Weber stets für das Garn sich im Vorschuß befand, so war er dem Fabrikanten schon dadurch in die Hände gegeben. Andere, die gerade noch das Garn zu einem Gewebe anzuschaffen imstande waren, erlangten doch keinen bessern Preis. Denn schrieb der Fabrikant letzterm *unvertilgbar* auf das Stück oder machte sonst ein Zeichen, daß es bereits angeboten worden, so war der Weber, selbst wenn er nicht von der Not zum augenblicklichen Verkauf gedrängt worden wäre, gleichwohl nachzugeben genötigt. Oftmals bin ich im Winter solchen Armen begegnet, die in dem schrecklichsten Wetter, hungrig und frierend, viele Meilen weit ein fertig gewordenes Stück zum Fabrikanten trugen. Zu Hause warteten Frau und Kinder auf die Rückkunft des Vaters; sie hatten seit 1½ Tagen bloß eine Kartoffelsuppe genossen. Der

Weber erschrak bei dem auf seine Ware gemachten Gebot; da war kein Erbarmen; die Kommis und Gehilfen begegneten ihm wohl noch obendrein mit empörender Härte. Er nahm, was man ihm reichte und kehrte, Verzweiflung in der Brust, zu den Seinigen. Nicht selten erhielt der Arbeiter seinen Lohn in *Gold*[48]; der Dukaten wurde ihm mit 3 Tlr. 6 Sgr. angerechnet, und wenn er ihn wieder verausgabte, sah er ihn nur zu 2 Tlr. 28 Sgr., 2 Tlr. 25 Sgr., ja noch niedriger angenommen. Noch andere Fabrikanten hatten ganz das englische Trucksystem eingeführt: Die Weber wurden nicht bar bezahlt, sondern erhielten ihren Lohn zum größten Teil in Waren, deren sie bedurften. Meist im Vorschuß, mußten sie sich die Preise *dieser* Waren ebenfalls bestimmen lassen; der Fabrikant hatte sie einmal, wie das Sprichwort sagt, im Sacke. Ließ der Weber seinen Klagen freien Lauf und führte er seinen Zustand dem Kaufmann zu Gemüte, so hieß es, die schlechte Handelskonjunktur sei an allem schuld. Gewiß wird niemand leugnen, daß eine unselige, meist aus dem Legitimitäts-Prinzip[49] hergeleitete Politik in bezug auf die süd- und mittelamerikanischen Kolonien, später auf Portugal und Spanien, das ihrige redlich zur Verstopfung der Absatzwege beitrug. Allein, der Weber sah den Fabrikanten demungeachtet in Palästen wohnen, prächtige Equipagen halten, Landgüter kaufen, herrlich essen und trinken, während er selbst, der doch mindestens ebensoviel als der Fabrikant arbeitete, in enger schmutziger Stube, auf modrigem Stroh gelagert, mit Lumpen bedeckt, sich glücklich gepriesen hätte, an dem reichlichen Kartoffelmahl der Mastschweine seines Lohnherrn teilnehmen zu dürfen.

Einige von *Treumund Welp* mitgeteilte und mir von mehr als 20 Webern bestätigte Angaben werden hier ein notwendiges Detail liefern. Derselbe führt an, daß in vielen Orten unseres Gebirges ›alle Lebensmittel so kostspielig als in größern Städten, ja oft noch teurer und nicht einmal zu haben sind, daß namentlich alle Bäckerwaren notorisch geringer an Gewicht zu sein pflegen‹. Daraus kann man die Lage eines Familienvaters, der, mit Beihilfe der Seinigen, wöchentlich 1 Tlr. verdient, leicht entnehmen. ›Nehmen wir nicht den schlimmsten Fall‹, sagt Tr. Welp weiter, ›treten wir nicht in das niedrige, dunkle, ungesunde Gemach, das der ganz Mittellose vom Armen für jährlichen Zins von 6 oder

8 Tlrn. mietet – blicken wir nicht in solche, dem reinen Hunger, der bittersten Not gewidmete Lokale, gegen die der *Viehstall* eines Dominialbesitzers ein Prunksaal genannt werden muß; – besuchen wir den Häusler, der unter eigenem Dach und Fach wohnt und nebenbei 1, 1½ bis 2 Morgen Landes besitzt. – Seine Einnahme ist jährlich, mit Beihilfe von Weib und Kindern, allerhöchstens 60 Tlr.‹ Die Ausgaben sind durchschnittlich folgende:

›Grundsteuer an den Staat jährlich	1 Tlr. 15 Sgr.
Klassensteuer	2 Tlr. – Sgr.
Grundzins an die Gutsherrschaft	3 Tlr. 5 Sgr.
Jagd- und Spinngeld an die Gutsherrschaft	– Tlr. 15 Sgr.
3 Tage Feldarbeit an dieselbe	– Tlr. 15 Sgr.
Gemeindeabgaben (bar)	1 Tlr. 10 Sgr.
3 bis 4 Tage Arbeit bei Wegebessern usw.	– Tlr. 20 Sgr.
Schulgeld für 2 bis 3 Kinder	4 Tlr. – Sgr.
Zins eines auf dem Hause stehenden Kapitals von 100 Tlr.	5 Tlr. – Sgr.
Feuerassekuranzbeitrag	– Tlr. 15 Sgr.
Summa	19 Tlr. 5 Sgr.
Folglich bleiben	40 Tlr. 25 Sgr.

von der ganzen Einnahme der 60 Tlr. zur Bestreitung von Reparaturen des Hauses, Ausgleichung des Ausfalls im Arbeitslohne, während man im Garten arbeitet, zur Feuerung, Beleuchtung, zur Bestreitung der dringendsten Lebensbedürfnisse, ohne die Kosten für Kindtaufen, Begräbnisse usw., ohne Krankheits- und andere Unglücksfälle in Anschlag zu bringen. Der arme Weber zahlt jährlich 2 Tlr. Klassensteuer, der große Besitzer, und hätte er hundert Herrschaften, höchstens 12 Tlr. monatlich, im niedrigsten Falle 4 Tlr.‹

Der Schullehrer Schenk gab im Laufe dieses Jahres einen Nachweis (siehe ›Breslauer Zeitung‹, Nr. 30) über verschiedene Sorten, nämlich 6, 7, 8 und 9 Gebinder-Leinwand, über das dazu nötige Garn, den Preis desselben und den Preis der daraus gefertigten rohen Leinwand, zu 60 Ellen Länge und 1½ Ellen Breite angenommen, verdient ein Weber bei einem sogenannten 9 Gebinder Schocke: 1 Tlr. 13 Sgr. Die dabei nötigen Arbeiten sind folgende: Das Garn wird sortiert, gewaschen, getrocknet, geklopft, gespult, geschert, gehüllt, auf den Webstuhl gezogen, angedreht, geschlichtet und gewebt. Sodann wird es geschauert, herabgenommen, geklopft, gestempelt, gelegt, gepreßt und dann mit banger Angst von einem Kaufmann zum andern getragen, bis man es loswird. An einem solchen Schocke arbeiten Mann, Weib und Kind, und soll es früher als in 2 Wochen fertig werden, so muß der Weber Tag und Nacht unablässig schaffen. Hat er nun mit den Seinen den täglichen Verdienst von $3^1/_2$ Sgr. in der Tasche, so muß oder soll er damit die Ausgaben für Brot, Kartoffeln, Salz, Holz, Licht, Stärke, Seife, Kleidung, Schuhe und Ausgaben mancherlei und der drückendsten Art bestreiten. Sollte man nicht denken, selbst der härteste Amtspfänder müßte aus solchen Hütten des Elends mit Entsetzen fliehen? Den Angaben Schenks, der übrigens seit 36 Jahren als Elementarlehrer unter den Webern lebt und also wohlunterrichtet ist, mögen sich folgende Worte aus einem am 5. Febr. d. J. von dem Pastor Hepche, dem Polizeiverweser Kobelt und Gerichtsschreiber Obst in Leutmannsdorf veröffentlichten Aufrufe anschließen:

›Wie leicht die körperliche Anstrengung auch hier und da zu sein scheint, so ist es doch bei Gesundheit, Kraft und dem ausdauerndsten Fleiße, der die Stunden des Abends bis nach Mitternacht zu Hilfe nimmt, nicht möglich, ein Gewebe von 140 Ellen (es ist hier von Baumwollenwebern die Rede) früher als in 6 Arbeitstagen zu vollenden, wofür der Fabrikant ein Almosen von 14 Silbergroschen verabreicht. – Die Lebensweise jedes Korrigenden, jedes Militärsträflings erscheint ungleich beneidenswerter um ihrer Sorgenfreiheit, Ordnung und Menschlichkeit willen als diejenige eines solchen Webers. In alle Häuser tritt die Not mit unwiderstehlicher Gewalt ein, ohnerachtet es nicht zu leugnen ist, daß treue und redliche Familienväter alle ihre Kräfte, ihrer Kinder, ihres Hauses aufbieten, um Hunger und Not von sich abzuwehren und der Gefahr, der Bitterkeit allmählicher Verarmung zu entrinnen.‹

Der Gutsherr, der sich unterdes der Herabsetzung der Pfandbriefzinsen erfreute, dachte nicht daran, seinen ›Untertanen‹ in den Leistungen herabzusetzen. Er forderte nach wie vor den Grundzins, das Spinn-, Jagd- und Wächter-Geld, die Hofetage, das Schutzgeld etc. etc. und befand sich ganz wohl; er litt keine Not. Der Fabrikant und Leinwandkaufmann magerte trotz der schlechten Konjunktur nicht ab, im Gegenteil, er sah recht munter und behäbig aus, trank seinen Clicquot, aß Austern, gab Fêten und hing seiner Gemahlin und Fräulein Töchtern für einige tausend Taler Geschmeide um den Hals, während sich da drüben die von Arbeit erschöpfte Armut im dumpfen, stinkenden Winkel, schlaflos vor Frost und Hunger, auf dem dürftigen Lager der Entbehrung wälzte. Da ertönte der Notruf in Schlesien und fernhin durch ganz Deutschland. Vereine zur Linderung der Not bildeten sich überall, ein Hoffnungsstrahl drang in die Hütten der Armen. Sie hörten von Vorschlägen, wie man eine große Assoziation bilden wolle, in welcher die Weber als Produzenten auch Teilnehmer am Gewinne ihrer eigenen Produkte werden, wie die Konsumenten nun unmittelbar von ihnen die Waren beziehen und das ganze Geschäft von eigens dazu angestellten, erfahrenen und besoldeten Beamten geleitet werden sollte[50]. Der Notruf hatte zwar nicht die Not hervorgerufen, wie freilich viele jetzt uns überreden möchten; und die Verzweiflung würde ohnedies zum Ausbruch gekommen sein, denn ›Not kennt kein Gebot‹. Allein, wenn die Armen glaubten, nun in Kürze auf eine bessere Gestaltung ihrer Lage rechnen zu dürfen, so sahen sie doch bald, daß sie, wie immer, von der Willkür der Fabrikanten abhingen, daß der Lohn hier und da noch weiter herabging, und wenn auch an vielen Orten Geld und Lebensmittel verteilt wurden, so war das eben nur eine Galgenfrist, und die milden Spenden bloß ein Tropfen auf eine brennend heiße Sandwüste. Traf es sich nun gar, wie in Salzbrunn, daß für sämtliche Arme des eine Meile langen Dorfes an einem Wintertage 38 Metzen Kartoffeln aus dem landrätlichen Amte abgeholt und bei der Verteilung ganz erfroren und selbst fürs Vieh ungenießbar befunden wurden, so war es natürlich, daß die Weber und Spinner an der sehnlichst erwarteten Hilfe irre wurden. Einen kleinen Begriff von dem im Gebirge herrschenden Elende konnte man sich schon aus den von einer Menge von Dorfgerichten eingesandten, bescheinigten und der ersten Generalversammlung zu Schweidnitz in betreff der Weberangelegenheiten überreichten Tabellen und Listen bilden, worin die allerbedürftigsten, dem Hunger preisgegebenen Personen namentlich aufgeführt waren. Danach war selbst in kleinern Ortschaften die Zahl der Unglücklichen überraschend groß. So befanden sich in Dorfbach 31 Personen, in Grund 38 Personen, in Neugericht 110 Personen, in Toschendorf 48 Familien, in Zedlitzheyde 72 Familien, die aufs Äußerste gebracht waren, lauter Weber, Spuler und Spinner. Dies alles nur in einem *kleinen* Teile des Waldenburger Kreises. Und in andern Kreisen ist das Elend noch viel umfangreicher, viel schrecklicher. Wenden wir uns jetzt nach dem *Eulengebirge*, an dessen Fuße sich der erste blutige Akt, mindestens ein Vorspiel, in dem unaufhaltbaren *Proletarier-Drama*, im Kampfe des niedergetretenen, von der *Macht des Geldes* und der schlauen Berechnung zur Maschine erniedrigten Menschen um Wiedergewinnung seiner Würde, im Kriege der Besitzlosen gegen die Tyrannei und Selbstsucht des *Privat-Eigentums*, zu Anfang dieses Monats entwickelt hat.

Hier in den großen Dörfern Langenbielau (13 000 Einwohner), Peterswaldau (5000 Einwohner) und in den übrigen Dörfern, wie Arnsdorf, Peilau usw. ist besonders die Baumwollenweberei zu Hause. Die Not der Arbeiter war und ist hier nicht minder bedeutend, ja vielleicht mehr noch als in andern Gegenden, obgleich man denken sollte, das Elend könne keinen höhern Grad erreichen, als auf dem es im Landeshuter, Hirschberger, Bolkenhainer und andern Kreisen anzutreffen ist. Schon im Winter, mit beginnendem Februar, fand in *Bielau* ein kleiner Aufstand statt. Ein Haufe rief durch Signale die Weber des Dorfes zusammen. Man befreite einen Kameraden, der eingesperrt worden. Durch einige Geschenke wurde die Menge beschwichtigt. Eine Untersuchung des Vorfalls folgte, doch bei der Heimlichkeit unseres Verfahrens blieb dieser Vorgang selbst in Breslau, d. h. unter dem nicht regierungsmäßigen Publikum, meist unbekannt. Inzwischen wurde die Not und das Drängen nach Arbeit von einzelnen Fabrikanten möglichst benutzt, um für geringen Lohn viel Ware zu erhalten. Unter diesen ragten die Gebrüder *Zwanziger* in *Peterswaldau* besonders hervor. Für eine Webe Kattun von 140 Ellen, woran ein Weber 9 Tage zu arbeiten hat und wofür andere Lohnherren 32 Sgr. zahlten, gaben sie nur 15 Sgr. Für 160 Ellen Barchent, welches 8 volle Tage angestrengter Arbeit erfordert, entrichteten sie $12^1/_2$ und 12 Sgr. Lohn. Ja, sie erklärten sich bereit, noch 300 Weber in Arbeit zu nehmen, wofern diese ebensoviel für 10 Sgr. arbeiten wollten. Das bitterste Elend zwang die Armen, auch unter dieser Bedingung zu arbeiten. Von seinen 12 oder respektive 10 Sgr. mußte der Weber noch $2^1/_2$ bis 3 Sgr. an den Spuler entrichten, alle Staats-, Gemeinde- und gutsherrlichen Lasten tragen und – leben! Ach! wenn mich doch einer belehren wollte, warum der faulenzende Sohn reicher Eltern, der in Bädern, auf Reisen und sonstwo schwelgende Besitzer von 3, 10 und 100 Gütern und Herrschaften, der müßige Kapitalist, die ›wohlhabende Jugend des Landes‹, der Major, Oberst, General, der nach unblutigem Kriegsspiel in langer Friedenszeit sich mit einer Pension von 1000, 1500, 2000 Tlr. usw. zurückzieht, warum diese trotz ihres Nichtarbeitens von Jugend auf dennoch herrlich und in Freuden leben, und der fleißige Arbeiter vertiert und verdumpft, aller moralischen und intellektuellen Entwicklung beraubt, für seine tägliche mühsame Arbeit von 14 bis 16 langen, langen Stunden nicht einmal so viel gewinnt, daß er mindestens die Bedürfnisse eines Tieres, die Forderungen des Magens, befriedigen kann! Doch ich gehe weiter.

Das anfangs nicht allzu große Vermögen der Zwanziger war in kurzer Zeit zu großem Reichtum angewachsen. Sechs prächtige Gebäude gaben Zeugnis davon. Herrliche Spiegelscheiben, Fensterrahmen von Kirschbaumholz, Treppengeländer von Mahagoni, Kleider- und Wagenpracht sprachen der Armut der Weber hohn. Bei der letzten Lohnverkürzung sollen die Zwanziger auf der Weber ihre Vorstellung, daß sie nun gar nicht mehr bestehen und selbst nicht mehr Kartoffeln kaufen könnten, geäußert haben: sie würden noch für eine Quarkschnitte arbeiten müssen, oder, wie andere sagen: die Weber möchten nur, wenn sie nichts anderes hätten, Gras fressen; das sei heuer reichlich gewachsen. Ich lasse diese Äußerungen dahingestellt sein. Ich teile sie nur mit, weil sie in aller Munde sind. Dagegen kann ich folgenden kurzen Bericht, wie ich ihn Augenzeugen, und zwar glaubhaften Männern, nacherzähle, verbürgen.

Ein Gedicht, nach der Volksmelodie: ›Es liegt ein Schloß in Österreich‹ abgefaßt und von den Webern gesungen, ward gleichsam die *Marseillaise* der Notleidenden. Sie sangen es zumal vor Zwanzigers Hause wiederholt ab. Einer ward ergriffen, ins Haus genommen, durchgeprügelt und der Ortspolizei überliefert. Endlich um 2 Uhr nachmittags, den 4. Juni, trat der Strom über seine Ufer. Eine Schar Weber erschien in Nieder-Peterswaldau und zog auf ihrem Marsche alle Weber aus den Wohnungen rechts und links an sich. Alsdann begaben sie sich nach dem wenig entfernten Kapellenberge und ordneten sich paarweise und rückten so auf das neue Zwanzigersche Wohngebäude los. Sie forderten höheren Lohn und – ein Geschenk! Mit Spott und Drohen schlug man's ihnen ab. Nun dauerte es nicht lange, so stürmte die Masse ins Haus, erbrach alle Kammern, Gewölbe, Böden und Keller und zertrümmerte alles von den prächtigen Spiegelfenstern, Trumeaus, Lüster, Öfen, Porzellan, Möbel bis auf die Treppengeländer herab, zerriß die Bücher, Wechsel und Papiere, drang in das zweite Wohngebäude, in die Remisen, ins Trockenhaus, zur Mange, ins Packhaus und stürzte die Waren und Vorräte zu den Fenstern hinaus, wo sie zerrissen, zerstückt und mit Füßen getreten oder, in Nachahmung des Leipziger Meßgeschäfts, an die Umstehenden verteilt wurden. Zwanziger flüchtete sich mit seiner Familie in Todesangst nach Reichenbach. Die dasigen Bürger, welche einen solchen Gast, der die Weber auch ihnen auf den Hals ziehen konnte, nicht dulden wollten, veranlaßten ihn zur Weiterreise nach Schweidnitz. Aber auch hier deuteten ihm die Behörden an, die Stadt zu verlassen, weil sie durch seine Gegenwart leicht einer Gefahr ausgesetzt sein konnten, und so fand er endlich hier in Breslau Sicherheit.

Der Polizeiverweser Christ und ein Gendarm nahmen zwar in Peterswaldau eine Arretierung vor, indes befreiten die Weber bald den Gefangenen. Neben Zwanziger wohnt der Fabrikant Wagenknecht. Er hatte die Weber menschlicher behandelt, er blieb verschont. Da er ihnen noch ein kleines Geschenk verabreichte, brachten sie ihm ein Vivat aus. Bald fanden sich Weber aus Arnsdorf und Bielau ein. Was bei Zwanziger noch übriggeblieben, wurde vollends zertrümmert. Die Nacht unterbrach das Rachewerk. Ich darf den Vorschlag einiger Weber, die Häuser anzuzünden und die Verwerfung desselben aus dem Grunde, weil die so Beschädigten dann Brandgelder erhielten und es doch darauf ankomme, sie *auch* einmal arm zu machen, damit sie erführen, wie der Hunger tue, als zu charakteristisch nicht unerwähnt lassen. Am folgenden Tage, den 5. Juni, ging es zum drittenmal in die Zwanzigerschen Etablissements. Ein Garnvorrat auf dem Boden des Hauses war am 4. Juni nicht entdeckt worden; darum fiel er heute der Vernichtung anheim. Zum Schluß ward selbst an die Dächer Hand gelegt und ihre teilweise Zerstörung bewerkstelligt. Nachdem hier alles zu Ende, begab sich der Haufe zum Fabrikant *F. W. Fellmann jun.* Fellmann beschwichtigte die Leute, indem er jedem 5 Sgr. zahlte und Brot und Butter nebst einigen Speckseiten an sie verabreichte. Ein Stück Brot und ein Viergroschenstück reichten hin, die Wut der von Hunger und Rache Getriebenen im Zaum zu halten! Nun ging's weiter zu *E. G. Hofrichters Witwe und Söhne.* Die Masse der Weber betrug hier schon an 3000. Auch Hofrichter zahlte ein Geschenk von 5 Sgr. für den einzelnen, doch erhielten dies nur die ersten, die letzten weniger.

Von hier bewegte sich der Zug zum ›Sechsgröschel Hilbert‹. Hilbert und Andretzky wohnen in *Bielau*. Mit ihrem Hause begann die Zerstörung an diesem Orte. Zunächst kam das obere Etablissement der Gebrüder *Dierig* an die Reihe. Der Pastor Seiffert, Schwiegersohn des Dierig, dem seine Frau eine Mitgift von 20 000 Talern zugebracht und der nun wohl bequem von der ruhigen Ergebung des wahren Christen in sein Schicksal, von den Freuden, die dem Dulder hienieden dort oben winken, sollen sprechen, und zur Ruhe und zum Frieden ermahnen mochte, soll ins Wasser geworfen worden sein. Unterdes hatten die Kommis ihre Fabrikknechte und andere Leute versammelt, mit Knütteln und was sonst zur Hand lag, bewaffnet und drangen nun unter Anführung des Bauergutsbesitzers Werner auf die Weber los. Nach einem heftigen Gefecht flohen die Weber unter Zurücklassung mannigfaltiger Blutspuren und mit zerschlagenen Köpfen zu dem Gebäude hinaus und fort. Indes fanden sich die Entwichenen mit neu Angekommenen bald vor dem zweiten Hause Dierigs ein. Besonders hatten sich viele Weber von denen, die bei Dierig arbeiten, versammelt. Letzterer hatte allen, die sein Eigentum beschützen und somit sich selbst die Gelegenheit, weiter zu arbeiten, erhalten würden, ein Geschenk von 5 Sgr. zugesagt. Mehrere Fremde, die eindringen wollten, waren von den zur Beschützung Bereitwilligen zurückgewiesen worden. Unterdes rückte das schon vor 24 Stunden aus Schweidnitz requirierte Militär in Bielau ein. Ich verbürge nicht, ob Pastor Seiffert zu seinem Schwiegervater gesagt hat: jetzt brauche er nicht mehr zu bezahlen, das Militär sei ja da! Genug, so wird es fast allgemein erzählt. Das steht fest, daß sich die Menge soeben in Ordnung aufzustellen begann, um die auf einem Zettel, der ans Haus geklebt wurde, von Dierig versprochenen 5 Sgr. entgegenzunehmen, als das Militär ankam. Dieses verschaffte sich durch Rückwärtsbewegung einigen Raum. Weber redeten es in der Nähe an, und der Kommandierende mochte solche Ansprache mit Recht für gefahrbringend halten. Deshalb begab sich der Major von der ersten Stelle weg, um hinter dem Hause und auf seinen Seiten eine vorteilhaftere Stellung zu wählen. Ein Leutnant mit 10 Mann wurde in den Garten vor dem Hause beordert. Die Weber formierten zwei Reihen, um jeder seine 5 Sgr. zu erhalten. Die Austeilung sollte am Hause des Dierig vor sich gehen und jeder bald nach dem Empfang durchs Haus hindurch ins Freie sich entfernen. Die Ein- und Ausgänge waren mit Soldaten besetzt. Es dauerte aber so lange und die Zahlung verzögerte sich so sehr, daß die Masse ungeduldig wurde und, außerdem beim Anblick der Soldaten ohnehin aufgeregt und von einigen Unteroffizieren barsch zur Ordnung gerufen und bald fest überzeugt, daß sie kein Geld erhalten würde, gegen die Truppen immer mehr andrängte. Der Major, welcher Dierigs Haus und seine Truppen mehr und mehr bedroht sah, ließ Feuer geben.

Infolge dreier Gewehrsalven blieben sofort 11 Menschen tot. Blut und Gehirn spritzte weit hin. Einem Manne trat das Gehirn über dem Auge heraus. Eine Frau, die 200 Schritte entfernt an der Türe ihres Hauses stand, sank regungslos nieder. Einem Manne war die eine Seite des Kopfes hinweggerissen. Die blutige Hirnschale lag entfernt von ihm. Eine Mutter von 6 Kindern starb denselben Abend an mehreren Schußwunden. Ein Mädchen, das in die Strickstunde ging, sank von Kugeln getroffen zu Boden. Eine Frau, die ihren Mann stürzen sah, ging auf den Boden und erhängte sich. Ein Knabe von 8 Jahren wurde durchs Knie geschossen. Bis jetzt sind überhaupt 24 schwer und tödlich Verwundete, außer den obigen 11 Toten, bekanntgeworden. Wie viele ihre Wunden verheimlichen, läßt sich vielleicht später erfahren. Nach den ersten Salven herrschte einige Sekunden eine Totenstille. Aber der Anblick des Blutes um und neben ihnen, das Stöhnen und Röcheln der im Verscheiden Begriffenen, der Jammer der Blessierten trieb die mutigsten unter den Webern zum Widerstande. Sie antworteten mit Steinen, die sie von den Steinhaufen der Straße aufrafften. Als nun zwar noch mehrere Schüsse getan und dadurch abermals einige Weber verwundet wurden, gleichwohl aber die Weber auf der einen Seite entfliehend, von der andern her zurückkehrten und unter den fürchterlichsten Flüchen und Verwünschungen mit Steinen zu werfen fortfuhren, mit Knütteln, Äxten usw. vordrangen, bewerkstelligte der Major v. Rosenberger seinen Rückzug. Hätte er länger gezögert, so war es vielleicht für immer zu spät. Abends 10 Uhr langte der Major v. Schlichting mit 4 Kompanien in *Peterswaldau* an. Auch 4 Geschütze trafen von Schweidnitz ein.

Am 6. Juni frühzeitig ging die gedachte Infanterie und Artillerie nach *Bielau* ab, doch blieb eine Kompanie in Peterswaldau, die noch am selbigen Tage, weil es wiederum heftiger gärte, an einer zweiten Sukkurs[51] erhielt. Die Geschütze fuhren in Bielau auf, die Artilleristen mit brennenden Lunten daneben. In der Nacht vom 5. zum 6. Juni war nach dem Abmarsch der v. Rosenbergerschen Truppen das eine Dierigsche Haus mit einem Nebengebäude demoliert worden. In der Nähe der Dierigschen Häuser wurde nun vom Major v. Schlichting ein Teil seiner Krieger aufgestellt, der andere Teil beim gutsherrlichen Schlosse postiert. Es zeigten sich zwar auch an diesem Morgen einzelne Haufen, welche sich die Gassen auf- und abbewegten. Zwar schien das Blut, welches dick geronnen vor Dierigs Hause stand, an Pfählen, Planken und auf Stufen mit Gehirnteilen untermischt, den unverwandten Blick der umstehenden Webermasse fesselte, die im Innern tobende Rache-Furie aufs neue entfesseln zu müssen, allein, die Stärke der militärischen Macht, der Infanterie und Artillerie, später noch der Kavallerie, ließ die Weber keinen weitern Widerstand versuchen. Vielmehr zog sich ein Teil von ihnen nach Friedrichsgrund bei Leutmannsdorf und vernichtete die bei dem dortigen Ausgeber der Zwanziger vorgefundenen Waren, enthielt sich aber jedes sonstigen Angriffs.

Bei den Vorfällen aller 3 Tage ist wohl zu beachten, daß die Fabrikanten nirgends *persönlich* angegriffen oder gemißhandelt, daß kein Feuer angelegt und auch die Bäckerläden, gegen welche eben keine günstige Stimmung herrschte, völlig verschont wurden. Am 6. Juni hatte sich auch der Herr Ober-Präsident eingefunden.

Während nun Breslau seine Schützen, Brieg seine Infanterie (per Eisenbahn) bis Königszelt und von da nach den Orten der Verwüstung sandte, und die Husaren von Strehlen gleichfalls herbeigekommen waren, fing es hier in Breslau an demselben Tage (6. Juni), wo Estaffette auf Estaffette durch die Straßen eilte, abends zu gären, sich in Haufen zu sammeln und lärmend hin und her zu ziehen an. Die erwartete Ankunft Prinz Adalberts und der dabei gehoffte Zapfenstreich hatte außerdem viele Menschen auf den Markt gezogen. Man hörte überall Gruppen sich über die Weber unterhalten; eine gewisse fieberhafte Spannung war bemerkbar. Doch wurden in dieser Nacht bloß mehrere Fenster auf der Karlsstraße eingeworfen. Am folgenden Abende (7. Juni) erneuerte sich der Tumult, nur weit stärker. Der Prinz war gekommen, aber der Zapfenstreich unterblieb. Der Kommandant v. Zollikofer redete die auf dem Markt dichtgedrängte Masse an und ermahnte sie zum ruhigen Auseinandergehen. Entsetzliches Pfeifen, Hurrageschrei und Zischen veranlaßten ihn, sich sofort wieder in die Hauptwache hineinzubegeben. Die Hauptstraßen waren so voll Menschen, so dicht gedrängt, daß man weder vor noch zurück konnte. Es wogte die Menge mit Toben und Pfeifen auf und ab. Mehrere Kompanien Infanterie wurden nun auf einigen Hauptpunkten, die Kürassiere auf dem Markte aufgestellt, die übrigen Truppen in den Kasernen konsigniert[52], die Geschütze bereitgehalten und die Kompanien der Bürger-Schützen aufgeboten. Starke Kürassier-Patrouillen durchritten die Straßen. Allein, teils der Mutwille, teils der besonders in Schneidern und Tischlern gegen die Juden glimmende Haß hatte bereits einen großen Schwarm nach der Karls- und Antonienstraße und durch die goldene Radegasse getrieben, wo er alle Fenster einwarf und zertrümmerte. Die Reiter-Patrouillen und dann die übrigen imposanten Truppenmassen verhinderten weitere Exzesse. An 50 Personen wurden arretiert. Die schnell, ungemein schnell beendigte Untersuchung hat für 18 von den Eingefangenen Freiheits- und Leibesstrafen zur Folge gehabt. Unter den Verurteilten befinden sich meist Handwerksgesellen und Lehrlinge, auch ein Hausknecht, ein Formenstecher, ein Handlungskommis und ein Gärtner.

Die Kunde von dem Aufstande der Weber verbreitete sich mit Blitzesschnelle in der Provinz. Zwar den hiesigen Zeitungen wurde sogar eine ganz kurze Notiz vom Zensor gestrichen, und später nach langen Konferenzen einiger Mitglieder der Regierung ein kleiner offizieller Artikel eingerückt. Desto geschäftiger war die Fama. Die übertriebensten Gerüchte fanden gläubige Aufnahme. Was über Organisation, Zahl und Bewaffnung gefabelt ward, ist erstaunlich. Um so begieriger griff jeder nach den Zeitungen. Sie aber sprachen über alles, nur über das nicht, was alle Gemüter in Bewegung setzte. Und doch war die Teilnahme für die Weber in den arbeitenden Volksklassen allgemein, unter den höhern Klassen nicht unbedeutend, hier jedoch von seiten der Reichen und Kapitalisten weit überwogen durch Opposition, Haß und – Furcht. Nach Versicherungen glaubhafter Leute war das ganze Gebirge bereit, ›wenn nur erst die Weber kämen‹, sich ihnen anzuschließen. Ich selbst hörte gerade an den Tagen vom 7. Juni ab auf einer kleinen Reise überall die entschiedenste Sprache auf Dörfern und in der Stadt, daß die Weber recht hätten und daß es nur alle so machen sollten, dann würde es schon ganz anders werden. Gegen die reichen Fabrikanten, gegen den Adel und die Gutsbesitzer, gegen die Reichen und Vornehmen überhaupt, hörte ich die drohendsten Äußerungen. Bald hieß es: 10 000 Weber ziehen nach Freiburg zum *Kramsta*, bald: sie hätten ihren Weg nach Wüstegiersdorf und weiterhin genommen. An beiden letztgenannten Orten war bereits Militär zum Schutze aufgestellt. Sonntags, den 9. [Juni], erzählte mir ein Bauer aus Jauernik: Er sei, wie die andern im Dorfe und im ganzen Kreise, beordert, morgen zu Pferde und mit Stricken versehen auf die geflüchteten Weber Jagd zu machen. ›Und wenn ich öber an Waber foalle‹, setzte er hinzu, ›ich war gewieß kenn sahn!‹ (Und wenn ich über einen Weber falle, ich werde gewiß keinen sehen!) Damit nicht Zuzug und Hilfe von der Grafschaft und über die Eule her erfolge, hatte man schleunige Maßregeln der Bewachung ergriffen. Auf der Station Königszelt wurde, wie man mir erzählte, ein Kommis, der sich heftig *gegen* die Weber und *für* die Fabrikanten aussprach, unsanft zur Türe hinausgewiesen, und obgleich er ein Fahrbillett nach Breslau gelöst, erblickte man ihn doch nicht wieder. Ich führe dies bloß als Zeichen der herrschenden Stimmung an. – Schon am 6. Juni wurden eine Menge Verhaftungen in Bielau und Peterswaldau vorgenommen und an den folgenden Tagen und Nächten fortgesetzt. Ein Teil der Weber hatte sich einstweilen in die Wälder und Berge begeben. Die, welche des Abends etwa heimkehrten, wurden gefesselt und nach Schweidnitz geführt. Hundert mögen sich jetzt dort im Gefängnis befinden. Eine Spezialkommission von dem hiesigen Oberlandesgericht verfügte sich bald nach Schweidnitz. Die Eingezogenen sind der Beschädigung fremden Eigentums aus Rache angeklagt und dürfen sonach einer schweren Strafe gewiß sein. Doch haben sie *den* Trost, daß sie im Zuchthause sich immer besser befinden als in der sogenannten Freiheit. Sie werden wenigstens nicht verhungern, nachdem sie der Staat in seine Obhut genommen. Für die Frauen und Kinder wird doch ebenfalls einige Hilfe geschafft werden, und so mögen sie auch von dieser Seite beruhigt sein. Eine Aufforderung, respektive Anzeige, daß für die Hinterbliebenen derer, die in Bielau erschossen wurden, eine Sammlung eröffnet sei, hat der hiesige Zensor gestrichen; so wie er überhaupt alles, selbst in den Artikeln der Minister Rother[53] und Bodelschwingh[54], mit seinem Rotstift vertilgt, was von Not und Elend unter den Webern handelt. Daß er nur nach ›höhern Instruktionen‹ verfährt, versteht sich von selbst. Man befürchtet den Einfluß der Presse und meint, schon einige Worte dürften hinreichen, um das Gebirge in Aufruhr zu bringen. Allein, entweder ist die offizielle Versicherung, es sei die Ruhe überall zurückgekehrt, ungegründet und man glaubt wirklich ihrer nicht sicher zu sein, trotz aller Soldaten und Bajonette, oder man benutzt bloß die Gelegenheit, um die in gewissen Regionen längst mit bösem Auge angesehene Presse, der man sogar die Schuld an den Vorfällen beimißt, auf lange Zeit hinaus wiederum mit all den früheren Gewichten zu beschweren. So müssen uns die übrigen Blätter Deutschlands schadlos halten. Nach Schluß der Untersuchung haben wir jedenfalls in den hiesigen Zeitungen einen längern offiziellen Bericht zu erwarten. Wie sollte *der* uns aber das öffentliche und mündliche Verfahren vorm Geschwornengericht ersetzen? Ich zweifle keinen Augenblick, daß die Kommission mit aller Sorgfalt und Gewissenhaftigkeit zu Werke gehen wird. Allein, beim besten Willen bleiben es eben tote Aktenstücke, was sie hinter den Inquisitionsmauern zusammenschreibt. Die öffentliche Verhandlung vor allem Volk würde so manche Dinge ans Tageslicht bringen, die jetzt der einsame Inquisit entweder gar nicht anführt, oder sie in die Sprache des Richters übertragen und in den Akten vergraben sieht. Ich meine keineswegs, daß die Geschwornen etwa ein günstigeres Urteil über die Weber fällen würden als unsere Richter. Im Gegenteil. Denn gerade eine bestimmte Höhe des Privateigentums macht erst den Geschwornen, und letzterer fühlt sich in jedem Angriff der Besitzlosen gegen die Besitzenden und Reichen selbst aufs nächste bedroht, und Frankreich und England zeigen, was der Proletarier vom Proprietär, dieser mag als Lohnherr oder Geschworner auftreten, zu erwarten hat. Der Nutzen bestände nur darin, daß einmal vor den Augen und Ohren des Volkes über die Folgen der Ausbeutung des Menschen durch den Menschen verhandelt werden könnte. Die Untersuchung dehnt sich übrigens immer weiter aus. Aus Peterswaldau und Bielau haben die dortigen Justitiarien an das hiesige Oberlandesgericht geschrieben, ob sie nicht ausnahmsweise die große Zahl von meist Weibern und Kindern, die wegen Entwendung und Verheimlichung verschiedener beim Tumulte aus den Häusern geworfener Waren angezeigt werden, auf freiem Fuße vernehmen dürften, da ihre Einsperrung leicht neue Ausbrüche herbeiführen könnte und auch die Gefängnisse gar nicht für die Menge zureichen würden. Nach eingeholtem Gutachten der hiesigen Regierung ist nun dem gedachten Gerichtspersonal von hier aus befohlen worden, mit der Verhaftung ohne Ausnahme vorzuschreiten.

Es ist den Webern häufig der Vorwurf geworden, daß sie lieber bei ihrem Geschäft elend leben als zu etwas anderm greifen wollten. Man hat ihnen zu Eisenbahn- und sonstigen Arbeiten geraten. Wer aber die abgemagerten, hektischen und rachitischen Gestalten ins Auge faßt, muß bald davon zurückkommen. Und ob sie als Weber oder als Tagearbeiter auf Straßen, herrschaftlichem Acker etc. eine kümmerliche Existenz fristen, macht überhaupt keinen sonderlichen Unterschied. Ein zweiter Tadel besteht darin, daß sie bei ihrer alten Weise, ihren alten Webstühlen, bei dem Verfahren, wie es der Großvater getrieben, stehenbleiben und an keine Verbesserung heranwollen. Seltsamer Vorwurf! Während die Gesellschaft sich um die Weber von deren Geburt an nicht weiter kümmert, als daß sie dieselben bis zum 14ten Jahre zum Schulbesuch zwingt, so durch Verkürzung der Arbeitszeit den Armen noch ärmer macht und ihm in der Schule dafür keinen andern Ersatz gibt als eine Menge auswendig gelernter Sprüche, Gesänge, Episteln, Evangelien und etwas Schreiben und Rechnen – was man alles zusammen doch wahrhaftig nicht menschliche Bildung nennen wird –, verlangt man von ihnen, sich von Vorurteilen loszumachen, da doch die höhern Klassen mit all ihrer Aufklärung und Kultur noch weit hartnäckiger an den ihrigen hängen. Bringt den Webern Bildung bei, und damit sie möglich und zugleich fürs Leben fruchtbar sei, sorgt auch für ihr körperliches Wohlergehen, und sie werden sich leicht in die Fortschritte des menschlichen Geistes finden. Andere möchten den Weber zum Kolonisten in Posen und Ostpreußen machen. Aber erzeugt denn nicht unsere Provinz Getreide und Lebensmittel aller Art in solcher Fülle, und kann der Ertrag des Bodens nicht noch so unberechenbar gesteigert werden, daß nicht bloß die jetzige Bevölkerung, sondern eine viel größere, ihren hinlänglichen Unterhalt findet? Werden nicht jährlich viele 100 000 Scheffel an Getreide und Mehl ausgeführt? Und der Weber sollte auswandern, wo so viel Überfluß? Wo eine Menge Nichtstuer täglich Unmassen von Fleisch, Wein und Backereien vergeudet, da sollte für den Weber kein Stück Brot, kein Glas Bier mehr übrig sein? Der Weber hat lange genug als Kind in der Schule, als Erwachsener sonntäglich in der Kirche von der ›christlichen Liebe‹ und ›Aufopferung‹, von der ›Pflicht‹, seinem ›Nächsten zu helfen‹ mit allem, was dem einzelnen zu Gebote steht, salbungsvoll reden hören, und er sollte jetzt vor dieser vielgepriesenen Liebe Reißaus nehmen? Er fängt vielmehr an zu ahnen, daß, wenn Mühe, Drangsal und Hunger hienieden zur Krone des ewigen Lebens berechtigen, ihm die Reichen und Gebildeten längst dieses Privilegium entrissen hätten, und der Gedanke beginnt in ihm zu tagen, daß da, wo millionenreiche Fabrikanten, Gutsherren, die 10 000, 20 000 bis 100 000 Morgen Landes besitzen und viele, viele Tausend jährlich einnehmen, es nur einer vernünftigen Gestaltung der menschlichen Gesellschaft bedürfe, um schon hienieden den Himmel zu gründen und aus dem jetzigen Überfluß der einen den Mangel der andern zu ergänzen. Es kommen aber noch andere Ärzte, die bringen Schutzzölle in Vorschlag, wieder andere ein beschränkendes Gewerbepolizeigesetz u. dergl. Wer über die Natur des Privateigentums und seine Konsequenzen ernstlich nachgedacht, wird von Dingen, die höchstens einige Zeit als kleines Palliativ wirken könnten, keine Radikalkur hoffen. Nur eine *Reorganisation*, eine Umgestaltung der Gesellschaft auf dem Prinzipe der *Solidarität*, der *Gegenseitigkeit* und *Gemeinschaftlichkeit*, mit einem Wort der *Gerechtigkeit*, kann uns zum Frieden und zum Glücke führen.

Breslau, Ende Juni.[55] F. W. Wolff

Weberliteratur
und soziale Frage im Vormärz

›Die schlesischen Weber‹ (1844). Von Carl Wilhelm Hübner.
Vgl. Seite 271

1

›Ist es schwer, der Mammonslust den Kainsstempel aufzudrükken, für uns, die wir wissen, daß dieser Götze keinen andern Segen spendet als den Becher unnatürlicher Lust, gefüllt mit den Thränen der Brüder, gefüllt mit dem Herzblut der Menschheit?‹[1] – ein Satz aus einer Predigt von 1845, der sich mit einem damals neuen Problem, der ›sozialen Frage‹, befaßt; ein Satz, der den heutigen Leser ebenso überrascht wie der deutliche Kontrast zwischen den in diesen Band aufgenommenen publizistischen und den literarischen Texten; aber auch ein Satz, der charakteristisch ist für eine seinerzeit weitverbreitete Perspektive, aus der heraus die ›soziale Frage‹ betrachtet wurde. Er bedarf – wie die damalige soziale Literatur – der Übersetzung. Setzte man etwa in dem Predigtzitat für den ›Becher unnatürlicher Lust‹ Profitstreben oder gar Ausbeutung, so würde klarer, um was es sich handelt, nämlich um den Versuch, Kapitalismus in pietistischem Vokabular zu erfassen. Charakteristisch daran ist nicht, daß hier ein bornierter Schwärmer sich unbefugt ins Gebiet der Ökonomie vorgewagt hätte, wo kompetente Theoretiker bereits Klarheit geschaffen hätten. Charakteristisch an dem Satz ist vielmehr, daß beim Versuch, die Erscheinungen der Industrialisierung zu erfassen, auf Erklärungsmodelle zurückgegriffen werden muß, die einem anderen Diskurs als den einschlägigen, dem polit-ökonomischen und dem sozialpolitischen, entstammen.

Mit Befremden nimmt ein heutiger Leser zur Kenntnis, auf welche oft seltsame Weise in den vierziger Jahren des 19. Jahrhunderts von den Auswirkungen der Industrialisierung gesprochen wird, und allzu schnell ist er geneigt, ›Triviales‹, Naives oder Abwegiges zu entdecken. Die vorschnelle Aburteilung ist aber – vor allem mit Blick auf die Literatur zur sozialen Frage – in zweierlei Hinsicht ideologieträchtig. Einerseits gibt bei dieser Urteilsfindung heutiges Wissen die Grundlage ab, eine Voraussetzung, die so tut, als verlaufe Geschichte eindeutig zielgerichtet und erlaube also, damals ›Wichtiges‹ von damals ›Unwichtigem‹

zu scheiden. Anders gesagt: Erst eine Aufarbeitung der historischen Bedingungen der Möglichkeit von sozialer Literatur gestattet eine Beurteilung dieser Texte. Andererseits findet das Verdikt, die soziale Literatur sei Trivial-, Tendenzliteratur oder gereimter Leitartikel, eine wesentliche Stütze in den normativ verstandenen Sätzen der klassisch-romantischen Ästhetik. Auch dies ist ein ungeeigneter Maßstab für die Bewertung der Literatur des Vormärz, da gerade diese Position in den vierziger Jahren des 19. Jahrhunderts lautstark programmatisch bekämpft wurde. Einer der wenigen Kenner des Materials der sozialen Literatur, Erich Edler, hat denn auch in aller Bescheidenheit zunächst versucht, diese beiden Klippen zu umschiffen und seine außerordentlich materialreiche Arbeit als ›Fleißarbeit, Forschungsbericht und Panorama vielfältiger Autorenmeinungen‹[2] präsentiert. Er gibt einen sehr weiten Überblick über diejenige Literatur, die sich – allen Schöngeistern zum Trotz – nicht zu schade war für die Aufnahme und Verarbeitung der ›sozialen Frage‹, genauer: der Folgelasten der Industrialisierung. Neben dem Eisenbahnbau, dem Bergbau und der Stahlindustrie wirkte sich die Industrialisierung am spektakulärsten in der Textilindustrie aus: Es entstand nach Vorläufen von Pestalozzi, Salzmann und Bräker[3] im Vormärz eine neue Art ›Weberliteratur‹. Die vorliegende Anthologie gibt erstmals typische Proben davon.

2

Die fortgeschrittene Mechanisierung der Textilindustrie in England und Frankreich und – mit einiger Verzögerung – auch in Deutschland bewirkte die totale Verarmung der Spinner und Weber, bei ihnen war die Not am deutlichsten sichtbar. Von den frühen vierziger Jahren an waren die ›armen Spinner und Weber‹ zumindest der zeitunglesenden Öffentlichkeit ein Begriff. Die Literatur, genauer: die Belletristik, nahm sich seit 1843 ihrer an, zuerst in Ernst Willkomms Roman ›Eisen, Gold und Geist‹. Es folgte, vor allem nach dem Weberaufstand im Juni 1844, eine wahre Flut von ›Weberliteratur‹, geschrieben von Autoren, von denen die meisten heute nicht einmal mehr dem Namen nach bekannt sind: Alexander von Ungern-Sternberg, Otto Ruppius, Carl

Schloenbach, Robert Prutz, Louise Otto, Louise Aston und viele mehr. Gedichte, Novellen, Noveletten, Skizzen, Erzählungen, ›Daguerreotypen‹ und umfangreiche Romane erschienen zum Thema ›Die Not der Spinner und Weber‹.

Warum war dieses Thema so marktträchtig und wie wurde es behandelt?

Um eines in aller Deutlichkeit vorwegzunehmen: Der Weberaufstand vom Juni 1844 war nicht der *Grund* für die Entstehung dieser Literatur, sondern allenfalls der Anlaß für die massenhafte literarische Behandlung der Misere. Nur selten wird auf das historische Ereignis Bezug genommen und auch dann meist so, daß der Aufstand als Symptom für Tieferliegendes verstanden wird. Der Grund für die Entstehung der ›Weberliteratur‹, als einer spezifischen Form der sozialen Literatur, lag vielmehr in einer Erschütterung des bürgerlichen Selbstverständnisses. In den vierziger Jahren des 19. Jahrhunderts verbreitete sich die Erkenntnis, daß das bis zur Französischen Revolution emanzipatorisch wirkende ›Allgemeinmenschliche‹ wohl doch ein spezielles, nämlich ein bürgerliches sei. Freiheit, Gleichheit, Brüderlichkeit bewährten sich im Zuge der Industrialisierung nur noch um den Preis ihrer Einengung auf die bürgerliche Klasse. Diese ideologische Trias als Deckmantel dahinterliegender ökonomischer Interessen entlarvt zu sehen, hatte eine tiefgreifende Unsicherheit und Unbehagen verursacht. Wer nun aber in der sozialen Literatur Sozialismus oder Kommunismus, gleich welcher Prägung, vorzufinden erwartet, der wird in aller Regel enttäuscht. Gerade im Namen von Freiheit, Gleichheit und Brüderlichkeit, gerade im Blick auf das ›Allgemeinmenschliche‹ versuchen die – meist kleinbürgerlichen – Schriftsteller, in diesen Wertekanon Pauperisierte, Proletarisierte und sozial Deklassierte zu integrieren. In der Tat erwies sich bei diesem Versuch, das bürgerliche Konzept des ›Allgemeinmenschlichen‹ gegen die schlechte Realität der bürgerlichen Gesellschaft zu kehren, dessen kritische Kraft: Immer noch gelang es, vor dem Hintergrund der Idee des egalitären Humanismus Menschenunwürdiges anzuprangern. Aber, auch hier gebe man sich keinen Illusionen hin: vielfältige Brechungen und Abstufungen dieses Konzepts, von pathetischer Deklamation über die Anrufung von Gewährsmännern – Schiller und Hegel z. B. – bis hin zu larmoyanter Klage im Vertrauen auf die Einsicht der Herrschenden und Besitzenden, erschweren den Zugang zur ideologischen Grundlage der Texte. Eines jedenfalls ist sicher: Die Textoberfläche ist in der Regel so glatt, daß ein an ihr gebildetes Urteil am historischen Stellenwert dieser Literatur vorbeizielt. Es reicht eben nicht aus festzustellen, daß die Geschichten nach wohl-, oft sattsam bekannten Mustern angelegt sind, daß in den Gedichten schnell festgefahrene Bilder immer wieder dargeboten werden. Das Problem, wie in bekannte Muster der Literatur Neues eingebaut werden kann, und wie das Bekannte sich dann verändert, muß mit der Frage nach dem Grund der Beschaffenheit der Texte angegangen werden. Andernfalls bliebe man stehen bei leicht greifbaren Geschmacksurteilen, wie denen, daß die Texte sentimental, ›ungenießbar‹ oder gar – wegen der Sentimentalität – ›reaktionär‹ seien.

Die Themenbereiche sind, wie der Begriff ›Weberliteratur‹ nahezulegen scheint, schnell aufgezählt: Elend der Weber und Spinner, Probleme der Textilarbeiter, die haus- oder fabrikindustriell produzieren, damit zusammenhängende Fragen des Unterhalts, der medizinischen Versorgung, der Dequalifizierung, Details über Lohnabzüge – die bekannten ›kleinen Diebstähle‹ der Fabrikanten –, Willkür von Fabrikanten und Subalternen gegenüber den Arbeitern und vor allem immer wieder: die Enthumanisierung der brutal Ausgebeuteten. Aber der Begriff ›Weberliteratur‹ führt, aufs Ganze gesehen, leicht in die Irre. Er ist geeignet, einen bestimmten thematischen Bereich zu bezeichnen, nicht aber etwa ein Genre oder gar eine Gattung; Goethes ›Wanderjahre‹ sind nicht ›Weberliteratur‹, weil in Lenardos Tagebuch von Webern die Rede ist; Ernst Willkomms Roman ›Weisse Sclaven oder die Leiden des Volkes‹ (1845) ist kein ›Weberroman‹, weil eine Gruppe der Figuren Weber ist; allgemeiner gesagt: Ein Roman ist nicht schon dann ›Arbeiterliteratur‹, wenn er auch von Arbeitern handelt. Zudem birgt der Ausdruck ›Weberliteratur‹ noch eine Gefahr, nämlich die, daß die Schilderungen, Tableaus und Erzählungen von den Webern für authentische Abbildungen damals herrschender Verhältnisse genommen werden. Literatur, zudem fiktionale, ist schon immer eine widerspenstige und argwöhnisch betrachtete Verwandte der Geschichtsschreibung gewesen. Damit ist ein zentrales Problem dieser Art Literatur angesprochen, das im Vormärz auch die bildende Kunst beschäftigt.

3

Ein kurzer Seitenblick auf die Malerei mag das verdeutlichen. Bereits vor dem Weberaufstand hatte Carl Wilhelm Hübner ein vielbeachtetes Bild mit dem Titel ›Die schlesischen Weber‹ gemalt. Zahlreiche Besprechungen des Bildes machten den zur Düsseldorfer Malerschule gehörigen Maler und sein Werk bekannt. Engels meinte gar, daß das Bild ›wirksamer für den Sozialismus agitiert hat als hundert Flugschriften‹[4]. Sicherlich richtig ist, daß eindringlich und sinnfällig der Kontrast zwischen Webern und Verleger während einer Comptoirsszene dargestellt ist. Aber über das unmittelbar Sichtbare und Dargestellte hinaus nimmt Hübner ein Element auf, welches dem Bild mehr gibt als Appell an den Gerechtigkeitssinn oder das Mitleid des Betrachters. Die Art der Darstellung des Zwischenhändlers weist deutlich Elemente der Darstellung absolutistischer Herrscher im 18. Jahrhundert auf, man denke an Rigauds Ludwig XIV. oder Duplessis' Ludwig XVI.[5] Nur gering sind Haltung des Kopfes, des Stand- und Spielbeins verändert. Während aber Ludwig XIV. sich auf eine politische Machtinsignie stützt, ›stützt‹ sich der Verleger auf gewebtes Tuch, die Grundlage seines Reichtums und seiner Macht: Der Verleger als absoluter Herrscher mit neuer Legitimation[6], der Kapitalist im Status des Gottesgnadentums. Solcherart traditionale Elemente sind zu beachten bei der Lektüre der Texte der sozialen Literatur, sie erst ermöglichen eine angemessene Analyse der Beschaffenheit dieser Texte und bilden eine Ausgangsbasis für die Befreiung von festgeschriebenen Vorurteilen bei Lektüre und Interpretation. In der Zeit des Vormärz spitzt sich nämlich eine Auseinandersetzung dramatisch zu, die mit Friedrich Schlegel[7] begonnen hatte und von Heine und Autoren des literarischen Jungen Deutschland fortgeführt wurde. Gemeint ist die Diskussion um die Aufgabe und Leistung von Kunst und Literatur. Soll Literatur als ›Schöne Literatur‹ betrieben werden, oder muß sie nicht vielmehr auf brennende Tagesfragen schnell und ansprechend antworten, ›journalistisch‹ werden? Kaum ein Schriftsteller des Jungen Deutschland und des Vormärz, der nicht Journalist war. Ist ›Schöne Literatur‹ überhaupt noch angebracht angesichts politischer Unterdrückung und sozialer Misere? Dazu aus berufenem Munde zwei Stimmen. Georg Herwegh 1842: ›Ich bin und will in Ewigkeit kein Literat, kein Schriftsteller sein; ich schreibe bloß, was heraus muß und habe vor der Kunst, etwas, gleichviel was, bloß hübsch zu sagen, vor der armseligen Kunst, artige Artikelchen zu machen und kritischen Skandal zu veranlassen, den tiefsten Abscheu. Verse schmieden und schreiben, ist Millionen Menschen gegeben, das hilft nichts! [. . .] *ich will Richtung, und da unsere Universalität ewig nicht zum Handeln kommt, einseitige Richtung.*‹[8] Und Ernst Dronke im Vorwort zu seiner Novellensammlung ›Aus dem Volk‹ (1846): ›Diese Blätter haben eine ‚Tendenz' zu Grunde: es ist die der Wahrheit. Ich habe diese Novellen nicht geschrieben, um ‚Novellen zu schreiben'; ich geize nicht nach der Ehre, ‚Belletrist' zu sein. Ich habe vielmehr die ‚Tendenz', die ohne Zweifel ebensowohl in einer Broschüre, einer Kritik oder Geschichte der heutigen Gesellschaft und dergleichen vor das Publikum zu bringen war, nur deshalb in das Gewand der Novelle gekleidet, weil in dieser *Form* der Nachzeichnung des wirklichen Lebens die Wahrheit jener Verhältnisse am deutlichsten und sprechendsten vor die Augen tritt und dadurch weiter als abstrakte Abhandlungen wirkt.‹[9]

Literatur als Vehikel politischer und sozialer Kritik, aber immer noch Literatur! Man scheint ihre Verfahren, ihre Redeweise zu brauchen, auch wenn man sie mit programmatischem Elan in die Rolle nurmehr gefälligen Dekors zu drängen versucht. Die Vormärz-Autoren leiden geradezu an der mächtigen literarischen Tradition; daher die Differenz zwischen wild entschlossener Programmatik und literarischer Praxis. Man kann sagen, daß die Verfasser sozialer Literatur, von wenigen Ausnahmen abgesehen, aus ernsthafter Entrüstung heraus neue soziale Mißstände in die Texte aufgenommen haben, daß ihnen aber eine literarische Verarbeitung sehr schwergefallen ist. Da wird, wie in Willkomms Erzählung ›So lebt und stirbt der Arme‹ am Beispiel des Webers Moser durchexerziert, was unter den Bedingungen rüder kapitalistischer Produktionsweise geschieht, wenn jemand ein christlicher und rechtschaffener Mensch bleiben will. Direkt benannt wird eine ähnliche erzählerisch entfaltete Grundopposition in Belanis Novelle ›Die armen Weber‹, wenn der Fabrikant Urban sagt: ›Ja, es ist wahr, [. . .] ich bin ein schlechter Mensch – ich bin aber ein vernünftiger Mensch. Mit dem Herzen allein kommt man nicht mehr durch die Welt.‹[10] Und wenig später nennt er, der ›Vernünftige‹, seinen Bruder, einen verarmten, philanthropischen Pfarrer, einen ›Phantasten‹. Da zeichnet Louise Otto[11] Fabrikherrn und Personal, beim Abendbrot um den Tisch versammelt, in einer Weise, die nur als bedauerlich herabgekommenes Gegenbild zu Darstellungen einträchtiger, festgefügter Handwerkerfamilien, zum Beispiel in Ludwig Tiecks ›Jungem Tischlermeister‹[12], verständlich ist. Louise Aston wird da zunächst scheinbar deutlicher im Zeitbezug, wenn sie in einer Passage frühsozialistische Theorien durchgeht und französische und englische soziale Unruhen erwähnt[13]. Aber sie integriert sie eben nicht in die erzählte Handlung, sie präsentiert sie als Reflexion und appelliert dann unter Berufung auf das ›Evangelium der Liebe‹ an die Besitzenden, durch einsichtiges Handeln revolutionäre Katastrophen abzuwenden.

Prutz ist kompromißloser. Sein Romanproletariat ist ein verlotterter, desorientierter Haufe, dem Kraft und Möglichkeit zur Besserung verlorengegangen sind. Diese Figurengruppe spielt historisch – in der Sichtweise dieses Romans – keine Rolle mehr. Wirksam werden dagegen solide, moralisch integre Personen, die der schlechten Welt eine Ecke abgewinnen, wo sie in Übereinstimmung mit dem Weltgeist leben und handeln. Es mag überraschend klingen, aber sein Roman ›Das Engelchen‹ fußt in der Tat insgesamt auf einer Interpretation der Hegelschen Geschichtsphilosophie[14]. Bei Hackländer verkommt die Empörung zu einem Muster der Erzählung, das den Leser eher beruhigt: Man muß nur wollen, wie der Färber Brand, dann bekommt man auch sein Recht – als einzelner. Der Humor Hackländers erweist sich hier – einmal mehr – als kleinlicher Humor, die ›Rache des kleinen Mannes‹ ändert nichts.

Anders Georg Weerths Romanfragment. Man erkennt in allen Teilen des Fragments den brillanten Feuilletonisten. Aber das ist an diesem Text nicht das Wesentliche. Weerth hat als einer der ganz wenigen Autoren des Vormärz versucht, die sozialen

Gegensätze zur Grundlage seines unvollendeten Romans zu machen. Er versucht, sie erzählerisch aufzubereiten, ohne gegenüber wissenschaftlichen oder publizistischen Texten an Erklärungswert zu verlieren. Dieser frühe Versuch von 1845/46 ist gescheitert, er blieb eben Fragment, aber zweifellos ein literaturgeschichtlich interessantes Fragment. Zudem nimmt Weerth sozialistische Ideen positiv in die Grundlage dieser nicht abgeschlossenen Arbeit auf, ein wichtiger Unterschied zu Ernst Willkomm, Louise Otto, Louise Aston und Prutz, von Hackländer zu schweigen.

Über die soziale Lyrik bleibt nach dem Gesagten bei der gebotenen Kürze dieser Skizze nicht viel zu ergänzen. Im Unterschied zu den Erzähltexten können in der vorliegenden Anthologie Gedichte aber ganz dargeboten werden, so daß die Versuche, in geschlossenen Formen Offenheit für den Kontext – die ›soziale Frage‹ – herzustellen, sichtbar werden. Und dieser Kontext ist unerläßlich zum Verständnis. So ist das Gedicht von Adolph Schults nur dann als ironische Ansammlung von ›Lebensregeln für Weber‹ lesbar, wenn man – wie der Leser dieser Ausgabe – die Ausflüchte der Fabrikanten kennt. Gleiches – Kenntnis des Kontextes – gilt für zwei Gedichte von Louise Otto, die im ersten (›Im Hirschberger Tale‹) durch den Titel Bezug nimmt auf eine angebliche Kommunistenverschwörung im Hirschberger Tal (1845)[15], und in ›Wohlauf!‹ übernimmt sie von Herwegh die Idee, daß die geplante deutsche Flotte einen guten Arbeitgeber abgebe. So vereinigt sie nationale und soziale Frage miteinander.

Zwei Texte verdienen allerdings hervorgehoben zu werden: ›Das Blutgericht‹ und Heinrich Heines Gedicht in seinen verschiedenen Fassungen.

Im Unterschied zu allen anderen hier versammelten Gedichten kann ›Das Blutgericht‹ – damals auch ›Blutgerüst‹, das heißt ›Schafott‹, ›Guillotine‹, genannt – als ein Stück Arbeiterliteratur bezeichnet werden, in dem Sinne nämlich, daß es wohl von Arbeitern für Arbeiter verfaßt, vor allem aber auch von Arbeitern ›gebraucht‹ worden ist. Das Lied ist, wie die erwähnten Fabrikantennamen bezeugen, auf die konkrete Situation der Peterswaldauer und Langenbielauer Weber hin gedichtet worden, ein Charivari, eine Katzenmusik für die Ausbeuter Zwanziger,

Fellmann, Hofrichter und Kamloth, zu singen unter deren Fenstern. Sicher, der Vergleich kapitalistischer Produktionsweise mit der Praxis von Feme-Gerichten erscheint, wie auch die Unebenheiten im Versmaß, etwas unbeholfen, aber was macht das angesichts der Wirkung dieses Liedes? Es war Ausdruck einer unhaltbaren Lage, Mittel zu solidarischem Protest und offener Provokation und blieb nicht bei anklagender Beschreibung stehen. Man lese die Strophen 21 und 22 vor dem Hintergrund der damals ungezählten Versuche zur ›Hebung der arbeitenden Klassen‹: Diese Weber wußten mehr als etliche sozialkaritativ Tätige der gehobenen Schichten.

Heinrich Heines Gedicht ist – in allen seinen Fassungen – eine *Vorführung* des Weberproblems als repräsentativem Teil der sozialen Frage insgesamt. Drei Flüche der Weber werden nach kurzer Einleitung *zitiert*, das heißt, das Proletariat stellt sich nicht selbst dar, sondern es wird präsentiert. Drei Flüche gegen ein verrottetes ›Altdeutschland‹, genauer: gegen Preußen, das 1813 ›Mit Gott für König und Vaterland‹[16] in den Krieg gezogen war. Drei Flüche, einen gegen eine trügerische, asketische Religion, einen gegen den Absolutismus und das Junkertum und einen gegen die ›Teutomanen‹, nach mythologischem Vorbild in ein Leichentuch gewebt, von dem schon die Lyoner Weber anläßlich des Aufstandes von 1831 gesungen hatten[17]. Die Flugblattversion des Heineschen Gedichts wurde verfolgt als ›eine im aufrührerischen Ton gehaltene und mit verbrecherischen Äußerungen angefüllte Ansprache an die Armen im Volke‹[18], denn der preußische Innenminister von Arnim, von dem diese Charakterisierung stammt, hatte offenbar die Dimension der Kritik Heines erfaßt: Hier ging es nicht mehr um einzelne oder *die* Fabrikanten, hier ging es insgesamt um ein morsches ancien régime, das hartnäckig mit Ideologie und Knute eine schnell größer werdende Klasse niederzuhalten suchte. Aber es ging auch um Kritik an den National/Liberalen, die in der Einigung Deutschlands ein Allheilmittel zu sehen meinten. Heines Gedicht ist kein Appell an Mitleid, Freigebigkeit oder christliches Empfinden, es ist zu lesen als zitierte Drohung einer wachsenden historischen Kraft.

Es wäre müßig, weiterhin Detailerläuterungen anzubieten, Art und Gegenstand der Darstellung erschließen sich – über das hier Gesagte hinaus – dem Leser ohne große Mühe. Beachtenswert ist aber immer der Versuch, mit herkömmlichen Erklärungsschemata, die nicht dem ökonomischen Bereich entstammen, das Elend der Weber zu deuten und als Schuld von Staat, Kirche und Fabrikanten anzuprangern. Sei es, daß die aufklärerische Opposition: Vernunft – Schwärmerei neu besetzt wird, indem das ehemals Positive, die Vernunft, zum Negativen, zur kapitalistischen Rationalität wird, während das ehemals Negative, die Schwärmerei, zum Positiven, zum Menschlichen wird, sei es, daß bestimmte Ausprägungen des christlichen Glaubens, wie Pietismus, Quietismus und Jesuitismus scharf verurteilt werden. Gerade letzteres nimmt einen breiten Raum der Darstellung ein, speziell in den erzählerischen Texten. Es liest sich, z. B. bei Carl Schloenbach, wie die Illustration der Kritik Goethes an Krummachers Predigten aus dem Jahre 1828[19]: ›Der Prediger scheint das Seelenbedürfnis seiner Gemeine dadurch befriedigen zu wollen, daß er ihren Zustand behaglich, ihre Mängel erträglich darstellt, auch die Hoffnung auf ein gegenwärtiges und künftiges Gute zu beleben gedenkt.‹ Und wenig später nennt er sie schlicht *›narkotische Predigten‹*.

Trotz aller Kritik wird Goethe auch mit anderen Teilen seines Werks positiv aufgenommen. Ferdinand Gregorovius[20], Karl Grün und andere klopfen sein Werk auf sozialistische Elemente ab. Karl Grün schreibt 1846: ›Der heutige Goethe – und das sind seine Werke – ist ein wahrer Koran des Menschentums, ein Kodex für die radikale Umgestaltung der Gesellschaft.‹[21]

Gemeint ist vor allem Goethes Roman ›Wilhelm Meisters Wanderjahre‹. Der in diesem Band abgedruckte Ausschnitt gibt mit deutlichen Hinweisen auf ihre Bedrohung durch Krieg und Mechanisierung ein ›Gemälde‹ vom Zustand nicht entfremdeter Arbeit: Charakter, Physiognomie und Tätigkeit stehen in voller Übereinstimmung, die beteiligten Personen sind ›ausgefüllt‹. Um diese Übereinstimmung geht es auch in den Utopien der ›Wanderjahre‹. Im großen Stil wird hier das entwickelt, was im Vormärz als ›Socialismus‹ oder ›Communismus‹ verstanden wurde: Herstellung des Zustandes, in dem individuelle und gesellschaftliche Bedürfnisse einander nicht entgegengesetzt, wo Arbeit und Genuß ausgewogen sind. Vor dem Hintergrund solcher Vorstellungen wird auch klar, daß Bettinas dokumentarischer Teil ihres ›Königsbuchs‹ im Vertrauen auf die Anklagequalität des Dokumentarischen geschrieben worden ist.

4

Die ›Weberliteratur‹, überhaupt die Literatur zu Problemen der Industrialisierung in Deutschland, ist dem heutigen Leserbewußtsein weitgehend entrückt. Sowohl unmittelbare Zeitgenossen als spätere Kritiker haben sie aus verschiedenen Gründen aus den Literaturgeschichten verdrängt. Das Anliegen dieser Literatur, die ›soziale Frage‹ zu beantworten, blieb aber weiter bestehen. Nur: Der bürgerliche Realismus verschob den Schwerpunkt seines Interesses bei dieser Suche, der Naturalismus suchte nach Erklärungsmodellen im naturwissenschaftlichen Bereich oder stellte in aller Kraßheit Symptome dar; darin ist er der sozialen Literatur des Vormärz vergleichbar.

Diese, die soziale Literatur des Vormärz, und davon vor allem die ›Weberliteratur‹, wollte den Gegensatz von arm und reich in seiner neuen kapitalistischen Ausprägung herausstellen. Zeitbedingte mangelnde theoretische Durchdringung, Erschütterungen des überkommenen literarischen Gattungssystems und die Verunsicherung des bürgerlichen Selbstverständnisses brachten bei gleichzeitiger fester Entschlossenheit, die Folgelasten der Industrialisierung im literarischen Medium zu erfassen und zu kritisieren, einen literarischen Bastard hervor. Nur allzu verständlich ist in einer Zeit, in der Popularwissenschaft und Publizistik aufblühen, daß das Modell von Eugène Sues Erfolgsroman ›Mystères de Paris‹ zum Muster genommen wird, um den ›Geheimnissen‹ der neuen Klassenbildung auf die Spur zu kommen. Nur allzu verständlich auch der Versuch, im Namen einer literarisch und philosophisch prachtvoll entfalteten Vorstellung von Humanität mit dem Kapitalismus als ihrem Feind abrechnen zu wollen. Um diesen, durch Revolution und darauffolgende Reaktion abgebrochenen Versuch adäquat zu würdigen, sollte die Literaturwissenschaft getrost Helmut Kreuzers Aufforderung folgen: ›Tatsächlich *kann* man geschichtlich und gattungsmäßig verwandte Werke in der gleichen Weise interpretieren und mit den gleichen Kriterien kritisieren, unabhängig von ihrer Einstufung als ‚Dichtung‘ oder ‚Trivialliteratur‘. Man *soll* es auch.‹[22]

Denn: Trotz Unterbrechungen steht das Thema der sozialen Literatur des Vormärz lange nach ihr immer noch an, man denke an die Erzählungen und Romane Max Kretzers, Ernst Preczangs und Willi Bredels[23] oder an die Schauspiele und Stücke Gerhart Hauptmanns und Bertolt Brechts. Um den – noch in den zwanziger Jahren des 20. Jahrhunderts – bewußten Rückbezug und Anschluß zu verdeutlichen, sei auf Erwin Piscators Theaterkonzeption verwiesen. Er schrieb 1924: ›Die Entromantisierung der Kunst hat der Romantik des Alltags den Weg bereitet, und dieser Weg führt von der ‚reinen‘ Kunst zur Journalistik, zur Reportage, von der Dichtung zur Wahrheit, von der Erfindung sentimentaler Fabeln oder psychologischer Geheimniskrämerei zur unerbittlich wahren Schilderung der aufregenden Mysterien der Gefängnisse, der Fabrik, des Kontors, der Maschinen, des Mehrwerts, des Klassenkampfes.‹[24]

Nichts anderes hat – mit ihren Mitteln – die soziale Literatur des Vormärz versucht.

Hans Adler

Die Weber in der deutschen Literatur von 1844 bis 1851

Karl Varnhagen von Ense
Auszug aus den Tagebüchern
1844

Karl August Varnhagen von Ense (1785–1858) war zunächst Offizier in österreichischen, dann in russischen Diensten. Von 1813 bis 1815 nahm er an den Freiheitskriegen teil, die Deutschland von der französischen Herrschaft befreiten und die napoleonische Ära in Frankreich beendeten. Varnhagen begleitete 1814 und 1815 Karl August von Hardenberg (1750–1822) auf den Wiener Kongreß, der Preußen einen großen Gebietszuwachs einbrachte und zu einer europäischen Großmacht werden ließ. Bis 1819 war Varnhagen in preußischen diplomatischen Diensten, aus denen er entlassen wurde, da man ihn demokratischer Neigungen verdächtigte. 1814 heiratete er Rahel Levin (1771–1833), eine der bedeutendsten Frauen am Ende der Goethezeit, in deren Salon sich die literarische und philosophische Intelligenz der Romantik und des Jungen Deutschland traf. Varnhagen schrieb Biographien über preußische Generäle, machte Vorschläge für eine neue Literaturgeschichtsschreibung und veröffentlichte 1834 Briefe und Aufzeichnungen seiner Frau.

Seine Tagebuchnotizen geben einen interessanten Einblick in das geistige und politische Leben Berlins. Zwischen dem 9. und 19. Juni 1844 belegen sie eine private Rezeption der Weber-Revolte, durchsetzt mit persönlichen Erfahrungen aus dem Berliner politischen Leben.

Sonntag, den 9. Juni 1844

[. . .]
In Schlesien Weberunruhen, Truppen aus Schweidnitz, scharf geschossen, mehrere Menschen geblieben.

Montag, den 10. Juni 1844

Traurige Nachrichten aus Schlesien, der Aufstand der Weber im Gebirge nimmt zu, die Truppen sind zurückgedrängt worden, ungeachtet sie scharf geschossen und viele der Gegner getötet oder verwundet hatten; man hat eiligst Verstärkungen herangezogen; daß man den Aufstand bewältigt, ist nicht zu bezweifeln, aber welch ein Elend muß geherrscht haben, und welches Unglück ist dieses Ereignis! Gleichzeitig war in Breslau ein Straßenauflauf. Das Volk erwartete, daß dem dort angekommenen Prinzen Adalbert ein Großer Zapfenstreich gebracht würde, und da dieser unterblieb, so beging es Ausschweifungen, zertrümmerte Fensterscheiben, plünderte einige Läden. Man sagt, in Schlesien liege allerorten der Zunder des Aufstandes ausgestreut, es brauche nur geringer Anlässe und gleich würden die Flammen emporschlagen. Einen Augenblick war es zweifelhaft, ob die Soldaten auf das Volk schießen würden, einige sollen sich bestimmt geweigert haben; dergleichen wird mit größter Sorgfalt vertuscht, wenigstens in die Zeitungen darf davon nichts kommen, man fürchtet, das Beispiel könne anstecken.

Bettine von Arnim war in größter Aufregung bei mir, [. . .]. Und doch vergaß sie selber bald ihre eigene Sache, um die der Weber in Schlesien zu besprechen, [. . .]. Bettine weinte im Erzählen dieses Leids, und es war herzzerschneidend, was sie erzählte.

Dienstag, den 11. Juni 1844

Über die Weberunruhen in Schlesien gibt es mannigfache Berichte. Die Behörden suchen die Sache gering zu nehmen, doch ist das allgemeine Gefühl sehr aufgeregt, und die Regierung wird hart getadelt, daß sie nicht längst an Abhilfe schreiender Mißbräuche gedacht, unter denen die Weber schrecklichen Druck leiden.

[. . .]

In Goethe gelesen. – Doch meine Verstimmung blieb.

Sonnabend, den 15. Juni 1844

[. . .]

Die Weberunruhen in Schlesien sind natürlich bald unterdrückt worden, und jetzt geht's ans Bestrafen! Freilich kann das nicht anders sein, aber der nichtswürdige Minister Savigny[1] schimpft erzürnt die Schlesier schändliches Volk, eine von jeher schlechte Provinz, es müsse mit den schlechten Kerls ohne Erbarmen verfahren werden! Die verruchten Kerls wollen nicht still verhungern, stören die Exzellenzen in ihrer Ruhe, machen dem Könige Verdruß!

[. . .]

Sonntag, den 16. Juni 1844

Große Wut herrscht am Hof und in den Oberbehörden gegen die schlesischen Weber, jeder Minister glaubt den andern und dem Könige zu schmeicheln, wenn er über die Verruchtheit der Aufrührer loszieht, wenn er die härtesten Strafen für sie begehrt. Man unterläßt nicht, auch von Aufwieglern im politischen Sinn, von bösen oder wenigstens unbesonnenen Schriftstellern zu sprechen, man deutet auf Bettinen von Arnim, auf Herrn Pelz (Treumund Welp), auf jede Schrift hin, wo vom Volke mit Anteil gesprochen wird. Der Minister Graf von Arnim hat den Herrn Pelz fürchterlich abgekanzelt und ihm vorgeworfen, die literarischen Aufreizungen gereichten den Leuten zum Unglück, die zahlreichen Führer des Aufruhrs würden von den Gerichten streng verurteilt werden und die meisten wohl nicht mehr ans Tageslicht kommen! Wenn dies letztere auch nur Prahlerei des Ministers ist, so drückt es doch seine Gesinnung aus. Auf dieser Seite ist keine Menschlichkeit, kein Erbarmen, keine Besinnung mehr. Aber ›das Gericht des Herrn‹ wird nicht ausbleiben; wartet nur, es wird noch anders kommen!

Der Fabrikherr Zwanziger, gegen den sich der Aufruhr zuerst wandte, hat früher, als viele Weber ihm ihre Not und ihren Hunger klagten, ihnen höhnisch geantwortet: Das Stroh sei wohlfeil, sie sollten es doch einmal mit Häcksel versuchen. Dies erinnert an Foullon[2] im Anfange der Französischen Revolution, er wollte das Volk mit Heu füttern und sein Kopf wurde auf einer Pike herumgetragen, das Maul mit Heu ausgestopft.

[. . .]

Mittwoch, den 19. Juni 1844

Lied aus Schlesien, ›Die Klagen der Weber‹[3], ein ganz prosaisches Anklagen und Verwünschen der Fabrikherren, die dem Arbeiter den Lohn abknappen, sie werden persönlich genannt und als Leuteschinder besungen. Von sozialistischen oder kommunistischen Einwirkungen keine Spur, alles nur platter Ausdruck der Not und des Hungers. Die Behörden behaupten dagegen trotzig, es gäbe Verdienst genug, aber die Leute wollten nicht arbeiten oder vertäten ihren Gewinn mit Branntwein. Der Minister Graf von Arnim beschuldigt Bettinen von Arnim, sie sei Ursache des Aufstandes, sie habe die Leute gehetzt, ihnen Hoffnungen erweckt, durch ihre Reden und Briefe, und schon durch ihr Königsbuch[4]! [. . .]

H.E.R. Belani
Die armen Weber (Auszug)
1845

Carl Ludwig Häberlin (1784–1858), Sohn des Staatsrechtlers Carl Friedrich Häberlin (1756–1808), war unter dem Pseudonym H.E.R. Belani bekannt und gehörte zu jenen Vielschreibern der dreißiger und vierziger Jahre des 19. Jahrhunderts, die sich am schnellsten auf die neuen Produktions- und Konsumtionsweisen eines sich ausweitenden literarischen Marktes einstellten. Von 1826 bis 1851 schreibt er 29 Werke in 120 Bänden!

1845 greift Belani als einer der ersten das Weberthema in einer größeren Erzählung auf. In ihrer Sentimentalität ganz dem Zeitgeschmack angepaßt, versucht Belani der Novelle durch teils wörtliche Übernahmen aus Alexander Schneers Bericht dokumentarischen Charakter zu geben. Der folgende Auszug bietet – neben einigen etwas sachlicheren Passagen der Erzählung – von den Übernahmen die wichtigsten Beispiele.

Den sozialen Konflikt, der in der Realität durch die Weber-Revolte nicht lösbar war, verharmlost Belani durch seinen erzählerischen Lösungsversuch, indem er familiäre Beziehungen zwischen einem armen Webermädchen und einem hartherzigen Fabrikanten durch das Wiederauffinden geheimnisvoller Papiere herstellt. Der Fabrikant erkennt in Rosa seine Tochter wieder, wird ›geläutert‹ und setzt deren Verlobten Fritz als Faktor und späteren Nachfolger ein, mit dem alle Weber in Bescheidenheit und Glück zusammenleben. Ein Happy-End, wie es dem Unterhaltungsbedürfnis eines bürgerlichen Publikums entsprach.

Das Weberdorf im Gebirge

Das von mehr als zweitausend fleißigen Webern und Spinnern bewohnte Dorf Tiefenau zog sich von einer breiten Mündung, die eine heitere und ebene Landschaft öffnete, stundenlang und immer tiefer einschneidend ins Gebirge hinauf.

Hier, wo die verfallene Hütte des Meisters Mathias stand, dicht am Fuß eines dunkeln Tannenwaldes, der an der steilen Bergwand hinanstieg, war etwa die Mitte des Dorfes. Gegenüber ragte eine senkrechte hohe Felsenwand in den Talgrund hinein. Diese Klippenmauer war ebenfalls mit dunkeln Tannen gekrönt. An Stellen, wo die oft senkrechten Talwände zerklüftet waren, rieselten kleine Wildbäche, von Klippe zu Klippe sickernd, durch das bemooste Steingeröll herab. – Die Sonne schien selten nur hinein in diesen dunkeln, feuchten Talgrund, wo die mit grauen Schindeln gedeckten Hütten der Weber nur mühsam einen kleinen Raum gefunden zu haben schienen. An andern Stellen erweiterte sich das Tal wieder auf kurze Strecken durch das Einfallen von Nebentälern; da gab es denn auch wohl ein Gärtchen bei der Hütte, oder ein mühsam urbar gemachtes Kartoffelstückchen, auf dem von fleißigen Händen mit Erde bedeckten Felsengrunde, das aber wie die Hütten selbst dem Dominium und nur gegen hohen Zins den armen Leuten überlassen war. Weiter unten, nach der Talmündung zu, sah man auch schon einige Äcker, unter andern auch das Erbsenfeld, welches die Lüsternheit der Kinder der Weber zu erregen pflegte, aber streng bewacht war – denn es gehörte zum herrschaftlichen Gute unten in dem Flecken Bleichenau. – Die schon erwähnte Pfarre lag noch eine halbe Stunde höher hinauf im Gebirge.

Der Charakter dieser Gegend war wohl romantisch, aber wenn man das Elend der fleißigen Bewohner derselben erblickte, so beschlich gewiß jeden Wanderer, der sich bis hierher durch die Schönheit der Natur verlocken ließ, ein Gefühl von unendlicher Wehmut. – Die Natur selbst hatte hier dem Schmerz einen Zauber von Romantik beigemischt, der um so tiefer einschneidet, je einfacher das Naturleben dieser armen Bergbewohner war.

Unten, nach dem offenen Lande zu, war der Ausdruck dieser Landschaft schon viel milder und heiterer und doch auch betrübend für den Menschenfreund. – Da gab es sanfte Anhöhen, mit Buchen bestanden, und breite Wiesengründe, auf welchen früher wohl ganze Flächen mit Leinwand belegt waren, die von frischen Landmädchen mit muntern blühenden Gesichtern gebleicht wurden – jetzt waren lange, niedrige Fabrikgebäude mit hölzernen, endlosen Gerüsten zum Trocknen der in wenigen Stunden chemisch gebleichten und oft mürbe gefressenen Leinwand aufgestellt – und die hübschen Bleicherinnen mit ihren Wiesenblumensträußchen, die sie sonst den Bergreisenden so schalkhaft lachend darboten, waren verschwunden – sie standen entweder blaß und still in den feuchten Souterrainräumen der großen Fabrikgebäude bei den Garnwinden oder Spulmaschinen oder waren mit ihren Harfen nach der Leipziger Messe gezogen, um dem Laster und der Lust zu dienen.

Da, noch weiter entfernt – die Gruppe von Palästen mit Zinnen und Türmchen im mittelalterlichen Geschmack –, die so seltsam kontrastierten mit den schwarz qualmenden, wie Obelisken gestalteten Dampfschornsteinen daneben – das war jenes Zauberschloß, von welchem aus sich zugleich das Elend und die letzten Brotkrumen über die zahlreichen Bewohner dieser einst so blühenden Dörfer ergoß –, das war der Sitz der Spinnmaschinen und Jacquard'schen Webstühle, welche den Fleiß der Arbeiter so brotlos machten, das der Schlund des Reichtums, in welchen die Tränen der Armut sich ergossen. Dort wohnte der Herr – wie er in der Gegend genannt wurde – der reichste Industrielle des Landes, dessen Brust für seine hohen Verdienste um die vaterländische Industrie mit Orden, dessen Name mit Titeln dekoriert war – dem das Adelsdiplom noch das letzte Ziel war – da ihm seine Million das Glück und die Spekulation gebracht hatte – der war es, der dort residierte – wie ein Fürst unter seinen Untertanen – dort in dem Schlosse der sinnreichsten Maschinen, die von blassen Kindern bedient wurden, dort in der Fülle der Üppigkeit und des Wohllebens wohnte der Geheime Kommerzienrat (gewöhnlich Geheimer Rat genannt) Franz Urban Walther von Bleichenau – wie er sich von dem Namen seines Wohnsitzes schrieb, um sich ein adliges Ansehen zu geben.

Die gebrandmarkte Leinwand

In der schon halbdunkeln Stube des armen Webers gab es eine Szene der trostlosesten Verzweiflung.

Am Boden lag auseinandergerissen und verworren durcheinander ein Stück ungebleichter Leinwand. Die Frau des Webers saß noch mit dem weißen Regentuch über den Kopf gesteckt und der bunten Tiroler Decke, welche die Stelle des Umschlagtuchs oder des Mantels bei den Frauen dieser Landschaft vertritt, auf einem niedrigen Schemel am Fenster. Sie hatte die Hände übereinander gelegt; ihre ganze Haltung sowie der Ausdruck ihrer einst schön gewesenen blassen Gesichtszüge verriet die äußerste körperliche Erschöpfung und jenes Übermaß von Schmerz, dem der Mensch nichts mehr entgegensetzen kann als seine Wehrlosigkeit. Die kleine Mimi hatte sich schmeichelnd an das Knie ihrer Mutter geschmiegt, und das feine Gefühl des zarten Kindes gab es ihr ein, ihrer Mutter etwas Tröstliches sagen zu wollen. – »Mimi hungert nicht mehr«, sprach sie mit der weichsten, lieblichsten Stimme, »und braucht heute nicht mehr zu essen; Base Liese hat uns prächtigen Kaffee gegeben.«

»Ja«, rief Meister Mathias, und das geschah in dem Augenblick, als Fritz und Rosa eintraten und, erschreckend über diese Szene, die sie sich noch nicht erklären konnten, an der Tür stehenblieben. – »Gott sei es geklagt – so weit hat es die Hartherzigkeit dieser Unmenschen gebracht, daß ein redlicher fleißiger Handwerksmeister – ein kunstreicher Damastweber – bei – ha bei Gott – es ist eine Schande! – bei einer armen Bettlerin[4a] zu Gast gehen mußte mit seinen Kindern, um nicht Hungers zu sterben. – Und an diesem Stück, das sie gebrandmarkt haben«, dabei riß er das eine Ende der Leinwand, welches den Drom[5] enthielt, empor und deutete auf die mit Rotstift unvertilgbar darauf geschriebenen Zahlen, »an diesem Stück vom feinsten Faden – echt leinenen Handgespinstes würde der habgierigste Kaufmann seine fünfzig Prozent mit Ehren verdient haben; aber unser Herr kauft nichts vom armen Weber, wenn er nicht das Dreihundertfache daran verdient. – Jetzt rede du, Alte, erzähl's dem Fritz und der Röse, wie diese üppigen Reichen das arme Blut behandeln. – Wenn da nicht Gott der Herr mit seinem heiligen Donnerwetter dreinschlägt... doch genug – man sollte auf wunderliche, gotteslästerliche Gedanken kommen – über das Unrecht, das sie uns zufügen – Röse – du unschuldiges Lamm Gottes – bete am Sonntag in der Kirche zum Vater des Heils – daß er mir vergebe – was der Schmerz mir an frevelnden Worten und Gedanken entrissen hat.«

»Vater – liebster Vater – beruhigt Euch doch«, flehte Röse, indem sie sich mit kindlicher Zärtlichkeit an ihn schmiegte und die welken Wangen des alten Mannes streichelte, »der liebe Gott ist ein allwissender und alliebender Gott; er sieht auf Euer Herz und hört nicht auf die Rede, welche die lechzende Zunge nur so herausstieß.«

»Mein Vater, du selbst hast mich gelehrt«, fuhr sie fort mit der erhöhten Stimme einer schönen Begeisterung, »daß in höchster Erdennot oft ein schöner Bibelspruch tröstlich sei; so erinnere dich denn auch heute an die schöne Stelle aus den Klageliedern Jeremia, die ich dir noch am letzten Sonntag abend aus unserer Bibel vorgelesen habe und die da lautet: Die Barmherzigkeit des Herrn ist alle Morgen neu und seine Treue ist sehr groß; der Herr ist mein Teil, spricht meine Seele; darum will ich auf ihn hoffen.«

»Ja, darum will ich auf ihn hoffen«, rief der alte Mann und schloß das schöne zarte Mädchen in seine Arme, und die Kinder umklammerten seine Knie und Mutter Mathias stand auf und legte ihre magern Arme um den Nacken des mit ihr alt gewordenen Mannes und weinte Tränen der Liebe an seiner Brust.

»Bis hierher«, rief er, »hat uns der Herr geholfen und er wird uns auch noch ferner helfen; es sagt aber auch die Heilige Schrift: Du sollst Deinem Bruder, der an Dir sündigt, vergeben nicht nur siebenmal, sondern siebenzigmal siebenmal – – und ich habe ihnen vergeben aus vollem Herzen und werde ihnen siebenzigmal siebenmal vergeben – und noch öfter, wenn es sein muß, denn in meiner Seele ist Trauer, aber kein Groll mehr. – Aber des Herrn Langmut mit diesen Pharisäern und Sündern wird bald zu Ende sein – denn es spricht der Herr: Wehe dem, der sein Gut mehrt mit fremdem Gut! – Wie lange wird es werden?«

Fritz stand in der Ecke des Zimmers wie zerknirscht von Liebe und Teilnahme. Dieser einfache Trost, den sich diese redliche Familie aus den Worten der Heiligen Schrift nahm, zeugte mehr als es alle schönen Kanzelreden zu beweisen vermögen für die Kraft des Glaubens im Volksleben. – Die rote Liese stand im dunkeln Hintergrunde am Ofen und betete ein Vaterunser – und dann sprach sie laut das Amen hinein in die still gewordene Szene.

»Amen – Amen – – Herr, Dein Wille geschehe, nicht der meinige«, sprach der Vater, »jetzt aber laßt uns die Sache ruhig überlegen und in Ordnung bereden; denn mit dem Zürnen und Lamentieren kommen wir nicht aus der Not – wohl aber mit Verstand und Besonnenheit. – Nun, Mutter, erzähle.«

Röschen aber hatte indes die Leinwand schon aufgenommen und fing an, sie kunstgerecht wieder zusammenzulegen, und Vater und Mutter halfen ihr dabei. Fritz aber nahm schweigend Röschens schweres Handkörbchen, das er bis hierher getragen hatte, mit hinaus. In der Küche, die einen Teil des Hausflurs bildete, nahm er den großen weißgescheuerten hölzernen Napf, und aus dem Korbe nahm er Brot, bröckelte es hinein, und dann goß er Bier darauf aus den zwei Flaschen, die im Körbchen standen, und mischte Sirup hinein und rührte alles tüchtig um und durcheinander, und nachdem er das Gebräu gekostet hatte und fand, daß es gut war, da nickte er vergnügt mit dem Kopfe, legte hölzerne Löffel hinein für Vater und Mutter und die vier Kleinen und vergaß selbst die rote Liese nicht – er und Röschen hatten schon auf dem Pfarrhofe zu Abend gegessen – dann trug er es hinein in die Stube und setzte den Napf auf den Tisch. »Da, nun löffelt«, rief er fröhlich, »und eßt euch satt – der liebe Gott schickt euch diese süße, kalte Schale durch unsre gute Frau Walther. – Nun erquickt euch erst – und dann mag Mutter Mathias erzählen, wie es ihr ergangen ist – eine gute Mahlzeit hat schon manche Bitterkeit abgestumpft.«

Fritz, mit seinem praktischen Hausverstande, hatte das rechte Mittel getroffen, die trauernde Familie zu beruhigen. Nach dieser stärkenden Mahlzeit wurden alle ganz vergnügt, und Mutter Mathias erzählte harmlos und ohne Groll: »Ich dachte gestern, als der Vater das schöne Stück Leinen vom Gestell genommen und kunstgerecht aufgerollt hatte, das soll einmal wieder Glück und Segen ins Haus bringen! Wir überschlugen den Preis, und da wir die Genauigkeit der gestrengen Herren kennen, so rechneten wir alles so billig als möglich. Wir brachten also erstlich den Flachs in Anschlag; aber da Mutter Liese ihn uns aus dem Lande mitgebracht und für den halben Preis überlassen hatte, so schrieb der Vater blutwenig dafür an – und Röse und ich, wir spannen den ganzen Winter daran, und im Frühjahr brachte der Vater das feinste und egalste Garn, das er jemals bearbeitet hatte, auf den heimlichen Webstuhl da in der Kammer, und Monsieur Fritz und Röse woben drei Monate daran, denn sie konnten nicht immer dabei helfen, wegen der andern Geschäfte. ›Nun sieh, Vater‹, sprach ich, ›die Arbeit ist nebenbei geschehen, und der Kaufmann will auch daran verdienen, ich dächte, wir rechnen auch nur die Hälfte von dem üblichen Spinner- und Weberlohn.‹ – ›Ja, Mutter Anna‹, entgegnete er, ›wir wollen alles nur zur Hälfte rechnen, da werden wir's um so eher verkaufen‹, und so nahm er wieder die Kreide und brachte gerade sieben Taler, neunzehn Groschen und fünf Pfennige heraus für das schöne Stück vom feinsten Hausleinen, das, wenn es gebleicht oder appretiert ist, in Berlin oder Leipzig mit zwanzig bis fünfundzwanzig Taler bezahlt wird. – Ich sollte nur acht Taler fordern, und wenn ich gedrängt würde, auf sieben – oder doch sechs Taler halten.« – »Wer konnte glauben«, unterbrach sie Meister Mathias, »daß für solches Spottgeld das schöne Stück nicht tausendmal verkauft werden würde? – Wir waren unsrer Sache so gewiß, daß wir schon Pläne machten, was wir mit dem vielen Gelde anfangen wollten – ich dachte nur an Kartoffeln und Brotkorn im Lande aufzukaufen, um es nicht dreimal teurer uns vom Faktor anrechnen lassen zu müssen – Mutter aber spekulierte gar schon auf ein Schweinchen. ›Solch ein Ding, ganz klein‹, sprach sie, ›kostet höchstens einen Gulden oder einen Taler – das frißt sich nun mit uns wohl durch, wird alle Tage größer und fetter und kostet am Ende seine zehn bis zwanzig Taler – wir pachten uns dafür dann Acker, ziehen Kartoffeln und treiben das Geschäft mit zwei Schweinchen schon ganz ins Große – eine Ziege, die wir dann aufziehen, gibt uns Milch und Butter und Käse – und wir leben nach Verlauf von einem oder zwei Jahren im Wohlstande, wie damals in den alten Zeiten, als ein geschickter Damastweber noch seine drei bis vier Taler die Woche verdiente‹ – Aber der Mensch denkt's und Gott lenkt's – hört nur weiter!«

Comptoirszene

Mutter Mathias fuhr fort zu erzählen.

»So plagte mich denn der Gott sei bei uns, daß ich zuerst zum Faktor unsers gestrengen Herrn ging. Ich dachte: Erfahren wird er's doch, daß Ihr ein Stück heimlich gemacht und verkauft habt – und dann wird er es Euch um desto schärfer eintränken, wenn Ihr es an einen andern verkauft – und so ging ich denn gestern nach Bleichenau auf das Comptoir, wo in der langen Zimmerreihe ihrer zwanzig auf ihren Reitböcken saßen und schrieben. Ich trat, wie das so Gebrauch ist, an das Gitter, das die Wölfe von den Schafen scheidet, und legte mein Stück Leinen schweigend auf den Tisch.«

»Und sie griffen nicht gleich zu – diese Geier?« fragte der Weber.

»Nein – sie ließen mich ewig lange stehen in der peinlichsten Erwartung meines Lebens. Fort und fort kritzelten die Federn, und der einzige andere Ton, den ich hörte, war das Klirren von harten Talerstücken, die nachgezählt und eingerollt wurden, und große Geldsäcke packten sie aus Fässern, die angekommen waren in eisernen Geldkisten und legten Papiere dazu, die wohl einen hundertmal größern Wert haben mochten, so vorsichtig gingen sie damit um.«

»O Geld haben sie wohl, diese Blutsauger, mehr als nötig wäre, um das ganze Tal glücklich zu machen.«

»So dachte ich auch und mir brannte der Boden unter meinen Füßen, als stehe ich auf glühenden Kohlen.

Endlich – nach langer Zeit, warf der Oberfaktor, der ganz vorn sitzt, weil er gewöhnlich den Einkauf selbst besorgt, einen halben Blick auf mein Stück Leinwand und fragte barsch, während er weiterschrieb:

›Von wem?‹ –

›Von Meister Mathias – oben im Tiefenauer Tale‹ – –

›Nachsehen‹, sprach er zu einem Comptoiristen, der hinter ihm saß, indem er fortfuhr zu schreiben.

Dieser schlug in einem großen Folianten, der zur Seite lag, auf, und indem er mit dem Finger einer langen Reihe Namen folgte, fragte er: ›Mathias Christoph Heinrich?‹

›Ja, Christoph Heinrich Mathias, Damastweber in . . .‹

›Weiß schon‹, sprach er, schlug einen andern Folianten auf und deutete auf eine Stelle: ›Hier – sein Konto – Nummer 9990 – ein Stück Tafeldrell – zehn Pfund Maschinengarn Nr. 3 und fünf Pfund Handgespinst Nr. 1, erhalten darauf Vorschuß . . . einen Scheffel Kartoffeln zu sechzehn Groschen . . . an Brot . . .‹

›Zusammenrechnen!‹ gebot der Faktor, dann wendete er sich freundlicher als sonst seine Art ist gegen mich und sagte: ›Na – Ihr seid doch noch ordentliche Leute, daß Ihr das Stück fertig gemacht habt, worauf Ihr Vorschuß empfangen – da sind aber die andern Spitzbuben, die mißbrauchen die Güte des Herrn und machen nebenbei heimlich ein Stück, das sie verkaufen, um nur bares Geld zum Versaufen und Verschlemmen in die Hände zu bekommen – laßt sehen – wie die Arbeit beschaffen ist – gewöhnlich wird darüber hingesudelt oder die Kanaillen verkaufen das Maschinengarn und schießen den wohlfeilern baumwollenen Twist dafür ein – aber mich sollt Ihr nicht dumm machen – ich kenne die Schliche und Kniffe von solchem Lumpenpack – – Donnerwetter‹, fuhr er plötzlich auf, nachdem er einen Blick auf das Stück geworfen hatte – ›das ist ja nicht Damast – das ist Leinwand!‹

›Halten zu Gnaden, gestrenger Herr Oberfaktor‹, sprach ich ängstlich, ›das ist die erste Arbeit meiner Tochter Röse, auf dem zweiten Gestell, das wir noch in der Kammer haben; am Damast arbeitet mein Mann Tag und Nacht.‹

›Flausen‹, rief er, ›macht das einem andern weis, aber mich sollt Ihr nicht für Euren Narren halten. Doch das Stück ist einmal da – laßt sehen!‹ – Jetzt besah er es näher, ließ es auseinanderlegen und messen – und nach seinen Zügen zu urteilen, schien er damit zufrieden zu sein.

›Nun?‹, fragte er endlich, ›und was soll die Schundware kosten?‹«

»Schundware!« rief der Weber dazwischen, indem er aufsprang, »dieses Stück Ware ist das beste, das jemals im Lande gearbeitet wurde – mich mag er schelten, wie er will; wer aber meine Ware verachtet – das Gespinst und die Arbeit meines Röschens – der greift mich an die Seele.«

» Laßt es gut sein, Vater Mathias«, sprach Fritz, »das meint er nicht so – das ist ein Schacherkniff – je besser die Ware, desto mehr tadelt er sie. – Paßt auf, so wird's kommen!«

»Nun Mutter – wie war's weiter«, sprach der Weber, wieder beruhigt.

»Ganz so, wie Musjeh Fritz da sagten. – Er hatte nach dem Preise gefragt und ich sprach: ›acht Taler!‹ Da fing er furchtbar an zu lachen und trippelte hin und her. – ›Ihr seid nicht klug‹, brach er endlich aus – ›mit solchen unverschämten Forderungen will das Volk meinen hohen Prinzipal zum Bettler machen – als ob die alten Zeiten noch wären, wie das deutsche Leinen nach Amerika ging – das ist lange vorbei – Deutschland wird noch dazu mit Belfaster Leinwand aus Schottland überschwemmt. – Hätten wir nicht auch Maschinen angelegt wie die Engländer, so trüge schon lange kein Deutscher mehr ein deutsches Hemd. – Ich will Euch sagen, was der Bettel da wert ist.‹
Damit ergriff er ein Stück Rötel und schrieb darauf eine Nummer, die nach ihren Büchern den gebotenen Preis bedeuten sollte, und daneben die Chiffre der Firma des Hauses seines Prinzipals.

›Da‹, sprach er, ›zweieindrittel Taler – das sollt Ihr haben dafür – und noch aus wahrer Barmherzigkeit – denn es ist ein Heidengeld für solche Lappen – und einen halben Scheffel weiße Bohnen nehmt Ihr in den Kauf – denn das viele bare Geld taugt für euch nicht – ihr geht damit in die Schenken und versauft es.‹

›Herr‹, rief ich empört, ›das ist ja ein Schandgebot und eine Ehrenschändung dazu – ich bitte um Erlaubnis, den gestrengen Herrn selbst zu sprechen; ich wette, daß er nicht so unbarmherzig sein kann, arme Leute so zu drücken.‹

›Der Herr hat mehr zu tun, als jedes alte Weib anzuhören, das ihm die Ohren voll lamentieren würde!‹

›Du lieber Himmel‹, rief ich aus, ›zweieindrittel Taler! – Damit ist noch nicht der Flachs, geschweige denn das Gespinst und die Arbeit bezahlt.‹

›Geschieht Euch schon recht – warum macht Ihr solche Arbeit, die niemand bestellt hat. – Geht doch – geht – versucht's, ob ein anderer mehr zahlt. – Noch eins aber schreibt Euch hinters Ohr – wenn Ihr damit erst im Lande herumgelaufen seid und könnt's nicht loswerden – und kommt dann wieder – so haben sich indes die Konjunkturen geändert und ich berechne Euch nur zwei Taler. – Nun adieu – adieu!‹

›Gestrenger Herr . . .‹

›Nichts mehr – ja oder nein – kann um solch ein Bettelgeschäft meine Zeit nicht verlieren.‹

›Es ist unmöglich.‹

›Gut dann – marsch fort; ich halte Euch nicht.‹

Da nahm ich denn mein gezeichnetes Stück unter den Arm und ging in die Stadt zu Henneborn und Compagnie, aber als sie das Zeichen sahen, da sagten sie auf dem Comptoir, das möge wohl ein geringes Gebot sein – aber sie könnten's nicht kaufen, ohne Herrn Walther zu beleidigen. Und so erging's mir noch bei drei, vier andern, und ich sah, daß es der Faktor gebrandmarkt hatte und daß niemand wagte, das Stück selbst nur für diesen Spottpreis zu kaufen.«

»Das ist ungesetzlich«, rief der Weber, »ebenso unerlaubt als unmenschlich! Aber wie können wir armen Leute den reichen Gutsbesitzer bei den Obergerichten in der Residenz verklagen? – O Zeit – o Welt – der Arme muß sich jede Despotie, jede Willkür von dem Reichen gefallen lassen!«

»Hilft alles nichts, Vater – wir müssen Brot und Geld haben«, sprach die Hausfrau mit Besonnenheit, »jetzt entscheide du, sollen wir es hingeben für den Schandpreis oder bis auf bessere Zeiten liegenlassen.«

»Können wir das?« rief der Weber, »haben wir Vorrat nur auf einen Tag? Müssen wir nicht verkaufen und arbeiten um jeden Preis?«

»Vater«, sprach Röschen, während der letzte Strahl der Abendsonne durch das kleine Schiebefenster ein rötliches Streiflicht auf ihre feinen Gesichtszüge warf, »ich werde selbst gehen und versuchen, ob ich diese Tigerherzen nicht zu erweichen vermag, durch meine Bitten und Tränen.«

Rosa erschien in diesem Augenblick allen wie ein Engel des Himmels, der ihnen Glück und Segen und Rettung aus der Not verhieß. Der alte Weber nahm seine Mütze ab, faltete die Hände darüber und betete einen tröstlichen Bibelspruch:

»Du hast mein Leben aus dem Verderben geführt, Herr mein Gott! Da meine Seele verzagte, gedachte ich an den Herrn und mein Gebet kam zu Dir in Deinen heiligen Tempel. Die da halten über dem Nichtigen, verlassen ihre Gnade. Ich aber will mit Dank opfern; mein Gelübde will ich bezahlen dem Herrn, daß er mir geholfen.«

Und alle beteten den Spruch mit und fühlten sich vom Vertrauen erfüllt. Auf morgen früh wurde Röschens Wanderung nach dem Comptoir des Herrn Walther beschlossen. Fritz erbot sich, sie zu begleiten; jetzt aber erhielt er einen Boten, der ihn schleunigst nach dem Pfarrhofe zurückrief.

Lage der Weber im Gebirge

In diesen Tälern des angestrengtesten Fleißes herrschte noch im Anfange dieses Jahrhunderts Glück und Wohlstand. Reiche Kaufleute wohnten in allen den kleinen Städten in der Nähe der Weberdörfer, die ihren Reichtum der redlichen Spekulation verdankten. Wo sind sie geblieben? Man sieht jetzt noch ihre verfallenen Paläste wie gespenstisch in dieses Elend hineinschauen; diese dienen jetzt den Eulen und Spinnen zum Aufenthalt. Mit Lumpen sind die zerbrochenen Fensterscheiben verstopft, und hungernde, obdachlose Menschen, die sich hier, in den einst so reich ausgestatteten Weinkellern und einstigen Prunkgemächern eingenistet haben, finden jetzt dort kaum Schutz gegen den Regen, noch weniger gegen Wind und Kälte, Hagel und Schnee, Ratten und Mäuse. Jetzt haben sich wenige reiche Handelshäuser und Fabrikanten und zahllose Makler zu Herren und Gebietern des traurigen Geschäfts gemacht, einen versunkenen Gewerbszweig noch dadurch zu halten, daß dem Armen der Ertrag seines Fleißes nur kümmerlich bezahlt wird.

Die meisten dieser Arbeiter wohnen in Hütten, die ebenso baufällig sind wie jene verfallenen Paläste und noch dazu über den Wert mit Hypotheken und Grundzinsen belastet, die dem Eigentümer das Glück, Hausbesitzer zu sein, in einen Fluch verwandeln.

Einst brachte die Ausfuhr der Arbeiten dieser Gebirgsbewohner viele Millionen ins Land. Nach Portugal, Spanien, Nord- und Südamerika gingen ihre Leinengewebe – der stolze Hidalge wie der arme Negersklave bekleideten sich mit deutschem Leinen dieser Gegend. Alle Hände waren fleißig und regsam, sie konnten die Bestellungen kaum beschaffen für die neun bis dreizehn Millionen Taler, die ihre Arbeit alljährlich ins Land zog und die sich in tausend und abermals tausend Kanäle bis in die niedrigste Hütte der Spinner und Weber verteilte. Alle Gesichter waren heiter, alle Wangen von der Bergluft gerötet, und sonntags gab es in den Schenken Tanz und Lust, nachdem man in den Kirchen dem Geber des Guten gedankt hatte für diesen Segen der Arbeit.

Da kam Napoleon zur Weltherrschaft. Seine Kontinentalsperre[6] machte den Seehandel unmöglich. Auch Südamerika hatte sich losgerissen vom Mutterlande; Frankreich, Spanien und Portugal hatten ihre Kolonien verloren und waren selbst von innern politischen Kämpfen zerrissen. England, vom Kontinent ausgeschlossen, warf sich mit der ganzen Macht seiner ungeheuren Industrie auf die Leinenfabrikation. Spinnmaschinen und Jacquard'sche Webstühle und vollkommnere Appretur gaben bald der schottischen Leinwand den Vorzug im Welthandel, so überwiegend, daß noch heute deutsches Leinen weder im Ausland, noch selbst hier in Deutschland damit konkurrieren kann. Noch mehr: Die wohlfeilere Baumwolle verdrängte bald die Leinengewebe aus den heißen Erdstrichen wie vom Festlande; durch Baumwolle wurden diese verfälscht, und Spinnmaschinen ersetzten eine Handarbeit, durch welche Weiber und Kinder der fleißigen Weber das ihrige dazu beitragen konnten zum Erwerb des Lebensunterhalts. Deutschland selbst war von jeher, von Westfalen aus, mit Leinwand versehen. Dieser Markt, diese Ware und deren Absatz blieben dieselben, während die schlesischen und böhmischen Weber ihren Markt verloren hatten und ihre Kaufleute nur mit Schleuderpreisen sich zu helfen suchten, um den Schleuderpreisen des Auslandes zu begegnen.

Die Folge davon war, daß sie ihrerseits wieder nur immer geringere Preise an die Spinner und Weber zahlen konnten, und diese daher die Arbeit übereilten, die Ware schlechter machten und sich jeden kleinen Betrug erlaubten. Der große Fabrikant und Leinenhändler kaufte das Gewebe von den Arbeitern meistens im rohen Zustande. Er selbst ließ die Appretur und die Bleiche besorgen; aber um das Kapital schneller umzusetzen, trat die sogenannte Fixbleiche (mit Chlor etc.) an die Stelle der Wiesenbleiche (mit Alkalien), und in oft ungeschickten Händen zerstörten die dazu angewendeten ätzenden Mittel die Leinwand so, daß sie nur durch Schlichte noch einigen Schein von Brauchbarkeit erhalten konnte. Man verpackte die schlechte Ware zwischen die gute, und der Handel wurde unreell und sank damit immer mehr. – Das Handgespinst selbst wurde durch die Bedrängnis der Spinner immer schlechter und unegaler. Anstatt das Gespinst einer Hand in einen Strähn (Copp)[7] zu bringen, damit die Güte gleich sei, wurden die Gespinste aller Hände der Familie zusammengehaspelt, um nur schnell Geld in die Hände der Hungernden zu erhalten. Auch wurde schlechter und unhaltbarer gesponnen. – Die Weber litten wieder unter den schlechten Gespinsten, die ihre Arbeit verzögerten, während der Lohn derselbe blieb. Mit Maschinengarn konnten sie leicht das Doppelte schaffen, und dieser Umstand trug ebenfalls bei, die Nachfrage nach dem Handgespinst zu vermindern, und so stieg die Not der Weber mit der der Spinner in einer schaudererregenden Progression, indem stets die Wirkung der sinkenden Preise wieder die Ursache von einem noch tieferen Sinken derselben wurde und die Nahrungslosigkeit in ihren Folgen eine immer noch tiefere Erwerbslosigkeit erzeugte.

Diese Not traf vorzüglich die Leinenweber, Spinner und Bleicher, weniger die Baumwollenweber, die wieder in andern Gebirgsdörfern sich angesiedelt hatten. – Bei den letzteren wirkten andere Ursachen, um ihnen Not zu bereiten. Sie erhielten ihr Garn von den Fabrikherren geliefert und arbeiteten auf Lohn und Rechnung. Hier waren es besonders viele entlassene Züchtlinge, oder andere leichtsinnige Menschen, die sich als Weber gesetzt hatten, ohne einmal rechtes Geschick dazu zu haben, und so kam es, daß viele nur ein Geringes für ihre Arbeit erhielten, während andere durch viele Kinder, die nicht mithelfen konnten, etwas zu erwerben, durch Krankheiten oder schlechte Wirtschaft in Not geraten waren, und nun vom Bäcker und Müller auf Kredit ihre Nahrungsmittel nehmen mußten, wobei sie denn alles doppelt so teuer zu bezahlen hatten, damit der Ausfall von denen, die nichts zahlen konnten durch die, welche ihre Schuld abverdienten, gedeckt würde. –

Noch weit ungünstiger war die Not der Leinweber in andern Dörfern. –

In frühern Zeiten war jeder Weber Fabrikant, der den Flachs kaufte, oft selbst baute, durch Frau und Kinder verspinnen ließ, selbst wob und dann auf den Märkten an die Leinenhändler, deren immer mehrere einander überboten, sein Stück verkaufte.

Jetzt war es anders. Der geringe Spinn- und Weblohn hatte diese Unglücklichen längst in die Lage gesetzt, alles, was sie brauchten, auf Borg oder Vorschuß nehmen zu müssen. Auf den geringen Kaufpreis lauerten schon zehn gierige Hände, der Bauer, der den Flachs geliefert, der Kaufmann, von dem Garn genommen war, der Müller, durch dessen Mehl die Familie erhalten und die Schlichte geliefert war, und der Bäcker, der dem armen Weber in höchster Not das Brot geborgt hatte. –

Jeder Groschen, jeder Pfennig, der weniger geboten wurde für ein Stück Arbeit, preßte den Armen Tränen aus und hungernden Kindern den Schrei der Not. Und wohl denen, die noch in die Hände menschenfreundlicher und wohlwollender Kaufherren fielen – und solche gibt es auch im Gebirge und in den Städten des angrenzenden flachen Landes – wenn sie auch nicht die reichsten sind. Es gab auch wohlwollende und rechtliche Männer darunter, aber die Konkurrenz zwang sie, mit dem Strome zu schwimmen.

Manche zeichneten die Stücke, um die sie einmal gehandelt hatten, aber das gezeichnete Stück Leinen kaufte so leicht kein Dritter. Andere wieder gaben den Arbeitern Vorschüsse in Geld oder Ware und hatten dann die ihnen zu stellenden Preise völlig in der Hand.

Wie dieses Unglück der Habsucht und Gewinnsucht über Tiefenau gekommen war, haben wir schon gesehen. Folgen wir jetzt der Rose des Gebirges in einige der Hütten des Jammers und der Not – in alle ihr zu folgen, die sie an diesem Tage besuchte, würde zu weit ab vom Faden unserer Erzählung führen.

Elends-Darstellung in der ›Illustrirten Zeitung‹, Leipzig 1845

In den Hütten des Elends und in den Höhlen des Jammers[8]

Sie trat in die Hütte Nr. 15.

»Wie geht es, lieber Meister Hubrich?«

»Nun, nun – so, so«, sprach der alte Freiwillige aus den Jahren 1813 bis 1815, strich sich den weißen Schnurrbart im faltenreichen, kummerbleichen Gesichte und deutete auf die Kriegsdenkmünze, die er am verwitterten Bande im Knopfloch einer zerrissenen Jacke trug. – »Es ist alles«, sprach er, »was ich vom Leben habe, und ehe ich diesen meinen Ehrenpreis verkaufe, wollte ich doch lieber mit Weib und Kindern am Hungertuche nagen und sterben.« –

Sie saßen alle – Mann und Frau und eine Tochter – an Spinnrädern und spannen auf Leben und Tod. Sie hatten keinen andern Erwerb, diese armen Leute, und verstanden keine andere Arbeit.

»Nun, Ihr seid ja recht fleißig, Mutter«, wendete sie sich zu der Frau, »es bringt aber wohl nicht viel in diesen schlimmen Zeiten.«

Die Frau zeigte ihren Arm, den sie einmal gebrochen hatte und der ihr schief angeheilt war; auch die rechte Hand, die einen steifen Zeigefinger hatte; dennoch spann sie mit Eifer, während sie bisweilen einer kleinen Wiege einen Stoß gab, so daß sie in schaukelnde Bewegung kam; darin lag ihr jüngstes Kind an den Zähnen krank und wimmerte, und die schon fünfzehnjährige Tochter hatte in Hunger und Kummer nicht gedeihen können. Sie saß da noch unentwickelt, klein wie ein Kind und hatte einen blödsinnigen Blick; aber sie spann.

Der Mann hatte einen Stelzfuß – aber er spann. – Zwei andere Kinder krochen halbnackt am Boden herum, vor Schmutz kaum zu erkennen.

Auf die Frage, wieviel sie wohl verdienten? – rechnete die Frau und entgegnete: »Je nun, wenn wir alle uns recht dranhalten, so bringen wir es wohl auf 1 Silbergroschen und 6 Pfennige täglich. Davon aber haben wir wöchentlich an Miete 3 gGr. zu zahlen, indes noch den Vorteil, uns am Ofen der Wirtin erwärmen und bei dem Leuchten ihres Kienspans spinnen zu können. Brot freilich können wir uns nur selten kaufen und Mehl zur Suppe gar nicht – aber Kartoffeln – Kartoffeln – auch wohl etwas Salz dazu.«

Rosa sagte ihnen Tröstliches, was ihr das Herz eingab und ließ Brot, Käse, Mehl und etwas Geld zurück, und tausend Segenswünsche begleiteten sie vor die Tür.

Im Hause Nummer 81 traf sie den Häusler Gottlieb Lachmann, der, 74 Jahre alt, mit seiner Tochter dort allein wohnt. Die Stube war zur Hälfte ohne Dielen. Kartoffelschalen lagen dort, wie in einem Stall. Der alte Mann war krank und zitterte und fror. – »Lieber Gott«, sprach er, »ich bitte den Himmel täglich, daß er mich doch zu sich nehmen möge – ich kann nichts mehr verdienen, nicht einmal mehr einen Faden spinnen. Meine Tochter da ist 40 Jahre alt, auch kränklich und gebrechlich, wie Sie da sehen, und doch muß sie mich mit ernähren. Sie sitzt von früh bis spät am Webstuhl und verdient doch nicht mehr durch die Weberei als einen Silbergroschen täglich. Dabei soll ich nun an das Dominium 4 Tlr. jährlich Grundzins zahlen, sechs Handdiensttage und monatlich 3 gGr. Haussteuer entrichten. Und wenn das Haus nur noch wetterfest wäre, aber in der Schlafkammer oben kann man sich vor Wind und Regen nicht bergen, und auf der Treppe bin ich eingebrochen und leide noch infolge dieses Falls an der offenen Wunde am Fuß.« – Mit dem Worte ›Gotteslohn‹ empfing er eine Gabe.

Im Hause Nummer 77 traf Rosa ein herzzerreißendes Elend. Da saß die Witwe Rosine Scholz mit ihren beiden Kindern. Aber die ältere, ein Mädchen von 22 Jahren, ist blödsinnig und auf beiden Beinen gelähmt. Die zweite Tochter, 16 Jahre alt, arbeitet mit der Mutter am Webstuhl abwechselnd, denn eine hat immer genug mit der Blödsinnigen zu tun, deren markerschütterndes Aufschreien kaum zu ertragen ist. Noch sitzt da eine blinde Schwägerin von 60 Jahren, die immer über Hunger klagt, obgleich die andern sich die Kartoffeln entziehen, um sie ihr zu geben, und eine zweite Schwägerin liegt schon seit fünfviertel Jahren völlig kontrakt auf der Ofenbank und jammert über Reißen in den Gliedern. Alle diese armen Leute verlassen einander nicht in der Not. – Als Rosa in tiefster Bewegung nach ihrem Erwerb fragte, gab sie zur Antwort: »Mit meiner Tochter abwechselnd am Webstuhl, bringen wir es höchstens auf monatlich 1 Tlr. 20 Sgr.

Dazu kommt noch die Unterstützung aus der Armenkasse von 7 Sgr. 6 Pf. monatlich – mehr kann die Gemeinde, weiß Gott, nicht tun, denn es gibt Hunderte von Häusern, in denen die Not noch größer ist als bei uns; davon aber müssen wir monatlich 2 gGr. Haussteuer an die herrschaftliche Kasse geben, und so bleibt uns fünf Personen nur 13 Sgr. wöchentlich zum Lebensunterhalt.«

Welche Häuser – welche Hütten gab es hier! Der Häusler Gottlieb Lachmann im Häuschen Nr. 112 flicht Körbe zum Obstsammeln. Seine Frau und Töchter spinnen. Das Haus ist dem Einfallen nahe – hier und da sind die verschobenen Balken nur notdürftig gestützt. Unter dem ganz durchlöcherten Schindeldache befindet sich das aus einigen immer feuchten Lumpen bestehende Lager in einer zerbrochenen Bettstelle. Es ist dem Regen und Schnee, Wind und Wetter preisgegeben und gegen Kälte nicht geschützt. – In der ungedielten Stube läuft von den sich auflösenden Lehmwänden das Wasser herab. Man gleitet aus auf dem dadurch schlüpfrig werdenden Fußboden, und in der Mitte der Stube läuft das Wasser in eine mit großen Feldsteinen bedeckte Vertiefung ab, aus welcher zur Regenzeit an 15 Kannen Wasser täglich geschöpft werden müssen. Und in diesem elenden Aufenthalt verdienen der Mann, die Frau und die Tochter mit allem Fleiß nicht mehr als täglich 2 Sgr. 6 Pf., und davon soll er zahlen jährlich an Gemeindeabgaben 6 gGr., Haussteuer 1 Tlr., Grundzins an die Herrschaft 3 Tlr. – Woher sollte Zeit und Geld kommen, um das Haus zu reparieren? –

In den meisten Häusern herrscht noch ein anderer Übelstand. Die Wohnstube enthält zugleich die Küche und die Schlafstellen. Während im Kamin derb gefeuert wird, um Kartoffeln zu kochen, füllt der Rauch das längst geschwärzte Gemach und bedroht die Schlafenden mit dem Erstickungstode. So war es unter andern bei dem Häusler David Frommelt, der verheiratet ist und neun Kinder hat; das eine Kind, vier Jahre alt, ist kontrakt und hat das Lager noch nicht verlassen; das jüngste, ein Jahr alt, liegt noch an der vertrockneten Mutterbrust ohne Nahrung und ist ebenfalls rachitisch. – Die Frau hat ihre Not mit den Kindern, aber sie spinnt, was sie kann, und bringt dadurch wohl ihren täglichen Erwerb auf 1 Sgr. 6 Pf. Der Mann arbeitet im Sommer als

Tagelöhner und verdient wohl einen Taler wöchentlich. Aber im Winter, wo es für ihn nichts zu verdienen gibt, ist die Not um so größer. Da kehren Mangel, Hunger und Krankheit hier ein. Und davon sollen jährlich 4 Tlr. grundherrliche Abgaben, 1 Tlr. Haussteuer, 1 Tlr. 5 Sgr. Schulgeld und die Zinsen einer Hypothekenschuld von 35 Tlr. Kapital zu 5 Prozent aufgebracht werden – und dieser Mann gilt noch als wohlhabend im Dorfe. –

Da, in Nummer 24, bei dem Häusler Elger, fand Rosa den Mann am Webstuhl, die Frau seit acht Jahren krumm im Bette liegend und ein zwölfjähriges, kränkliches Mädchen mit der Pflege der Mutter beschäftigt.

In Nummer 13 sah Rosa zwei Familien von 13 Köpfen in einer Stube zusammengedrängt. Die Luft war in dem engen und niedrigen Zimmer zum Ersticken; es roch da nach saurer Schlichte und Ausdünstungen; vier Webstühle und so viele Menschen waren im heißen, feuchten Raum aneinander gedrängt und dabei klagten sie alle über Kälte – sie hatten das Fieber.

Doch wir wollen unsern Lesern nicht zumuten, mit Rosa in alle diese Hütten des Elends zu dringen. Da hatte der Hunger die Kinder verleitet, die gegorene sauere Schlichte (den Kleister, womit die Webe gesteift wird) zu essen und sie waren krank geworden und krümmten sich, die armen Würmer – da lagen sie nackt am Boden oder auf dem Lager von Lumpen – fast überall war es eine feuchte, dumpfe, säuerlich riechende Atmosphäre in diesen Höhlen des Jammers, denn Fieber, Verkrümmungen, Bleichsucht und rachitische Kinder des Blödsinns und der Schwäche waren das Erbteil, das eine Generation der andern überlieferte. – Wird die Not zu groß und zu lange dauernd, so macht sie auch hartherzig und eigennützig. –

In jenem Hause prügelt der Mann seine Frau, um vom Schwiegervater noch den letzten Groschen zu erpressen; da wieder wohnen und leben Mann und Frau zusammen, aber jedes hat seine besondere Wirtschaft, selbst in zahlreichen Familien verzehrt ein jeder, Eltern und Kinder, was sie verdienen oder erbetteln. Die Tochter sieht ihre Mutter hungern, indem sie ihr Brot ißt – der Vater seine Kinder, indem er die letzte Kartoffel verzehrt, schickt er sie betteln, wenn sie weinen – betteln in eine Gemeinde, die fast selbst nur aus Bettlern besteht.

Alles moralische Gefühl ist längst bei solchen Unglücklichen abgestorben; die Kirchenglocken hören sie läuten, aber es fehlt ihnen an Kleidern, hineinzugehen ins Gotteshaus. Gegen die Leiden des Lebens sind sie abgestumpft durch lange Gewohnheit, die Freuden desselben haben sie seit ihrer Geburt nie gekannt. Sie würden sich selbst umbringen – sie würden stehlen, rauben, morden, fehlte es diesen, nur noch in Haut und Knochen hängenden, kaum noch Menschen zu nennenden Wesen nicht an jener Tatkraft, die selbst zum Verbrechen gehört. –

Nur noch das letzte Bild sei vergönnt aufzurollen, ehe wir unsre Leser in die Prunkgemächer des Reichtums führen.

Es war das letzte Haus im Dorfe, aus welchem ein Jammergeschrei ertönte, das Rosa bewog, einzutreten, obgleich ihre Gaben bereits erschöpft waren. Da, in dem Hause Nummer 195, wohnten in einer Stube zwei Weberfamilien – der Häusler Loder mit einer Frau und vier Kindern; das jüngste, drei Wochen alt, liegt, in wenige Lumpen gehüllt, im kleinen Waschgefäß am heißen Ofen, der in diesen Gebirgsgegenden oft auch im Sommer geheizt wird; um Platz für den Spuler zu gewinnen, hatte man das Kind dahin betten müssen, wo es dem Verbrennen ebenso nahe war als dem Ersticken im Rauch. Die Kinder schlafen dort nackt auf den nackten Dielen; in derselben Stube wohnt und schläft der verheiratete Inlieger Badermann; die Bettstelle des letztern und die der Loderschen Eheleute stehen nur wenige Fuß voneinander entfernt. Die Frau des Badermann ist 60 Jahre alt, vom Schlagfluß gelähmt, blind und epileptisch; der Mann aber teilt mit ihr sein Lager, weil er kein anderes hat – dicht daneben im andern Bett wird die Frau des Loder entbunden – man denke sich dieses Wochenbett, neben der epileptischen Nachbarin und dem über diese Störung fluchenden Nachbarn.

[. . .]

Ernst Willkomm
So lebt und stirbt der Arme
Erzählung aus dem Leben des Volkes
1845

Ernst Adolf Willkomm (1810–1886) besucht ab 1830 die Universität Leipzig und studiert Rechtswissenschaft, bald aber Philosophie und Ästhetik. Seine ersten literarischen Arbeiten entstehen während seiner Studienzeit. Von 1837 bis 1839 gibt er zusammen mit Alexander Fischer in Leipzig die ›Jahrbücher für Drama, Dramaturgie und Theater‹ heraus. In Leipzig hat er Kontakt zu den jungdeutschen Schriftstellern Karl Gutzkow (1811–1878) und Ferdinand Gustav Kühne (1806–1888). Ernst Willkomm gilt als ›Vater des deutschen sozialen Romans‹.

Die Weberprosa des Jahres 1845 stammt zum überwiegenden Teil von ihm. Schon 1844 schreibt er die Novelle ›Der Lohnweber‹, die im ›Deutschen Bürgerbuch für 1845‹ erscheint, in dem auch Wilhelm Wolffs Aufsatz ›Das Elend und der Aufruhr in Schlesien‹ abgedruckt wird. 1845 erscheint in den ›Rheinischen Jahrbüchern zur gesellschaftlichen Reform‹, wie das ›Bürgerbuch‹ von Hermann Püttmann herausgegeben, die Erzählung ›So lebt und stirbt der Arme‹. Im gleichen Jahr kommt Willkomms fünfbändiger Roman ›Weisse Sclaven oder die Leiden des Volkes‹ heraus. Umfang und Inhalt der beiden Novellen und des Romans belegen, daß Willkomm sich eingehend mit der Lage der Spinner und Weber beschäftigt hat. In seinem 1843 erschienenen Roman ›Eisen, Gold und Geist‹ läßt er die Arbeiter noch Maschinen zerstören, der Fabrikant wird durch seine eigenen Maschinen vernichtet. In den 1845 veröffentlichten ›Weissen Sclaven‹ wird der Fabrikherr zwar auch Opfer seiner Maschinen, aber sie werden nicht zerstört, sondern sollen zum Nutzen der Arbeiter eingesetzt werden. Willkomm sieht in einem gerechteren Lohnsystem eine Möglichkeit zum Ausgleich des sozialen Gegensatzes. Am Ende des Romans ›Weisse Sclaven‹ gewinnen die Arbeiter Einfluß auf den Produktions- und Geschäftsgang, der Grundlohn wird verdoppelt und ein Beteiligungslohn eingeführt.

Die hier ungekürzt abgedruckte Novelle ›So lebt und stirbt der Arme‹ zeigt, wie genau Willkomm mit der Lage der Spinner und Weber vertraut war. Sie bietet konkrete Bezüge zur außerliterarischen Realität. So kennzeichnet Willkomm treffend den Übergang vom Kaufsystem zum Lohnsystem. Auch der Schluß dieser ›Erzählung aus dem Leben des Volkes‹ ist der Wirklichkeit entnommen.

1

Auf Endermanns Hofe rauchten die Schornsteine seit drei Tagen ununterbrochen. Wohlriechender Duft stieg aus den Küchenfenstern auf und verbreitete sich über Blumen- und Baumgarten. Das Klappern der Teller, das Gerassel der Kasserolle, das Rufen und Befehlen des Kochs hörte von früh bis in den späten Abend nicht auf und störte nicht wenig den alltäglichen Geschäftsgang. Man hätte glauben sollen, so große Vorbereitungen zu solennem Festmahle gälten der Vermählung einer Tochter des Hausbesitzers, deren Endermann zwei von blühender Schönheit besaß. Es waren aber bloß die gewöhnlichen Anstalten zur alljährlichen Geburtstagsfeier des steinreichen Mannes, wobei er etwas darauf gehen zu lassen liebte.

Die Jugend Endermanns verhieß ihm keine großen irdischen Genüsse. Er war der einzige Sohn eines simplen Leinenwebers, der auf eigene Rechnung arbeitete, wenige treue, fleißige Gehilfen in seinem unscheinbaren Hause fortwährend beschäftigte und gut dafür bezahlte, und es sich überhaupt sein Leben lang sauer werden ließ. Gewohnt an mühsamen Erwerb, ging der Vater stundenweit durch die Gebirge bis auf die Kämme der Riesenberge, um bei den armen Spinnern, die ihn wohl kannten, einzukehren und das beste Garn zu seinen Leinwanden selbst einzukaufen. Kein Faden, den er nicht mit eigenen Augen geprüft, den seine Hand nicht gefühlt hatte, wurde bei ihm verarbeitet. Daher kam es aber auch, daß Garn-Endermanns Leinen, wie man ihn seines Garnsammelns wegen nannte, überall gesucht und als vortrefflich bekannt waren. Er machte gute Geschäfte, ohne ungeheure Verdienste zu haben. Denn nie pflegte er seine Kräfte zu überschätzen, nie Bestellungen anzunehmen, die er nicht mit Hilfe seiner erprobten Arbeiter liefern konnte. Das war nun zwar sehr ehrenwert von dem braven Manne, aber es verstieß schnurstracks gegen den Geist der Spekulation. Weil er aber ein Starrkopf war, und durch seine Art zu handeln seinen übrigen spekulierenden Genossen das Gewerbe nicht verdarb, so ließ man ihm den Willen und lachte ihn heimlich aus, wenn er sich Tag und Nacht für geringen Lohn plagte.

Garn-Endermann wäre schwerlich ein reicher Mann geworden ohne den erwähnten Sohn Gotthardt[9]. Das war ein kluger Junge von Kindesbeinen an, der mit hundert Augen nach dem Erwerb schielte und keinen andern Gedanken hatte als den Verdienst. Als er der Schule entwachsen war und nun am Geschäft des Vaters teilnahm, mußte er auf dessen Geheiß das gesammelte und gewissenhaft sortierte Garn auf dem Schiebkarren in die Bleiche fahren, und zwar vier Meilen weit auf Wegen, die man heutigentags für unbetretbar halten würde. Der Vater gab ihm zu achttägigem Zehrgelde einen halben Taler mit und die Mutter einen Laib Brot, und damit konnte Gotthardt sehen, wie er auskam, denn Schulden pflegte Endermann nicht zu bezahlen.

Auf diesen Schiebkarren-Reisen in die Bleiche lernte der junge Endermann eine Menge Fabrikanten kennen, mit denen er sich in Gespräche über das Gewerbe einließ. Er lernte dadurch manches Gute, allein noch weit mehr Schlechtes. Es war die Zeit, wo mancher Linnenfabrikant Versuche im Schnellbleichen machte. So gebleichtes Garn hatte ein weit schöneres Ansehen als das auf die althergebrachte Weise zubereitete. Die Leinwand schimmerte in reinerer Weiße und fühlte sich zugleich feiner an. Auch hörte Gotthardt, daß ungleich mehr durch die Schnellbleiche zu verdienen sei und daß so gebleichte Linnen sozusagen reißenden Absatz fänden.

Gotthardt teilte diese Erfahrungen gelegentlich dem Vater mit, fand jedoch bei dem starren Manne zu seinem Leidwesen kein Gehör. Endermann hielt es mit dem Hergebrachten, weil er dieses für gut erkannt hatte.

Gotthardt mußte sich gedulden. Nach einigen Jahren aber vermochte er den Vater zu überreden, daß er ihm ein kleines Kapital vorschoß, mit dem er auf eigene Hand nach Belieben wirtschaften konnte. Endermann nahm keine Zinsen von dem Sohne, doch genehmigte er, daß ihm derselbe im Fall guten Glückes einige Prozente vom reinen Gewinn auszahlen solle.

Nun handelte Gotthardt auf seine Weise. Er kaufte Garn von geringerem Werte, das aber ebenso schön aussah wie das seines Vaters. Auch erlaubte er sich unter dem Vorgeben, daß der Linnenhandel ein unsicheres Geschäft sei, die Spinner ein klein wenig zu drücken, was ihm dadurch gelang, daß er seine Einkäufe immer bar bezahlte. War es ihm irgend möglich, so geschah dies in damals noch gebräuchlichem Konventionsgelde[10]. Dann zog er den Spinnern von jedem Taler fünfzehn Pfennige ab. Wie diese armen Leute im Gebirge, die sich Brot und Kartoffeln meilenweit aus der Ebene holen mußten, zu ihren Verlusten kamen, das kümmerte den klugen Spekulanten wenig. Er befolgte den weisen Grundsatz, den er häufig hatte anpreisen hören: ›Handel und Wandel duldet keine Freundschaft!‹

Und siehe da, des jungen Endermanns Geschäfte blühten zu seines eigenen Vaters Erstaunen. Sein kleines Kapital kehrte verdoppelt zurück, die Bestellungen mehrten sich. Es wäre unklug, ja in Gotthardts Sinne geradezu lästerlich gewesen, hätte er aus Liebe zum Alten das zu allen Fensterscheiben hereinlächelnde Glück mit der Faust ins Gesicht schlagen und für immer vertreiben wollen. Deshalb gab er jetzt Arbeit aus dem Hause, nahm da und dort, wo er sie recht billig haben konnte, Weber in Lohn und ließ soviel wie möglich arbeiten. Ohne Wissen seines Vaters erlaubte er sich auch, bei sehr feinen Leinwanden den Schuß mit Baumwolle zu versetzen. Den schlauen Betrug merkte niemand, selbst nicht der Kenner, und Gotthardt, oder wie sich jetzt auf Anraten des spekulativen Sohnes Garn-Endermann nannte, ›Endermann und Sohn‹, verdienten in wenigen Jahren ungeheure Summen.

Da Gotthardt inzwischen mündig geworden war und sich verheiratet hatte, konnte ihm der Vater nicht billig Vorschriften machen, wie und nach welchen Grundsätzen er die Weberei betreiben sollte. Der alternde Mann blieb sich selbst treu. Er webte nach wie vor bloß auf solide Bestellungen die solidesten Linnen auf seinen eigenen Stühlen, konnte es aber nicht hindern, daß der Sohn sich zu einem Weltkaufmann ausbildete. Die bescheidene Bezeichnung ›Weber‹ hatte Gotthardt mit der eines ›Fabrikanten‹ vertauscht, das einfache Weberhaus in ein Etablissement verwandelt. Er baute große Gebäude, wie sie seinen Zwecken entsprachen, gab nach und nach das Linnengeschäft fast ganz auf und legte sich auf die Fabrikation von baumwollenen Waren, die reicheren Gewinn versprachen. Um alles selbst betreiben und den Vorteil dadurch steigern zu können, legte er auch Färbereien und eine Mangel an und war in kurzer Zeit der angesehenste Mann im Gebirge. Um diese Zeit starb Garn-Endermann. Er ward pomphaft begraben und hinterließ dem einzigen Sohne ein großes Vermögen.

Auf solche Weise war Endermann der Jüngere ein reicher Mann geworden. Dies genügte seinem Ehrgeize nicht; er wollte auch ein vornehmer Mann sein. Deshalb umgab er sich mit allem Glanz der gesteigerten Kultur. Er ließ sein Wohnhaus erweitern, einen Gesellschaftssaal darin anlegen, die kostbarsten Spiegel, Möbel und Kronleuchter kommen und das ehemalige Weberhaus allerschönstens damit ausschmücken. Weil er aber selbst die große Welt nie gesehen und von echtem Kunstgeschmack keinen Begriff hatte, so überfüllte er zwar sein Etablissement mit überaus kostbaren Gerätschaften, verstieß aber sowohl in der Wahl der Kostbarkeiten wie in Anordnung und Verwendung derselben gegen jede Regel der Schönheit. In seinem Hause sah es aus wie in einem überfüllten Raritätenkabinett.

Als sich Endermann zu solcher Höhe emporgeschwungen hatte, begann er, ein Haus zu machen, das heißt, er lud an hohen Festtagen, am Kirchweihfeste und an seinem Geburtstage außer dem Gutsherrn des Ortes noch eine Menge Rittergutsbesitzer aus der Umgegend, ein oder zwei Geistliche, mehrere Amtleute und andere Personen, vor denen der gemeine Mann die Mütze tief zu ziehen pflegt, bei sich zur Tafel. Da Endermann bei solchen Gelegenheiten einen vortrefflichen Tisch führte, die feinsten Weine spendete und überhaupt in jeder Weise dartat, daß er nicht bloß ein reicher, sondern auch ein liberaler Lebemann sei, so erhielt er auf solche Einladungen nie abschlägige Antworten. Seine Gäste taten ihm die Ehre an zu erscheinen, mit ihm zu essen und zu trinken. Beim Scheiden drückten sie ihm äußerst gerührt die Hand und lachten ihn auf dem Heimwege aus. Endermann aber lachte ebenfalls, denn er kannte das Geheimnis, sich aus den Beuteln der Geladenen gelegentlich seine lukullischen Gastmähler wieder bezahlen zu lassen.

Am glänzendsten waren Gesellschaft und Mahl an Endermanns Geburtstage. Dieser war jetzt wiedergekehrt, und weil in dasselbe Jahr der Tag fiel, wo er vor fünfundzwanzig Jahren zum ersten Male selbständig handelnd aufgetreten war, so ließ er diesmal mehr als sonst darauf gehen. Um ja hinter den Anforderungen höchst gebildeter Feinschmecker nicht zurückzubleiben, hatte Endermann einen Koch aus der Residenz für vieles Geld verschrieben. Die feinsten und teuersten Weine, die ausgesuchtesten Leckereien, mochten sie auch erstaunliche Summen kosten, wurden herbeigeschafft. Der ehrgeizige Fabrikant würde zweifelsohne auch Pfauenzungen in Pasteten verwandelt haben aufsetzen lassen, hätte der in der Kochkunst des Altertums nicht bewanderte Eßkünstler den genialen Einfall gehabt, ein derartiges Gericht zeitgemäß und vor allem vornehm zu finden.

Die Gesellschaft war zahlreich und durchaus von bestem Ton. Es gab nicht einen einzigen unter ihr, den man besitzlos hätte nennen können. Alle, die an Endermanns mit Silber- und kostbarem Porzellan-Geschirr bedeckten Tafel schwelgten, rühmten sich, immer wohlgefüllte Börsen, feine Kleider und darunter ein Herz zu tragen, das Bettelei und Armut als Laster betrachtete, die man sich fernhalten müsse. Sie waren über alle Maßen glücklich, diese guten, mit Gott und Welt recht zufriedenen Leute. Sie schlürften mit Behagen roten Burgunder, perlenden Champagner und die heißen, goldgelben Funken des ältesten Xeres[11]. Auge, Mund und Wange lachten den Glücklichen, wenn einer oder der andere aus Anerkennung der großen Verdienste Endermanns um die Industrie im allgemeinen und um die Kultur der gestreiften Baumwollenzeuge insbesondere, die er jährlich zu Hunderttausenden in alle Welt versendete, dem edlen Wirt ein begeistertes Hoch ausbrachte. Endermann wußte solche Ausbrüche herzlicher Freundschaft ebenfalls anzuerkennen. Er weinte vor Rührung, vor Dank gegen Gott, dessen Gnade er alles zu verdanken haben wollte. Er faltete die Hände, zog sein Sammetkäppchen und schlug freudig bewegt die tränenvollen Augen zum Himmel auf. Es war der glücklichste Tag seines Lebens, der Triumph seiner Tätigkeit, den er feierte! –

Während in dem Festsaale des Endermannschen Hofes die ungetrübteste Freude waltete und jene selige Zufriedenheit sich aller bemächtigt hatte, die gewöhnlich das Kennzeichen eines übersättigten Magens ist, stand ein Mann in dürftiger, aber reinlicher Kleidung an der Schwelle der Haustür, die schäbige Deckelmütze ehrfurchtsvoll in der Hand haltend, welche auf seinem Wanderstabe ruhte. Ein Sack von grober Leinwand hing schlaff auf seinem Rücken, ein Zeichen, daß weder Garn noch fertige

Ware darin sein konnte. Innerhalb der Tür lehnte ein wohlgenährter junger Kerl an dem granitnen Pfosten, beide Daumen unter die Tragbänder seiner Beinkleider steckend. Eine blaue Schürze, steif und glänzend, vor der Brust in einem Latze endend, gab ihm ein recht stattliches Aussehen und bezeichnete ihn dem ärmlich Gekleideten als Herrn Endermanns Garnsortierer. Das häufige Aufstoßen, von dem er inkommodiert[12] wurde, und das glühende Gesicht mit den verschwommenen Augen ließen nicht verkennen, daß er zu besserem Gedeihen seines Herrn Speise und Trank mehr als bloß mäßig zugesprochen hatte.

»Glaubt Ihr, daß die Herrschaften noch lange tafeln?« fragte der Weber, denn einen solchen erblicken wir in dem Manne vor der Haustür. »Auf eine Stunde oder zwei soll mir's nicht ankommen.« – »Heut wird nicht Feierabend gemacht vor sinkender Nacht, das heißt«, setzte der Garnsortierer lachend hinzu, »im Essen, Trinken, Tanzen und Lustigsein. Es ist des Herrn Geburtstag, und wenn Ihr gescheit seid, Moser, und den rechten Augenblick abwartet, um Herrn Endermann eine recht rührende Gratulation vor die Füße zu legen, da wirft's am Ende auch etwas Klingendes für Euch ab. Ihr seid ja immer so erpicht aufs Geld, als verhilf's zum ewigen Leben!« Und der junge, halbtrunkene Gesell schlug eine rohe Lache zu seiner letzten Bemerkung auf.

Über die eingefallenen Wangen des Webers lief ein leichtes Rot, denn die Worte des Garnsortierers beleidigten und schmerzten ihn. »Gebe Gott«, versetzte er, »daß Ihr nie den Tag erleben mögt, wo Euch ein elender Groschen soviel wert ist als das ganze liebe Paradies, so schön und prächtig ausstaffiert, wie's uns der Pfarrer auf der Kanzel ausmalt! Wer keinen Hunger hat, der kann an solchen himmlischen Gemälden wohl Gefallen finden; wenn aber der Magen knurrt wie ein bissiger Hofhund, da machen einen die roten Pomeranzen, die so unnütz unter den Bäumen im Paradiese verfaulen oder von den Affen gefressen werden, unwirsch und von den seligen Freuden ist nicht viel zu spüren.«

Der Garnsortierer lachte, daß ihm der Bauch schütterte. »Meiner Seele, Moser, Ihr seid witzig!« sagte er. »Und ich hielt Euch seither immer für einen Duckmäuser. Ihr wißt schon, so einer, der allen Heiligen die Zehen abfrißt, wenn's was einbringt! Nun, Moser, seid nicht böse, man kann sich irren.«

»Behüte!« versetzte der Weber. »Ich nehm es keinem Menschen übel, wenn er Böses, ja das Schlechteste von andern denkt. Aber, um nicht eins ins andere zu reden, geht doch jetzt, Friedrich, und meldet mich dem Herrn! Das Gläserklingeln und Schreien will ja gar nicht mehr endigen. Mein Gott, wie viele darbende Arme könnten mit dem unnütz verpraßten Gut gesättigt und glücklich gemacht werden! Wenn das Garn-Endermann, des Herrn Vater, mit ansehen müßte, ich glaube, er ginge brummend seiner Wege. Das war doch ein ganz anderer Herr als sein reicher, vornehmer Sohn.«

»Ein Knauser war's«, erwiderte der Garnsortierer, »ein Geizhals, der ärgerlich wurde, wenn junges Blut sich lustig machte.«

»Solange ich ihn kannte, war er das nicht«, sagte der Weber. »Er gab dem Bedürftigen, gönnte dem Arbeiter außer dem Lohn auch einen mäßigen Gewinn und war immer und überall mildtätig. Der hätte keinen seiner Weber eine Viertelstunde warten lassen, um ein paar Krebsscheren auszuschlürfen und ein überzähliges Glas Wein zu trinken.«

»Nun, nun, Murrkopf, ich gehe schon«, versetzte Friedrich, »aber das sag ich Euch, viel Hoffnung habe ich nicht.«

»Herr Endermann braucht ja gar nicht selbst herunterzukommen, wenn er nicht will«, rief Moser dem Fortwankenden nach. »Ich will ja bloß Einschlag für die letzte Werfte, er weiß es schon. Den könnt Ihr mir ebensogut einhändigen wie der Herr.«

Endermann hielt eben eine höchst sentimentale Dankrede an den Gutsherrn, der ihn im Namen sämtlicher Gäste mit großem Phrasenschwulst betoastet und alles irdische und himmlische Glück auf ihn herabgerufen hatte. Bescheiden wartete Friedrich, bis die Dankrede zu Ende ging und mit abermaligem Gläserklingen bewundernd und dankend aufgenommen wurde. Jetzt trat der Garnsortierer hinter den Stuhl des glücklichen Fabrikanten, legte seine Hand auf dessen Schulter und sagte ziemlich laut, um sogleich verstanden zu werden:

»Herr Endermann!«

Der Gerufene wandte sich erschrocken um und starrte mit weinverklärten Augen den nicht minder Glücklichen an.

»Was – was – soll ich?« fragte er stotternd.

»Es ist einer unten, der Sie sprechen will.«

»Bin nicht zu Hause«, erwiderte barsch der Reiche. »Das hättest du ihm gleich sagen sollen, Esel! Wie kann ich heut, so beschäftigt und von so vornehmen Freunden umgeben, für andere Menschen zu sprechen sein?!«

»Der Mann bittet so sehr – er verlangt Schuß.«

»Er möge sich in acht nehmen, daß ich *ihn* nicht schieße! Ich dächte, diese Hungerleider wüßten es längst, daß ich alles Mahnen nicht leiden kann! Und heut zumal, heut, an meinem Geburtstage, meinem Ehrenfeste!«

»Es ist der arme Moser, der vorm Jahre das Unglück hatte, die rechte Hand zu brechen. Seit der Zeit will er gar nicht mehr zu Kräften kommen.«

»Soll morgen wiederkommen!«

»Wenn Sie mir das Fach bezeichnen wollten, wo der Schuß liegt.«

»Morgen wiederkommen! Morgen wiederkommen!« rief Endermann, schon zornrot im Gesicht. Friedrich wich jedoch nicht von seinem Platze, vielleicht, weil es ihm in seiner halbtrunkenen Laune Spaß machte, den reichen Brotherrn ein wenig in Harnisch zu jagen.

»Bist du taub?« fuhr ihn Endermann nochmals an. »Morgen wiederkommen, sag ich, und jetzt schicke den Lumpen zum Henker!«

»Am Ende nimmt ihn der nicht an, wenn er ihm nicht ein Trinkgeld fürs Angreifen vorausbezahlt«, sagte lachend der rohe Garnsortierer. »Ich möchte Sie deshalb in Mosers Namen darum gebeten haben, um ihm die Antwort zu überzuckern und weil doch heut Ihr Geburtstag ist, Herr Endermann.«

Über den drolligen Einfall des Sortierers mußte der reiche Fabrikant überlaut lachen. Er fand ihn gar zu originell, griff in die breite Tasche seiner buntgeblümten seidenen Weste und langte Friedrichen ein altes Guldenstück hin. »Das ist für dich, Mordkerl«, sagte er kordial. »Trinke dafür auf nächsten Sonntag nochmals meine Gesundheit, dem Bettel-Moser aber sage, ich wollte ausdrücklich, daß er morgen wieder zu mir komme. Und, hörst du, Friedrich, hat die zerlumpte Kreatur Hunger, so laß dir in der Küche ein paar Knochen vom Koch geben und etwas Zusammengegossenes. Das mag er essen. Es wird ihm wunder wie delikat schmecken gegen seine wässrigen Erdäpfel. Man muß doch mild sein und freigebig an seltenen Ehrentagen, darum also, ein paar Hühnerknochen und was Gebratenes aus der Küche, Friedrich, aus der Küche! Geld hab ich nicht zu verschenken, das muß ein guter Wirt fein zusammenhalten.«

Friedrich ging, überbrachte dem Weber Endermanns Antwort und forderte ihn auf, in der Küche einen Löffel Warmes zu essen.

»Es sind lauter vornehme Sachen da«, sagte er, »Gerichte, wie sie Euch Euer Lebtag noch nicht vor den Schnabel gekommen sind – gebratener Schinken, gespickte Perlhühner, Krebspasteten, Wiener Schnitzel – sapperment, Ihr sollt Euch wundern!«

»Mir fehlt's an Appetit«, versetzte Moser mit niedergeschlagener Miene. »Lieber wär es mir gewesen, Herr Endermann hätte mir Garn gegeben. Ich muß nun einen ganzen Tag faulenzen und kann nichts verdienen. Wie soll ich das wieder einbringen mit meiner lahmen Hand! Und dazu ist die Susanna bettlägerig!«

»Ei, so nehmt's Elend doch auch einmal auf die leichte Achsel!« gegenredete der lustige Garnsortierer. »Es trägt sich, weiß Gott, viel bequemer und hockt sich nicht so fest auf, als wenn Ihr immer so griesgrämig in den Tag hineinseht!«

Moser seufzte, warf aber doch seinen Leinwandsack ab, hing ihn über den Stock und lehnte beide in einen Winkel des Hausflurs. Dann folgte er Friedrich nach zur Küche. Als sie eben eintreten wollten, kam von der Hoftüre her ein anderer Gast ins Haus. Es war ein schlanker Mann, bleich von Gesicht, mit schwarzen, schlicht über Stirn und Schläfen gekämmten Haaren. Er trug einen schwarzen, bis an den Hals zugeknöpften Tuchrock, ebensolche Beinkleider und hohe, bis an die Knie reichende, glänzend gewichste Stiefel. Tracht, Aussehen, Haltung, alles verriet in dem Fremden einen katholischen Geistlichen. Er zog höflich grüßend den Hut und fragte den Garnsortierer, ob er nicht einige Worte mit dem Herrn sprechen könne.

Friedrich maß ihn mit unsicherm Blicke, dann sagte er kurz hingeworfen: »Aus Prag, scheint mir.«

»Von den barmherzigen Brüdern[13].«

»Gedulden Sie sich nur ein paar Augenblicke, ich bin gleich wieder bei Ihnen.«

In gewaltigen Sätzen, daß die hölzernen Stufen knallten, rannte Friedrich die Treppe hinan. Moser und der barmherzige Bruder aus Prag standen sich gegenüber.

»Seid Ihr krank?« fragte mild und freundlich der Katholik.

»Ja, ich habe den Aussatz.«

»Den Aussatz?« wiederholte der barmherzige Bruder und trat unwillkürlich einen Schritt zurück. »Und Ihr wagt es, frei und frank mit andern Menschen zu verkehren?«

»Ach, mein lieber junger Herr«, erwiderte Moser, »es ist nicht ein Aussatz, der ansteckt, es ist bloß einer, der verachtet wird! Die entsetzliche, fluchbeladene Krankheit der Armut hat mich ergriffen und für sie haben Staat und Ärzte keine Mittel oder wollen keine haben. Man zuckt bedenklich die Achseln, rümpft die Nase, wirft, wenn es hoch kommt, solchem rettungslos Erkrankten einen schlechten Pfennig oder einen rauchenden Knochen hin und geht seiner Wege. Solch einen Knochen will ich mir jetzt holen, wenn Sie's erlauben, und wollen Sie sehen, daß meine Krankheit in unseren Tagen dem Aussatze gleichgeachtet wird, so geben Sie acht auf die Küchenmägde.«

Mit diesen Worten stieß Moser die Tür zur Küche auf, trat keck hinein und sagte: »Etwas vom Abhub bitt ich, Herr Endermann hat's befohlen!«

Die Mädchen steckten die Köpfe zusammen, der Koch kratzte verschiedene kalte und warme Speisen auf und reichte einen Teller voll einem der aufwaschenden Mädchen. Dieses schob das Hackemack dem Weber mit verächtlicher Gebärde zu, indem es sagte: »Dort hinter der Tür steht ein Bänkchen. Da könnt Ihr niedersitzen, damit Ihr niemandem im Wege seid!«

Moser empfing den Teller, wendete sich nach dem barmherzigen Bruder um und warf einen Blick auf ihn, in dem der Schmerz einer ungerecht mit Füßen getretenen Seele um Rache zum Himmel schrie. In diesem Moment rief Friedrich von der Treppe herab dem Katholiken zu:

»Wollen Sie sich gefälligst heraufbemühen, Herr Endermann und seine Gäste werden sehr erfreut sein, den frommen Bruder bei sich zu sehen.«

Moser lachte still für sich und verschlang die empfangenen Speisen mit großer Gier, denn obwohl er keinen Appetit hatte und ohne Genuß die ungewohnten Leckereien aß, plagte ihn doch der Hunger, den er erst während des Essens recht fühlte.

Inzwischen erreichte der barmherzige Bruder den Gesellschaftssaal, grüßte die schwelgerische Versammlung und bat, als Bote der barmherzigen Bruderschaft in Prag, um eine kleine Unterstützung für die Verfolgung ihrer wohltätigen Zwecke. – Es ist nichts Seltenes, daß diese geistlichen Brüder auf ihren Almosenwanderungen nach Sachsen und Schlesien kommen, wo unsere Geschichte sich zutrug. Bescheiden, höflich, nur den Zweck ihrer Sendung im Auge, sind sie überall gern gesehen und bekommen oft ansehnliche Gaben. Man weiß, daß diese wahrhaft christliche Wohltätigkeitsanstalt Leidende und Bedürftige ohne Ansehen der Person, ohne Unterschied der Religion mit gleicher Liebe, Sorgfalt und Ausdauer unterstützt und unentgeltlich verpflegt, und schon aus diesem Grunde verlassen sie nie ein Haus ohne Spende.

Endermann war seiner Natur nach kein Freund vom Geben, wo er sich aber als freigebiger Mann zeigen konnte, da ließ er sich nie zweimal auffordern. Er steuerte zu allen möglichen Vereinen, half die Missionare in Indien und China bezahlen, gab in die Armenkassen, in die Mäßigkeitsvereine, kurz, wo er darauf rechnen konnte, daß sein Name genannt werde. Den armen, zitternden Greis aber, der, halb erblindet und kaum mit Lumpen zur Notdurft bedeckt, an seinem Stabe von Tür zu Türe fühlte und um eine Krume Brot zur Stillung seines Hungers bat, den wies er mit barschen Worten ab, *weil* er regelmäßig in die Armenkasse gab. Noch weniger fiel es ihm ein, die arme arbeitende Klasse, die nur von Tag zu Tag lebt, zu unterstützen. Das nannte er: das Volk verziehen und übermütig machen. Auch war es Grundsatz und vielleicht Überzeugung bei ihm geworden, daß, wer durch eigenes Bemühen und Arbeiten nichts vor sich bringe, von der Vorsehung zu einem irdischen Leben in Not und Elend bestimmt sei. Dies eigenmächtig ändern zu wollen, dünkte ihn frevelhaft. Er tröstete sich mit dem Gemeinplatze, daß Gott es nicht anders wolle, und, da er in anderen Fällen, wo es ihm paßte, ein starker Bibelheld und Verehrer des Wortes war, so sagte er wohl lächelnd: Das arme Pack sei am Ende noch zu beneiden, da ihm die himmlischen Freuden ja gewiß wären! Gott möge wissen, ob er nicht dort oben gewaltig werde leiden müssen, auch dann, wenn er an das Bettelvolk scheffelweise Geld austeile. Darum wolle er es lieber abwarten und dem Spruche vertrauen: ›Viele sind berufen, aber wenige sind auserwählet!‹

Endermann ging daher dem barmherzigen Bruder zuvorkommend entgegen, reichte ihm selbst einen Römer des besten Weines und drückte ihm zwei Dukaten in die Hand. Die Gäste folgten dem guten Beispiele ihres Wirtes, und der geistliche Bruder aus Prag verließ den Saal mit reichen Gaben beschwert. Während er die Treppe herabstieg, überzählte er das Geld. Es waren mehrere Goldstücke darunter und eine Menge alter Silbermünzen. Er klimperte noch im Hause damit, als er an der Küchentür vorüberging. Moser hörte den Klang des Silbers und sah den Geistlichen nach dem Hofe schreiten. Rasch stand er auf und trat ihm entgegen.

»Sie haben eine gute Ernte gehalten, nicht wahr?« redete er den Katholiken an, sich mit umgekehrter Hand den Mund wischend.

»Ich muß Gott von Grund meines Herzens danken«, versetzte dieser und schlug in jener eigentümlichen Art die Augen auf, die man nur bei römisch-katholischen Priestern findet.

»Danken Sie Gott, ehrwürdiger Herr, auch dadurch, daß Sie selbst barmherzig sind«, sagte der Weber mit bewegter Stimme. »Ich bin arm, ein halber Krüppel und ohne alles Geld. Mein Weib liegt krank daheim und erwartet stündlich ihre Niederkunft. Sie werden sich einen doppelten Gotteslohn verdienen, wenn Sie ein geringes Scherflein von der reichen Gabe mir darreichen. Denken Sie, daß es nur ein Brosamen ist, der von des Reichen Tische fällt! Ich flehe Sie darum, ehrwürdiger Herr, in der Angst meines Herzens!«

Und der Weber faltete krampfhaft seine knöchernen Hände und hielt dem barmherzigen Bruder seine schäbige Mütze entgegen, während ihm die Knie schlotterten vor Angst und Scham, denn es war das erste Mal in seinem Leben, daß er mit lautem Wort um ein Almosen bat.

Der barmherzige Bruder warf einen Blick tiefen Mitleids auf den Weber, indem er das empfangene Geld laut klingend in seine Tasche gleiten ließ.

»Lieber Mann«, entgegnete er, »seid überzeugt, daß ich teilnehme an Eurem Leid und Euch aufrichtig bessere Tage wünsche, allein, Eure Bitte kann ich nicht erfüllen, so tief sie mich rührt. Ich bin arm, bin ärmer wie Ihr, denn ich besitze nichts. Was mir gutherzige mildtätige Menschen geben, gehört unserer heiligen Bruderschaft. Es ist ein Depositum, was meinen Händen anvertraut wird, und worüber ich meinen Oberen Rechenschaft ablegen muß. Ich würde eine schwere Sünde begehen, wollte ich es angreifen und nur einen Pfennig als mein Eigentum betrachten.«

»O das sollen Sie auch nicht, ehrwürdiger Herr«, fiel Moser ein. »Sie sollen es ja bloß einem Notleidenden schenken!«

»Ich vergriffe mich immer an mir anvertrautem Gute, armer Mann, und davor behüte mich Gott und die heilige Jungfrau! Darum dringt nicht mehr in mich, ich bitte Euch, geht lieber hinauf zu den frommen gutherzigen Menschen, die so gern mitteilen. Ich, lieber Mann, kann nichts für Euch tun als zu Gott beten, daß er Eure Lage verbessern möge! Gelobt sei Jesus Christ!«

Der barmherzige Bruder verließ das Haus des reichen Fabrikanten, Moser aber machte seinem Schmerz und Ingrimm durch ein schauerliches Hohngelächter Luft. »Geht hinauf zu den frommen gutherzigen Menschen«, wiederholte er. »Daß sie vor mir ausspucken, mich Lump und Bettler schimpften und mir wohl gar die Tür wiesen? – Nein, mein guter Herr, das will ich doch bleibenlassen! Ehe ich bei den Reichen bitte, gehe ich bei den Hunden zu Gaste!«

So sprechend, warf er seinen Leinwandsack wieder über die Schultern, nahm seinen Stecken und verließ in dumpfem Ingrimm Endermanns Hof.

2

Bei ruhiger Betrachtung unserer modernen sozialen Zustände könnte man zuweilen veranlaßt werden, an eine Prädestination zu glauben. Damit ist freilich nichts geholfen, aber man hat doch einen Weg gefunden, den man in allen Fällen zu eigener Rettung einschlagen kann. Es fällt uns dann nicht ein, an Gott, an einer weisen Weltordnung, an einer Vorsehung zu zweifeln und zuweilen das ganze liebe Welt- und Himmelsregiment auf gut deutsch zu vermaledeien! Die Vorausbestimmung ist das sicherste und nachhaltigste Mittel, allen Seeleningrimm, allen Verzweiflungsmut, alle Widersetzlichkeit gegen göttliches und weltliches Gesetz aus dem Grunde zu kurieren! Es mußte so kommen – es hat nicht anders sein können – es war seine Bestimmung – Gott hat es so gefallen in seiner Weisheit – mit solchen und ähnlichen frommen Altweibersprüchen lullt man dann bequem die jammernde Seele ein. Niemand denkt an Neuerung, Umgestaltung und Umsturz. Der Mensch wird ein glücklicher Bürger, weil er immer befriedigt bleibt, und Staat und Kirche können sich geziemend, ohne störende Einreden Unberufener, in dem Kreise entwickeln oder zusammenwickeln, den die erhabene Weisheit der weltlichen und geistlichen Machthaber fest um sie gezogen hat. – Moser gehörte zu diesen prädestinierten Unglücksvögeln, denn was er auch angriff, es schlug ihm alles fehl. Die Glücklicheren zuckten die Achseln und meinten gleichgültig: Der Mann hat Unglück. Die Frommen verdrehten die Augen und seufzten: So straft Gott die Sünden der Väter an den Kindern! Es wußte aber Mosers Eltern niemand etwas Böses oder gar ein Verbrechen nachzuweisen. Sie waren ehrlich und arm gewesen wie der Sohn, sie hatten zur Miete gewohnt, sie hatten gearbeitet und gedarbt, um als ehrbare Leute leben und sterben zu können, und der Vater war bereits mit dem innigen Seufzer zu Gott auf der sterbenden Lippe, daß es seinem Sohne ein klein wenig besser gehen möge als ihm, sanft in dem Herrn verschieden. Ach, es ist kaum zu glauben, wie genügsam die Wünsche des Armen sind, um wie wenig er zu bitten wagt! Und doch, wie selten findet eine so kleine Bitte Erhörung! –

Mosers Vater hatte ebenfalls vergeblich gefleht. Sein Sohn blieb arm wie er und brachte es ungeachtet seiner Tätigkeit zu nichts als zum kargen täglichen Brot. Leider hatte er bei seiner Armut noch den tollen Einfall, sich in ein hübsches junges Mädchen zu verlieben, die so arm war wie er selber. Als ob der Arme ein Recht habe, auf das Glück der Ehe Anspruch zu machen! Susanna war ebenfalls in den schmucken Weber vernarrt, und weil ihre Eltern eine Verheiratung beider nicht zugeben wollten, geschah, was in solchen Fällen unter jungen Liebesleuten in der Regel zu geschehen pflegte. Die Hochzeit der Liebenden fand erst zwei Monate nach der ersten Kindtaufe statt, die inzwischen auch für lange Jahre die letzte bleiben sollte.

Moser würde sich aus diesem Unglück, wie die Leute einen solchen Vorfall zu nennen belieben, wenig gemacht haben, wäre nicht die Unduldsamkeit und der brutale Fanatismus des Ortspredigers ihm wie brennender Schwefel in die Seele gefallen. Es war Sitte, wie man dies fast überall auf den Dörfern findet, daß die Wöchnerin nach Ablauf von vier bis sechs Wochen zur Kirche ging, um Gott für ihre Wiederherstellung zu danken. Dies wird von der Kanzel herab öffentlich bekanntgemacht und von seiten der Geistlichen ein kurzes Dankgebet verbunden. Vorher muß sich die Kirchgängerin auf der Pfarrwohnung melden und ihr Wiedererscheinen im Tempel des Herrn herkömmlicherweise bezahlen. Auch Susanna unterzog sich dieser Sitte, weil sie nicht zu umgehen war; aber sie erblaßte, als der strenge, zelotische Geistliche ihr die begangene Sünde mit harten Worten vorhielt, sie unverhohlen eine H . . . nannte und auf ihren ferneren Lebenswandel genau zu achten drohte. Völlig vernichtet ging nun Susanna zur Kirche. Die Worte des Pfarrers brannten wie glühende Kohlen in ihrem Herzen.

Weinend setzte sie sich in ihren Kirchstuhl, der unfern der Kanzel an einem Pfeiler angebracht war. Von ihm aus konnte sie ihren Geliebten und erklärten Bräutigam sehen, der, im vom Vater ererbten Sonntagsrocke, auf der Empore stand und forschende Blicke auf sie heftete. Der Prediger donnerte gewaltig über das sündhafte Leben der Verworfenen und meldete die Hölle mit den allerschönsten Feuerfarben, um recht tiefen Eindruck auf seine Zuhörer zu machen. Als er nach beendigter Strafpredigt an die Abkündigungen kam und jetzt auch die Kirchgängerinnen erwähnte, unterließ er nicht, die arme Susanna, die so glücklich war als Mutter und baldige Gattin des armen Webers, vor der ganzen Gemeinde als arge Sünderin hinzustellen. In heulendem Tone bat er für sie und die Frucht ihrer Sünde um Gnade, flehte zu Gott, daß er dem in Sünden und Lastern empfangenen Kinde durch das Bad der heiligen Taufe einen christlichen Geist möge eingeflößt haben und ermahnte schließlich alle tugendsamen Mädchen, sich ein warnendes Beispiel an der Gefallenen zu nehmen!

Moser tobte, als er an der Kirchtüre die ganz darniedergebeugte, schluchzende Susanna umfaßte, und es bedurfte ihrer schmeichelndsten Liebesworte, um den Erzürnten von einem raschen und vielleicht übereilten Gange auf die Pfarrwohnung zurückzuhalten. Ihn empörte nicht, daß seine Braut so schonungslos von dem Eifernden abgekanzelt worden war, sondern daß dergleichen geistliche Roheiten immer nur an der Armut verübt wurden. Bei dem Reichen, der in solchen Fällen den salbungsvollen Händedruck des Seelenhirten mit einem Goldstück bezahlt, wurde der Sache weiter gar keine Erwähnung getan.

Seit diesem Vorfalle haßte Moser den Pfarrer und vermied, mit ihm zusammenzutreffen. Sein Wunsch ward erfüllt. Er hatte keine Gelegenheit, nach der Trauung in persönliche Berührung mit dem strengen Manne zu kommen, denn seine Ehe mit Susanna blieb zu seiner größten Betrübnis kinderlos. Nur einmal mußte er noch einen schweren Gang zum Geistlichen antreten, als das Scharlachfieber ihm und seinem Weibe das Kind ihrer Liebe für immer entriß. Um allen ungehörigen Bemerkungen vorzubeugen, die er auf des Pfarrers gekrümmter Lippe sich breitmachen sah, ließ er es in größter Stille beerdigen.

Auf seinem einsamen Heimwege von Endermann durchlief Moser nochmals diese seine ganze Vergangenheit. Er suchte mit wahrer Fieberangst nach einem haltbaren Grunde für seine Not. Hätte er ihn gefunden, er würde sich wie Tausende beruhigt, in Geduld gefaßt, in das Unabänderliche geschickt haben. Aber er fand nichts, gar nichts! Er hatte bloß arbeitsvolle Tage an Tage zu reihen, schlaflose Nächte zu zählen, in denen er bei trüb brennender Lampe unermüdlich geschafft hatte. Und doch kein entsprechender Lohn für so schwere Arbeit, doch seit Jahr und Tag nicht einmal mehr das dürftigste Auskommen! – War es ihm zu verdenken, wenn er sich im Grolle umkehrte und mit der machtlosen Hand hinaufdrohte nach dem glänzenden Hause des Reichen, wo jetzt so viele Glückliche, denen es an nichts gebrach, die nie erfahren hatten, welch bittere, seelenzerstörende Speise das Hungertuch gewährt, in den angehäuften Schätzen schwelgten, die er mit seinem sauren Schweiße hatte verdienen helfen? –

Moser wohnte zur Miete in einem kleinen Häuschen, dessen Besitzer ebenfalls Weberei trieb und sich zuweilen auch noch einige Groschen durch Handarbeit bei den Bauern verdiente. Er war ein robuster Mann von unverwüstlicher Gesundheit, dem die trockene Kartoffel jahraus jahrein täglich immer gleich trefflich schmeckte. In diesem Häuschen hatte Moser ein Stübchen inne, das kaum acht Ellen im Quadrat Flächenraum enthielt. Dieser war noch beengt durch einen ansehnlichen Ofen von grünen Kacheln, der unvermeidlichen Ofenbank, einem Topfbrett, zwei Webstühlen, einem Tisch und drei Schemeln. Denn so viele brauchte der Weber, da seine alte Mutter noch bei ihm wohnte. Für dies Stübchen und eine luftige Bodenkammer von weit geringerem Raume, nebst einem sogenannten Kartoffelloche unter der schief bis zur Erde reichenden Bedachung der Abseite des Hauses, mußte er jährlich vier Taler Miete zahlen, eine Summe, die er häufig kaum erschwingen konnte.

Die alte Mutter ernährte sich vom Spinnen und trug von dem unglaublich geringen Verdienst ihr Scherflein bei zu Bezahlung der Miete. Gertrud hatte beinahe ihr ganzes Leben lang gesponnen und zwar, wie es zu ihrer Zeit Sitte war, auf der Spindel oder Spille. Durch unendlich lange Übung hatte sie eine so große Fertigkeit in dieser Beschäftigung erlangt, daß sie in ihren blühendsten Spinnjahren das allerfeinste Garn zu verfertigen sich weit und breit rühmen durfte. Allein, der Lohn stand mit der Mühe in keinem Verhältnis. Die Gertrud konnte kaum leben und spann sich im Laufe der Zeit fast blind! Und diese stille, fleißige Märtyrerin der Armut kannte niemand! Auf sie achtete keiner der Vorübergehenden, wenn sie an warmen Sommerabenden vor der Tür des kleinen Häuschens saß und unablässig die braune Spindel um die grauen, flatternden Haare tanzen ließ.

Seit Gertrud von den feinen abspringenden Flachsteilchen eine heftige Augenentzündung bekommen hatte, für die sie aus Mangel an Geld und Zeit keine ärztliche Hilfe ansprechen konnte, verdiente das arme Weib täglich bloß noch zwei Pfennige, was man begreiflich finden wird, wenn man bedenkt, daß die alte Spinnerin den rohen Flachs kaufen und, weil sie es selbst nicht vermochte, durch Fremde zubereiten lassen mußte. Zahlte sie auch nur eine Kleinigkeit dafür, so war es immer genug, um verhältnismäßig dadurch in ihrem reinen Verdienst empfindlich geschmälert zu werden. Außerdem bedurfte sie jetzt einer dreimal längeren Zeit als ehedem, um einen Strähn zu spinnen, da sie sich ganz allein auf ihr Gefühl verlassen mußte. Wie große Mühe sich aber Gertrud auch gab und wie langsam sie immer spann, das Garn ward ihr unter den Händen immer stärker und unegaler, und die Garnkäufer verkürzten ihr infolge davon den Lohn so sehr, daß ihr täglicher Gewinn nur zwei Pfennige betrug. Und doch faltete diese alte, fleißige Frau früh, mittags und abends ihre kraftlosen Hände, dankte Gott, daß er sie gnädig beschützt, vor größerem Unglück bewahrt und bisher notdürftig gesättigt habe, und bat ihn, ohne zu ermüden, um ein sanftes seliges Ende! –

Susanna saß neben der alten spinnenden Gertrud auf der Ofenbank und hatte beide Arme in ihre kattunene Alltagsjacke gehüllt, die sie bei der Arbeit zu tragen pflegte. Das arme Weib war hochschwanger und fror, daß es sie schüttelte, obwohl das Wetter warm war.

»Du bist recht lange weggeblieben«, sagte sie, als Moser von seinem fruchtlosen Gange zurückkam. »Es gab wohl viel zu tun?«

»Erschrecklich viel«, erwiderte dieser, ein bitteres Lachen unterdrückend. »Ich möchte schon wissen, ob sie um Mitternacht ihre Arbeit einstellen werden.«

»So viel Geschäfte sind doch auch eine Last! Die Leute werden ihres Lebens nicht froh; ich möchte es nicht haben.«

»Zu Zeiten doch, Susanna! Heute zum Beispiel hätte ich gewünscht, die Armen der ganzen Welt wären auf Endermanns Hofe zusammengekommen. Vom bloßen Geruche der Speisen, die das übermütige Volk verschlang, wären sie schon satt geworden. Straf mich Gott, es ist eine Sünd und Schande, so zu fressen und schlimmer wie's liebe Vieh zu saufen, während Tausende nicht das trockene Brot im Hause haben! Und doch rühren diese ihre Hände mehr als jene! Hilf Gott, wo ist da Sinn und Verstand drin!«

»Was gab's denn?« fragte die Kranke, verwundert aufsehend zu Moser, dessen Heftigkeit ihr seltsam und ungewohnt vorkam.

»Wenn unsereiner fünfundzwanzig Jahre schlecht und recht ein ehrliches Leben unter Sorgen und Mühen, unter Kummer und Tränen verbracht hat«, erwiderte Moser, »oder seine silberne Hochzeit mit der Weblade feiert, da schlägt man an seine Brust, dankt Gott, daß es abgegangen ist ohne gar zu auffällige Not und fällt abends vor Schlafengehen auf seine Knie, um sich durch Dank und Bitte zur Fortsetzung des schweren Lebens zu stärken. So macht's unsereiner, sag ich. Die Reichen aber, die quirlen ein Dutzend Brühen ein, mit allen Gewürzen der alten und neuen Welt versetzt, verschreiben sich ein halbes Schock vornehmer Schmarotzer und essen und trinken, bis sie Sonne, Mond und Sterne für Hefeklöße und den Himmel selbst für einen Dudelsack ansehen! Ich wollt, die Kränk schlüg der ganzen Klerisei in die Knochen!«

»Mein Gott, sie haben's ja!« sagte Susanna beschönigend. »Laß sie's doch genießen, das liebe Gut; wo sollen sie hin damit!«

»Wohin damit?« fuhr Moser auf. »Weib, du bist nicht recht klug! Wohin damit! – Ei, dahin, wo man alle Finger nach einer Faser kräftigen Fleisches leckt! Dahin, wo der Arme im Elend verkümmert, wo der redliche Arbeiter die Sündenmast verdienen hilft! – Gott soll mich bewahren, meine Hand nach fremdem Gut auszustrecken oder dem Reichen sein Vermögen zu beneiden! Ich bin nicht habsüchtig, nicht nach eitlem Geld und Gut geizig. Aber essen will ich, weil mich hungert, und weil ich nicht essen kann, ohne zu arbeiten, so fordere ich Arbeit und Lohn für meine Arbeit. Wenn mir aber weder das eine noch das andere gegeben wird, bloß weil es die Prasserei stören würde, siehst du, Frau, so wollt ich, alle Karpfen und Hechte, die bei Endermanns heute gesotten und gebraten auf den Tisch gekommen sind, hätten sich in giftige, feuerspeiende Drachen verwandelt und die ganze Gesellschaft in Brei zermalmt!« –

Moser setzte sich den beiden Frauen gegenüber auf den Tisch und schlug seine Arme über die Brust. Der Zorn des Armen, der sich seiner Ohnmacht wohl bewußt war, hatte einen fast komischen Anstrich, obwohl hinter der drolligen Maske das Schrekkensantlitz des fürchterlichsten Ernstes, der hoffnungslosesten Verzweiflung grinste.

Gertrud schüttelte den Kopf, um ihre Mißbilligung über die heftigen Worte des aufgebrachten Sohnes zu erkennen zu geben, und Susanna seufzte, da sie wohl einsah, daß ihr ergrimmter Mann recht habe. Die Stubentür ward aufgestoßen und der Besitzer des Häuschens, Fürchtegott, trat ein. Der kräftige, überaus robuste Mann ging barfuß in zerrissenen Schuhen, die er sich aus abgetragenen Stiefeln zurechtgeschnitten hatte. Eine Leinwandhose, die kaum bis übers Knie herabreichte, schlotterte um das muskulöse Bein. Darüber trug er nach Art der Weber eine vielgewaschene Schürze, die ehedem blau gewesen sein mochte, jetzt aber mehr ins Aschgraue schimmerte. Ein schwarzes Lederkäppchen saß ihm schief auf dem starken, struppigen, mit Garnstaub gepuderten Haar.

»Guten Tag, Nachbar!« sagte der Häusler. »Warum so verdrießlich?«

»Hätte ich einen guten Tag, so würde ich nicht so verdrießlich sein.«

»Werft's hinter Euch, Moser, wenn Euch was drückt. Leichtes Blut und resolutes Wesen hilft über vieles hinweg. Vordem, seht Ihr, trieb ich's gerade wie Ihr und hatte keine frohe Stunde. Alles schmeckte mir nach Galle. Seit ich mich aber bei der Arbeit aufs Singen gelegt habe und manchmal einen ›Dünnen kippe‹, seitdem scher ich mich den Teufel um die Welt! Hat der Herr mit Euch gezankt?«

Moser schüttelte den Kopf und sah finster vor sich hin.

»Wißt, Nachbar, Euer Brotherr gehört zu den Feinen! Wenn der Euch zwickt, so müßt Ihr ihn kneipen.«

»Wie meint Ihr das?«

»Das meine ich so: Endermann gibt, wo er's machen kann, gern ein paar Pfennig weniger als ausbedungen ward, das nenne ich zwicken, und dafür, seht Ihr, müßt Ihr die Lade was lockerer auffallen lassen, damit das Gewebe dünner und eher fertig wird. Auch habt Ihr dabei den Vorteil, daß vom Schuß ein paar Gebinde übrigbleiben. Das heiße ich denn kneipen. Begriffen?«

»Die Manier gefällt mir nicht.«

»Gefallen oder nicht gefallen, wenn sie nur hilft und zu Frühstück und Vesper ein halbes Viertelchen abwirft.«

»Ich trinke nicht, wie Ihr wißt, auch denke ich: Ehrlich währt am längsten. Betrügt uns der Reiche, nun, so wird ihm unser Herrgott aus solchem Gewinn auch kein himmlisches Ruhekissen stopfen.«

»Ei, ei, Moser! Wollt Ihr mich unehrlich machen, weil ich auf meinen Vorteil sehe? Handel und Wandel, Nachbar, und leben und leben lassen, das sind meine Grundsätze! Wenn der Reiche schwelgt, so will der Arme wenigstens was zu knuppern haben, damit es ihm nicht in die Zähne fährt und er Gelüst bekommt, damit ins Fleisch zu beißen.«

»Es ist Sinn in dem, was Ihr sagt, Fürchtegott. Ich will mir's überlegen und wenn ich mich zurechtfinden kann mit meinem Gewissen, Eurem Beispiele folgen.«

»Tut's und Ihr werdet Euch wundern, wie geschwind Ärger und Verdruß auf und davon laufen! Aber was ich eigentlich sagen wollte, Moser, das ist: Der Gemeindebote war da und hat Euch für künftigen Monat zu Hofe gebeten. Ihr seid, glaube ich, noch im Rückstande, und da sollt Ihr für diesmal gleich auf anderthalb Tage Euch einrichten und Hacke und Schaufel mitbringen. Es sollen, denke ich, Gräben gehoben oder ein Fahrweg ausgebessert werden.«

Moser lachte laut auf: »So ein Hofetag kommt doch immer wie gerufen, platterdings wie vom Himmel heruntergefallen«, sagte er. »Wenn ein armer Teufel kein Brot im Hause hat und wegen unverschuldeter Versäumnisse sich vierteilen möchte, um nur ja die Arbeit schnell abliefern zu können, da schickt die gnädige Herrschaft den Boten herum und befiehlt, daß man für sie arbeiten soll. Wenn ich nur noch wissen sollte, wer vor alters die Gesetze gemacht und das aufgebracht hat? Ich bettelte mir einen Dreier zusammen und gäbe ihn zu einem Denkmale, das solchem Hauptkerl von feinem Spitzbuben gesetzt werden müßte!«

»Lieber Mann«, fiel Susanna ein, »wie kannst du dich so ereifern! Es ist ja die Herrschaft und die anderen tun es ja auch.«

»Freilich, es ist die Herrschaft, aber warum? Sooft mir die Frage wie ein Schwärmer durch den Kopf schwirrt, werde ich jedesmal schwindelig. Ich kann den Grund nicht finden und bin doch verdammt zu einem Gründlinge[14]!«

»Moser«, versetzte der minder skeptische Fürchtegott, »entweder seid Ihr krank oder nicht recht bei Troste, oder Ihr fangt an, mit der Latte zu laufen[15]! Wenn ich Euch raten soll, so nehmt Krausemünze ein. Das reinigt das Blut und scheuert den Magen aus, den Ihr Euch sicher verdorben habt.«

»Vermutlich, vermutlich!« erwiderte Moser bitter lachend.

»Die paar abgeknaupelten Hühnerknochen aus Endermanns Küche müssen das große Wunder bewirkt haben.«

»Gott behüte Euch, Nachbar, und gute Besserung, wenn Ihr's nicht übelnehmt? Also auf den Montag früh um 6 Uhr mit Hacke und Schaufel auf den Hof.« Fürchtegott ließ die Tür wieder zuklappen und hüpfte pfeifend in seine Stube, aus welcher bald darauf das taktmäßige Anschlagen der Weblade wieder erklang.

Moser versank in sein voriges düsteres Nachsinnen. Lauteres Seufzen und Stöhnen seiner armen Frau weckten ihn daraus. Er sah auf und fragte, was ihr fehle? Susanna winkte ihn zu sich.

»Meine Stunde naht«, flüsterte sie ihm mit schwacher Stimme zu. »Vielleicht erlöst mich Gott.«

Moser unterdrückte einen Seufzer, zog seine Jacke wieder an und nahm die Mütze von dem Stangenende, die im Viereck den Ofen umgaben. »Mutter«, sagte er, »Ihr tut meinem armen Weibe wohl eine Handreichung, wenn sie's bedarf. Ich gehe, ihr Hilfe zu holen.«

Gertrud steckte die Spindel in ihren Rocken, nickte dem Sohne freundlich zu und rückte dann auf der Bank fort bis zu ihrer Schwiegertochter, die sie mit ihren hageren, zitternden Armen umfing und nötigte, den matten Kopf an ihre Brust zu lehnen. Moser aber verließ eiligen Schrittes seine ärmliche Wohnung, um der Kreißenden den nötigen Beistand herbeizuschaffen.

3

Arme haben selten Glück. Es ist, als entsetze sich die heitere Göttin vor dem Anblick der Elenden und weiche ihnen aus, um sich ihr schönes, heiteres Dasein nicht trüben zu lassen. Der arme Weber sollte dies zu seiner namenlosen Bestürzung jetzt, wo er doch des Glückes so sehr bedurfte, mehr denn je erfahren. Die Hebamme war vor kurzem zu einem reichen Bauern des Dorfes geholt worden, dessen junge Frau ihrer Niederkunft entgegensah. Moser lenkte seine Schritte nach dem Bauernhofe, denn er kannte den Besitzer, er hatte vor Jahren seine Frau unzählige Male auf der Schaukel geschwenkt. Sie war damals ein munteres, lebenslustiges, gefälliges Mädchen gewesen. Bei ihrem Vater stand er ehemals als Erntearbeiter in Diensten und hatte ihm manche kleine Gefälligkeit erwiesen, manchen Gang für ihn um ein ›Vergelt es Gott‹ getan. Er hoffte Teilnahme, vielleicht sogar Unterstützung zu finden.

Als Moser in die Wohnstube des Bauern trat, saß die Hebamme am gedeckten Tische, trank Kaffee und aß dazu große Stücke frischgebackenen Kuchens. Die junge hübsche Frau lag im Bette und plauderte gemütlich mit der Alten. Ihre Niederkunft war noch fern. Der Weber hörte mit freudigem Dankgefühl diese Nachricht und bat darauf die schmausende Kindermutter, ihn womöglich sogleich zu begleiten, um seiner armen Frau beizustehen. Die Alte schlürfte gelassen ihre Tasse aus und sah den Armen mit großen Augen an.

»Zu Eurer Suse?« sagte sie. »Wenn ich bei der Jungefrau nicht mehr werde nötig sein, will ich kommen.«

»Das würde zu spät sein, gute Frau«, versetzte der Weber. »Mein armes Weib ist krank und obendrein gebricht es ihr am Besten. Die Zeiten sind schlecht, ein armer Weber verdient sich kaum noch das tägliche Brot, und wenn gar Krankheiten einreißen – «

»Ihr seid sehr zu beklagen«, unterbrach ihn die Hebamme, aus der blanken, zinnernen Kanne von neuem ihre Tasse mit dem Absud der braunen Bohne füllend, »aber Ihr seht selbst ein, daß ich die junge hübsche Frau nicht allein lassen kann. Es wäre gegen Gewissen und Pflicht, und wir geplagten Frauen werden bei jedem kleinen Unglück sogleich zur Verantwortung gezogen.«

»Ach, bleibt ja, gute Eberten!« bat die Bäuerin und nahm eine recht leidende Miene an. Mosers Blick fiel wie eine Feuerflamme auf sie.

»Dorel«, sagte er, »Ihr könnt mich doch nicht ganz vergessen haben die paar Jahre her, daß ich nicht mehr bei Eurem Vater auf Arbeit gegangen bin? Ich war Euch immer gefällig in allen Dingen und kletterte Euch zuliebe auf die höchsten Obstbäume, wenn Euch grade ein rotbäckiger Apfel oder eine goldgelbe Birne in die Augen stach. Denkt daran, Dorel, ich bitt Euch, und seid barmherzig gegen einen recht elenden Mann! Wenn Ihr der Eberten ein gutes Wort gebt, so schlägt sie mir's gewiß nicht ab. Es ist gar so dringend!«

Die Bäuerin wollte sich jedoch all der kleinen Gefälligkeiten nicht mehr erinnern, die der Weber anführte. Sie wußte, daß Moser arm war und sich ganz der Weberei ergeben hatte, sie sah nur den ärmlich gekleideten, machtlosen Mann vor sich, der ihr nichts schaden, nichts mehr nützen konnte, und so hatte sie denn gar keine Veranlassung, ihm eine Bitte zu gewähren, die scheinbar mit einem Opfer für sie verbunden war. Sie erklärte daher auf das bestimmteste, daß die Eberten nicht über die Schwelle gehen dürfe, wenn sie auch noch über vierundzwanzig Stunden bei ihr warten müsse. »Nicht wahr, es geht nicht?« setzte sie hinzu, indem sie sich sanft in die Kissen ihres Bettes zurücklehnte.

»Es wäre Mord, mein Engelchen, wenn ich Euch nur einen Augenblick lang verlassen wollte«, erwiderte die Hebamme, kehrte dem vor Angst zitternden Weber den Rücken und fing an, mit der jungen Bäuerin leise zu flüstern.

Seiner armen harrenden Susanna und ihrer ganzen Hilflosigkeit gedenkend, verließ Moser das Bauernhaus in einer Seelenstumpfheit, die keine Feder zu schildern vermag. Erst vor dem drohenden Anschlagen des Hofhundes, der frei im Garten herumlief, kam er wieder etwas zu sich. Er blieb stehen und griff mit beiden Händen in die leeren Taschen seiner blau und rot gestreiften Kattunjacke.

»Jesus Christus«, rief er aus, »die Frau in Kindesnöten, kein Brot im Hause und keinen Dreier, keinen Heller in der Tasche! – Und in der Schrift steht: Suchet, so werdet Ihr finden? Und: Selig sind die Armen, denn das Himmelreich ist Ihr! – Ha, ich will ewig verdammt sein, wenn ich das ganze nebelblau ausgeschlagene Himmelreich nicht für eine Handvoll blanker Taler an den ersten besten Hausierjuden verhandelte! – Himmelreich und das Elend im Hause! Trost bei Gott aufs Ungewisse hin, und daheim ein kreißendes Weib und kein Geld, kein Geld!«

Moser schrie die letzten Worte in voller Raserei und schlug sich mit der Faust vor die Stirn, daß eine Brausche[16] auflief. Aber der Unglückliche fühlte es nicht. Die Geier an seinem Herzen fraßen so gierig und schlugen ihre Fänge so tief in das innerste Mark seines Lebens, daß er keines gewöhnlichen Körperschmerzes geachtet haben würde. Nach einigen Augenblicken des ratlosen Zauderns begann er zu laufen, durchschnitt den Grasgarten des reichen Bauern in grader Linie, sprang behend über die Stangen, die ihn vom Feldwege schieden, der hinter der Hofraite fortlief und rannte wie ein Besessener querfeldein eine Lehne[17] hinauf, über welche sich ein vielbetretener Fußsteg schlängelte. Eine Stunde hinter dieser Feldlehne lag der nächste Nachbarort, wo sich seit einigen Jahren ein Wundarzt und Geburtshelfer niedergelassen hatte. Diesen wollte Moser jetzt aufsuchen, obwohl er nicht wußte, ob er den Mann zu dem verlangten Dienste bewegen werde und wovon er ihm seine Mühwaltung bezahlen solle. Aber sein Weib rang vielleicht mit dem Tode, sein Weib wollte ihn mit einem Kinde, um das sie den Himmel so lange Jahre vergeblich gebeten hatten, beschenken, und Moser liebte dies Weib mehr, als hundert Reiche zusammen in ihrem gefühllosen Herzen Liebe auftreiben konnten. –

Nach einstündiger angestrengter Wanderung erreichte der zum Umsinken müde Weber das Dorf. Er fand den Wundarzt zu Hause, erzählte ihm seine Not und bat, ihm doch um Gottes Barmherzigkeit willen zu helfen! Der Arzt war ein milder, menschenfreundlicher Mann, der schon an manchem Lager der Armut gestanden und der Not in die stieren Augen gesehen hatte. Bereitwillig sagte er dem Weber seine Hilfe zu, ließ sich die Lage des Hauses beschreiben, reichte dem Kraftlosen einen stärkenden Trank und ermahnte ihn, Gott zu vertrauen. Dann warf er sich auf sein treues Reitpferd und jagte im schnellsten Galopp dem Dorfe des Webers zu.

Moser fühlte sich etwas erleichtert. Er machte sich Vorwürfe über seinen Kleinmut, bat Gott um Verzeihung wegen seiner sündhaften Reden und machte sich nach einiger Zeit wieder auf den Rückweg.

Nachmittags in der fünften Stunde hatte Moser seine Wohnung verlassen und abends nach Sonnenuntergang sah er von der Lehne herab das Dorf mit den rauchenden Hütten im Nebeldämmer unter sich liegen. »Gott gebe, daß sie es überstanden hat, die Arme! Daß ich ein gesundes Kind an mein banges Vaterherz drücken kann!«

Und weil grade aus der Ferne auf den Fittichen des Windes die harmonischen Klänge einer Dorfglocke über das Blachfeld zogen, die zum Feierabend läutete, nahm der Weber seine Mütze ab, faltete die Hände darüber und sprach recht aus dem tiefsten, gläubigsten Herzen ein andächtiges Gebet. Dadurch gestärkt, betrat er das Dorf mit mehr Mut und Vertrauen, als er es vor einigen Stunden verlassen hatte.

Langsam ging er die Gasse hinab, denn es bangte ihm vor der Heimkunft. Niemand begegnete ihm, es war still und öde wie meistens um diese Stunde auf den Dörfern, deren Bewohner im Sommer mit der Sonne zu Bett zu gehen und ebenso mit ihr wieder aufzustehen pflegen. Hier und da hörte er in den Häusern, an denen er vorübergehen mußte, ein Lied singen, manchmal von einer einzelnen Stimme, manchmal von mehreren. Es waren aber stets ärmliche Wohnungen, aus denen solcher Gesang in die herabsinkende Nacht hineinhallte. Wohlhabende unterlassen solche nutzlosen Singübungen, da sie zu genau wissen, daß auch mit dem inbrünstigsten Gebet nicht ein Groschen zu verdienen ist. Nur der Arme, der noch hofft, ist so albern, mit seinen Bitten sich unmittelbar an den Herren Himmels und der Erde zu wenden, da ihm auf Erden selbst niemand die rettende Hand reicht. Im Geiste sang Moser all diese Lieder, deren Melodien ihm wohlbekannt waren, mit und sah endlich Fürchtegotts Häuschen in weißlichem Nebelgrau vor sich liegen. Ein Lichtstrahl fiel durch den Spalt eines Fensterladens, der nicht fest geschlossen war. Dahinter lag Susanna.

»Werd ich eine glückliche Mutter begrüßen?« sagte Moser und erhob fragend den Blick zum matt gestirnten Himmel. Dann drückte er sanft die Klinke der Haustür auf und trat in die Hütte.

Er lauschte und horchte, ob er das Geschrei eines Neugeborenen vernähme, aber es blieb alles still. Nur in Fürchtegotts Stube schnurrte noch das Spulrad in regelmäßig steigender und fallender Tonschwingung. Unter lautem Herzklopfen stieß Moser behutsam die Stubentür auf und warf einen forschenden Blick in sein enges Stübchen. Auf dem Tische in verborgenem Klötzelleuchter[18], wie der Arme sie gebraucht, steckte ein Funkel brennendes Pfenniglicht, dessen Schnuppe sich in der trüben, spritzelnden Flamme krümmte. Am Boden neben dem Ofen lagen die wenigen Betten, die Moser besaß. In den dunkelkarierten Kissen schimmerte das bleiche Gesicht Susannas wie das einer Leiche. Zu ihren Häupten kniete Mutter Gertrud und lauschte auf das röchelnde Atmen der Kranken. Zur Seite des Lagers kauerte der Wundarzt und war eben bemüht, ein menschliches Wesen in armselige Fetzen zu hüllen.

»Gott sei Dank!« rief Moser aus, jetzt rasch in die Stube tretend. »Die schwere Stunde ist vorüber.«

In demselben Augenblicke traf herzhaftes Kindergeschrei sein Ohr. Der Wundarzt stand auf und wendete sich zu dem Weber.

»Gottlob, es ist vorüber!« sagte auch dieser. »Euer armes Weib ist sehr kraftlos, Ihr werdet sie mit vieler Sorgfalt pflegen müssen. Aber sie hat Euch auch zum glücklichen Vater von zwei lieblichen Mädchen gemacht.«

»Wie!« stieß Moser heraus und ergriff den zunächst stehenden Schemel, um nicht umzusinken. »Sie scherzen wohl, Herr Doktor?«

»Lieber Mann, Eure Frau hat Zwillinge geboren. Kinder sind ein Segen Gottes.«

»Ein Segen Gottes!« wiederholte Moser, trat an das Lager seines Weibes, schlug die Arme übereinander und heftete mit entsetzlichem Ausdruck der grenzenlosesten Verzweiflung seine Augen auf die beiden Neugeborenen, die neben dem Wundarzte zu seinen Füßen lagen.

»Vergib mir, himmlischer Vater, wenn ich Dir für so viel Segen einstweilen den Dank noch schuldig bleibe«, sagte er bitter, schüttelte sich wie im Fieberfrost und kniete neben der Mutter nieder, um der matten Susanna die bleichen, feuchten Lippen zu küssen.

4

Nach einer kummervoll durchlebten Nacht trat Moser am frühen Morgen ein paar schwere Gänge an. Es galt, die Geburt der beiden Mädchen auf der Pfarrei zu melden, die Taufe zu bestellen, die Paten zu wählen. Ein glücklicher Vater geht solche Wege mit frohem Herzen. Moser war aber kein glücklicher Vater mehr, denn er sah für die Neugeborenen, die ihm das Leben zu verdanken hatten, nur eine Zukunft voll namenlosen Jammers auf dieser unvollkommenen Erde. Und konnte er wissen, ob diese schuldlosen Seelen, wenn sie dereinst zur Erkenntnis ihrer Lage kämen, nicht die schmachtenden, vom Kummer welken Lippen zum Fluche über ihn öffnen würden? Dieser Gedanke drückte ihn so gänzlich zu Boden, daß er mehrmals halblaut aufseufzte: »Nimm sie wieder zu Dir, die armen Seelen, Vater im Himmel! Sie sind besser bei Dir aufgehoben wie bei mir. Nimm sie zu Dir in Dein Vaterhaus, die Kosten für einen gemeinsamen Sarg will ich gern vor den Türen zusammenbetteln!«

Indes mußte doch für das Allernotwendigste auf irgendeine Weise Rat geschaffen werden, denn in den nächsten Tagen gab es unabwendbare Ausgaben. Vor allem waren die Stolgebühren[19] auf der Pfarre zu bezahlen und diese mußte der Weber auftreiben, wenn er nicht abermals einer harten Strafpredigt entgegensehen wollte. Deshalb schlug Moser zuerst den Weg nach Endermanns Hofe ein, um seinen Brotherrn abermals um Schuß und einiges Geld zu bitten. Er war ja ohnehin auf heut bestellt worden und hatte also ein doppeltes Recht, vor dem Reichen in so früher Morgenstunde zu erscheinen.

Die Leute des Fabrikanten waren bereits in voller Tätigkeit, denn weil am vergangenen Tage wenig getan worden war, mußte das Versäumte durch verdoppelten Fleiß heut nachgeholt werden. Schon von weitem hörte er das Geräusch der Garnklopfer, die in Menge vor dem Hause tätig waren. Die Essen der Färberei rauchten, die große Mangel rollte dumpf in dem eigens dazu errichteten Gebäude. Moser durfte heut nicht warten. Friedrich meldete ihn sogleich, und Endermann nahm keinen Anstand, den Armen in seinem Privatkabinett zu empfangen.

Unter hohen Stößen feinen weißen und gefärbten Garnes saß der reiche Mann an einem altväterlichen, mit großen Blumen geschmacklos bemalten Tische und beschäftigte sich eben damit, Coupons abzuschneiden. Eine große Menge solcher schmalen Papiere lag in kleinen Häufchen auf dem Tische verteilt. Er ließ sich durch den Eintritt des armen Webers nicht in seiner leichten Arbeit stören. Dem Armen leichthin mit dem Kopfe dankend, sagte er auf dessen Morgengruß:

»Ist die Webe fertig?«

»Hätte ich gestern den Einschlag erhalten, so würde ich getan haben, was meine Kräfte vermögen, Herr Endermann; so mußte ich feiern wider meinen Willen.«

»Warum kamt Ihr nicht ehegestern? Ihr wußtet, daß ich gestern Gesellschaft hatte und mich da nicht mit Euch und Euern Quengeleien abgeben konnte. Ich habe Einbuße von der Verzögerung! In den nächsten Tagen geht ein großer Warentransport von mir ab, da sollte Euer Stück Arbeit mit auf den Markt gebracht werden, und nun muß ich's liegenlassen, wie lange! Wer weiß, ob nicht inzwischen das Muster aus der Mode kommt! Dann kann ich Zunder daraus brennen!«

Moser hätte sich gern verteidigt, denn er fühlte sich in seinem vollsten Rechte, allein, er besorgte auch, daß Endermann seine Verteidigung übellaunig aufnehmen und ihn wohl gar aus dem Dienste entlassen könnte. Ein entsetzlicherer Schlag in seiner bedrängten Lage hätte ihn nicht treffen können, und um diesem zu entgehen, schwieg er lieber zu den Vorwürfen des Reichen. Dieser fragte jetzt, bis zu welcher Zeit Moser die Arbeit bestimmt abliefern könne?

»Bis künftigen Montag abend ganz sicher«, versetzte der Weber zuversichtlich. Im Eifer der Antwort vergaß er den angesagten Hofetag. Endermann legte die Papierschere weg und zählte an den Fingern ab, in welcher Frist seine Spekulation beendigt sein müßte.

»Nun, auf Eure Verantwortung, Moser!« sagte er dann, indem er aufstand und aus einem Garnschranke den erforderlichen Einschlag hervorzog. »Ich will's drauf wagen, da Ihr bisher immer so leidlich pünktlich gewesen seid. Aber das sage ich Euch: Laßt Ihr mich länger warten, so sind wir geschiedene Leute! Ich könnte ohnehin diese Arbeit jetzt billiger bekommen, denn abgesehen, daß nichts mehr dabei zu verdienen ist, laufen auch so viele Weber herum, die Arbeit suchen, daß sie mir um den halben Lohn dienen würden. Doch das mag und will ich nicht, denn Ihr wißt es, Moser, ich bin kein Leuteschinder.«

Auch darauf schwieg der Weber. Endermann setzte sich wieder an den Tisch und schnitt Coupons ab. Moser packte das Garn zusammen, aber er ging nicht fort.

»Wollt Ihr sonst noch etwas?« fragte der Fabrikant.

»Wenn Sie mir's nicht übelnähmen, hätte ich wohl eine große Bitte an Sie, Herr Endermann.«

»Laßt hören!«

»Meine Frau hat mich vergangene Nacht mit ein paar Zwillingen beschenkt –«

»Zwillinge?« unterbrach ihn der Fabrikant. »Euch sind Zwillinge geboren worden? Ja, sagt mir nur Moser, ob Ihr gescheit seid? Habt selbst nicht das trockene Brot und setzt noch Zwillinge in die Welt! Ich dächte doch, Euch sollte der Kitzel vergehen! Aber das lebt in die Welt hinein wie's liebe Vieh! Schämt Euch, alter Sünder, und dankt Gott, daß ich Euch nicht auf der Stelle verabschiede; denn was, ich bitt Euch, was soll aus der Arbeit werden bei Kindergequäk und einer hinfälligen Wöchnerin!« Endermann hatte sich ganz zornig gesprochen und sah mit flammendem Auge den niedergedonnerten Weber an. Dieser war über das Aufbrausen seines Brotherrn fast noch mehr bestürzt als über die rohen, herzlosen, verletzenden Worte, deren er sich bediente. Kein anderer hätte ihm ähnliches ungestraft sagen dürfen, doch Endermann, der reiche Fabrik- und Handelsherr, konnte ihn vernichten, wenn er ihm die Arbeit nahm, und so ließ er denn mit fürchterlicher Selbstüberwindung die maßlose Schmähung ohne Murren über sich ergehen.

»Wollten Sie wohl bei einem der armen Würmchen, die mir Gott geschenkt hat, Patenstelle vertreten?« sagte der Weber, indem er die Augen niederschlug und eine brennende Röte sein blasses, eingefallenes Gesicht übergoß.

Endermann schüttelte bedenklich den Kopf, dann wandte er sich wieder zu dem Weber und versetzte im Tone eines ruhig Belehrenden: »Moser, hört mich ruhig an, damit Ihr mich recht versteht und mich nicht hinterher mißdeutet. Gevatter stehen kann ich bei Euch nicht, tät ich's, so reichten die Tage im Jahre nicht zu den Kindtaufen aus, denen ich als Pate allen beiwohnen müßte. Die ganze Armut, Bettelvolk, Landstreicher und sonstiger Janhagel[20] würde mich zu Gevatter bitten, ließ ich mich einmal schwach finden. Damit ich mir nun eine solche Last vom Leibe halte, Moser, darum schlag ich's Euch ab. Geht zu euresgleichen, klopft an die Gemeindehäuser, wenn's Euch an Paten fehlt, und Ihr werdet die würdigsten Taufzeugen für Eure Sprößlinge finden. Denn glaubt mir, alter Narr, was Ihr da ins Leben gerufen habt, das wird der Gemeindekasse noch teuer zu stehen kommen! Sind's Jungen, he?«

Dem Weber stürzten über diese neuen harten Worte die heißen Schmerzenstränen in die Augen.

»Ein Paar Mädchen, lieber Herr«, versetzte er schluchzend, »liebe, kleine muntere Dinger, rot und frisch wie ein Paar Feldröschen! Gott erbarme sich ihrer!«

»Wann sollen sie getauft werden?«

»Künftigen Sonntag, so Gott will und gute Menschen mich unterstützen!«

»Habt Ihr Geld?«

»Ach, das ist es ja eben, was mich so unglücklich macht und meine Freude über die glückliche Geburt der lieben Kinder so niederhält! Sie könnten mir wohl aus der Not helfen, guter Herr Endermann, wenn Sie mir den Lohn für die letzte Webe statt Montag schon heut auszahlten.«

»Immer vorschießen – ich bin es müde, Moser, denn es ruiniert alle Ordnung in meinem Hauptbuche.«

»Sie retten damit eine ganze arme Familie, Herr Endermann!«

Kopfschüttelnd griff der Reiche wieder zur Schere und schnitt noch einige Coupons ab. »Na«, sagte er dann barsch, »ich will heut noch einmal ein guter dummer Teufel sein und Eurer Bitte willfahren, aber zum letzten Male ist es, das verspreche ich Euch.«

So sprechend, zog er den Schubkasten des Tisches auf, in welchem eine kleine Schwinge voll Goldstücke stand. Endermann suchte unter diesen und legte einen beschnittenen Dukaten und einen halben Friedrichsdor[21] auf den Tisch. »Was darüber ist«, sagte er, »nehmt von mir als Patengeschenk an.«

Obwohl Moser seinem Brotherrn dankbar war für die Bereitwilligkeit, ihm aus der drückendsten Not zu helfen, konnte er das Gold doch nicht ohne Widerrede annehmen.

»O Gott segne Sie, Gott segne Sie, Herr Endermann!« rief er aus, »aber nichts für ungut – wollen Sie mir wohl Silbergeld geben?«

»Habe keins!«

»Ich brauche es so notwendig! Auf Pfarrei und Schule kann ich nicht wechseln, eine Wartefrau muß ich auch bezahlen und Brot, Herr, Brot, muß ich gleich auf dem Rückwege in der Mühle kaufen! Überall wollen die Leute Silbergeld.«

»Habe keins!«

»Und wenn's derweil bloß zwei Taler wären!«

»Seid Ihr taub, Moser? Ich sage, daß ich kein Silbergeld habe, keins für Euch haben will! Gold ist jetzt die kuranteste[22] Münze. Ich bekomme es, ich muß es wieder in Umlauf setzen. Wechselt's um beim ersten besten Bauern, aber laßt mich ungeschoren, oder wir sind ein für allemal geschiedene Leute!«

Das war die fürchterliche Zauberformel, mit der Endermann von seinen Webern alles erlangte, mit der er alles durchsetzte. Moser holte tief seufzend Atem, krümmte die hageren Finger seiner kraftlosen Hand und nahm die Goldstücke an sich.

»Vielen Dank, Herr Endermann!« sagte er, während ihm Tränen des Kummers aufs neue die Augen füllten. »Werfen Sie keinen Groll auf einen Armen, weil er aus Not flehentlich zu bitten wagte!«

Der Fabrikant würdigte den Armen keines Blickes mehr. Er zählte die abgeschnittenen Coupons, und erst als Moser das Kabinett verlassen hatte, spuckte er verächtlich aus und sagte vor sich hin:

»Widerliches Bettelvolk! Verdirbt einem, straf mich Gott, mit dem ewigen Lamentieren und Zetern den Appetit!« –

Auf dem Wege zum Pfarrhofe mußte der Weber an der Mühle vorüber; Landleute pflegen in der Regel ihr Brot selbst im Hause zu backen. Ist dies schon mit einigen Beschwerlichkeiten verbunden, so werden diese vollkommen dadurch aufgewogen, daß sie ihr Brot billiger essen. Nur der Arme, der sich weder Mehl noch Holz anschaffen kann, muß groschenweise das Brot vom Bäcker kaufen, der in der Regel der Müller ist. Grade diejenigen also, welche das unentbehrlichste Lebensmittel so billig wie möglich erhalten sollten, müssen es teurer bezahlen als der reichste Bauer oder Fabrikant. Denn der Bäcker will auch verdienen und weiß um so mehr zu verdienen, als er häufig genötigt wird, dem mittellosen, hungernden Armen Kredit zu geben. Damit er im Fall der Nichtzahlung nicht zu viel verliere, macht er die Brote etwas kleiner als es erlaubt ist und läßt sie nicht ganz ausbacken. Dadurch wird das Gebäck kluntschig[23] und der schnelle und häufige Genuß desselben wohl gar der Gesundheit nachteilig. Weiß dies auch der gemarterte Arme, so muß er doch schweigen, um nur überhaupt noch essen zu können. Strenge Aufsicht gibt es nicht, und weil kein Kläger gegen den unredlichen Bäcker auftritt, so kann dieser sein Unwesen so lange und so arg forttreiben als er will.

Moser stand schon seit beinahe vierzehn Tagen im Schuldbuche des Müllers und doch mußte er heut Brot haben! Ja, es war unerläßlich, ein paar Gevatterkuchen backen zu lassen, um den armen Leuten, die er zu Taufzeugen für seine beiden Kinder ins Kirchenbuch würde verzeichnen lassen, doch etwas vorsetzen zu können. Mit Silbergeld in der Tasche wäre solche Bestellung für ihn nicht bedenklich gewesen. Er hätte dann das zu kaufende Brot bar bezahlt, ebenso Mehl und Zubehör für die Kuchen, und der Müller würde ihn an seine bereits angelaufene alte Schuld nicht gemahnt haben. Nun mußte er aber um jeden Preis Gold wechseln und noch dazu einen leichten Dukaten und einen halben Friedrichsdor, die beide nicht sonderlich in Kurs standen. Den Verlust hätte er gern verschmerzt, denn Endermann hatte ihm beinahe einen halben Taler über den Betrag seines Lohnes gegeben. Allein, er sah voraus, daß der Müller beim Wechseln nicht allein beide Goldstücke so niedrig wie möglich veranschlagen, sondern sich auch vor allem davon bezahlt machen würde! Und der arme Mann hatte sich nicht getäuscht! Der Müller versprach äußerst freundlich die Gevatterkuchen zu backen, wog die Goldstücke, schüttelte den Kopf, zahlte Mosern die Summe auf und strich zwei Taler davon wieder in seine Hand.

Mit dem Reste seines Geldes ging nun der Weber endlich zum Geistlichen. Zum Glück hatte der ihm abhold gesinnte Mann wenig Zeit, so daß er für diesmal etwaige Zurechtweisungen und christliche Nebenbemerkungen unterlassen mußte. Als christlicher Seelsorger, der allsonntäglich die Religion der Liebe, des Erbarmens, der Mildtätigkeit von der Kanzel herab verkündigte, hätte er dem armen Weber, aus dessen Auge, Kleid und Haltung der Kummer sah, die Stolgebühren wohl erlassen können, indes er tat es nicht, eingedenk des Wortes Christi: Gebet dem Kaiser, was des Kaisers, und Gott, was Gott ist!

Dennoch fühlte sich Moser erleichtert, daß alles noch so leidlich gut abgelaufen war. Er machte sich eiligst auf den Weg und ging, in seiner dürftigen Hütte angekommen, sogleich mit ausdauerndem Fleiß an die Arbeit. Sehr zustatten kam es ihm bei seinen beschränkten Verhältnissen, daß der menschenfreundliche Wundarzt durchaus keine Bezahlung für seine Mühwaltung annahm. Ja, er setzte seiner edlen Handlungsweise dadurch die Krone auf, daß er von selbst täglich einmal an der Hütte des Webers sein Pferd anhielt, sich nach der Wöchnerin erkundigte und ihr unentgeltlich einige Medizin eigenhändig ins Haus brachte.

»Das ist ein Engel Gottes«, sagte Mutter Gertrud und vergaß von Stund an nicht, den guten Wundarzt und seine ganze Familie in ihrem Morgen- und Abendgebet Gott angelegentlichst zu empfehlen.

Susanna kränkelte fortwährend. Sie konnte das Bett nicht verlassen und den beiden Neugeborenen nicht die Brust reichen. Man mußte die armen kleinen Schwesterchen künstlich ernähren, was eine erprobte Frau für geringes Entgelt übernahm, denn der alten erblindeten Mutter konnte man die Pflege so zarter Wesen doch nicht anvertrauen. Inzwischen schaffte Moser Tag und Nacht fast ununterbrochen am Webstuhle, um Endermann pünktlich Wort halten zu können. Der kranken Wöchnerin war das freilich nicht förderlich, denn das Schrillen des Weberschiffchens, das monotone Anschlagen der Lade und das immerwährende Schüttern des ganzen Holzstübchens, das sich auch der Diele mitteilte, wo aus Mangel an Raum das Lager Susannens aufgeschlagen war, mußte die Nerven empfindlich angreifen. Das treue Weib schwieg aber weislich, und wenn der besorgte Moser des Nachts zuweilen auf den Socken an ihr Lager schlich, um zu sehen, ob sie auch schlafe, dann stellte sie sich wohl fest schlummernd, um die Sorgen des rüstig Arbeitenden nicht noch zu vermehren. Ruhte aber gar das trübe Auge des armen Vaters auf den beiden rosigen Engelsgesichtern der schlafenden Zwillingsschwestern, und ein freudiges Zucken, ein milder Sonnenblick innigster Vaterzärtlichkeit glitt über seine verhärmten Züge; o dann war Susanna glücklich und faltete unter der groben Decke ihre Hände über der Brust zum stillen Dankgebet! –

Fürchtegott war mit unter den Gevattern. Er erwies diesen Freundschaftsdienst dem Nachbar und Mietsmanne gern und versprach aus freiem Antriebe, am Tauftage für einiges Getränk auf seine Kosten zu sorgen. »Ich kneipe was mehr«, sagte er, mit den Fingern schnippend, »die reichen Kerls, unsere Quäler, merken den Teufel davon. Wie Du mir, so ich Dir, basta!«

So kam der Sonntag heran. Moser hatte durch angestrengtes Arbeiten bei Tag und Nacht die Webe bis auf wenige Ellen beendigt. Diese wollte er in der Nacht vom Sonntage zum Montage vollends weben. Er hoffte, dann noch vor Sonnenaufgang fertig zu werden und sie Endermann abliefern zu können, ehe ihn die Untertanenpflicht auf den Hof rief; denn während seines Ganges auf die Pfarrwohnung hatte er des Hofetages sich wohl erinnert und deshalb seine Zeit äußerst haushälterisch eingeteilt.

Am Tage des Herrn zu arbeiten, verbot ihm sein religiöser Sinn, auch würde es ihm von Obrigkeits wegen untersagt worden sein, wenn er mit der Weblade hätte hantieren wollen. Höchstens ein paar Spulen für die Nacht oder den nächsten Tag zu treiben, erlaubte er sich, wenn die Arbeit gar zu sehr drängte.

Moser ging früh, wie gewöhnlich und wie es herkömmlich ist auf dem Lande, zur Kirche. Vor der Türe waren die Becken ausgestellt, er wußte nicht, für welchen milden Zweck. Er hätte gern beim Heimgange etwas aufgelegt, aber er durfte den dürftigen Rest des mit so vieler Mühe erbettelten Geldes nicht angreifen, ohne sich dem größten Mangel auszusetzen. Wußte er doch, daß unter drei Wochen kaum ein Groschen wieder in seine Hände kommen würde! Und bis dahin war die geringe Habe längst aufgezehrt, war er vielleicht genötigt, an mehreren Orten, wenigstens bei Bäcker und Krämer, von neuem auf Kredit zu leben. –

Nachmittags nach beendigtem Gottesdienst wurden die Zwillinge getauft. Moser war genötigt, bei einem derselben selbst Patenstelle zu vertreten, da es ihm an hinlänglicher Bekanntschaft zu schneller Auftreibung so vieler Taufzeugen gebrach. Gegen Sitte und Brauch mußte er also mit den übrigen Gevattern auch nachmittags die Kirche besuchen. Vor den Türen standen wieder die Becken. Es war Examen gewesen und viele von denen, die ein besonders eifriges Christentum heuchelten, hatten sich als aufmerksame Zuhörer eingefunden. Auch Endermann, ein sehr fleißiger Kirchengänger, fehlte nicht. Er lehnte die ganze Zeit in seinem weichgepolsterten Kirchenstuhle, wirbelte die Daumen bald vor-, bald rückwärts und kehrte das Gesicht unverwandt dem Pfarrer zu, um seine Aufmerksamkeit zu bekunden. Wer ihn aber scharf beobachtete, der konnte wohl bemerken, daß ihm vor Schläfrigkeit öfters die Augen zufielen, was bei der großen Hitze des hellen Julitages nicht zu verwundern war.

Aus Neugier wartete der Fabrikant mit vielen anderen auch die Taufe der Zwillingsschwestern ab. Einer der letzten, verließ er seinen Platz und trat in demselben Augenblicke an das silberne Becken, wo Moser, in der Mitte seiner Gevattern, die Schwelle der Halle überschritt. Endermann legte einen Fünftalerschein unter das wenige Kupfergeld, das den Boden der Schale kaum bedeckte. Dies sah Moser, und bestürzt, ja erbittert blieb er stehen, denn er hatte unter den Abkündigungen vernommen, daß die Kollekte zur Anschaffung von Bibeln für irgendeinen Missionsverein gesammelt werde. Als Endermann fortgehen wollte, vertrat ihm der Weber den Weg.

»Eine Frage, Herr Endermann!« sagte er hastig, indem er den Reichen an das Becken zurückdrängte. Hier legte er seine Hand auf die bedeutende Gabe und fuhr fort: »Glauben Sie denn, mein guter Herr, daß solche Gaben Gott wohlgefälliger sind, als wenn Sie freiwillig darbende Arme speisen und ihnen hinreichende Arbeit geben? Ich sage Ihnen, Herr Endermann, ohne Bibeln und Missionen bestände die Welt, würde gut und dereinst auch selig, wenn nur genug Brot für die Armen vorhanden wäre!«

»Moser, Ihr seid ein frecher Gotteslästerer!« versetzte in höchster Entrüstung der so unerwartet Zurechtgewiesene. »Nehmt Euch in acht, daß die Strafe Euch nicht vor der Zeit ereilt. Wehe Euch, sag ich, wo Ihr nicht Wort haltet!«

Damit schritt er stolz durch die gaffenden Kirchengänger, die von Mosers Rede nichts, von Endermanns Entgegnung aber jedes Wort verstanden hatten. Sehr niedergebeugt begleitete der Weber seine Gevattern nach Hause. Die unzeitige, großprahlerische Freigebigkeit des reichen Mannes hatte ihm jede Freude vergällt, wenn er zurückdachte an seine harten und lieblosen Worte, mit denen er sich weigerte, ihm, dem demütig Flehenden, Münze zu verabreichen, bei der er nicht durch Umsatz verlieren mußte. Er war sehr still bei den lauten Gesprächen der Gevattern, die Fürchtegott versprochenerweise in seiner Wohnstube bestens bewirtete.

5

Arme Leute, die genötigt sind, für die kümmerliche Nahrung des nächsten oder gegenwärtigen Tages zu sorgen, haben nicht einmal Zeit, bei ihren Vergnügungen und Festlichkeiten lange zu verweilen. Die Ruhe, jenes behagliche Sichgehenlassen und süße Schwelgen des ganzen Menschen in einem angenehmen, erheiternden und stärkenden Nichtstun, kennt der Arme nicht. Er ist nur da, um zu arbeiten, sich abzumühen und im Schweiße seines Angesichtes, unter der nie verschwindenden Angst vor noch größerer Not, sein Brot zu erwerben, damit andere desto sorgenloser und schwelgerischer leben können. Aus diesem Grunde gingen Mosers Gäste beizeiten auseinander, und der Weber hatte nichts Eiligeres zu tun, als die Lampe anzuzünden, sie über dem Webstuhle an einen von der niedrigen Decke herabreichenden Blechhaken zu hängen und die Trittbretter wieder in Bewegung zu setzen. Es war neun Uhr abends, im Dorfe erstarb schon das Leben, nur dann und wann hallten noch Tritte aus der Gasse herauf oder der fröhliche Gesang einiger lustiger junger Burschen, die aus der Schenke heimkehrten und ihre Mädchen begleiteten, ließ sich hören. Das ist die Zeit, wo der Arme die Versäumnis des Tages wieder nachholt, damit er beim Morgengruß der neuen Sonne aus genügsamem Herzen rufen kann: Ich danke Dir, Gott, daß Du mir für heute meinen Bissen Brot wieder in Gnaden gegeben hast!

Susanna heuchelte, wie gewöhnlich, einen festen Schlaf, obwohl sie vor Bekümmernis über ihren Mann, vor Sorge um die Zukunft der beiden hilflosen Kinder und vor oft wiederkehrendem stechenden Brustschmerz nicht schlafen konnte. Gertrud war in ihr ödes, kleines Kämmerlein unter dem Fenster des engen Häuschens hinaufgeklommen, die Kinder schlummerten Brust an Brust in glücklicher Bewußtlosigkeit in der alten, großen Wiege, die der Vater durch einen Bindfaden von Zeit zu Zeit in schnelleren Schwung setzte.

Obwohl Moser alle Kräfte anstrengte, um recht schnell den Rest des Gewebes aufzuarbeiten, fühlte er doch bald eine Mattigkeit in allen Gliedern, der zu widerstehen er sich vergeblich abmühte. Er vermochte kaum, taktmäßig die schweren Füße zu heben und zu senken, das Schiffchen glitt machtlos aus der zitternden Hand, fuhr durch den Zettel und zerriß, indem es klirrend zu Boden fiel, die dünnen, buntfarbigen Garnfäden. Alle Augenblicke mußte er innehalten, um den Schaden wieder auszubessern, was ihm heute unsäglich schwerfiel. Es flirrte ihm vor den Augen, daß er mehr seinem Gefühl als dem Gesicht vertrauen mußte.

Indes quälte sich der arme bedauernswerte Mann bis gegen Mitternacht, ohne kaum den dritten Teil seines Zieles erreicht zu haben. Er hörte die Turmuhr von fern die zwölfte Stunde schlagen, der Wächter stieß jetzt in der Ferne, dann näher ins Horn und sagte den Beginn des neuen Tages an, ach, und die Arbeit wollte nicht fördern! – Auch Susanna, die vergeblich den Schlaf suchte, bemerkte mit wachsender Unruhe das unsichere, zögernde Weben ihres Mannes. Verstohlen schielte sie zuweilen aus der Decke nach dem Schaffenden hin und sah, mit Tränen im Auge, daß der von vielem Nachtwachen Erschöpfte über der Arbeit einschlief und sich nur ermunterte, um von neuem und länger in bleiernen Schlaf zu fallen. Endlich hörte die Wiege auf, sich zu bewegen, die Lade am Webstuhle schlug noch einige Male dumpf an und stand dann ebenfalls still. Moser war fest eingeschlafen. Das Schiffchen in der rechten Hand haltend, die linke auf der Lade ruhend, den Kopf zur Brust herabsenkend, so schlummerte der todmüde Weber. Susanna freute sich darüber, denn sie wußte nichts von dem Versprechen, das er dem Fabrikherrn gegeben hatte, und so fiel es ihr nicht ein, ihn durch Anrufen zu wecken und zu neuer Tätigkeit anzufeuern. Nach einiger Zeit war sie selbst ebenfalls eingeschlummert.

Ein klirrendes Geräusch, verbunden mit einem lauten Aufschrei, erweckte sie wieder. Durch die Ritzen der geschlossenen Fensterladen dämmerte das bleiche Grau des jungen Tages. Moser stand aufgerichtet hinter dem Webstuhle und rang wimmernd die Hände. Beim plötzlichen Erwachen aus dem Schlafe war er jäh emporgefahren, hatte mit dem Kopfe die Öllampe von dem Haken gestoßen und das Gefäß mit dem Rest der ranzigen Fettigkeit auf das Gewebe herabgestürzt. Ein handgroßer Fleck, der schnell in der feinen Wolle um sich griff, verunstaltete, ja verdarb gänzlich das beinahe fertige Zeug.

Dieser Schaden war für den armen Weber ein namenloses Unglück. Nicht genug, daß er während des Schlafes die Zeit versäumt hatte und nun doch nicht Wort halten konnte, stand ihm jetzt auch die Forderung des Fabrikanten, ihm Schadenersatz zu leisten, bevor! Alles dies mußte erfolgen, ehe er ihm noch, wie er außerdem besorgen mußte, die Arbeit kündigen würde!

Moser sah nirgends Rettung, nirgends Hilfe! Er war nahe daran zu verzweifeln, das Haus zu verlassen und sich an den ersten besten Baum zu hängen. Aber die Kinder, die unschuldigen Kinder, und die kranke Frau und die hinfällige, halbblinde Mutter! Was sollte aus all diesen ihm so teuren Lieben werden, wenn er sie schwachmütig verließ, und sie ohne Ernährer hilf- und freundlos in der Welt zurückblieben? – So faßte er sich denn in dumpfer Ruhe, suchte durch Waschen und Reiben den Ölfleck im Gewebe zu vertilgen und holte gegen sechs Uhr des Morgens, nachdem er eine saft- und kraftlose Suppe aus Roggenmehl schnell genossen hatte, Hacke und Schaufel, um seiner Pflicht als Untertan zu genügen. Hätte er über einiges Geld verfügen können, so würde sich wohl für den Hofedienst ein Stellvertreter gefunden haben. Weil Moser arm war, mußte er selbst für sich einstehen, anderthalb Tage gänzlich verlieren und sich und die Seinigen noch obendrein aus eigenen Mitteln beköstigen. Niemand als der arme, gedrückte Untertan fühlte die empörende Ungerechtigkeit dieser Barbarei, und wenn sich zuweilen schüchtern eine Stimme für Abschaffung so wahnsinniger, nur dem besitzenden Gebieter zugute kommender Einrichtungen erhob, so verwies man dieselbe entweder barsch als Versuch, Unzufriedenheit zu erregen, zur Ruhe, oder man pochte mit trotziger Miene und aufgeblasener Vornehmheit auf das historische Recht, auf uralte Sitte, auf durch Zeit und Verhältnisse geheiligtes Herkommen!

Wie einer, der mit Gott und Welt abgeschlossen hat, den, weil er den Kelch der Leiden bis auf die letzte Neige geleert, nichts mehr erschüttern kann, ging Moser still nach dem Herrenhofe. Hier fand er noch an zwanzig ›Hofeleute‹, wie man solche zugunsten der Herrschaft arbeitende Untertanen nannte, meistens schlecht genährte, kümmerlich aussehende, in zerrissenen Jakken gehende Jünglinge und Männer. Durch den Verwalter der

Felder wurde diese Schar Dienstpflichtiger eine Viertelstunde weit ins Feld hinausgeführt auf eine sumpfige Wiese. Diese sollten sie durch einen quer hindurch aufzuwerfenden Abzugsgraben ertragsfähig machen. Der Verwalter gab die Richtung des Grabens, seine Breite und Tiefe an, und die Hofeleute begannen ihr Werk.

Daß Menschen, welche durch unverantwortliche Gesetze gezwungen sind, für einen Glücklicheren unentgeltlich arbeiten zu müssen, nicht sehr flink bei solchem Geschäft sind, bedarf wohl keiner Erwähnung. Sklaven hätte man freilich durch Schläge, durch Hunger und Androhung anderer Strafen und Qualen zu größerer Anstrengung zwingen können; mit freien Untertanen ließ sich dies nicht tun. Sah daher auch der Verwalter die Lässigkeit der armen Leute, die mit ihren Hacken und Schaufeln nur sehr wenig vor sich brachten, so blieb ihm doch höchstens ein bittendes Wort der Ermahnung übrig, das indes keine Änderung bewirkte. Die erzwungene Arbeit ward mit jenem schweigenden, verbissenen Widerwillen vollbracht, der sich in jedem von gesundem Rechtsgefühl belebten Gemüte von selbst einstellt. Als sich der Tag zu Ende neigte, zeigte es sich, daß wenigstens noch acht ähnliche Hofetage nötig waren, um den Abzugsgraben zustande zu bringen.

Moser kehrte sehr müde und womöglich noch niedergeschlagener, als er am Morgen ausgegangen war, abends in sein Sorgenstübchen zurück. Es war ihm nicht möglich, in dieser Nacht wieder zu weben, auch machte er nicht erst einen Versuch. Hinterm Ofen auf harter Bank brachte er den größten Teil der Nacht fest schlafend zu.

Erst nachmittags, als er seine Untertanenpflicht erfüllt hatte, begann er wieder für sich zu sorgen, und jetzt förderte die Arbeit auch wieder so gut, daß er noch vor Abend damit zustande kam und sie an dem nämlichen Tage zu Endermann tragen konnte.

Dieser ließ den Wortbrüchigen gleich beim Eintritt hart an, riß ihm das gefertigte Zeug hastig aus den Händen und ging es mit der größten Aufmerksamkeit durch. Der unglückselige Ölfleck konnte seinem scharfen Blicke nicht entgehen. Er fragte mit zürnender Stimme, was geschehen sei und wer dafür einstehen solle? Moser leugnete nicht. Er erzählte ruhig und gelassen den Hergang der Sache, bat, ihn das unverschuldete Unglück nicht entgelten zu lassen, er wolle gern von seinem Verdienst späterhin Entschädigung dafür geben, nur jetzt, wo ihm jeder Pfennig von unschätzbarem Werte sei und wo er täglich Ausgaben zu bestreiten habe, die bei regelmäßigem Lebensgange wegfielen, nur jetzt bäte er flehentlichst, ihn durch keine Lohnverkürzung zu strafen und unglücklich zu machen.

»Ihr habt Euch vermutlich beim Kindtaufessen, das Ihr von meiner unzeitigen Freigebigkeit herrichten konntet, betrunken«, entgegnete darauf Herr Endermann. »Nein, Moser, das muß ein Ende nehmen! Von Eurer Wortbrüchigkeit will ich gar nicht reden, ich hätte sie voraussehen können. Daß Ihr mir aber durch viehische Völlerei und Unmäßigkeit ein ganzes Stück der teuersten Ware in Grund und Boden hinein verderbt, das kann ich nicht gutmütig mit ansehen! Von späterem Verdienst wollt Ihr mir den Schaden wieder ersetzen? Ha, ha, ha, ha, wie lange soll ich denn da warten, ehe ich nur zu meinen baren Auslagen kommen dürfte! Die Webe ist mehr wert, als Ihr bei wackerem Fleiß in zwei Jahren erwerben könntet. Und werdet Ihr denn überhaupt noch etwas verdienen, Moser? Ich zweifle daran. Ein Weber, der sich nähren und gut beschäftigt sein will, muß ein ordentlicher, solider, sparsamer, arbeitsamer Mann sein. Seid Ihr ein solcher, he? Nein, sag ich! Ihr habt die Völlerei, die Genußsucht, die Liebeständelei im Sinne, und weil Ihr Euch darin nicht zu mäßigen wißt, verfallt Ihr und magert ab, daß man Euch als Vogelscheuche ins erste beste Schotenfeld stellen könnte! Ich brauche aber kräftige Arme, zuverlässige Köpfe, keine Schlafmützen: Darum geht in Gottes Namen, Moser, und dankt Gott, daß ich Euch laufen lasse, ohne auf Ersatz zu dringen, den ich von Rechts wegen verlangen könnte! Geht und kommt mir nicht mehr vors Gesicht!«

Der Weber bat um Verzeihung, versicherte mit tausend heiligen Eiden, daß er gänzlich schuldlos sei und nur das entsetzlichste Unglück sich an seine Fersen geheftet habe.

»So macht ja, daß Ihr aus meinem Hause kommt!« schrie ihn Endermann giftig an. »Unglück ist wie die Pest, wer mit Ihm in Berührung kommt, der ist seines Glückes nicht mehr sicher! Ich mag und will mit unglücklichen Leuten nichts zu tun haben!«

»Bedenken Sie, Herr Endermann, mein Weib, meine Kinder!«

»Wer heißt Euch heiraten, wenn Ihr Frau und Kind nicht ernähren könnt. Sollte ich für all das Bettelvolk sorgen, das sich paart wie die Sperlinge auf den Dächern, ich würde meine paar sauer ersparten Taler bald los sein.«

»Ich muß verhungern, wenn Sie mich ablohnen!« stieß Moser heraus.

»So braucht Ihr nicht mehr zu essen«, entgegnete Endermann, den der Zorn über Gebühr hart und unmenschlich machte.

»Ein Unglück kann ja doch jedem zustoßen und Fehler und Mängel haben wir alle. Sie selbst, Herr Endermann, wissen noch nicht, ob das Unglück immer an Ihrer Schwelle vorübergehen wird, ohne einmal anzuklopfen und sein verzerrtes Antlitz an die Fenster zu drücken.«

»Straf mich Gott, es ist mit Euch schon bis in mein Haus gekommen! Drum fort, fort, eh Ihr Zeit habt, mit Eurem Rabengekrächz mir den Frieden zu verscheuchen!«

»Ich tue mir ein Leids, Herr Endermann!« sagte mit dumpfem Tone der unglückliche Weber.

»Meinethalb zwei, wenn das erste nicht ausreicht, nur geht, oder ich rufe meine Leute!«

Moser ging nicht. Er war wie am Boden festgewachsen. Seine tiefen hohlen Augen mit gespenstischem Blick auf den unerbittlichen Reichen heftend, daß diesem vor dem Wahnsinnsfeuer desselben himmelangst wurde, starrte er ihn lautlos und ohne Bewegung an. Da rief Endermann den Garnsortierer Friedrich und ein paar Färbeknechte, und eine Minute später kollerte sich der aus dem Hause geworfene Weber im Staube der Straße. Die Sonne ging eben ›in Gold‹, wie der Landmann sagt, dem armen brotlosen Manne erlosch sie für immer, und trüber, finsterer, trostloser als die Nacht, welche über Berg und Flur sich senkte, stieg die Nacht in seiner dem Irrsinn zutaumelnden Seele auf. –

Mancher Leser dieser Skizze aus dem Volksleben glaubt vielleicht, die Entlassung eines Webers aus dem Dienste könne unmöglich viel auf sich haben. Er brauche ja nur einen anderen Herrn aufzusuchen und für diesen zu arbeiten, wie er bisher für den vorherigen gearbeitet habe. Leider ist solcher Dienstwechsel schwer, oft, ja meistenteils unmöglich! Der Fabrikant läßt ohne

Not fast nie einen guten Weber aus seinem Dienste, denn zuverlässige, geschickte, akkurate, fleißige und treue Arbeiter zu besitzen, ist seinem Geschäftsbetriebe wesentlich von Nutzen. Jeder Arbeitgebende pflegt immer eine ansehnliche Anzahl guter Weber sich gleichsam für gewisse Branchen seiner Warenfabrikation zu erziehen, weil bei jeder der vielen Webarten eigentümliche Kunstgriffe und Vorteile anzuwenden sind, um sie gerade so herzustellen, wie der Käufer sie wünscht und sucht. Oft, ja gewöhnlich kennt diese Vorteile der Arbeitgeber selbst nicht; sie sind Geheimnis des Arbeiters, durch lange Übung, durch Nachdenken, wohl auch durch eine Art Instinkt erworben. Wird nun ein solcher alter Weber, der jahrelang immer ein und dieselben Waren verfertigt hat, dennoch plötzlich entlassen, so ist sein Untergang in der Regel gewiß, außer denn, es gelingt ihm, in einem anderen Fache kärglichen Verdienst zu finden. Jeder Fabrikant, den ein solcher Entlassener um Arbeit angeht, sieht ihn mit mißtrauischem Auge an, setzt voraus, sobald er nach seinem früheren Herrn gefragt hat, es müsse irgend etwas Regelwidriges vorgefallen sein und schickt ihn weiter, da solche im Lande herumziehenden, von Lohnherrn zu Lohnherrn wandernden Weber meistenteils abgerissen aussehen, und Angst und Not sie hastig und fahrig machen. Da ferner Lohnweber nur selten etwas von ihrem schmalen Verdienst zurücklegen können, geraten sie als brotlose Herumstreicher schnell in das tiefste Elend und ihr gewöhnliches Los ist eine Stelle im Gemeinde- oder wohl gar im Arbeitshause.

Moser fand keine Arbeit, obwohl er sich die Füße wund lief und jedem Arbeitgebenden die Geschichte seines Unglücks der Wahrheit gemäß mit herzergreifenden Worten erzählte. Schon nach vierzehn Tagen würde Susanna mit den beiden Säuglingen elend umgekommen sein, hätte Fürchtegott nicht ehrlich sein Brot mit ihnen geteilt. Moser selbst nahm nichts von seinem Hauswirte an, er ging fort und – bettelte sich ein Stück Brot! Davon fristete er sein Leben, denn er hoffte noch, daß es ja doch wieder besser werden, daß das Unglück endlich von ihm ablassen müsse! Bisweilen setzte er sich neben seine alte Mutter und half dieser spinnen, weil er aber in dieser Beschäftigung seit seinen Knabenjahren keine Übung mehr hatte, konnte er nur eine schlechte oder mittelmäßige Sorte Flachs verarbeiten, denn er spann weder einen feinen, noch einen egalen Faden, wie der Garnverständige ihn sucht und allenfalls, abgesehen von der Mühe, welche der Spinner hat, dem Scheine nach erträglich bezahlt. Auch auf Bauernhöfen, wo er in früheren Jahren für Wochen und Monate als Hilfsarbeiter häufig Beschäftigung gefunden hatte, meldete sich Moser und bot sich zur nahenden Ernte als Mäher, ja, wenn es sein müßte, sogar als Abraffer an, was doch nach altem Gebrauch nur eine Arbeit für Knaben und Mägde ist. Einige Wochen früher würde er vielleicht irgendeinen mildgesinnten Bauern durch Zureden und Schildern seiner Not erweicht haben, jetzt aber, so kurze Zeit vor der Ernte, hatte jeder seine bestimmten Leute schon gedungen, auf die er sich verlassen konnte. Dies waren kräftige, gesundheitstrotzende junge Männer, oder doch solche, die, mit der Feldarbeit seit langen Jahren vertraut, auch die schwerste bei drückender Schwüle wie ein Spiel verrichteten.

Mosers verfallenes Aussehen, sein schwächlicher, gekrümmter Körper, das ewige Hüsteln, das von schwacher Brust zeugte, die gebrochene Stimme, waren für den Bauer keine empfehlenden Eigenschaften. Und so blieb denn auch dies Bemühen des vom grausamsten Geschick Ergriffenen ohne Erfolg! Jetzt war er genötigt, sich selbst unter die völlig Mittellosen, unter die notorisch Armen des Dorfes zu zählen und mithin auch gleiche Wege mit ihnen zu wandeln. Der brotlose Weber, dessen Frau daheim fortwährend siechte, dessen beide Kinder aber wie zum Hohn, trotz der elenden Nahrung, die man ihnen reichen konnte, sichtlich gediehen, gesellte sich zu den zerlumpten Kindern, Weibern und kraftlosen Greisen und ging mit diesen auf die Stoppelfelder, um – Ähren zu lesen!

Bei dieser mühseligen Beschäftigung geriet Moser eines Tages auf die herrschaftlichen Äcker. Es ward eben Weizen aufgebunden und ein bedeutender Troß Armer, selbst aus der Nachbarschaft, lagerte auf den Rainen, um das Feld nach erfolgter Abschleppung wie ein Schwarm gefräßiger Heuschrecken zu überfallen. Der Verwalter ritt durch die Reihen der Arbeiter und sendete bisweilen sehr ungnädige Blicke den harrenden Lesern zu, die, von andern Äckern kommend, bereits manches ›Ährensengel‹ zusammengebunden und jetzt neben sich liegen hatten. Moser hielt sich im Hintergrunde des Trosses, da ein peinliches Gefühl der Scham ihn beschlich, wenn er dachte, daß er aus Mangel an jeglicher Arbeit gezwungen war, auf so erbärmliche Weise sich und den Seinen kümmerlich das Leben zu fristen.

Endlich war abgeräumt, die Garben standen in Mandeln aufgeschichtet, und mehrere große Wagen erschienen, um den Erntesegen in die Scheuern zu führen. Der Verwalter gab den Armen die Erlaubnis, die zerstreut auf den Stoppeln liegenden Ähren einsammeln zu dürfen. In einigen Minuten war nun der ganze große Acker mit den Ährenlesern überschwemmt. Unter ihnen bückte sich fleißig der verarmte Weber. Bald hatte der Verwalter ihn bemerkt und lenkte sein Pferd gegen ihn.

»Wer hat Euch Erlaubnis gegeben, auf den herrschaftlichen Feldern zu lesen?« redete er ihn barsch an. »Schämt Euch, Moser! Ein Mann in den besten Jahren läuft Kindern und Weibern den Rang ab und stiehlt ihnen das Brot vom Munde weg!« –

Ein kleines ›Sengel‹ in der Hand, richtete sich Moser auf, zog seine Mütze und versetzte: »Ich habe weder Brot noch Arbeit, Herr Verwalter, und weil ich doch nicht betteln und stehlen mag, suche ich mir ein paar Krumen da zusammen, wo sie für jeden Armen liegen. Arm aber, Herr Verwalter, daß es Gott erbarm, arm bin ich!«

»Weshalb schafft Ihr nicht mehr am Webstuhle?«

»Weil es Gott gefallen hat, mir eine Prüfung aufzuerlegen.«

»Ihr waret nachlässig, Moser, säumig und unordentlich, ich habe es gehört! Herr Endermann entläßt niemand ohne Verschuldung aus seinen Diensten.«

Moser zuckte mitleidig die Achseln und bückte sich, ohne Antwort zu geben, um wieder Ähren einzusammeln.

»Es ist freilich kein Wunder, wenn man Euch entläßt«, fuhr der Verwalter fort. »Arbeiter, die so faul sind wie Ihr – ich hab's beim letzten Hofetage mit Verwunderung gesehen – kann freilich niemand brauchen.«

Der Weber richtete sich wieder auf. »Herr Verwalter«, sagte er, »Sie haben mir in diesem Leben noch keinen Bissen Brot gegeben, noch habe ich je für Sie gearbeitet. Sie wissen also auch nicht, ob ich ein fleißiger oder fauler Arbeiter bin, über mein

Verhältnis zu Herrn Endermann aber steht Ihnen kein Urteil zu.«

»Desto mehr Recht habe ich, Euch vom Acker zu weisen.«

»Ein abgeschlepptes Feld ist für alle Christenmenschen«, erwiderte Moser und begann abermals, Ähren zu lesen.

»Der gnädige Herr will nicht, daß Ihr auf seinen Äckern lest. Das Stoppelfeld ist nur für Kinder, Weiber und Krüppel. Ihr könnt noch arbeiten, also packt Euch!«

»Ehe mir der gnädige Herr diesen unchristlichen Befehl nicht selbst erteilt, werde ich ihn nicht respektieren, Herr Verwalter! Ich leide Not mit einer blinden alten Mutter, einer kranken Frau und zwei hilflosen Kindern und sammle hier bloß, was sonst Krähen und Dohlen aushacken. Das ist nichts Unrechtes oder Gesetzwidriges.«

»Laßt Euch raten, Moser, und geht! Der gnädige Herr hat mir sehr bestimmte Vollmachten gegeben.«

Der verarmte Weber ließ sich nicht weiter stören. Er schwieg hartnäckig und sammelte Ähren. Über solche Nichtachtung aufgebracht, rief der Verwalter einen vorübergehenden Knecht an, schwang sich aus dem Sattel und übergab ihm das Pferd.

»Wollt Ihr gehorchen, Moser?« fragte er den Armen.

»Wenn mich der gnädige Herr mit eigener Hand von seinem Acker treibt, muß ich mich fügen, obwohl ich's grausam und unmenschlich nennen würde.«

»Ihr zwingt mich, Hand an Euch zu legen!«

»Sie? Dazu haben Sie kein Recht.«

»Kein Recht?« schrie der Verwalter. »Das sollt Ihr gleich sehen, widerspenstiger Faulenzer!« Und mit raschem Griff faßte er den Weber beim Kragen der Kattunjacke und wollte ihn vom Acker entfernen. Allein Moser, dem schon längst das Blut kochte, wehrte sich mit aller Kraft. Beide Männer kamen vom Ringen zu offenbarem Handgemenge, das alsbald in entschiedene Schlägerei ausartete. Wie vorauszusehen, zog der kraftlose Weber den kürzeren. Der Verwalter warf ihn zu Boden, ließ ihn verschiedene Male seine schwere Gerte fühlen, rief die Knechte und übergab ihren Händen den Missetäter.

»Schafft den Schurken auf den Hof!« befahl er. »Ich werde sogleich nachkommen und dem gnädigen Herrn Bericht erstatten.«

Moser ward seines Verbrechens leicht überführt. Er mußte dem Verwalter Abbitte leisten und erhielt zur Strafe vierzehntägige Haft bei Wasser und Brot. Da saß er nun in der engen, finsteren Zelle des herrschaftlichen Gefängnisses und hatte Zeit, über sein Schicksal, seinen Lebensgang nachzudenken. Der Freie glaubt, kein Unglück sei schwerer zu ertragen als der Verlust der Freiheit. Moser war von jeher derselben Meinung gewesen. Seit er aber ein Gefangener war, kamen ihm ganz andere Gedanken. Das Nichtstun langweilte und quälte ihn zwar, aber er hatte doch keine Not! Zur bestimmten Stunde, dreimal des Tages, erschien ein Voigt und brachte ihm frisches Wasser, soviel er trinken wollte, und die Portion täglichen Schwarzbrotes, welche er erhielt, reichte nicht allein hin, um ihn vollkommen zu sättigen, es blieb auch noch genug übrig, um seinem armen Weibe ein gutes Stück schicken zu können. Seit Wochen hatte Moser nicht so glänzend gelebt, und als er acht Tage im Gefängnisse zugebracht, beschlich ihn wiederholt der entsetzliche Wunsch, die Dauer seiner Haft möge sich von selbst verlängern, ja er sann allen Ernstes nach, was er wohl anstiften, was begehen solle, um eine neue Freiheitsstrafe über sich verhängt zu sehen! Schaudernd begriff er, wie Armut die Mutter jeglichen Verbrechens bloß deshalb werden könne, weil der Sträfling nicht ängstlich für seinen Unterhalt besorgt sein darf! Und die Verachtung der Freien, der sogenannten ehrlichen Leute, die jeden Verbrecher unausbleiblich ereilt, konnte sie fühlbarer sein als jenes Stirnrunzeln, womit der Besitzende dem Bettler ausweicht, als jene harten Worte, die man dem um Almosen Flehenden gleich brennenden Flüchen vor die Füße schleudert? Konnte sie empfindlicher quälen, unauslöschlicher beleidigen als die Benennung elender Lump, Bettelhund, Vagabund, die der Arme ja täglich hören muß oder doch in den Blikken so vieler lesen kann! Moser mußte all seine moralische Kraft aufbieten, um nicht dem Gelüst zu erliegen, das ihn beim Erscheinen des Voigtes wie ein Fieberanfall ergriff, nämlich den freundlichen Mann an der Kehle zu packen und bis zum Erstikken zu würgen! Noch besaß er Selbstüberwindung genug, um den Dämon, der in den finsteren Schluchten seiner Seele sich zu regen begann, zu besiegen und seine Strafe zu überstehen, ohne aufs neue und diesmal mit Vorbedacht zu sündigen.

Als er nach vierzehntägiger Haft entlassen ward, kam er sich wie ein Fremdling auf Erden vor. Er war fertig mit sich, mit dem Leben! Er konnte sich ruhig beide Hände abhacken, denn er bedurfte ihrer nicht mehr, da niemand Arbeit von ihm begehrte.

Mit diesem Gefühl gänzlicher Unbrauchbarkeit ging er schwermütig nach Hause, nicht wissend, was er jetzt anfangen, wie er sich ehrlich ernähren sollte. Ohne Weib und Kind würde er trotzig in die Welt gelaufen und sehr wahrscheinlich die gewöhnlichen Wege des Verbrechens gewandelt sein. Der Reiche sagt: Armut demoralisiert! Und wendet sich von jedem Notleidenden mit Widerwillen. Aber er bedenkt nicht, daß die wegwerfende Behandlung der Armen von seiten der Reichen jene mit der Zeit erfolgende, nicht wegzuleugnende Demoralisation hervorruft! Wer den Armen als einen Wegwurf der Menschheit, als einen Räudigen betrachtet, den man ausscheiden muß von allem Volk, der vergiftet die Unschuld seiner Seele und stößt ihn erbarmungslos unter die moralisch Verworfenen, denen er ihn gleichstellt, weil er oft die rauhe Sitte, das zerlumpte Kleid mit ihnen gemein hat. –

Es schien indes, als habe sich das Unglück des Webers etwas erschöpft. Beim Betreten seiner engen Wohnung fand er nicht allein sein Weib wieder außer dem Bett und die lieben kleinen Engel vollbäckig und gesund, Fürchtegott kam ihm auch mit der frohen Botschaft entgegen, daß ein Bauer des Ortes hergeschickt habe und ihn für den Herbst als Drescher annehmen wolle, wenn er noch so brav zuschlagen könne wie ehedem.

Über diese Nachricht war Moser so erfreut, daß er seinen Hauswirt umarmte und wie ein Toller im engen Stübchen mit ihm herumhopste. Er sagte auf der Stelle zu und ließ sich schon für den nächsten Tag durch Fürchtegott selbst anmelden. Lange hatte die arme Weberfamilie keinen so glücklichen, von heiteren Aussichten in die Zukunft erhellten Abend verlebt.

6

Bilder eines glücklicheren Lebens vergoldeten die Träume des armen Mannes in dieser Nacht. Mit einem Gefühle des Wohlbehagens, das er lange nicht mehr empfunden hatte, stand er früh am Morgen auf, in treuherzigem Gebet um Verminderung seiner Not zum Himmel flehend. Das karge Frühstück, das nur aus ungeschmalzener Brotsuppe bestand, schmeckte ihm doch vortrefflich. Er küßte die frischen, noch schlafenden Zwillingsschwestern, ermahnte die noch immer hinfällige Susanna, sich zu schonen, und ging dann, den Dreschflegel nebst Wurfschaufel und Schüttegabel auf der Schulter, wohlgemut nach dem Bauerngute, wo ihm Arbeit versprochen war.

Die Knechte waren eben dabei, die Tenne zu fegen und Garben reihweise zum ›Vorschlagen‹, wie es der Bauer nennt, aufzulegen, als Moser in den Hof trat und den Besitzer desselben als neuer Arbeiter und Gehilfe begrüßte. Dieser nahm ihn gern an, da er zuverlässige Leute brauchte. Übrigens bedurfte es nicht vielen Redens, da zwischen Arbeitgebenden und Arbeitsuchenden so einfache Bedingungen als feste Regeln gelten, daß keiner den anderen übervorteilen kann. Moser kannte diese Bedingungen von früher her, und wenn er jetzt als Arbeiter bei einem armen Bauern in Dienst trat, so verstand es sich von selbst, daß er stillschweigend sich dem Herkömmlichen unterwerfe.

Alle Bauernarbeit ist schwer und erfordert mehr physische Kraft als Geschick und Gewandtheit. Schon am ersten Vormittage fühlte Moser, daß er nicht mehr die Kraft und Ausdauer seiner jungen Jahre besitze. Er konnte nach einigen Stunden kaum den Flegel mehr handhaben, und es war ein Glück für ihn, daß je fünf Drescher auf einer Tenne tätig waren. Bei dem fortwährenden Steigen und Fallen so vieler Flegel merkte man nicht, daß der des Webers kraftlos auf die körnerstrotzenden Ähren traf. Auch gewahrte er mit Betrübnis, daß seine Brust durch das langjährige Sitzen hinterm Webstuhle und durch das Einsaugen des Garnstaubes gelitten haben mußte, denn er konnte an dem lebhaften Gespräch, das seine rüstigen Mitarbeiter trotz des heftigen Aufschlagens fortwährend unterhielten, nicht teilnehmen.

Mit größter Anstrengung hielt es Moser einige Tage aus.

Schon am vierten mußte er abends auf dem Heimwege mehrmals stehenbleiben und Blut auswerfen. Dennoch ging er am nächsten Morgen wieder auf die Arbeit. Allein, kaum hatte er unter unsäglichen Schmerzen zweimal herumgedroschen, als ihm kraftlos der Flegel entsank und ein Strom dicken schwarzen Blutes seinem Munde entstürzte. Man sprang dem Unglücklichen bei, um das Blut zu stillen. Der Bauer, ein braver Mann, ließ den Erkrankten nach Hause fahren und holte sogar den Arzt auf eigene Kosten, damit er ihn heilen möge, aber das alles konnte den Weber weder retten noch beruhigen.

»Gott hat seine Hand von mir abgezogen«, sagte er mit der Ruhe verzweifelter Resignation, »und wen Er verläßt, den können die Menschen, wenn sie auch jetzt noch wollten, nicht retten. Ich will mir nur überlegen, was aus den Kindern werden soll. Hab ich das erst ausgeklügelt, dann will ich meinethalb verhungern oder verdursten, mich soll's wenig verschlagen. Aber das muß ich erst herauskriegen, eher tue ich's dem Herrgott nicht zu Gefallen und lege mich in den Sarg.«

Das war ungefähr der Refrain von allen Reden, die Fürchtegott, sein Weib und etliche Freunde, die nicht viel mehr besaßen als er selbst, ihm entlockten. Er setzte sich wieder neben die unermüdlich fleißige Mutter und spann. Von dem fabelhaft wenigen, was diese Arbeit abwarf, lebte die ganze Familie fast noch einen Monat. Nach Verlauf desselben war aber auch das geringe Gut, was die Armen an unbedeutenden Utensilien besessen hatten, vollkommen aufgezehrt. Überdies sollte in kurzem Miete und Stuhlgeld (Abgabe für die Erlaubnis, einen Webstuhl aufstellen zu dürfen) nebst vierteljährigem Grundzins an die Herrschaft bezahlt werden. Holz für Herbst und Winter brauchte man auch, und noch hatte Moser keine Kartoffel im Keller, keine Krume bezahlten Brotes im Schranke.

In einer trüben Abendstunde wagte Susanna mit beklommenem Herzen, dies entsetzliche Thema zu berühren, das dem brustkranken schwachen Manne das Herz zerfleischen mußte. Susanna tat es zwar so mild und sanft, wie die Liebe zu ermahnen, zu fragen und zu bitten pflegt, aber dem Weber stand dennoch sein gefoltertes Vaterherz still.

»Laß das gut sein, Herzliebste«, erwiderte Moser nach einiger

Zeit. »Mir ist in der vergangenen Nacht ein Gedanke gekommen, der, ausgeführt, all das jetzt noch Fehlende uns verschaffen muß. Auch für die armen Würmchen ist dadurch gesorgt. So elend wie ihre Eltern, ich versprech es dir, sollen sie es nicht haben.«

»Ist dein Plan auch auszuführen, Moser?« fragte zweifelnd die besorgte Frau.

»Zuverlässig, Susanna! Wie ich mir's während der Nachtwache hinterm Ofen ausgesonnen habe, kann's nicht fehlen. Es wird alles anders und besser.«

»Du könntest mir's wohl sagen, Moser! Vier Augen sehen heller als zwei.«

»Morgen erfährst du's. Heut nacht will ich mir's noch einmal beschlafen, und wenn ich morgen noch so fest daran glaube wie in diesem Augenblicke, dann ist uns geholfen, das schwör ich bei Gott!«

Susanna drang nicht weiter in ihren Mann und das Gespräch stockte wieder. Nach sehr kargem Abendbrot ging die Familie zur Ruhe. Wir haben schon erwähnt, daß Susanna seit ihrer Niederkunft mit den Kindern in der Wohnstube, und zwar auf ebener Erde schlief, da ihre Bodenkammer zu eng und auch zu schlecht gegen Wind und Wetter verwahrt war, um mit den Säuglingen darin zubringen zu können. Der Weber selbst blieb seit seinem Unfalle ebenfalls in der Stube und hatte sein Nachtlager hinter dem Ofen aufgeschlagen. Nur die alte Mutter kletterte die knarrende Stiege hinauf in ihr Kämmerlein und kam häufig früh, wenn kaum der Tag graute, schon wieder herunter zu ihren darbenden Kindern. Sie konnte wenig schlafen, und weil sie meinte, daß sie wachend, ob auch nicht viel, doch immer etwas nützen könnte, so setzte sie sich an ihren Platz auf der Ofenbank und spann, ohne die meistenteils noch Schlafenden in ihrer Ruhe zu stören.

Mosern floh auch in dieser Nacht, wie in fast allen früheren, der Schlaf; er verhielt sich aber absichtlich ganz still, bis er annehmen konnte, daß Susanna fest entschlummert sei. Dann kroch er behutsam hinter dem Ofen hervor, schlich barfuß über die holprige Diele nach dem Fenster neben dem Webstuhle, öffnete es leise und stieß den Laden auf. Die Nacht war sternenhell, der schon abnehmende Mond schien voll und rein in die Wohnung des Armen. Die silberne Kugel spiegelte sich im Weiher des Nachbars, der kaum vierzig Schritte von Fürchtegotts Häuschen am Gartenzaun seine stillen Wasser ausbreitete. Geraume Zeit trank der Weber die kühle Nachtluft mit dürstendem Munde, dann trat er zurück und sah sich scheu um. Das Licht des Mondes erleuchtete das Stübchen sattsam, um alle Gegenstände genau unterscheiden zu können.

Moser öffnete ein kleines Wandschränkchen und nahm etwas heraus, das er mit dem schlotternden Ärmel seines zerrissenen Hemdes sogleich verdeckte. Darauf schlich er an das Lager seiner Frau und kniete neben demselben nieder. Susanna schlief sanft und tief. Die Qualen des Lebens waren in diesem Augenblicke gewiß von ihr genommen. Vielleicht schwelgte sie in paradiesischen Freuden, wie sie der Traum mitleidig dem Armen schenkt als kargen Ersatz für die harte, traurige Wirklichkeit des Alltagslebens.

Moser wagte nicht, die Schlummernde zu küssen. Er hätte es gern getan, aber er besorgte, sie dadurch zu wecken.

»Arme Susanna, gutes, liebes, duldendes Weib«, flüsterte er über sie gebeugt, und eine Träne perlte aus dem Schmerzensbrunnen seines Auges. »Ich habe Gott gebeten, daß er dich die Herrlichkeiten der Verheißung soll schauen lassen in dieser Nacht, und ich glaube, er hat mich erhört, der Allgütige. Dein Lächeln sagt mir, daß du glücklich bist. Du sollst es ewig sein und nie mehr zurückkehren aus jenen Auen, die müden Duldern in jenem Leben verheißen sind. Lebe wohl, lebe glücklich und bitte für mich, den verzweifelnden Vater!«

Nun hielt Moser seine linke Hand schirmend über das Gesicht der Schlummernden und fuhr mit schneller Bewegung der Rechten, in der etwas Glänzendes blitzte, über Susannas bloßen Hals. Die Schlafende zuckte krampfhaft zusammen, aber Moser drückte seine Linke fest auf ihren Mund, so daß sie nur dumpf röchelnde Töne ausstoßen konnte. Ein breiter Blutstrom floß unter den Decken hervor und ergoß sich um den knienden Weber. Der verzweifelnde Gatte hatte seinem geliebten Weibe die Pulsadern am Halse durchschnitten und sie getötet. Er hielt diesen Tod für leichter als den Hungertod, dem sie alle entgegengingen.

Als Susanna zu röcheln aufgehört hatte, erhob sich Moser mit entsetzlicher Ruhe. Er warf keinen Blick auf die Tote, sondern wendete sich rasch um zu den in der Wiege schlafenden Säuglingen. Das blutige Messer funkelte im Silberfeuer des Mondes wie eine purpurne, zur Erde geneigte Flamme.

Lieblich, rührend, zwei aufknospenden Blütchen gleich, die feisten kleinen Händchen aufwärts gegen die derben Gesichtchen stemmend, ruhten die Schwestern in seliger Vergessenheit. Den Vater schauerte es, als sein schuldiges, unheimlich glühendes Auge auf diese zarten, von Gesundheit strotzenden Wesen fiel. Aber sein Herz hatte sich im machtlosen Kampf mit den Schrekken des Lebens verhärtet, sein Wille war fester als Granit. Die Bahn war betreten, er mußte sie ganz zurücklegen, sollte er sich nicht selbst feig und charakterlos nennen.

»Warum zaudern!« rief er sich zu. »Habe ich euch ins Leben gerufen, warum sollte ich nicht das Recht haben, euch ein und denselben Weg mit mir gehen zu heißen? Ja, ihr armen, schuldlosen Seelen, ich will euch rein und unbefleckt den Vaterhänden wieder übergeben, aus denen ich euch empfangen habe! Hier auf Erden würdet ihr nach unaussprechlichen, undenkbaren Leiden vielleicht gottlose Verbrecher und beschlösset ein Leben voll Elend und Schande, verflucht von den Glücklichen, im Zuchthause oder auf dem Schafott. Besser aus der Reihe der Lebendigen gestrichen als solch ein Dasein! Gute Nacht, ihr Engel, euer Vater küßt euch zum Eintritt ins Tal des ewigen Friedens!«

Ein langer Kuß berührte die Mündchen der Kleinen, dann durchschnitt der fürchterliche Vater ihren Lebensfaden auf dieselbe Weise, wie er die Mutter getötet hatte. Die Schwestern zuckten nicht, sie starben schlummernd unter dem Messer des Vaters.

Mit einem Gefühl des Abscheus schleuderte der Unglückliche jetzt das Mordinstrument an den Boden, erreichte mit zwei Sätzen die Tür, stürzte hinaus, rannte ins Freie über den Garten und begrub sich und seine Tat in den kühlen schäumenden Wellen des Teiches. Nur das Bild des Mondes wankte im Weiher, als der Mörder seines Weibes, seiner Kinder sich darin zur Ruhe gebettet hatte, sonst blieb alles still. –

Am nächsten Morgen stieg Gertrud frühzeitig aus ihrer Kammer herab, trat in die Stube ihres Sohnes und tappte sich nach der Ofenbank, wo sie wie immer Platz nahm und emsig zu spinnen begann. Es war eben Tag geworden, das merkte die erblindende Frau an dem trüben Scheine, der sich vor ihren Augen bildete. Daß es so totenstill im Stübchen blieb, wunderte sie nicht. Es war oft so gegen Morgen. Nur konnte sie nicht begreifen, daß, wie sie auch ihre Füße setzen mochte, sie überall sogleich feucht wurden.

So saß sie ein paar Stunden, spann ruhig fort und freute sich über den gesunden Schlaf der ihrigen. Sie würde noch lange geduldig auf das Erwachen derselben gewartet haben, wäre nicht Fürchtegott hereingekommen, der, wie er häufig pflegte, sich nach Mosers Befinden erkundigen wollte. Von dem gellenden Aufschrei dieses Mannes kam Gertrud zu sich.

»Was habt Ihr?« fragte sie ruhig, ihr bleiches, runzelvolles Antlitz langsam dem Eintretenden zukehrend und nochmals die Spindel drehend.

Fürchtegott dachte im ersten Schreck nicht daran, der alten Frau das Entsetzliche zu verschweigen. Bewältigt von dem grauenvollen Anblick – die fromme alte Mutter, ihre Füße im Blut der ihrigen badend, ruhig spinnend –, warf er dies Bild mit wenig Worten in den Spiegel ihrer Seele! Da entsank Gertrud die Spindel, sie selbst neigte sich vorwärts und wäre auf die blutige Diele niedergestürzt, hätte sie Fürchtegott nicht in seine Arme aufgefangen. Als er sie wieder aufrichtete, umschlang er eine Leiche. Mitleidig hatte der Tod ihr Herz gebrochen.

Eine Stunde später fand man Mosers Leiche im Weiher. Niemand konnte zweifeln, daß er die gräßliche Wahnsinnstat vollbracht habe. Die blutigen Fußstapfen vom Hause bis zum Teiche mitsamt dem gefundenen Messer sprachen zu deutlich. –

Unter großem Zulauf des Volkes wurden am dritten Tage nach der Tat die Opfer der Armut ehrlich begraben, in später Abendstunde wühlte der Henker dem Mörder eine Grube auf ödem Anger.

›Not‹. Blatt 1 aus dem 1897/98 abgeschlossenen Zyklus Weberaufstand von Käthe Kollwitz (1867 bis 1945)

Georg Weerth
Romanfragment (Auszug)
1845/46

Georg Ludwig Weerth (1822–1856) ist einer der interessantesten Autoren des Vormärz. Nach einer kaufmännischen Lehre in Elberfeld (1836 bis 1839) und einer kurzen Tätigkeit als Buchhalter beginnt er um 1842 in der ›Kölnischen Zeitung‹ mit ersten Veröffentlichungen, die von Hermann Püttmann gefördert werden. Von 1843 bis 1846 arbeitet Weerth als Kontorist einer englischen Textilfirma in Bradford. In dieser Zeit schreibt er erste Teile der späteren ›Skizzen aus dem sozialen und politischen Leben der Briten‹, die als England-Berichte in der ›Kölnischen‹ veröffentlicht werden. Während seines Aufenthalts in England entsteht eine enge Freundschaft zu Friedrich Engels. 1845 lernt er in Brüssel Karl Marx kennen. Auf dem Brüsseler Freihandelskongreß vertritt er am 18. September 1847 den ›Bund der Kommunisten‹ und setzt sich vor den Vertretern des Kapitals leidenschaftlich für die Interessen der Arbeiter ein. 1848 bis 1849 ist Weerth unter dem Chefredakteur Karl Marx verantwortlich für das Feuilleton der ›Neuen Rheinischen Zeitung‹, das er weitgehend alleine schreibt. Dort erscheinen unter anderem die letzten Kapitel seiner ›Humoristischen Skizzen aus dem deutschen Handelsleben‹ – deren Hauptteile zuvor in der ›Kölnischen‹ veröffentlicht worden waren – sowie der Roman ›Leben und Taten des berühmten Ritters Schnapphahnski‹. 1849 bis 1856 führen ihn Geschäftsreisen durch Europa, Westindien und Südamerika. In Havanna stirbt er am 30. Juli 1856 an einem Tropenfieber.

Das zu Lebzeiten Weerths nicht gedruckte ›Romanfragment‹ wurde zwischen 1845 und 1846 ausgearbeitet. In ihm werden Themen wie Schutzzoll, Frühsozialismus und Chartismus behandelt. Georg Weerth, bürgerlicher Kaufmann und engagierter Sozialist, kennt die deutschen und besonders die englischen sozialen und politischen Zustände. In dem hier wiedergegebenen Auszug aus dem ›Romanfragment‹ kommt der unterschiedlich entwickelte Bewußtseinsstand englischer und deutscher Arbeiter zum Ausdruck. Weerths Comptoirszene, die in der Fabrik des Fabrikanten Preiss spielt, ist keine Wiedergabe der schlesischen Verhältnisse, auch keine direkte Anspielung darauf. Gemessen an den übrigen abgedruckten Beispielen spezieller ›Weber-Prosa‹ ist das ›Romanfragment‹ in seiner politischen Aussage und Parteinahme für den Arbeiter am eindeutigsten.

Das Auszahlen der Löhne ist in den Fabriken stets ein feierlicher Moment. Hinter den Zahltischen stehen die Fabrikherren und die Fabrikaufseher. Finster und gravitätisch, ihrer Würde bewußt, mit einer gewissen Verachtung auf die bleichen, zerlumpten Gestalten hinunterschauend, die nach und nach vor den Tisch treten, um sich für die Arbeit der Woche durch eine Bagatelle belohnen zu lassen, und die noch wohl gar dafür danken, daß man sie so schlecht wie möglich bezahlt. Nur in England, wo wir dem Akt des Lohnauszahlens oft beiwohnten, hat die ganze Geschichte einen für den Arbeiter günstigern Anstrich – das englische Fabrikproletariat ist über seine Stellung der Bourgeoisie gegenüber schon viel klarer wie das aller andern Länder. Sie wissen, daß die Herren nicht ohne die Arbeiter fertig werden können und daß nächstens eine Stunde schlägt, wo es zwischen diesen beiden Klassen einmal zu einer genaueren Abrechnung kommt. Die meisten englischen Arbeiter treten daher barsch und stolz vor ihren Herrn, ohne zu grüßen, ohne eine Miene zu verziehen, steif und ernst. Sie lassen sich das Geld Stück für Stück vorzählen, sehen es nach, schieben es langsam und bedächtig in die Hand, drehen sich um, ohne zu danken, ohne zu grüßen, und verlassen das Zimmer geradeso steif, so ernst, so stolz, wie sie eben hereintraten.

In Deutschland ist die Sache natürlich bei weitem anders – die ganze Szene trägt da noch ihren mittelalterlichen Charakter; der Arbeiter lebt bei uns noch in der Furcht des Herrn – selten ist es, daß ein armer Teufel vergißt, für seine wohlverdienten paar Dreier herzlich zu danken. In der Fabrik des Herrn Preiss kannte man nun namentlich gar keine ungeschliffenen Gesellen – dort standen die Arbeiter zu ihrem Herrn noch in dem schönsten leibeigenschaftlichsten Verhältnis. –

Im Vordergrunde stand August[24], um den Arbeitern das Geld zu überreichen – neben ihm der Comptoirist, um darauf zu achten, daß sein Herr nicht aus Versehen oder aus übel angebrachtem Großmut eine Münze zuviel in die Hände der Leute stecke. Rechts der Contremaître[25], um jedem Arbeiter, der im Laufe der Woche einer Sünde teilhaftig geworden, einen derben Rüffel zu erteilen oder das bei Heller und Pfennig am Lohne abzuziehen, was der Unglückliche vielleicht an der Ware beschädigt hatte. –

Links an dem Schreibpulte seines Herrn lehnte der Buchhalter Weber, prisend und grinsend, die grüne, geputzte Brille auf der kupferroten Kartoffelnase, die Hände in den Hosentaschen, im grauen Comptoirrock, aus dessen durchlöcherten Ärmeln die spitzen Ellenbogen nach beiden Seiten im Schmuck des gelblichweißen Baumwollhemdes ins Weite starrten. Der Buchhalter Weber war eigentlich bei dem ganzen Akt sehr überflüssig, er hielt es aber für seine Pflicht, die Feier der Szene durch seine werte Persönlichkeit noch zu vergrößern, und außerdem war es ihm nicht unwillkommen, das ganze Fabrikpersonal gelegentlich Revue passieren zu lassen, um stille Betrachtungen über die Physiognomien der einzelnen Individuen anzustellen und sich zu merken, was irgend an weiblich Erfreulichem vorhanden war. Ein etwas aufmerksamer Beobachter würde die geheimeren Gedanken dieses verworfenen Subjekts leicht an jenen verdächtigen Bewegungen erraten haben, zu welchen sich die Hand des christlichen Mannes beim Hereintreten irgendeiner halb verblichenen Schönheit bisweilen verleiten ließ. Die hündisch widrige Erscheinung dieses Menschen, die Strenge des Contremaîtres, die Dienstbeflissenheit des jungen Kommis und die halb verbissene Scham des jungen Fabrikherrn, der der ganzen Jämmerlichkeit seiner Umgebung und seiner eignen unglücklichen Stellung bewußt war – das machte ein sonderbares Tableau.

Die Arbeiter der Färberei traten zuerst herein – ein kräftiger Menschenschlag – Leute, die sich fast den ganzen Tag in der freien Luft bewegen und die daher das gesunde Aussehen behalten, was sie mit vom Lande bringen. In ihrer Jugend gewöhnlich in anderer Weise beschäftigt, treten sie erst als Fabrikarbeiter ein, wenn ihr Körper sich schon hinlänglich entwickelt hat und den meisten schädlichen Einflüssen ihrer Arbeit trotzen kann. Die Färber erhalten auch bessern Lohn als die meisten andern Arbeiter der Kattun-Manufakturen und sind daher in jeder Weise günstiger gestellt als ihre Kollegen.

Den Färbern folgten die Drucker, an deren etwas weniger frischem Äußern gleich zu bemerken war, daß sie in geschlossenen Räumen beschäftigt sind. Da ihre Arbeit indes noch zu der feineren gehört, so sind die Lokale, in denen sie sich aufhalten, gewöhnlich ausnahmsweise gut, wodurch ihre Gesundheit besser aufrechterhalten wird. Abwechselndes Stehen, Gehen und Sitzen ermüdet sie natürlich nicht so sehr wie diejenigen Arbeiter, welche durch den Gang ihrer Maschine stets zu derselben Stellung und Bewegung gezwungen sind. Die Drucker erfreuen sich mit den Färbern noch eines leidlichen Saläres.

Auf die Drucker kommen die Weber, jene unglücklichen Menschen, deren traurige Beschäftigung sich nur zu sehr in ihrer ganzen Erscheinung widerspiegelt; bleich, gebückt, hustend und langsam daherschleichend, ein frühes Grab vor den trüben, stieren Augen, Trümmer von Menschen, mit denen die Schwindsucht immer rascher dem Ende entgegengaloppiert.

Färber, Drucker und Weber hatten sich entfernt, nicht ohne daß der Contremaître mit eiserner Strenge seinen Tadel über diesen und jenen ausgesprochen, daß er Abzüge an den Löhnen gemacht und gedroht hatte, bei dem nächsten Vergehen den armen Sünder jagen zu wollen. – Da nahte mit ihren Meistern an der Spitze die Bevölkerung der Spinnerei. Frauen, im neunten Monate der Schwangerschaft, im dreißigsten Jahre mit grauen, ja mit weißen Haaren, wenn die Hand des armen Weibes den Staub der Baumwolle nicht vorher aus einem Rest von Eitelkeit vom Kopfe heruntergestrichen hatte. Mütter, denen die Brüste zu springen drohten, weil daheim ein kleines Kind in den Windeln lag, was seit der Mittagszeit vergebens die Händchen der sehnlich Erwarteten entgegenstreckte. Alte Megären, die der Zauberstab der Industrie schon vor dem Tode in Skelette verwandelte. Mädchen, bleich und verkommen, die gelben Schultern, die toten Brüste kaum bedeckt von zerrissenen Kleidern – die gelösten Haare in schmutzigen Zöpfen im Rücken – die gelenken Finger verborgen unter der zerlumpten Schürze – die Augen stier und gläsern, die Wimpern voll Staub – einen Gassenhauer auf den Lippen, die Venerie[26] in den Knochen. Und nun die Kinder; Knaben mit verrenkten Beinen, mit Buckeln und skrofulös zum Entsetzen, kleine Mädchen, zur Arbeit abgerichtet wie Wiesel und Pudel, an die schnurrende Spindel, an die rasselnde Maschine geschmiedet, ehe noch die Knospe ihrer Jugend sich erschlossen, ehe noch das erste Rot in dämmernder Pracht ihre Wangen überflogen, ehe sie noch wußten, daß sie Kinder, daß sie Menschen waren, ehe sie den ersten Fluch vergessen und das erste Gebet gelernt, ehe sie sich dreimal gefreut, ehe sie dreimal geküßt, ehe sie einmal ihr Leben genossen hatten. Entnervt schon und zerfoltert von der Arbeit, ohne Fleisch auf den Lippen, ohne Blut in den Adern, ohne Gehirn im Kopfe; wie Gespenster, eben dem Grabe entstiegen, oder wie welke Blumen, die morgen sterben müssen.

Sieh, alter Preiss, das ist deine Welt.–Was hast du getan!

Die Leidensmienen dieser Unglücklichen, der stumme Schmerz ihrer Züge, der lauter um Rache schrie als der tobende Haufe einer Revolte, die Freude des einen, der mit unverkürztem Lohn nach Hause eilte; das Schluchzen des andern, der sich plötzlich um die Hälfte seines Erwerbes betrogen sah, die schnarrende Stimme des Contremaîtres, der mit dem Stocke drohte, wenn ein Widersetziger wie ein getretener Wurm sich empört in die Höhe richtete, das Fluchen des Kommis, der um Ruhe und Stille bat, damit er sich nicht um einen Groschen verzähle, das Grinsen des Buchhalters, der voll Bestialität und Geilheit sich an der ganzen Szene höchlichst gaudierte, und endlich das Klappern des Geldes, des schmierigen, .–. Metalls, um das sich ja dieser ganze Spektakel handelte – – fürwahr, das Zahlcomptoir der Fabrik bot heute wie an jedem Samstagabend einen Anblick dar, den man in Hurenhäusern, in Diebswinkeln, in Spielhöllen nicht krasser, nicht gemeiner, nicht scheußlicher finden konnte. –

[. . .]

Einige Minuten nachher stand der alte Herr in dem Magazine des Geschäftes – er war heute gerade in der Laune, alles zu kontrollieren, und suchte mit einer wahren Emsigkeit danach, irgendeinen Fehler aufzufinden, den er seinen Untergebenen vorwerfen könnte.

Der Magazinier war gerade damit beschäftigt, einige Zeugstücke übereinanderzulegen, welche eben von den Webern geliefert waren. – Aufmerksam beschaute der Fabrikant seine Ware und schien sich fast darüber zu ärgern, daß alles in Ordnung war, daß er nichts daran auszusetzen fand. –

Da wollte es das Unglück, daß zu guter Letzt noch ein Stück zum Vorschein kam, dessen große Ölflecken nur zu deutlich bewiesen, daß die Lampe des Webers eine zu nahe Bekanntschaft damit gemacht hatte.

Wie ein Panther seine Beute, so ergriff der Fabrikant das beschädigte Stück.

»Jesus, Maria! Hier haben wir einen Ölfleck!«

»Lieber Gott, das ist wahr!« flüsterte der Magazinier.

»Und wie könnt Ihr ein solches Stück annehmen?«

»Ich nehme ja keine Stücke an!«

»Aber wer ist dann schuld an diesem Versehen?«

»Ich glaube, der Herr August hat die Ware empfangen.«

»Und hat mein Sohn dem Weber keine Abzüge an dem Lohn gemacht?«

»Wahrscheinlich nicht.«

»Aber weshalb habt Ihr ihn nicht daran erinnert?«

»Ich habe ihn daran erinnert!«

»Und der Weber wurde dennoch nicht gestraft?«

»Ach, Herr Preiss – der Weber ist ein so armer Kerl!«

»Heiliger Himmel, was gehen mich die armen Weber an – nein, das ist aber zum Tollwerden – Ware anzunehmen mit Ölflecken, ohne den Weber zu strafen!« Und im größten Verdruß verließ der Fabrikant das Magazin, um weitern Fehlern nachzuspüren.

Er trat in das kleine Comptoir, in welchem am Samstagabend die Löhne ausbezahlt wurden, und langte ohne weiteres nach einem Buche, dessen verschiedene Konti die Namen der einzelnen Arbeiter an ihrer Spitze trugen. Dieses Buch der ›eingehaltenen Gelder‹ spielt in den Fabriken eine zu große Rolle, als daß wir seine Bestimmung nicht näher erläutern sollten. Die meisten Fabrikanten haben nämlich das schöne System, den Arbeitern an ihrem Lohne stets einige Groschen zu kürzen und diese den Leuten gutzuschreiben. Als Grund eines solchen Verfahrens gibt man gewöhnlich an, daß die Arbeiter zu liederlich mit ihrem Gelde umgingen, wenn man ihnen gleich den ganzen Lohn in die Finger gäbe, und daß es eine reine Fürsorge für ihr Wohlergehen sei, wenn man ihnen einen Teil des Saläres aufbewahre. »Wir sind die gute Vorsehung unsrer Arbeiter!« hatte der Herr Preiss gesagt, als er den Befehl gab, dies Buch der ›eingehaltenen Gelder‹ zu beginnen.

Wie in den meisten andern Fabriken, so verhielt es sich indes auch in der des würdigen Herrn Preiss ganz anders damit. Man suchte nämlich durch diese eingehaltenen Gelder die Arbeiter stets ›in der Hand‹ zu behalten – man konnte an diesen kleinen Ersparnissen seinen Regreß nehmen, wenn dem Eigentümer derselben irgendein Unglück passierte, was dem Interesse des Fabrikanten Schaden zufügte, und es geschah nicht selten, daß der Arbeiter nie wieder etwas davon zu sehen bekam. »Auch in anderer Weise ist dies Verfahren nützlich!« bemerkte der Herr Preiss zuzeiten. »Solange die Arbeiter gesund sind, da können sie sich schon durchschlagen, werden sie aber krank, da ist gleich der Teufel los, und man soll sie unterstützen. Um nun nicht in den unangenehmen Fall dieser Mildtätigkeiten zu geraten, halte man ihnen einige Gelder zurück, die werden ihnen dann herrlich zustatten kommen, und wir sind der Unterstützungen überhoben.«

[. . .]

In den Türen der verschiedenen Arbeitssäle waren kleine Fenster angebracht, die von außen durch einen kleinen Schieber geöffnet und verschlossen werden konnten. Der tätige Fabrikant hatte schon seit geraumer Zeit diese Vorrichtung anbringen lassen, damit er vom Gange her, und ohne von den Arbeitern bemerkt zu werden, gelegentlich einen Blick auf seine Sklaven werfen konnte. Wenn alles in guter Ordnung und in vollkommener Tätigkeit war, so verschloß der Alte das Fenster natürlich ebenso schnell, wie er es geöffnet hatte. Wollte es indes der Zufall, daß gerade einige Kinder des Spinnsaales für einen Augenblick die Hände sinken ließen und die abgebrochenen Fäden nicht so rasch wieder anknüpften, wie sie gesollt hätten, da vernahm man plötzlich von der Tür her ein entsetzliches Murmeln, das, nach und nach zu einem wahren Gebrüll ausartend, endlich den Lärm der Maschinen übertönte und die Sorglosen daran erinnerte, daß das Medusenhaupt des Alten vor der Öffnung des Fensters stehe. – Rasch wie der Blitz fuhren die erschreckten Kinder dann zurück an ihre Arbeit und atmeten erst wieder auf, wenn die Stimme des Fabrikanten gleich einem fernen Donner langsam und feierlich verhallte. –

›Tod‹. Blatt 2 aus dem Zyklus Weberaufstand von Käthe Kollwitz

Otto Ruppius
Eine Weberfamilie
Schlesische Dorfgeschichte
1846

Otto Ruppius (1819–1864) wurde in Deutschland erst während seiner letzten Lebensjahre als Schriftsteller bekannt. Zunächst Kaufmann, dann Soldat, schließlich Buchhändler in Langensalza, gründete Ruppius 1845 in Berlin den ›Norddeutschen Volksschriftenverein‹, in dem er nach dem Ausbruch der 48er Revolution die ›Bürger- und Bauernzeitung‹ herausgab. Im November 1848 erschien in diesem Blatt ein heute nicht mehr nachweisbarer Artikel über die Auflösung der preußischen Nationalversammlung, der die Verurteilung von Ruppius zu neunmonatiger Festungshaft zur Folge hatte. Durch Flucht nach Amerika entzog sich Ruppius der Haft. Erst 1861 kehrte er nach wechselvoller Tätigkeit als Musiklehrer, Publizist und Schriftsteller nach Preußen zurück und wurde in Leipzig Mitarbeiter der ›Gartenlaube‹, in der einige seiner in Amerika entstandenen Erzählungen abgedruckt wurden. In Berlin gründete er 1862 mit dem Verleger Franz Duncker ein ›Sonntagsblatt für Jedermann aus dem Volke‹, das als literarisches Beiblatt der bei Duncker verlegten ›Volkszeitung‹ herauskam.

Die hier wiedergegebene Erzählung ›Eine Weberfamilie‹ ist eine ganz frühe, vielleicht die erste literarische Arbeit von Otto Ruppius. Sie erschien Anfang 1846 in der Startnummer der liberalen Monatsschrift ›Der Leuchtthurm‹, die neben literarischen Texten eine ›ausführliche Besprechung der Tagesfragen‹ anbot.

Otto Ruppius verwendet in seiner Erzählung ›Eine Weberfamilie‹ literarische und journalistische Stilmittel. Kennt man die Publizistik vor und nach der Revolte, dann wird deutlich, wie sehr Ruppius sich bemüht, eine durch Zeitungsartikel vermittelte ›Wirklichkeit‹ in seine Erzählung einzubeziehen. Keiner der anderen in diesen Band aufgenommenen Prosatexte hat einen so auffallenden Bezug zur Publizistik des Jahres 1844. Auch das von Ruppius zitierte ›Lied der Weber in Peterswaldau und Langenbielau‹ wurde 1844 mehrfach in Zeitungen abgedruckt. Anders als etwa bei Belani oder Prutz werden der soziale Konflikt und der Aufstand weitaus wirklichkeitsnäher geschildert.

Es war Freitag vor Pfingsten. Ein reiner goldgesäumter Abendhimmel spannte sich über das Gebirge. Allen seinen Gefährten vorausgeeilt, blickte schon der Abendstern flimmernd auf die ruhende Landschaft hernieder, über welcher einschläfernd unbewegt die laue Luft ruhte.

Auf dem Fußwege, der nach dem langen Dorfe im Grunde führte, schritten zwei Gestalten hinab; ein feiner junger Mann mit Sporen und Reitpeitsche, zu seiner rechten Seite eine junge Dame in eleganter Sommertracht.

»Seien Sie ernsthaft, Cousine«, sprach der letztere bittend, »die Gesellschaft ist uns bereits auf den Fersen, und wenn jetzt nicht, finde ich sobald keine ungestörte Minute zu dem wieder, was ich Ihnen sagen muß!«

»Wollen Sie mir ein Geheimnis entdecken, Vetter?« fragte sie lachend, »beginnen Sie, ich werde erschrecklich ernsthaft sein!«

»Sie quälen mich geflissentlich, aber ich werde mir den Augenblick nicht rauben lassen. Klara, zu allen den prachtvollen Gaben, die Ihnen heute an Ihrem Ehrentage geworden, möchte ich noch eine legen. Sie wissen es längst, entscheiden Sie, ob sie Wert für Sie hat, Klara – mein Herz und meine Hand!«

Er war stehengeblieben und faßte ihre Hand; sie aber entzog sie ihm leise und schritt weiter.

»Haben Sie denn wirklich ein Herz, Vetter?« fragte sie nach einer Weile und sah in das sich vor ihnen öffnende Dorf hinein, wo überall aus den kleinen Fenstern schon die Lichter blinkten.

»Ob ich ein Herz habe?« entgegnete er, von ihrem Tone betroffen, »daran zweifeln Sie, Klara?«

»Horchen Sie einmal!« rief sie und hielt ihre Schritte an, »das ist eine merkwürdige Melodie!«

Der letzte Bergvorsprung, dicht an den ersten Häusern, lag vor ihnen und dahinter klang es, monoton wie das Lied eines Leiermannes, hervor:

»Armer Konrad, webe zu,
Ohne Rast und ohne Ruh,
Hungersleben, Not genug;
Webst die Kraft aus deinem Arm,
Webst dir doch, daß Gott erbarm',
Nur dein eigen Leichentuch!«

»Vermaledeites Pack!« brummte der junge Mann ärgerlich. »Kommen Sie, Cousine, es ist wahrscheinlich einer von dem Webervolke, der seinen Lohn vertrunken hat und sich nun, statt zu arbeiten, in elegische Klagen ergießt!« fuhr er spottend fort. »Kommen Sie, die Elenden sind frecher als Sie glauben, und es sollte mir um Ihretwillen leid tun, wenn wir uns hier einer unangenehmen Begegnung aussetzten.«

Das Mädchen warf einen ernsten Blick auf ihren Begleiter und schritt vorwärts.

Kurz vor dem Eingange in den Ort stand ein Bursche in der dürftigsten Kleidung und ließ gesenkten Hauptes das Paar an sich vorübergehen; der Herr klatschte mit der Reitpeitsche, Klara aber ließ lange den Blick auf den Zügen des Dastehenden ruhen.

»Der Mann folgt uns«, sprach sie nach einer Weile, »er hat vielleicht ein Anliegen, wollen Sie ihn nicht anhören? Es ist auch wohl besser, wir erwarten jetzt das Nachkommen der übrigen.«

»Ihr Wunsch ist mir Befehl!« erwiderte der Angeredete, »sonst gäbe ich dem Unverschämten eine Lektion. Ihr weiches Herz hat freilich keinen Begriff von der Zucht, die man halten muß, wenn man ruhig leben und bestehen will.« – »Will er etwas?« wandte er sich barsch an den Nachfolgenden.

Der Bursche kam heran.

»Lieber Herr«, begann er in bittendem Tone, »ich wollte nicht wiederkommen und Vorschuß betteln, aber wir haben halt seit gestrigen Tags kein Brinkel* zu essen im Haus, und wenn der alte Rake und 's Mädel und ich und die Kinderle nicht verhungern sollen, müssen Sie mir ein klein Vorschußzettele geben. Ich hab's nicht tun wollen, aber ich hab' den Jammer und die Not nicht mehr mit ansehen können.«

»Sehen Sie, Cousine, so geht's!« wandte sich der junge Fabrikherr an seine Begleiterin. »Diese Menschen haben schon mehr Vorschuß, als sie in ihrem ganzen Leben wieder abarbeiten können. Wir sind viel zu gut gewesen, nun wird es als ein Muß gefordert. Jetzt gebe ich aufs neue eine Vorschußanweisung, die ist heute abend zum größten Teile vertrunken, und in einigen Tagen

* Krümel, ein bißchen.

geht das Lamento von neuem los. Morgen könnt Ihr Eure Arbeit abliefern und erhaltet Geld, jetzt gebe ich nichts!«

Damit wandte er sich ab und bot seiner Begleiterin den Arm; aber mit zwei Schritten hatte ihm der junge Weber den Weg vertreten.

»Herr«, sprach er und sein Gesicht war finster geworden, seine Stimme zitterte, und mit den vor der Brust gefalteten Händen schien er die innere Aufregung zurückdrängen zu wollen; »Herr, 's sind drei Jahr, daß ich kein Tröppel Schnaps über die Zunge gebracht habe und wenn 's Elend die alte Raken nicht darniedergeworfen hätte, wo's Geld kostete und immer Geld, bis wir sie 'nausgelegt haben in die stille Bucht, wenn Sie barmherziger gewesen wären und uns 's liebe Brot und die Erdtoffeln nicht so hoch angerechnet hätten, wir wären halt nicht so weit in 'n Vorschuß 'neingekommen. Und wenn 's Elend nun nicht gar so groß wär', ich hätt' mich nicht her gestellt und Sie abgewartet! Herr, geben Sie mir ein Zettele, ich will ja halt nur ein klein Tüchel Erdtoffeln, geben Sie mir's, lieber Herr, Sie *müssen* barmherzig sein, ich *kann* nicht eher fortgehen!«

In das Gesicht des Fabrikherrn war die helle Zornröte geschossen. »*Ertrotzen* will er es?« brach er los und hob die Reitpeitsche, »aus dem Wege, niederträchtiger Lump!«

»Schlagen Sie zu«, sagte der Weber und senkte den Kopf, »aber geben Sie mir was für die derheime!«

»Alfred!« rief jetzt die Dame und hielt den aufgehobenen Arm ihres Begleiters zurück, »haben Sie denn wirklich kein Herz?«

»Aber liebe, beste Klara!« entgegnete er, halb ärgerlich, halb überwunden von ihrer vertrauten Anrede, »soll ich denn den Unverschämten etwas erzwingen lassen? Glauben Sie denn, er würde mir meiner Bereitwilligkeit Dank wissen? Morgen früh hätte ich meine ganze Webergesellschaft über dem Halse, und da die Jeremiaden nichts mehr helfen, würde es nach dem jetzigen Auftritte Drohungen geben. Ich zwinge ja niemand, für mich zu arbeiten, können die Leute bei dem Lohne nicht auskommen, so mögen sie woanders hingehen, ich kann mich aber doch nicht für sie zum armen Manne machen?«

»Das ist kein Trotz, das ist die helle Verzweiflung«, sagte Klara leise, »er will ja nur die trockenen Kartoffeln! Geben Sie ihm, mir zuliebe, etwas; es würde mich den ganzen Abend verstimmen, wenn ich in unserm Überflusse an den abgewiesenen Hungernden denken müßte.«

»Ich bringe Ihnen heute gern alles zum Opfer, selbst meine Überzeugung«, sprach er, ihre Hand drückend. »Geh Er voran«, rief er dem jungen Weber zu, »und wart Er an der Tür. Dank Er's aber nur der Dame, wenn ich Ihm statt einer verdienten Züchtigung seinen Willen tue!« – »Könnten Sie«, fuhr er gegen Klara gewendet fort, »so ganz die Verhältnisse durchschauen, Sie würden mich anders beurteilen, als Sie es vielleicht tun. Will der Kaufmann, der Fabrikant, gleichen Schritt mit der Zeit halten, so muß er hart sein, hart wie Eisen. Ist er es nicht, so sind es seine Konkurrenten, er wird überflügelt und geht zugrunde! Das weiche Frauenherz mag das freilich oft nicht fassen können. – Jetzt kommen Sie, liebe Klara, die Gesellschaft wird schon lange auf einem andern Wege zurückgekehrt sein!«

Lächelnde Gesichter, leise Neckereien empfingen in dem glänzend erleuchteten, mit allem Luxus ausgestatteten Salon des großen Fabrikgebäudes die Heimkehrenden, deren bereits die mit üppiger Verschwendung angeordnete Tafel harrte. Mit leuchtendem Gesichte führte nach kurzer Zögerung der junge Fabrikherr die schöne Klara zu Tische, bald knallten die Champagnerpfropfen, und unter lautem Jubel klang der Toast zum Wohle der reizenden Tageskönigin. –

Der junge Weber schritt, seinen Zettel in der Hand, in eines jener Etablissements, die, von der Spekulation der Fabrikherren gegründet, dem Arbeiter gegen eine Anweisung des Besitzers alle Lebensbedürfnisse bieten. Hier rauben Wucherpreise, die als Vorschuß notiert werden, dem Armen die letzte Möglichkeit einer Aufhilfe, und der reiche Fabrikant scheut sich nicht, noch von dem Hunger seiner zu Boden getretenen Arbeiter zu profitieren.

Da, wo eine der mittleren Seitenstraßen des Dorfes sich nach den Bergen zu öffnet, stand ein niederes Häuschen. Die beiden Fenster darin waren an mehreren Stellen mit Papier verklebt, wo aber die kleinen Glasscheiben noch unversehrt waren, glänzten sie hell und blank geputzt und ließen den Lichtschein aus der Stube ungehindert auf die Straße fallen. Trat man durch die niedere Haustür ein, so zeigte sich eine Art Hausflur, eben nicht breiter als die Türe selbst; der Boden von festgetretener Erde, aber sauber gefegt, die Wände und Decke von Lehm und rohen Balken. Links führte eine wandelbare Tür in den einzig bewohnbaren Raum. Ein Webstuhl nahm ziemlich die Hälfte desselben ein, eine zerbrechliche Bettstelle, zum Teil mit Stroh und einer vielfach ausgebesserten, dürftigen Decke angefüllt, ein roher Tisch und zwei Holzschemel bildeten die übrige Ausstattung und ließen kaum den beiden Kindern, die emsig am Spulrade beschäftigt waren, Raum zu ihrer Arbeit.

Hinter dem klappenden Webstuhl saß eine jener Gestalten, deren Alter sich so schwer bestimmen läßt. Ein hektisches, bleiches Gesicht, von dünnen Haaren umweht, eingefallene Backen und die Furchen des Grams um Mund und Stirn eingefressen, mit glanzlosem nichtssagenden Auge das rastlose Webschiffchen verfolgend.

Hart neben dem Stuhle, den Rücken gegen die Tür gekehrt, hatte eine weibliche Gestalt ihren Platz genommen und nähte an einem Stück alter Wäsche. Ihre Kleidung war armselig, aber ganz und rein, das Haar glatt gekämmt und am Hinterkopfe in Flechten aufgesteckt. Das Öllicht, am Webstuhl hängend, verbreitete nur eine rote, trübe Hellung in der Stube, und sie mußte den Kopf tief auf ihre Arbeit herabbeugen, um das Nötige zu erkennen.

»Hannel«, sagte jetzt der kleine Junge am Spulrade, die Zeit wahrnehmend, wo der Weber innehielt, um einen zerrissenen Faden anzuknüpfen, »hast du nicht ein bissel Brot? Mich hungert gar sehr!«

»Schon wieder Hunger, Heinerle?« fragte die Angeredete, ohne ihre Arbeit zu unterbrechen, »hast doch heut schon gegessen?«

»Ach Hannel, ein klein, klein Brinkel den ganzen Tag, und Liesel auch!«

»Warte, mein Tockel*, wenn a Wilm die Erdtoffeln bringt, hernach gibt's was!«

»Aber, Hannel, wenn er sie nicht bringt?«

* Kleiner (eigentlich: Puppl).

»Nu, da flennst du nicht, legst dich als ein gut Jungel ins Bette und bitt'st den lieben Gott, daß er uns morgen was beschert!« Sie bog sich tiefer auf ihre Näherei und schien ein Zittern ihrer Stimme vergebens unterdrücken zu wollen.

»Aber, Hannel, ich habe hinte so gar großen Hunger, gib mir doch ein klein Wing, ich will dernach auch lange, lange nichts mehr haben!«

»Und ich auch!« jammerte die kleine Liesel und wischte sich die tränenden Augen.

Das Mädchen verbarg einen tief aufsteigenden Seufzer und sah verstohlen nach dem Weber hinauf; als dieser aber nur einen trüben, gleichmütigen Blick über die Gruppe schweifen ließ und sodann seine Arbeit wieder begann, stand sie hastig auf, öffnete das Fenster und sah in die dunkle Nacht hinaus. Heinerle folgte ihr mit den Augen, ließ dann das Köpfchen hängen und setzte sein Spulrad wieder langsam in Bewegung. Das eintönige Schnurren und das Klappen des Webstuhls unterbrachen wieder allein die Stille.

Das Mädchen am Fenster sah, die Hände auf die Brust gepreßt, hinab nach dem großen Fabrikhause, auf welches die kurze Seitenstraße stieß. Dort strahlte die ganze erste Etage in heller Erleuchtung, dann und wann stahlen sich einzelne Töne, bald Musik, bald heller Jubel, bis zu ihrem Ohre; um ihren Mund zuckte es wie ein heißes, bitteres Wehe und zwei große schwere Tränen rangen sich mühsam unter den Wimpern hervor.

Sie wandte die Augen weg und blickte hinauf in den wolkenlosen sternbesäten Nachthimmel, fester drückte sie die gefalteten Hände gegen das Herz, Träne auf Träne entquoll ihrem Auge, bis die gepreßte Qual sich unaufhaltsam Bahn brach und sie, den Kopf gegen die Fensterbekleidung gelehnt, dastand im leisen schluchzenden Weinen, als könne sie es nimmer enden, als müsse sich das ganze gepeinigte Herz in bittere Tränen auflösen.

»Hannel!« sagte eine unterdrückte Stimme außerhalb des Fensters, »Hannel!« wiederholte es, und der Weberbursche faßte mit heftigem Drucke ihre Hand, und als nun das Licht auf sein Gesicht fiel, sah man, wie er mit einem so ingrimmigen, Gott anklagenden Schmerze in ihre nassen Augen blickte, daß die Tränen des Mädchens im Nu stockten und sie, ein Lächeln versuchend, mit beiden Händen über sein Gesicht strich, als wollte sie den Ausdruck der Seelenpein daraus verwischen.

»Laß 's gut sein, Wilm«, sagte sie dann und trocknete sich mit der Schürze die Augen, »gelt, 's ist recht dumm, wenn ich flenne und 's tut dir weh? Ich dachte halt an meine Mutter!«

»Belüg mich nit, Hannel!« sagte der Bursche, »deine Mutter ist tot und braucht sich nicht mehr knergeln und ädern* zu lassen, braucht den Jammer nicht mehr mit anzusehen; wär'n wir's doch auch! Aber dir frißt 's Elend und die Not am Herzen, und wenn ich die Troppen auf deinen Backen seh', will mir's die Seele aus dem Leibe reißen, daß ich nicht helfen kann. Bist von Brassel** weggegangen, wo du's gut hattest, um derheime anzupakken, wie deine Mutter vor Angst und Jammer gestorben war, und mir pupperte 's Herz vor Freude, wie ich dich mit deinen roten Backen sah und wie du mir so treu geblieben. Nun bist du 'neingekommen ins Elend, und die Freude ist bald alle geworden; die Zähren haben die roten Backen weggebeizt und die hellen Augen trübe gemacht; hast mit uns müssen hungrig zu Bette gehen, wie wir uns auch zerarbeitet haben – und je schlimmer es geworden ist, je mehr hast du dich zergrämt, das hast du zum Lohne gehabt. Und ich habe zum Himmel 'naufgeschrien und 's ist mir gewesen, als müßte der Verstand dervongehen, aber der Himmel, Sonne, Mond und Sterne haben mich angelacht, als wollten sie mich aushuzen***, und 's ist nur schlimmer geworden. Sieh, Hannel, kann's denn nur einen Gott im Himmel geben? Er könnt's ja nicht übers Herz bringen, uns verhungern zu lassen. Ist deine Mutter nicht vor Gram übers Elend ihrer Kinder d'raufgegangen und könnte der Herrgott, der doch viel besser sein müßte als die Menschen, den Jammer seiner schlesingschen Kinder so mit ansehen, da's ihm doch halt nur ein Wort kost'te zu helfen? 's *kann* keinen geben!« rief er mit überflutendem Ingrimme aus und ballte die Fäuste, »er hätte die Lasterdärme, die Blutegel da oben, die uns ädern, 's Blut abzapfen, bis wir tot sind

* benörgeln und quälen.

** Breslau.

*** foppen, narren.

und sich dermit frätzen* und dicke tun, schon lange darniedergeschlagen in seinem Zorne!«

»Wilm, Wilm, sprich nicht so!« rief das Mädchen ängstlich, »versündige dich nicht an unserm Herrgott droben, komm 'rein! Du hast wohl – nichts?« setzte sie stockend hinzu.

»Doch, Hannel!« erwiderte er und ließ die Augen noch nicht los von dem erleuchteten Hause, »'s ist aber 's letzte und nur wing; ich gehe nicht wieder hin und wenn's noch so schlimm wird!« Er ging nach der Haustüre. Noch einmal sah er zurück. »Dort johlen und prassen sie in unserm Schweiße und Lebensmarke, und wir möchten kreischen und heulen!« Er biß die Zähne aufeinander, daß sie knirschten. »Sind wir denn verflucht zu Hunger und Jammer? Zum Arbeiten, daß der Saft aus den Knochen geht und zum elendigen Verderben? Warum wir denn und nicht auch die? Haben sie's nicht mehr verdient, sind's nicht Tiger- und Panthertiere, die jedem von uns mit kaltem Blute 's Herz aus'm Leibe reißen? Und uns hilft Niemensch, kein Gott und kein König, denn die dort sind große Herren und wir sind elendiges, gemeines Volk!« Er senkte den Kopf und ging in das Haus, in seinem Blicke lag die Resignation der Ohnmacht, die selbst den Versuch zur Rettung aufgegeben.

Wie die hungrigen Tiere nach dem Wärter, so wandten sich die Köpfe aller nach dem Wilhelm und den wenigen Kartoffeln, die dieser in ein altes Tuch gebunden auf den Tisch legte.

»Da koch, Hannel!« sagte er düster und warf sich auf den leerstehenden Schemel daneben, »müssen halt zusehen, wie's langt!«

Der alte Weber hinter dem Stuhle hatte die Hände sinken lassen, den Kopf zurückgelehnt und wie in tiefer Ermattung die Augen geschlossen; die Kinder kauerten zusammen am Spulrade und ließen die Augen Hannens Bewegungen folgen, welche eilig die Kartoffeln reinigte, dann den einzigen, bereits mit Draht eingebundenen Topf vom Sims über der Tür langte, dürres Reisig zusammenbrach und im Kamin ein prasselndes Feuer anzündete. Wilhelm starrte vor sich hinbrütend zur Erde, und alle hatten fast den Eintritt des Gemeindedieners überhört, der bereits auf den alten Weber zuschritt.

* vollsaugen, vollfüttern.

»Guten Abend, Rake!« sagte er, »schlaft Ihr? Ich soll Euch was vom Schulzen sagen!«

Der Weber schlug langsam die Augen auf, sah den Sprechenden an und schloß sie wieder.

»Rake«, begann der Gemeindediener von neuem, »Ihr habt seit anderthalb Jahren keine Steuern bezahlt und der Schulze hat sie immer vorgeschossen, das wißt Ihr. Weil er aber nunmehr die Einnehmerstelle abgibt, so muß er sein Geld eintreiben und er läßt Euch sagen, daß, wenn Ihr bis nach dem Feste nicht bezahlt hättet, er Euch den Exequier ins Haus schicken müßte, und wenn der Euch nichts abpfänden könnte, müßte Euer Häusel veranschlagt werden!«

Der Weber blieb regungslos in seiner Stellung; nur ein Zittern, das seinen ganzen Körper überlief, verriet, daß er die Worte verstanden. Hanne, den gefüllten Topf in der Hand, stand, nachdem der Mann schon eine Weile geredet, noch immer den Blick starr auf seine Lippen geheftet, bleich wie die Wand da. Plötzlich schloß sie die Augen, der Topf entglitt ihrer Hand und fiel, in Scherben zerbrechend, zur Erde, daß das Wasser in weiter Flut den Boden überschwemmte, schlaff sanken die Arme herab, und ohne Laut schlug sie, mit dem Kopfe gegen die Mauer stürzend, hintenüber. Der Weber schrak auf, sank wieder zurück und regte sich nicht, die Kinder schrien; Wilhelm, der erst bei dem Falle des Topfes aus seinen düstern Träumereien in die Höhe gefahren war, warf einen verworrenen, zweifelnden Blick durch die Stube, mit einem Aufschrei des Schreckens aber sprang er, zu sich selbst kommend, nach dem zusammenbrechenden Mädchen.

»Hannel, Jesus, Hannel! was hast du denn?!« Er warf sich auf die Knie neben sie, hob den Oberkörper empor und legte ihn in seine Arme. »Hannel, mein liebes Hannel, was ist denn geschehn? Komm doch zu dir!« Er streichelte ihre Backen, er rief sie in steigender Angst mit allen Schmeichelnamen, er küßte den bleichen Mund, als müsse er ihr neues, heißes Leben einflößen; aber wie die Blume, vom tödlichen Frost getroffen, ließ sie das Haupt machtlos auf die Brust herabsinken. – Da traf sein ratlos aufschauendes Auge den Gemeindediener, der von der stürmisch einbrechenden Wirkung seiner Worte noch immer halb verblüfft, halb erschrocken dastand; langsam lehnte Wilhelm den Körper des Mädchens an die Wand zurück, sein Blick, unverwandt auf jenem haftend, glühte auf, mit einem Ruck sprang er vom Boden und packte die Schultern des Mannes, daß dieser von dem unerwarteten Angriffe fast in die Knie brach.

»Jeses, Mann, was wollt Ihr denn!« schrie der Unglücksbote auf und strebte umsonst, sich den krampfhaft geschlossenen Fäusten zu entwinden. Wilhelm wollte sprechen, die Stimme versagte ihm. »Nu, seid Ihr denn toll? Ihr zerbrecht mir die Knochen!« schrie jener im vergebenen Widerstande, »laßt los! Der Schulze will Euch ja 'rauswerfen lassen, ich doch nicht!«

Wilhelm sah ihm starr ins Gesicht. »Der Schulze? – 'rauswerfen lassen?« – seine Hände lösten sich, seine Arme glitten herab, er hatte mit einem Male alles begriffen.

»Verdonnerter Kerl!« rief der Gemeindediener, schnell nach dem Ausgange springend, »du sollst mir's büßen!« Die Türe schlug zu, Wilhelm aber sank, als sei durch die gewaltige Anstrengung seine ganze Kraft erschöpft, auf den nebenstehenden Schemel.

Erst nach einer Weile erhob er sich wieder, umfaßte sein ohnmächtiges Mädchen und trug sie nach dem Lager, dann setzte er sich daneben und sah ihr unverwandt in das bleiche, schmerzlich verzogene Gesicht.

»Stirb, Hannel«, sagte er leise, fast mehr für sich, »wache nicht wieder auf, ich komme dernach auch bald! Brauchst nicht mehr zu hungern und zu flennen, brauchst's nicht mit anzusehen, wie sie uns aus'm Hause schmeißen, wie wir an den Türen betteln gehen, bis sie uns einmal tot finden, wie's Vieh auf'm freien Felde. Stirb, Hannel, ich mach's dernach auch nicht mehr lange! – Ach, behüt's Gott!« schluchzte er plötzlich auf, »stirb nicht, Hannel, wach auf, mein gut, lieb Mädel! Du gehst wieder nach Brassel und kriegst's gut; ich will den Webstuhl zusammenschlagen und will hacken und graben; ach mein Hannel, mein lieb Hannel, stirb doch nit, ich muß mich ja gleich derneben legen und auch sterben!«

Er nahm sie wieder in seine Arme, er streichelte sie, er küßte sie, und als ein leises Atmen das rückkehrende Leben verkündete, da unterdrückte er mühsam die ausbrechende Freude, als könne eine unvorsichtige Bewegung die schwache Lebensflamme wieder verlöschen, bis sie endlich mit einem leisen Seufzer die Augenlider aufschlug.

Ihr erster Blick fiel in sein treues, bewegtes Auge; »Guter Wilm!« sagte sie und legte noch matt den Kopf auf seine Schulter. Da schlug plötzlich die Erinnerung in ihr auf, und sie zuckte empor wie vor dem Bisse einer giftigen Schlange.

»Sei still, Hannel!« sagte Wilhelm, der sie erriet, »laß sie nur kommen und 's Häusel wegnehmen, was hilft's auch denn, wenn ihr drin elendig verderben müßt? Ich hab' mir was ausgedacht, da wird's besser, glaub mir's Hannel! Sei jetzt still, morgen will ich dir's verzählen!« Aber sie war nicht ruhig; unstet und mit neu aufgelebter Angst durchlief ihr Auge die Stube.

Der Weber saß noch immer mit geschlossenen Augen, als hätte ihn keiner der Vorgänge berührt, hinter dem Webstuhl; in schwachen, regelmäßigen Atemzügen hob sich seine Brust – er war eingeschlafen. Neben dem Kamin, in welchem noch einzelne kleine Köhlchen glühten, saßen zusammengekauert die Kinder. Als Hanna zusammengebrochen, als Wilhelm auf den Gemeindediener eingesprungen war, hatten sie sich erschrocken in den engen Raum zwischen dem Webstuhl und der Wand geflüchtet; als aber der Schreckensbote das Haus verlassen, war zuerst Heinrich hervorgekrochen, hatte die zerstreut umherliegenden Kartoffeln auf ein Häufchen gesammelt und dann einen Teil derselben in die Kohlen geworfen; bald war auch Liesel gefolgt, und jetzt suchten beide behutsam mit einem Reisholz die teils halb, teils völlig gerösteten Kartoffeln hervor, sie gierig verzehrend. Hieran blieb Hannas Blick hängen, aber bald ließ sie in gänzlicher Körper- und Seelenerschöpfung den Kopf wieder auf Wilhelms Schulter sinken und in kurzem war sie still, unbemerkt, in seinen Armen entschlummert. Behutsam legte er sie auf das Lager zurück und schlich auf den Zehen, damit er sie nicht wieder erwecke, zum Kamin. Er zündete neues Reisig darin an, teilte sodann die übriggebliebenen Kartoffeln in drei gleiche Teile und warf, als das Feuer niedergebrannt war, zwei derselben in die Kohlen. Den dritten, für Hanna bestimmten, verwahrte er, in sein Tuch gebunden, sorgfältig auf dem Simse über der Türe. Dann schritt er zum Webstuhl, nahm das Öllicht herab und beleuchtete die aufgespannte Arbeit. Das Leinwandstück war geschlossen und brauchte nur abgeschnitten zu werden. Leise rüttelte er den Weber wach. »Wollt Ihr ein paar Erdtoffeln?« fragte er. Der Weber sah ihn erst eine Weile an, als müsse er sich besinnen. »Erdtoffeln? Hast du noch welche?« sprach er endlich und richtete sich auf, »ich denke –!«

Er rieb sich die Stirn und kroch dann langsam hinter dem Stuhle vor.

»Still, a Hannel ist krank!« ermahnte Wilhelm. Der Weber sagte nichts, ließ nur den toten Blick über das Lager sowie über die am Kamin entschlummerten Kinder gleiten, setzte sich an den Tisch und stützte den Kopf in seine beiden Hände. Bald war er wieder in eine stumpfe Apathie versunken, aus der ihn erst Wilhelm, der die wenigen Kartoffeln nebst einem Häufchen Salz auf den Tisch legte, weckte.

Beide aßen, ohne ein Wort zu sprechen, der Weber heißhungrig. Beide hatten schon seit dem Morgen des Tages vorher keinen Bissen zu sich genommen.

Neben die schlummernde Hanna legte Wilhelm die kleine Liesel, bog sich noch einmal tief zu seinem Mädchen herab und nahm dann leise gute Nacht. Der Weber verriegelte hinter ihm die Haustür, weckte den kleinen Heinrich und suchte mit ihm die harte Ruhestätte unter dem Dach des Hauses. Wilhelm schritt die Straße hinab bis zu dem Hause, wo in einer engen Bodenkammer sein Webstuhl und sein ärmliches Lager stand. Hier blieb er einen Augenblick stehen, sah in den Nachthimmel hinauf und drückte dann beide geballte Fäuste vor die Stirn. »Gibt's denn nur kein Erbarmen und keine Hilfe!? Nicht selt oben im Himmel, nicht unten auf der Erde? Aus dem Hause werfen! – und was dann dernach? Das will der König g'wiß nicht für seine paar Gröschel Steuern, der braucht sie nicht zum Brote wie wir; aber der weiß auch nichts von den elendigen Webern, bis zu dem ist es zu weit – und bis zum Herrgott 'nauf zu hoch!« – Er fühlte sich im Dunkeln hinauf zu seiner Kammer, aber der Schlaf floh ihn, wie so manche lange Nacht; Pläne und Entschlüsse durchkreuzten ihn im tollen Wirrwarr, bis eine erquickungslose Betäubung auf die übermüdete Seele sank.

Über dem Gebirge lag mit ihren funkelnden Sternen die stille, heilige Sommernacht, und der Fremde, der jetzt dort herniedergestiegen wäre, hätte wohl nicht geahnt, wieviel verzweifelte Menschenherzen der Gottesfrieden ringsumher deckte, für wie viele verweinte, eingesunkene Augen die Nacht seit langem schon kein Schlummerlied mehr singe. –

Es war Sonnabend abend. Bleich und angegriffen saß Hanna am Tische, vor sich das Öllicht, denn der Webstuhl zu ihrer Seite war leer. Sie hatte ihre Näherei in den Schoß sinken lassen und den Kopf in die Hand gestützt, bei jedem Tritte aber, der von außerhalb zu hören war, fuhr sie auf und schien gespannt zu horchen, immer aber wieder getäuscht und mit wachsender Besorgnis in ihre frühere Stellung zurücksinkend. Auf dem Bette schlief bereits die kleine Liesel, Heinerle, am Spulrade auf dem Boden sitzend, hatte den Kopf auf das Ärmchen gelegt, verzehrte ein Stückchen Brot und schien mit seinen klugen Augen die Schwester zu beobachten. »Kommt der Vater und a Wilm noch nicht?« fragte er nach einer Weile, als vorübergehende Schritte die Harrende von neuem getäuscht hatten.

»Ach, weiß a lieber Gott, wo sie bleiben!« seufzte Hanna, »der Vater noch gar nicht derheime gewesen und a Wilm schon seit'm Mittag weg!« Da knarrte die Haustür auf, mit langsamen Schritten trat Wilhelm in die Stube. Er bot keinen guten Abend, er fiel, ohne ein Wort zu sagen, auf den leerstehenden Schemel und schlug beide Hände vor das Gesicht. Hannas tief aufsteigendes »Gottlob« erstickte im Schrecken. »Wilm!« rief sie, am ganzen Körper zitternd, und ihre Arbeit fiel vom Schoße zur Erde, »Wilm, was ist denn g'schehn? Antworte doch, Jemersch, was hast d' denn!? Wo ist denn der Vater?«

Wilhelm ließ die Hände sinken und sein todblasses, gänzlich erschlafftes Gesicht ließ es ihr eiskalt durchs Herz rieseln; »'s ist alle!« sagte er tonlos und lehnte den Kopf mit halb geschlossenen Augen an die Wand, »geh wieder zu deiner Herrschaft nach Brassel, Hannel, solange du noch fort kannst, tu die Kinderle ins Waisenhaus, wir sind nun bald alle tot!«

»Aber lieber, guter Wilm!« rief das Mädchen, sich mühsam von ihrem Sitze erhebend, mit einer Angst, die ihr fast die Stimme versagen ließ, »so red doch nur, was ist denn g'schehn? Red doch nur ein Wörtel, ein klein Wörtel! Haben sie euch denn wieder vom Lohne abgezogen, wollen sie euch denn keine Arbeit mehr geben? Wilm!« rief sie und faßte seine beiden, eiskalten Hände, »Wilm, Jeses, Jeses, willst d' denn nit reden?!« Und Wilhelm drückte ihre Hände in den seinigen, er richtete den Kopf auf und sah ihr lange mit todtrübem Blicke in das angstvolle Gesicht. »Setz dich hin, Hannel«, sagte er endlich matt, »ich will dir's verzählen.« Er stützte den Kopf auf den Arm und begann, in das Licht starrend, mit leiser, eintöniger Stimme:

»Ich hab' vorhin oben gelegen im Walde, weiß nicht wie lange, und hab' gedacht, wo nur der Herrgott sein müßte und 's ist mir eingefallen, was der Pfarrer verzählt hat, wie ich noch ein klein Jungel gewesen bin, und da hab' ich's nu 'rausgekriegt. Wie a Adam mit seiner Eva gesündigt hat, hat der Herrgott einen mit'm feurigen Schwerte geschickt und das ist der Teufel gewesen. Dem hat er die Herrschaft gegeben und hat sich nicht mehr um die Menschen bekümmert. Und da hat der Teufel die Reichen gemacht, weil kein Reicher in den Himmel kommt. Und er hat 'n allesamt 's Herz ausgerissen, daß sie die Armen ädern müssen und daß sie kein Erbarmen haben, bis die sich in ihrem Elende versündigen oder bis sie sich ein Leid antun, daß er sie dernach auch hat. Ja, so ist's!« Er starrte fort in das trübe Licht, sein Auge glänzte jetzt fast wie das eines Irrsinnigen.

»Aber Wilm«, rief das Mädchen bebend, »was hast d' denn im Walde gemacht, warum bist d' denn nicht hierhergekommen?«

Wilhelm antwortete nicht sogleich, als müsse er erst über die Frage nachdenken.

»Kannst du Heu essen, Hannel?« erwiderte er dann. Das Mädchen starrte ihn an, es überlief sie fast ein Grauen vor seiner tonlosen, verwirrten Rede.

»Nicht? nu sieh!« sagte er und sah, den Kopf sinken lassend, vor sich hin.

Da sprang sie mit überströmenden Augen auf und umschlang ihn mit ihrer ganzen ausbrechenden Liebe und Angst. »Wilm, mein armer, guter Wilm, bist d' denn krank? Willst d' deinem Mädel nicht verzählen, was dir geschehen ist? Bist d' denn mir nicht gut, Wilm?« Und als er ihre warme, von der Aufregung gerötete Wange an der seinigen fühlte, da preßte er die Lippen aufeinander, als wollte er einen neu aufsteigenden Schmerz verbeißen. Plötzlich aber schlang er beide Arme um ihren Hals, verbarg seinen Kopf an ihrer Brust und brach in ein krampfhaftes Schluchzen und Weinen aus. Und Hanna drückte ihn fest an sich und ließ ihn, wie ein krankes Kind, an ihrem Herzen ausweinen; sie fühlte es, ohne es sich klar bewußt zu sein, daß das, was sie so entsetzlich an ihm geängstigt, nun gebrochen sein müsse. Bald richtete er auch den Kopf wieder empor und suchte sich gewaltsam zu ermannen. »Hast du mich schon flennen und heulen gesehen, Hannel?« sagte er, sich die Augen wischend, »'s ist aber alles umsonst.«

»Na, verzähle mir's nur erst, du hast's ärnt zu arg genommen«, sagt sie, leise tröstend, »paß auf, der liebe Gott hilft, wenn's halt am schlimmsten ist!« Sie rückte ihren Schemel neben den seinigen und legte ihren Arm um seinen Nacken. Ihre Seele schien neue Kraft gewonnen zu haben, seitdem sie die Stütze des gebrochenen Liebsten werden sollte. Wilm aber schüttelte zu ihrer Rede traurig den Kopf. »Rede mir nicht vom Herrgott!« sagte er, »der hätte uns schon lange helfen müssen, wenn er's gewollt hätte, nu ist's zu späte! – Ich habe oben im Walde gelegen, ach 's ist ein Wunder, daß ich wieder da bin. Ich will dir alles sagen.«

»Wir gingen mit unserer Leinwand, dein Vater und ich, 'nunter in die Fabrik. Da stand nun schon alles voll und wartete auf den jungen Herrn. Die Leute waren dir gar erbärmlich anzusehn, Hunger im Gesichte, Hunger in den dürren Armen und Beinen, Hunger im ganzen Leibe, ich hatt's noch gar nicht so betrachtet wie heute. Und wie dein Vater d'runterstand und sich an die Wand lehnen mußte, weil er 's lange Stehen nicht gewohnt ist, da sah er auch nicht anders aus und ich wohl auch nicht –! Da war einer, der verzählte, daß seine Frau elendig krank derheime läge und daß er für seine fünf Kinder seit drei Tagen kein Brinkel zu beißen gehabt, und andere verzählten, und 's war ebensoviel Jammer und Elend und bei manchem noch mehr; und ich dachte daran, daß sie euch aus'm Hause werfen wollten und ich kriegte eine Wut –! Da kam der junge Herr mit den andern und sie fingen an, mit ihren Gläsern die Leinwand zu beschauen, und wie der Mann d'ran kam mit den fünf Kindern, da fanden sie ein klein Fehlerl, machten Stempel auf das Stück, daß es nichts taugt und warfen's zurück. Da zitterte der Mann und fiel um, nu hatte er für die derheime noch immer nichts zu essen. Und dein Vater neben mir zitterte auch, und ich krallte die Fäuste zusammen. Nu kamen sie zu uns und beschauten und maßen die Leinwand. Sieh, Hannel, wir haben doch jeder vierzehn Tage d'ran gearbeit't, und nu gaben sie uns jedem zwölf Silbergroschen. Hannel, *für vierzehn Tage, von früh bis in die Nacht, zwölf Silbergroschen*! Und wie ich noch nicht wußte, was ich machen sollte und neben mich sah und hinter mich, da war noch keiner mit dem Gelde fortgegangen, und viele waren noch blässer geworden und viele hatten auch die Hände zu Fäusten gemacht; und ich stellte mich gerade vor den jungen Herrn hin und sagte: ‚Lieber Herr, sollen wir denn mit dem Gelde wieder vierzehn Tage leben, wir müssen doch halt unsere Zutat bezahlen und dernach reicht's ja nicht halb zum lieben Brote.' Hannel, da hat er mich angesehen und sein Gesicht hat sich verzogen, daß ich verschrocken gewesen bin.

‚Denkt Er wieder was zu erzwingen?' hat er geschrien, ‚und ihr dahinter wohl auch? *Freßt Heu,* wenn's Brot so teuer ist, das ist billiger! Geduld nur, *für vier Quarkschnitten sollt ihr noch arbeiten müssen statt für zwölf Groschen*!' Hannel, da war's, als wären wir alle darniedergeschlagen, wir gingen stille weg, und den Mann mit den fünf Kindern und der kranken Frau trugen sie weg; ich dachte aber, ich müßte mich gleich auf die Erde legen und sterben. Wie ich nu deinen Vater sah, der kaum auf den Beinen stehen konnte, da dacht' ich dran, was mir vergangene Nacht eingefallen war. ‚Rake', sagt' ich und tat einen großen Schwur, ‚kein Schlag wird mehr getan, wenn's nicht besser wird!' Dein Vater nickte traurig mit 'm Kopfe, als wär' ihm alles recht. ‚Rake' sagt' ich, ‚jetzt geht Ihr hin und eßt und trinkt einen Schnaps, daß Ihr Kräfte kriegt, und ich trage für a Hannel derweile mein Geld hin, dernach suchen wir andere Arbeit!' Und so machten wir's und gingen zusammen zu a reichen Meier*. Dem sagt' ich nu unser ganzes Elend, wie wir bei der Weberei allesamt verhungern müßten und bat ihn, uns andere Arbeit zu geben und wenn sie noch so gering wär'. Aber a Meier lachte und sagte, wenn wir Weber wären, müßten wir auch weben bis ans Ende, was anders wär' mit uns nicht anzufangen; so ließ er uns stehen. Ich dachte: a Meier ist ein

* Gutsbesitzer.

donnersch schlechter Kerl der uns in unserm Jammer noch ausnutzt, und wir gingen weiter, Hannel, zum einen, zum andern, zum dritten, zum vierten und Niemensch wollte von dem Webervolke einen zur Arbeit. Nu kamen wir zu a Bartlik*, das war der letzte. Wie uns der nu auch fortschicken wollte, da dacht' ich, 's Herz müßte mir stehenbleiben und ich sagte: Bartlik, helf mir Gott, ich muß mich halt bumfiedeln**, wenn Ihr uns nicht nehmt! und verzählt' ihm, wie sie's heute in der Fabrik gespielt. Da sah er deinen Vater an und mich und sagte: ‚Probiert's!' Nu schickte er uns 'nauf in den Wald, da sollten wir mit den andern Holz machen. Wir fingen an, 's war schwere Arbeit; ich ließ mir's aber nicht merken, wie sauer mir's wurde. Wie nu ein Viertelstündel vorbei ist, dreh' ich mich nach deinem Vater um, da steht er mit der Axt in der Hand und zittert am ganzen Leibe, und wie er sie wieder aufheben will, kann er's nicht. 's geht nicht, Wilm', sagte er und muß sich auf die Erde setzen. Wie's die andern sahen, schickten sie ihn fort, und ich arbeitete allein weiter. – Aber 's dauert nicht lange, da muß ich ausruh'n, und wie ich dernach wieder losschlage, daß 's die andern nicht merken sollten, wird mir's grün und schwarz vor den Augen, und die Axt fällt mir aus den Händen und ich muß mich an'n Baum halten, daß ich nicht umfalle. Da wollten sie mich auch fortschicken, aber ich meint's mit Gewalt zu zwingen, und ich fang wieder an, und – Hannel, wie ich drei Schläge getan habe, lieg' ich auf dem Erdboden und weiß von mir selber nichts. Dernach bin ich fortgegangen«, fuhr er leiser fort und sah wieder auf einen Fleck vor sich nieder, »und wie ich's nu gemerkt habe, daß das 's letzte gewesen ist, und wie ich nu an dich gedacht und an den Schulzen, hab' ich mich hingeworfen und den Kopf vor die Erde geschlagen und ins Gras gebissen und 's ist über mich gekommen immer näher und immer näher, und ich habe mich dervor gefürcht't und habe doch nicht gewußt, was es ist. Nu weiß ich's, Hannel, – 's war die Verrucktheit. Wenn die Holzhauer nicht gekommen wär'n, läg' ich noch immer da oben, und sie hätten mich morgen eingefangen wie einen tollen Hund!«

* Eigenname.
** aufhängen.

»Und wo ist denn nu der Vater?« fragte das Mädchen, mühsam seine Erschütterung verbergend.

»Ich weiß nicht«, versetzte er, »der ist im Elend alt geworden und spürt's nicht mehr so, er mag ärnt* wo liegen und schlafen, brauchst keine Angst zu haben. Horch jetzt, Hannel«, fuhr er fort und strich mit der Hand über sein Gesicht, »'s wird schlimm, todschlimm! 's Arbeiten auf 'm Stuhle ist vergeblich, ich tue keinen Schlag mehr und dein Vater auch nicht; andere Arbeit können wir nicht tun, und wenn 's bissel Geld alle ist, haben wir nichts und kriegen nichts. Wenn 's Fest vorbei ist, müssen wir aus dem Hause, und was dernach wird –! Du gehst wieder nach Brassel, Hannel, du kannst noch andere Arbeit tun, und wenn du hörst, daß ich gestorben bin und dein Vater auch, flenne nicht, dernach ist's besser für uns. Die Kinderle muß die Gemeinde erhalten, die verhungern nicht.«

»Wilm«, sagte das Mädchen, mühsam nach Kraft ringend und den Arm von seinen Schultern nehmend, damit sie dessen Beben nicht verrate, »ich soll fort, weil's ans Leben geht? Wilm!« rief sie, ihm die Entgegnung abschneidend, »wer war's denn, der die ganze Familie Rakens mit erhalten hatte, wie die Not so groß anfing und wie die Mutter siech und elendig wurde, und wer hatte denn 's Letzte hergegeben, wie sie starb, daß sie konnte begraben werden? Und wer hat denn nu gearbeit't, daß ihm die Kraft vergangen ist, und wer hat den Lohn immer wieder hergegeben! Sieh, Wilm, das bist du gewesen, und das hast du bloß getan, weil ich dein Mädel bin, weil du mir immer so gut gewesen bist, daß ich dir's nicht vergelten kann, sonst wären dir Rakens nicht angegangen. Und nu soll ich fortgehen und essen, derweile du hungerst und umkommst, du und der Vater? Wilm!« rief sie und umschlang ihn wieder mit beiden Armen, »ich bleibe da, und werfen sie uns aus'm Häusel, geh'n wir mitsammen betteln!«

Wilhelm schüttelte trübe den Kopf. »Mach kein Geschrei, Hannel«, sagte er mit seiner leisen, eintönigen Stimme, »du hättest's nämliche bei mir getan, und wenn du haben willst, daß ich 'naufgehe ins Gebirge und mich an den ersten besten Baum hänge, so bleib da!«

* wohl.

Das Mädchen zuckte zusammen und sah ihn geisterbleich an. »Sieh, Hannel«, sprach er weiter, »'s wird nicht lange dauern, da ist kein Brinkel Brot mehr im Hause und du wirst hungern und krießen* und dich grämen und wirst dich krank ins Bette legen. Und ich werde derbei stehen und die Fäuste vor den Kopf schlagen und dir nicht helfen können. Und die Kinderle werden kommen und gar erbärmlich um ein klein Bissel Brot schreien, daß es dir die Seele zerreißt und ich werd's nicht ersehen können und – Hannel!« fuhr er fort und drückte die Hand vor die Augen, »geh wieder nach Brassel!«

Hanna hatte das Gesicht an seiner Brust verborgen und meinte, das Herz müsse ihr mitten auseinander gehen; er aber legte seinen Arm um sie und ließ den Kopf matt auf den ihrigen sinken. So saßen sie lange in die Nacht hinein. Der alte Weber aber war nicht nach Hause gekommen.

Pfingsten war's, und der heilige Morgen kam wie ein herniederschwebender Engel im duftigen Glanze, das Antlitz im seligen Lächeln verklärt und die Hände segnend über die weite Erde ausgestreckt. – Kaum war das Licht rosig über der Gebirgsgegend aufgegangen und brach sich schillernd in den Miriaden Tautropfen, die auf Gräsern und Sträuchern hingen, daß die Landschaft schier aussah wie eine Freudentränen weinende Braut, so fingen auch schon hier und da die Morgenglocken an zu läuten, und die stille Luft trug die Klänge fort zu den Kirchen und Kirchlein in der Runde und weckte dort neue Stimmen; strahlender wurde der Morgen, weiter und immer weiter hinaus erklang das Läuten, bis ringsumher nichts war als Glockenton und sonniger Feiertag.

Die Herrschaften in der Fabrik waren zur Kirche gefahren. Der Prediger ermahnte gar schön und eindringlich, das Herz nicht gegen die Segnungen des Geistes zu verstocken, das wahre Christentum, vor allem die echt christliche Liebe in sich entzünden zu lassen, denn das erste und vornehmste Gebot sei ja: Du sollst deinen Nächsten lieben als dich selbst!

»Ist es denn nun so schwer, sich zu lieben?« fragte doppelsin-

* jammern, stöhnen.

nig der junge Fabrikherr, sich zu der vor ihm sitzenden Klara beugend. Sie neigte den Kopf auf ihr Gesangbuch und antwortete nicht.

»'s ist aber heidnisch, teuflisch, seine Mitmenschen zum Hungertode zu treiben«, sprach statt ihrer, laut genug, daß es beide hören konnten, eine tiefe Stimme hart am Fenster des Kirchstuhls. Der Fabrikherr verriet sich mit keiner Miene, als aber der Geistliche den Segen sprach und die Gemeinde auf die Knie sank, bog er vorsichtig den Kopf vor, und das schwarze, drohende Auge eines ärmlich gekleideten, aber mit einer eigentümlichen Sicherheit dastehenden Mannes begegnete dem seinigen.

Als die Equipage nach Hause rollte, scheuten die Pferde vor einem Hindernisse im Wege. Ein betrunkener Mann mit zerrissenen Kleidern und verwildertem Haar taumelte auf und wankte nach dem Fußwege hinüber.

Der junge Fabrikherr wies mit dem Finger auf ihn.

»Ein Stückchen meiner Webergesellschaft«, sagte er mit einem häßlichen Lächeln, »glauben Sie mir nun, Cousine? Das sind auch unsere Nächsten, doch der Fuß auf den Nacken ist für sie der dienlichste Liebesbeweis.«

Der Wagen fuhr weiter, der Betrunkene aber bog in eine Seitenstraße ein und stolperte dort in eins der letzten Häuser. Es war der alte Rake.

»O Jemersch, Jemersch, Vater, wo seid Ihr denn gewesen, wie seht Ihr denn aus, heute zum lieben Feiertage?« rief Hanna dem wankend Eintretenden entgegen. Der Alte blieb mitten in der Stube stehen, sah mit stieren Augen bald auf diesen, bald auf jenen Punkt und grunzte einige unverständliche Laute vor sich hin. Wilm erhob sich von seinem Schemel und hielt das Mädchen zurück; in seinem Gesichte drückte sich eine böse Ahnung aus. »Rake, Ihr seid ja total voll, wo habt Ihr denn 's Geld?« rief er, dicht vor ihn hintretend und seinen Arm fassend. Der Weber sah ihn mit gläsernem, nichtssagenden Auge an und wankte einen Schritt seitwärts.

»Hannel, halte mit, ich will ihn durchsuchen«, sagte Wilhelm mit unverhohlener Ängstlichkeit und begann auch schon, die Taschen des Alten umzukehren. Nur ein einziger Kupferdreier fand sich vor. Wilhelm sah erst diesen, dann das Mädchen mit einem

Blicke an, dessen traurige Bedeutung vollkommen verstanden wurde.

»Rake, Rake!« schrie er und schüttelte den Betrunkenen an beiden Armen, »wo ist denn 's Geld? 's Geld, Rake! Habt Ihr denn den ganzen Lohn vertrunken?«

Da fing es an, in dem Gesichte des Alten sich zu bewegen, immer stärker, bis seine ganzen Züge verzerrt waren, in konvulsivischen Zuckungen folgten die Schultern und die Arme, der ganze Körper begann zu zittern, plötzlich riß er sich mit einem gewaltigen Ruck aus Wilhelms Händen, tat einen Satz in die Luft und stürzte, den Kopf gegen den Webstuhl schlagend, zur Erde. Hanna schrie auf und hielt sich an dem vor Schrecken starren Wilhelm; ein vorübergehender Nachbar hörte den prasselnden Fall, den Schrei, sah durch das offene Fenster und winkte einen zweiten herbei, ein dritter folgte neugierig; man drang in die Stube, man fragte, und die bebende Hanna vermochte kaum die nötige Erläuterung zu geben; Wilhelm stand dabei, als vermöge er den Mund nicht zu öffnen oder nur ein Glied zu rühren; man hob den Mann auf und legte ihn auf das Bett; kalt und schwer lag der Körper da, der Mund stand offen und strömte einen ekelhaften Branntweingeruch aus. Nach einer Weile kam der herbeigerufene Chirurg; der schob das an dem Lager kniende Mädchen zurück, untersuchte den Daliegenden gleichgültig und sagte dann mit gleichgültigem Achselzucken: »Hier ist nichts zu tun, er ist tot, – scheint sich totgetrunken zu haben!« Damit ging er und ihm folgten die kopfschüttelnden Nachbarn. – Draußen war's lachender sonniger Frühlingstag, zwei Burschen gingen am Fenster vorüber nach dem Gebirge hinaus und sangen:

»Hab' in meiner Brust
So 'ne Freud' und Lust,
Weil mir's in der Welt so sehr gefällt.
Alle Bäume blüh'n,
Und die Wies' ist grün,
Und der Kuckuck schreit,
Daß 's 'ne wahre Freud',
's ist ein lustig Leben auf der Welt!«

Einige Tage waren vergangen. In dem grünen Schatten des Gebirgswaldes lag faul, auf das Moos hingestreckt, ein stämmiger Bursche und sah mit seinen schwarzen Augen träumend in den wolkenlosen Himmel hinein. In einzelnen Zwischenräumen summte er leise eine bekannte Volksweise vor sich hin, und dabei überlief sein Gesicht ein spöttisches, halb behagliches Lächeln. Nach einer Weile setzte er sich aufrecht hin, streckte sich dehnend die Arme aus und war dann mit einem Sprunge auf den Füßen. Er wollte eben langsam nach der Lichtung hinausschreiten, als er plötzlich seine Schritte anhielt, behutsam hinter ein Gesträuch trat und mit gespanntem Auge ins Freie sah. Auf der Waldblöße stand ein abgerissener Mensch, und was dieser trieb, mußte auch dem Zuschauenden merkwürdig genug vorkommen. Eine Schlinge von dünnem Strick in der Hand, hatte er einige kurze Stücke Holz zusammengelesen, diese mit einem alten Taschenmesser zugeschärft und trieb nun das erste mit einem Stein in die Rinde eines alten Baumes ein. Als eine Probe mit dem unbekleideten Fuße ihn von der genügenden Festigkeit überzeugt hatte, schlug er höher und mehr zur Seite das zweite ein. Dann erklomm er das erste und befestigte noch höher das dritte. So hatte er sich eine Art Treppe bis zum ersten Aste gebildet und band nun seinen Strick sorgfältig an diesem fest. Dem Beobachter schien eine Ahnung aufzugehen, und mit zwei Sprüngen war er über die Lichtung weg und unter dem Baume. »Halt, Mannel!« rief er, »was willst d' denn da machen?«

Der andere warf einen Blick hinab und fuhr ruhig in seiner Arbeit fort.

»Mich aufhängen«, sagte er gleichmütig.

»Bist d' denn rapplig? hab's halt gedacht!« schrie der erste eifrig, sprang wie ein Eichhorn die eingekeilten Stufen hinan und gab dem Obenstehenden, ehe dieser sich eines Überfalls versah, einen Stoß, daß er, einen Augenblick sich am Stricke erhaltend, notgedrungen zur Erde springen mußte. Dann band der Angreifer den Strick los und steckte ihn in die Tasche. Der Herabgestoßene schien noch nicht recht zu wissen, wie ihm geschehen, und erst als jener vor ihm stand und ihn an beiden Armen rüttelte, zu sich selbst zu kommen.

»Verdammter, verflikschter Kerl!« eiferte der erste, »warum

willst d' denn so was tun? Die Sünde kannst d' dernach nicht wiedergutmachen, was hast d' denn?«

»Kein Brot, kein Geld, Hunger in den Kaldaunen, wie 'n grimmiger Oderwolf, a Hannel todkrank im Bette und seit vorgestern kein Brinkel für sie«, grollte Wilhelm fast mehr für sich, »'s ist sowieso alle, und ich mag's nicht mehr ersehn, laßt mich los!« rief er und versuchte sich frei zu machen, aber der andere hielt ihn mit starker Faust fest.

»Bist d' denn ganz dumm? so wird's doch nicht besser«, sagte er und sah einen Augenblick kopfschüttelnd die verstörte, hohlwangige Gestalt an. »Komm mit«, fuhr er fort, »ich will dir was geben, für dich und dein Mädel, und dernach will ich dir eine Geschichte verzählen, daß du nicht wieder ans Aufhängen denken sollst.« Wilhelm sah ihn an, als begreife er ihn nicht, der andere aber nahm ihn beim Arme und führte ihn ohne Mühe mit sich weg.

Da, wo das Dorf in einzelnen zerstreuten Hütten ins Gebirge ausläuft, steht an einem Abhange ein kleines Häuschen; dort wohnte Friedel, der Hans Sachs der schlesischen Weber, und wenn auch keines seiner Lieder gedruckt, nicht einmal niedergeschrieben wurde, so sang doch, da sie sämtlich bekannten Volksmelodien angepaßt waren, das ganze Gebirgsvolk seine teils wehmütigen, teils spottenden Verse. Er war selbst Weber, seitdem aber des Lohnes zu wenig und der Not so viel geworden, hatte er seinen Webstuhl zusammengeschlagen, und niemand wußte eigentlich recht, wovon er jetzt lebte. Daß er arm, recht arm war, sah man an allem, dennoch half er überall, so gut und soviel er konnte, und nur die Fabrikanten, die er fortwährend in Prosa und Versen geißelte, waren seine ausgemachten Feinde. Alles dies hatte ihm eine kleine Berühmtheit, ja selbst ein gewisses Übergewicht über seine Kameraden verschafft, und das Wort, das er aussprach, galt und bestimmte die allgemeine Meinung. – In dieses Häuschen trat Wilhelm mit seinem Begleiter, und wir haben in letzterem den Besitzer vor uns.

Friedel schloß die Tür und hieß seinen Gefährten sich niedersetzen. In einer dunklen Ecke des Hausflurs lag ein Haufen Reisig und Stroh; dies räumte er beiseite, griff in ein darunter verborgen gehaltenes Loch und brachte zwei wilde Kaninchen zum

Vorschein. Die Schlinge um den Hals des einen ließ auf seine Todesart schließen. Mit einer wahren Meisterschaft begann er jetzt das Abbalgen, warf nach dessen Beendigung die Felle in den unterirdischen Raum zurück und verbarg diesen wieder sorgfältig unter seiner früheren Bedeckung. Das Fleisch verwahrte er in einem alten Sacke und reichte es dem verwundert zuschauenden Wilhelm.

»Da hast du was«, sagte er, »Brot hab' ich selber nicht. Wenn's alle ist, komm in der Mittagsstunde wieder her. Nu geh und vergiß nicht, was ich dir gesagt habe.«

Wilhelm trabte nach Hause, seine Augen glänzten, ihm war wunderseltsam zumute. Erst als er wieder in die Stube trat, wo sein Hannel, wie eine umgebrochene, schon verwelkte Lilie, todmatt, mit geschlossenen Augen lag, trat die Gegenwart wieder grell vor ihn hin. Was seine ahnende Seele vorhergesagt, war schneller hereingebrochen, als er es selbst geglaubt. Hanna war, noch ehe sie aus dem Bereiche des Verderbens hatte fliehen können, vor Schrecken, Gram und Entbehrung bis ins innerste Leben vernichtet, niedergeworfen worden, die Kinder bettelten auf den Straßen umher, und er hätte, ohne die rettende Hand, im Gebirge an einem Baume gehangen. Er konnte sich bei dem letzten Gedanken eines frostigen Schauers nicht erwehren.

Das Feuer prasselte unter dem gefüllten neuen Topfe, und Wilhelm trat auf den Zehen zu dem Lager seines Mädchens.

»Ich hab' was, Hannel«, flüsterte er in ihr Ohr, »du kriegst schöne Suppe, bis du wieder gesund wirst, und die Herren müssen bessern Lohn geben, 's arbeit't Niemensch mehr, und tun sie's nicht, da holen wir uns selber, was unser gehört. 's wird wieder gut, und dernach können wir uns heiraten; hörst du's, Hannel!«

Die Kranke öffnete matt die Augen, begegnete seinem Blicke, und es glitt über ihre Züge wie der Sonnenblick an einem trüben Herbsttage. Dann fielen die Augenlider wieder zu. Wilhelm aber setzte sich an das Feuer, und bald waren trotz Hunger und Kummer seine Gedanken nur bei dem, was Friedel auf dem Wege zu ihm gesprochen; immer heller wurde sein Blick, unwillkürlich ballten sich seine Hände, und mit einem derben Schlage auf das eigene Knie fuhr er auf, als der Topf zischend überlief und seine Tätigkeit wieder in Anspruch nahm. Sorgfältig abgekühlt brachte er in einem vorhandenen Näpfchen seinem Mädchen die kräftige Brühe, half der Kranken behutsam in die Höhe und führte das Gefäß selbst an ihren Mund; aber nur zwei gierige Züge tat sie, dann überlief ein innerer Schauder ihren ganzen Körper, sie winkte die Labung heftig von sich und sank zurück. Wilhelm stand mit unendlich traurigem Gesichte da und wußte nicht, was er tun sollte. »Aber lieb, gut Hannel«, fragte er endlich und kniete, wo ihr Kopf lag, nieder, »was soll denn werden? Du kannst doch nicht verhungern wollen? Hannel, was willst d' denn haben?« Aber das Mädchen antwortete nicht, ihre Brust arbeitete heftiger, die eingefallenen Wangen fingen an, sich zu röten, ihre Pulse begannen heftiger zu klopfen, bald glühte der ganze Körper in unnatürlicher Hitze, während vor innerem Froste die Glieder bebten.

Wilhelm war aufgesprungen und beobachtete mit steigender Angst, wo er doch nicht zu raten noch zu helfen wußte. »O Jemersch, Jemersch«, rief er, in der Stube auf- und ablaufend und die Hände gegen die Stirn drückend, »was hilft mir's denn dernach alles, wenn a Hannel stirbt?!«

Er setzte sich wieder neben das Lager und sah das Steigen und Abnehmen des Fiebers, das mit kurzen Zwischenräumen den Abend und die ganze Nacht hindurch währte; er hatte den Topf, mit frischem Wasser gefüllt, neben sich gestellt, damit er sogleich das Bedürfnis der Kranken befriedigen konnte; er hatte kaum einige Bissen des Fleisches zu sich genommen und das übrige den heimkehrenden Kindern überlassen; die erneute Sorge hatte alle andern Gedanken, Hunger und Schlaf vertrieben, und erst als die frühen Strahlen des Morgenrots durch die Fenster schienen, als Hanna, still wie eine Tote, kaum merkbar atmend, dalag, fielen ihm die Augen zu.

Wieder waren einige Tage verstrichen. In dem Wohnhause der Fabrikherren herrschte eine stille Spannung. Eins suchte dem andern ein sorgloses Gesicht zu zeigen, und dennoch konnte keinem die Gedrücktheit, die auf allen Gemütern lastete, entgehen.

Es wollte Abend werden. In dem Familienzimmer saß der ältere Fabrikbesitzer auf dem reichen Sofa und hatte den Kopf in die Hand gestützt, neben ihm seine Frau, mit einer Stickerei beschäftigt. Alfred, mit Sporen und Reitpeitsche wie immer, stand am Fenster und sah finster die Straße hinab, die sich von dieser Seite des Gebäudes vor ihm auftat. Keines sprach ein Wort, nur das monotone Picken der prachtvollen Pendule war hörbar.

»Kommen sie wieder?« unterbrach jetzt die Stickende die peinliche Stille, unruhig von ihrer Arbeit aufsehend.

»Es scheint so«, murrte Alfred, indem sich sein Gesicht noch finsterer umzog. »Dort kommen sie um die Ecke«, setzte er hinzu und stampfte den klirrenden Fuß grimmig auf den Boden.

Ein lauter, roher Gesang, der sich von Minute zu Minute verstärkte, ward hörbar; es war die alte schlesische Volksmelodie: ›Es liegt ein Schloß in Österreich‹, die aber jetzt eine ungeahnte, aufregende Kraft haben mußte, denn immer wilder wurde der Gesang, zu tollem Johlen und Brüllen begann er sich an einzelnen Stellen zu steigern, und der Zuhörer, der den Blick auf die Heranziehenden warf, mußte unwillkürlich an das ›ça ira, ça ira‹ der französischen Volksmassen denken. Die Frau war an das Fenster gesprungen und sah, hinter den Gardinen verborgen, mit angstvollem Blicke die Straße entlang. Ein Menschenhaufe, einige Hundert stark, Männer und Weiber, wälzte sich unter fortwährendem Schreien und Singen auf das Fabrikgebäude los, man konnte schon deutlich die Worte des der Melodie untergelegten Textes verstehen.

»Es ist im Ort hier ein Gericht,
Weit schlimmer als die Femen,
Wo man nicht erst das Urteil spricht,
Das Leben schnell zu nehmen.
Hier wird der Mensch zu Tod' gequält,
Hier ist die Folterkammer,
Hier werden Seufzer viel gezählt
Als Zeugen von dem Jammer.
Ihr Schurken all', ihr Satansbrut,
Ihr höllischen Dämone,
Ihr freßt der Armen Hab' und Gut,
Und Fluch wird euch zum Lohne.
Ihr seid die Quellen aller Not,

Die hier den Armen drücket,
Ihr seid's, die ihr das trock'ne Brot
Noch von dem Mund' ihm rücket!«

So klang es in wütender Begeisterung näher und immer näher heran. Alfred ergriff den Klingelzug und gebot dem eintretenden Diener, die Türen zu schließen. Die Vorsicht war jedoch unnötig. In kleiner Entfernung vom Hause machte die Masse halt, der Gesang verstummte, aber ein unbändiges Schreien und Schimpfen brach an seiner Stelle los; Hunderte von geballten Fäusten streckten sich nach dem Fenster empor, wo Alfred bemerkt worden war, Verwünschungen, Flüche und Drohungen flogen hinauf, bis die Kehlen sich heiser geschrien und der Haufe sich ohne weitere Gewalttat, aber unter dem fortwährenden Rufe: »Morgen, morgen!« zerstreute.

Während der ganzen Zeit hatte Alfred, nicht von seinem Platze weichend, das Auge unverwandt auf der tobenden Menge ruhen lassen. Ihm war wieder der drohende Blick begegnet, der ihn schon einmal in der Kirche getroffen hatte, Friedels Blick, und neben diesem hatte er Wilhelm, den Wütendsten von allen, bemerkt. Jetzt wandte er sich vom Fenster und maß schweigend und mit großen Schritten das Zimmer.

»Sie sind einmal wieder fort«, begann der ältere Herr, sich von seinem Platze erhebend, »wird's aber immer so abgehen? Wenn sie nun frecher werden und, auf ihre Überzahl pochend, ins Haus dringen, wären wir nicht jeder Gewalttat ausgesetzt und wäre es nicht besser, wir brächten jetzt ein kleines Opfer, um vielleicht unabsehbarem Unglücke vorzubeugen?«

Alfred drehte sich rasch um, sein Auge blitzte. »Wen meinst du? Das armselige, erbärmliche Webervolk? Dem willst du den Triumph gönnen, uns ins Bockshorn gejagt zu haben? Sieh, ich will mich lieber von diesen Kanaillen in Stücke reißen lassen, als mir sagen zu müssen, nur ein Haar breit *gezwungen* gewichen zu sein, *ertrotzen* will und werde ich keinen Pfennig lassen, und übrigens gebe ich dir die Versicherung, daß, wenn selbst das Undenkbare möglich werden und die feige Gesellschaft eine Gewalttat versuchen sollte, ich allein mit Hilfe meiner Reitpeitsche den ganzen Haufen in Respekt erhalten wollte, ich kenne meine Leute!« Er bekräftigte den letzten Satz mit einem Schwunge der Gerte, daß sie pfeifend die Luft durchschnitt.

»Alfred«, sagte die Gattin des älteren Herrn, »Sie scheinen zu vergessen, was ein aufgewiegelter Haufe in seinem blinden Wahne vermag – in seiner Verzweiflung, nannte es Klara, die mir etwas Ähnliches schon vor einiger Zeit voraussagte.«

»Klara also«, sagte der junge Fabrikherr, sich finster wegdrehend, »so ist es, wenn Damen Dinge lesen, über die sie ebensowenig ein Urteil haben als oft der Verfasser selbst. Da hat ein Skribent als erstes Ei einen Wisch in die Welt gesetzt und erhebt darin ein Geschrei über die Not der schlesischen Weber. Es ist pikant, man liest es, den Damen empört sich ihr sogenanntes Gefühl, die Männer schütteln die Köpfe, und keiner weiß, was es eigentlich heißt, ein großer Fabrikant zu sein und wie einem solchen zumute ist. Wenigstens hätte mir Klara glauben sollen, – nun ist es gut, daß sie fort ist, sie hätte mich noch zu Nachgiebigkeiten verleitet, die ich nie vor mir hätte verantworten können. – Mag jetzt die Welt und noch ein Dutzend Federhelden sprechen und schreiben, was sie wollen, ich sage: die Kanaillen sticht der Hafer, sonst würden sie nicht revoltieren, und ich will ihnen den Brotkorb so hoch hängen, daß sie, für ihre Frechheit büßend, mir winselnd zu Füßen fallen sollen. Zu Ihrer Beruhigung indessen«, fuhr er, sich gegen die Dame wendend, fort, »werde ich Vorsichtsmaßregeln treffen und unsere sämtlichen Leute bereithalten lassen; wahrscheinlich wird ihre Hilfe nicht nötig werden.« Er verließ klirrenden Schrittes das Zimmer.

Die Frau sah ihren zurückgebliebenen Mann fragend an; dieser zuckte die Achseln. »Was soll ich tun?« sagte er, »Gegenvorstellungen machen ihn nur noch hartnäckiger und allein vermag ich nichts. Mag er die Folgen verantworten.«

Die Frau stützte, von böser Ahnung beschlichen, den Kopf seufzend in die Hand. – –

Kurze Zeit nach diesen Vorgängen erzählten die öffentlichen Blätter folgendes:

›Am 4. Juni nachmittags bewegte sich ein Zug von einem halbtausend Weber nach dem Fabrikgebäude und verlangte vor den Fenstern desselben höhern Lohn; statt der Antwort schickte der Herr sein Gesinde, mit Stangen und Prügeln bewaffnet, unter die Menge, während aus den Fenstern Steine geworfen wurden. Das Handgemeng begann, die Dienerschaft wurde mit blutigen Köpfen heimgeschickt, und das Werk der Zerstörung nahm seinen Anfang; schnell waren alle Fenster des palastartigen Gebäudes zertrümmert, die Tore und Türen gesprengt, und die Menge stürzte wie ein Gebirgsstrom in die Wohnungen selbst ein. Das Schauspiel, welches nun folgte, ist kaum zu schildern. Die sich in die Schreibstube und das Lager stürzende Menge bemächtigte sich aller darin vorhandenen Papiere und Sachen, um sie zu vernichten. Alle Bücher, Handels- und Geldpapiere wurden zerrissen und ins Wasser geworfen, die Waren samt dem in den aufgebrochenen Kassen sich vorfindenden Gold und Silber auf die Straße geschleudert, wo alles, was der Vernichtung zugänglich war, von dem sich stündlich mehrenden Volke unbrauchbar gemacht wurde. Dann ging es an die Zertrümmerung allen Hausgeräts und dessen kostbaren Gehalts. Kleider, Juwelen, Schmuck, Glas- und Silbergeschirr wurden teils zertrümmert, teils entwendet.

Während die Zerstörung in vollem Gange war, kam der Geistliche des Orts in seiner Amtstracht herbei und suchte den empörten Haufen von fernerer Verwüstung abzuhalten, und da er seines Charakters und seiner Pflichtmilde halber hoch in Ansehen stand, so gelang es ihm auch wirklich, und die Menge, zufrieden mit dem Vollbrachten, ließ nach und zerstreute sich, nachdem schon früher alle Versuche der polizeilichen Gewalten mißglückt waren. – Den Fabrikherren mit ihrer Familie war es gelungen, sich verborgen zu halten, jetzt bewerkstelligten sie ihre Flucht.

Aber die Kunde von dem Aufstande war weit in die Runde gedrungen, schon um 7 Uhr langten Massen von Webern aus Langenbielau an, und mit diesen vereint begannen die Weber des Orts die völlige Plünderung und Demolierung des Etablissements; alles bis auf die Mauern sowie die sämtlichen Maschinen wurden in Stücke geschlagen. Die Ermahnungen des Geistlichen und anderer angesehener Männer halfen jetzt nichts, sie mußten, von Hohn und Steinwürfen empfangen, flüchten; die in den Kellern vorgefundenen Flaschen und Fässer waren größtenteils geleert worden, dies und die Absingung des schon früher erwähnten

Liedes bliesen den Sturm immer neu an, der erst endete, als die Nacht hereinbrach und es nichts mehr zu zerstören gab.

Es war früh am Mittwoch, als sich der Haufe nach Langenbielau in Bewegung setzte. Dort begann die Zerstörung bei den ersten Häusern einiger kleiner Fabrikanten, bei der Nachricht aber, daß Militär im Anzuge sei, zog man sich im Dorfe hinauf und fiel einige größere Etablissements an. Hierbei beschäftigt, rückte das Militär ein, die Volkshaufen rotteten sich zusammen, das Lied brauste auf, und als der Anführer der Truppen gegen die Menge ansprengte, warfen sich einige der vordersten Weber auf ihn und suchten ihn vom Pferde zu reißen. Jetzt ward scharf gefeuert, die beiden wütendsten Angreifer stürzten und der Kampf ward allgemeiner. Trotzdem mehrere volle Ladungen gegeben wurden, trotzdem viele in der Menge fielen, wich diese doch nicht, und die Truppen zogen sich zurück. Erst nachdem Verstärkungen an Kavallerie und Artillerie eingetroffen, gelang es, die Bewegung zu brechen und die Fabriken zu besetzen. Die Haufen zerstreuten sich, und die am nächsten Tage umherziehenden starken Patrouillen stellten langsam die Ruhe wieder her.‹ –Soweit der Artikel.

Die Weber hatten ihre Gefallenen beiseite geschafft; zu den meisten fanden sich Angehörige aus der Masse der mitgelaufenen Frauen und Kinder. Zwei aber lagen noch, von niemand erkannt, von niemand vermißt, neben einer Hecke da, als sich schon die Haufen verlaufen hatten. Die Nacht kam und verbarg sie, und erst als am andern Morgen eine neue Rotte Weber vorüberzog, rief einer von ihnen, die Toten wahrnehmend: »Jemersch, da liegt a Friedel!«

»A Friedel!« wiederholten die übrigen, mit Äußerungen des Erstaunens und Bedauerns die Körper umringend. Es mochte sie gleichzeitig *ein* Gedanke durchdringen, denn wie auf ein gegebenes Wort bogen sie sich nieder und hoben den Erkannten auf, ihn hinwegzutragen. Mehrere hatten auch den andern Leichnam in einer Gefühlsregung ergriffen, und als sich nun der Zug die Straße hinab in Bewegung setzte, stimmte einer mit heller Stimme an: »Es ist im Ort hier ein Gericht«, brausend fiel der Chor ein, und so trugen sie den Dichter langsam durch das Dorf, ihm mit seinem eigenen Liede das Grabgeleite gebend. Der zweite aber, den die Bielauer nicht kannten, Friedels unzertrennlicher Gefährte bei dem ganzen Aufstande, bis sie beide die Kugeln zu Boden gestreckt, war Wilhelm.

Der größte Teil der Aufrührer war, als sie ihr Werk verloren sahen, ins Gebirge geflohen; man durchsuchte die Häuser nach Versteckten. Als das kleine Haus, was dem alten Rake gehört hatte, an die Reihe kam, fand man nur die Leiche eines jungen Mädchens darin. Neben dem Lager stand ein Topf Wasser und einige bereits in Gärung übergegangene Fleischüberreste.

Bei späterer Verfolgung der Geflüchteten wurde auch eine Anzahl umherirrender Kinder aufgegriffen; es läßt sich vermuten, daß Heinerle und Liesel sich darunter befanden.

Louise Otto
Schloß und Fabrik (Auszug)
1846

Louise Otto (1819–1895) ist bekannt als frühe Verfechterin der deutschen Frauenbewegung, als Gründerin einer der ersten, stark politischen deutschen Frauenzeitungen (1849) und als Mitbegründerin des ›Allgemeinen Deutschen Frauenvereins‹ (1865). Weniger bekannt ist sie als Schriftstellerin, trotz eines umfangreichen Gesamtwerks.

Ihr Roman ›Schloß und Fabrik‹ wurde lange nicht wiederentdeckt. Obwohl davon auszugehen ist, daß Louise Otto die Publizistik ihrer Zeit gut kannte und damit auch die Berichterstattung über die Weber-Revolte, zeichnet sich der Roman weder durch besondere Nähe zu den realen schlesischen Verhältnissen aus, noch durch den Versuch, die soziale Frage zu analysieren. Vielmehr enthält er eine Reihe von Szenen, wie die hier abgedruckte, die ein von bürgerlichen Traditionen geprägtes Empfinden gegenüber der neuen industriellen Welt erkennen lassen. Zwar sollen die Fabriken und das durch sie verursachte Leid angeprangert werden, doch wird das Fabrikwesen mehr als Bedrohung der gewohnten bürgerlichen Lebensweise betrachtet denn als Anlaß, die soziale Frage zu untersuchen.

In dem nachfolgenden Kapitel begegnet die Internatsschülerin Pauline Felchner zum ersten Mal einer Fabrik ihres Vaters, von der sie bisher aufgrund eines Bildes sehr idyllische Vorstellungen hatte. Die Konfrontation mit der sozialen Wirklichkeit desillusioniert sie. Im weiteren Verlauf des Romans versucht Pauline Felchner, gemeinsam mit ihrem Verlobten, durch Mildtätigkeit und durch Gespräche mit den Arbeitern einen Aufstand abzuwenden, was ihnen nicht gelingt: Sie sterben im Kugelhagel des Militärs.

›Beratung‹. Blatt 3 aus dem Zyklus Weberaufstand von Käthe Kollwitz

Ein Empfang

›Oh, meiner Mutter blasse Wangen –
Im ganzen Haus kein Stückchen Brot!
Der Vater schritt zu Markt mit Fluchen – ‹
Ferdinand Freiligrath[27]

Das Jahr hatte sich seinem winterlichen Ende genaht. Elisabeths sehnlichster Wunsch war, aus dem Institut, in dem ihr der Aufenthalt, nachdem es Thalheim[28] verlassen, unerträglich schien, sobald als möglich zu scheiden. Ihre Eltern hatten diesen Wunsch erfüllt. Sie verließ die Residenz zu Weihnachten mit Paulinen zugleich.

Aber sie reisten in verschiedenen Wagen und zu verschiedenen Stunden ab. »Vielleicht«, sagte Pauline beim Scheiden, »vermögen wir uns in der ersten Zeit nicht wiederzusehen. Wir wollen uns aber ein großes Zeichen unsres Einverständnisses geben, ein Zeichen, das unsere ganze Umgebung sehen soll. Wir wollen am Christmorgen die armen Kinder bescheren, du die des Dorfes, ich die unsrer Fabrik. Willigst du ein?«

»Von ganzem Herzen – es würde Tahlheim freuen, wenn er unsern Entschluß ahnen könnte –, aber wir werden uns bald wiedersehen, wir werden einander bleiben, was wir uns bisher gewesen sind.« Die Freundinnen fielen einander noch einmal in die Arme, und Pauline fuhr zuerst davon, bald folgte auch Elisabeth.

Pauline atmete frei und leicht auf, als sie die Residenz hinter sich hatte. Sie hatte dort außer Elisabeths Freundschaft, welche ihr doch auch erst in der letzten Zeit zuteil ward, nichts als Kränkungen erfahren, sie hatte sich überall zurückgesetzt gesehen – nur weil sie aus bürgerlichem Stande war. Nun war sie geschützt gegen all die bittern Wirkungen dieser festsitzenden Vorurteile, denn das traute Vaterhaus erwartete sie. Wie sehnte sie sich nach dem heitern Frieden dieses ländlichen Lebens, wie freute sie sich, in die Arme ihres teuern Vaters zu fliegen, den sie so lange nicht gesehen hatte. Mit welcher Zärtlichkeit und Umsicht gedachte sie seinen Wünschen nachzukommen, wie wollte sie sein Alter erfreuen und erheitern!

Seit ihren Kinderjahren war sie nicht wieder in die Fabrik des Vaters gekommen, wenn auch dieser selbst sie hier und da besucht hatte. Sie besaß ein großes Bild von dieser Fabrik. Wie schön erschien darauf das von Bäumen umgebene palastartige Wohnhaus, daneben die nicht minder großen Gebäude mit den vielen hohen, hellen Fenstern, hinter denen viele Maschinen und Hunderte von Menschen arbeiteten! Wie malerisch nahmen sich auf diesem Bilde die Hütten aus, welche die Arbeiter bewohnten und in der Mitte des hofartigen Platzes der kleine Turm mit der Uhr, welche man weithin sehen konnte, und der großen, freischwebenden Glocke. Auch ein prachtvoller Garten mit Terrassen blühender Blumen und seltener Bäume fehlte nicht. ›Und dieser reizende Aufenthalt‹, dachte Pauline, ›wird mein bleibender Aufenthalt sein, ist meine Heimat! Wie glücklich werde ich sein!‹ – Jetzt freilich war es Winter, wie sie ankam. Sie reiste allein, ihr Vater und ihr ältester Bruder hatten nicht Zeit gehabt, sie abzuholen. Ihr jüngerer Bruder wurde selbst erst später erwartet. Es tat ihr doch leid, daß der Vater keine Zeit hatte für sein Kind, das er so lange nicht gesehen, doch sie dachte, es müsse wohl einmal so sein, und beruhigte sich dabei. – Sie hatte einen Tag lang zu fahren. Es war Abend geworden, als sie auf der Höhe ankam, von welcher aus sie die Fabrik zuerst konnte liegen sehen.

»Da«, sagte der Kutscher und zeigte auf die seitwärts liegende Ebene, in welche sie jetzt einen Blick tun konnten.

»Dort ist das Haus des Vaters!« rief Pauline jubelnd, klopfte fröhlich in die kleinen Hände, und eine Träne der Rührung und Freude fiel aus ihren Augen. »Aber was ist denn das?« sagte sie nach einem Weilchen, als sie genauer hingesehen hatte, »so helles Licht kann doch nicht in allen Zimmern sein? Und sogar draußen die Terrassen schimmern hell, und am Himmel breitet sich ein lichter Schein über das Ganze aus.«

»Ei, ja doch«, sagte der Kutscher, »der Herr Vater hat Ihretwegen illuminieren lassen. Das nimmt sich ganz schön aus!«

»Der gute, liebe Vater, wie lieb er mich haben muß!« sagte Pauline immer fröhlicher und gerührter.

»Ja, er hat es sich etwas kosten lassen, Sie recht großartig zu empfangen«, versetzte der Kutscher wieder.

Sie hatten nur noch eine kleine halbe Stunde zu fahren – dann fuhren sie an den ersten Häusern vorbei, welche von Fabrikanten[29] bewohnt waren.

»Da kommt sie!« rief eine Schar versammelter Kinder und näherte sich mit Hallogeschrei dem Wagen.

»Macht keinen solchen Lärm!« sagte eine barsche Männerstimme.

»Lassen Sie den guten Kindern immer ihren Spaß«, sagte Pauline zu dem Wagen heraus, der jetzt langsam fuhr, damit die Pferde vor dem nahen Lichtglanz sich nicht scheuen mögten. »Lassen Sie die Kinder, ich freue mich, wenn sie mich mit solchem Jubel empfangen.«

Ein grobes, bittres Gelächter antwortete diesen Worten, es klang Paulinen so unheimlich und widerwärtig, daß sie sich beinah erschrocken in eine Wagenecke zurückzog.

»Halt 's Maul, Kanaillen!« antwortete der Kutscher auf dies Gelächter und knallte drohend mit der Peitsche.

Pauline erschrak vor diesen derben Redensarten ebensosehr wie vor dem Gelächter und wünschte um alles, bald vor dem Wohnhaus zu halten. Bis dahin war aber immer noch ein gutes Stück zu fahren.

Ein paar zerlumpte Frauen, die eine von ihnen ein schreiendes Kind auf dem Arm, saßen auf einem Stein, an dem der Wagen nahe vorbeikam. Eine Rakete stieg als Zeichen der Ankunft vor dem Turme auf, und die Glocke wurde geläutet.

»Gar noch Feuerwerk!« sagte die eine der Frauen. »Machen's denn die Lichter nicht hell genug, unser Elend zu beleuchten?«

»Das ist doch wahrer Spott«, versetzte die andre, »läßt sein sündhaft erworbnes Geld lieber in Feuerkugeln aufgehen, als daß er sich unsrer Not erbarmte.«

»Laßt's nur gut sein, Else«, sagte ein zerlumpter Mensch, der hinzutrat, »der Feuerstrahl schreit für uns um Rache zum Himmel auf. Und mag sich der Himmel nicht erbarmen, nun zum Teufel auch, wir haben ja Fäuste! Sind schwielig von der Arbeit geworden, werden schon gut dreinschlagen können.« Und er schwang die Arme drohend in der Luft. Weiter fuhr er fort: »Das sag ich, Else, wenn dir der Wurm auch noch verhungert an der Brust wie die andern, die auf dem Kirchhof liegen – da seh ich nicht mehr mit ruhig zu.«

Pauline hörte das alles mit Grausen. Schrecken und Angst erfaßte sie. Sie riß hastig den Geldbeutel aus ihrer Tasche, nahm das Geld, was sich darin befand, heraus, ein paar Taler in kleiner Münze, und warf es zum Wagen heraus:

»Nehmt, nehmt, wenn ihr wirklich so arm seid, und seid nicht böse, wenn es nicht mehr ist!« rief sie hinaus mit ihrer kindlichen, von noch nie empfundnem Schauer bebenden Stimme.

Sie hörte nur noch, wie die Leute mit einem tierischen Freudengeschrei sich nach dem Gelde bückten, dann darum schlugen und zankten. Sie drückte den Samthut fester an ihre Ohren, um nur diese rohen Stimmen nicht länger zu vernehmen. »Sind wir denn noch nicht vor dem Haus?« rief sie vor Angst ungeduldig dem Kutscher zu. »Wir wollen doch schneller fahren.«

Ein Betrunkner wankte noch vorbei und sang ein freches Lied. »Fahr zu, Kutscher!« rief Pauline außer sich.

»Nun, was ist's denn weiter?« sagte der Kutscher kopfschüttelnd. »Das Fabrikvolk ist einmal nicht anders, so hört man's alle Tage, das werden Sie schon noch gewohnt werden.«

Endlich war das überstanden – der Wagen hielt.

Zwischen der Haustüre stand der Vater der Ankommenden. Herr Felchner war ein kleines, mumienartig zusammengetrocknetes Männchen. Seine Gesichtsfarbe war gelb, die Haut lederartig und in vielen Runzeln zusammengezogen, die Nase war ungemein spitzig und zwischen ihr und der Stirn befand sich ein tiefer Einschnitt. Die Augen lagen dicht beieinander, sie waren klein, grau und stechend und konnten, ohne gerade schielend genannt zu werden, nach beiden Seiten verschiedene Blicke auf verschiedene Gegenstände werfen. Die Augenlider zeigten in diesem fahlen Gesicht die einzige Spur von Rot auf, besonders in den Winkeln. Die Augenbrauen trafen über der Nase fast zusammen und waren buschig und grau, die Haare spielten ebenfalls aus lichtem Braun in Grau hinüber, waren nur sehr spärlich und dünn, ebenso der Backenbart, den man eigentlich nur einen Versuch dazu nennen konnte, denn in der Nähe des Ohrläppchens erschien er wie förmlich ausgerissen. Oberhalb und unterhalb dieser Stelle fanden sich aber einige Haarpartien, die jedoch mehr einzelnen Stachelbüschen glichen als einem Bart. Herr Felchner trug einen grauen, abgetragenen Überrock, auf dem die

Nähte weiß schimmerten und die Ärmelaufschläge von langem Gebrauch spiegelhaft glänzten, jeder seiner Knöpfe war gewissenhaft zugeknöpft vom obersten bis zum untersten Knopf, den dritten ausgenommen, weil das zu diesem gehörige Knopfloch ausgerissen war. Ein beschmutztes, bis zur Schmalheit eines Strickes zusammengedrehtes Halstuch von weißer Leinwand befand sich unter dem spitzen Kinn, die dürren Beine umgaben weit umschlotternde Beinkleider, welche nur bis zum Knöchel reichten, grauwollne Socken und ein paar buntgestickte Schuh, an deren einem sich der Lederbesatz an der rechten Seite widerspenstig von dem bunten Zeug getrennt hatte, so daß er noch wie eine zweite verschobene oder zu breite Sohle erschien. Dies war das vollständige Bild eines Mannes, dessen Vermögen man nicht mehr nach Tausenden, sondern nach Millionen zählte, welcher neben dieser Fabrik, die er selbst bewohnte und verwaltete, noch im Ausland große Fabriken besaß, und dessen Reichtum Tausende von Menschen, denen er Arbeit und Elend zugleich gab, zu weißen Sklaven erniedrigte. Das war der Mann, welcher eine von solcher ahnungslosen reinen Kindlichkeit, einem so heitern Vertrauen für die Menschen und das Leben erfüllte, mit einem so warm für alle Menschen, für all ihr Glück und ihre Not schlagenden Herzen begabte Tochter besaß wie Pauline.

»Guten Abend, mein Kind!« sagte er munter und zärtlich, als Pauline rasch aus dem Wagen in den Hausflur sprang und sich in die Arme des harrenden Vaters warf. »Guten Abend, mein liebes Kind! Aber du siehst mir ja ganz erfroren und blaß aus, bist du nicht warm angezogen? 's ist ja eben für eine Dezembernacht gar nicht kalt. Nun komm nur herein in die Stube, da wird dir schon warm werden, oder willst du, ehe wir essen, erst oben in deinen Stuben ablegen, mein Püppchen?«

»Nein, das ist nicht nötig«, sagte Pauline.

»Nun, so komm nur herein, Kind, du zitterst ja am ganzen Leibe!« Und der Vater schob sie in die große Stube im Erdgeschoß, wo der Tisch gedeckt war. Warum sie so zitterte und so blaß aussah, konnte er freilich nicht wissen.

Die große Stube war einfach eingerichtet, besonders trugen die Dielen Spuren von vielen schmutzigen Stiefeln. An der Öffnung, aus welcher der heiße Luftstrahl der Dampfheizung hereinströmte, stand Georg, Paulinens ältrer Bruder, und ließ sich den heißen Strom an den Rücken wehen. Sie lief auf ihn zu und umarmte ihn. Er erwiderte den Gruß kalt, und als sie freundlich zu ihm sagte: »Nun, wie geht es, lieber Bruder? Wir haben uns lange nicht gesehen!« antwortete er finster:

»Wie soll's gehen? Es sind schlechte Zeiten, da weiß man wohl, wie's gehen kann!«

»Was meinst du?«

»Nichts als Ärger den ganzen Tag mit dem verfluchten Pack, das bald von der Arbeit laufen, bald höhern Lohn verlangen will, und noch Gesichter schneidet, wenn man ihm viel Geld oder gute Waren[30] auszahlt für Pfuscharbeit.«

Pauline wandte sich an den Vater, der sich schon an die Tafel gesetzt und sie neben sich gewinkt hatte: »Lieber Vater, laß doch die vielen Lichter auslöschen – es blendet so, ich bin ja nun da.«

»Sie können immerhin noch ein Weilchen brennen, damit die Leute sehen, wie ich mein Kind empfange«, sagte Felchner schmunzelnd.

»Und brennen sie mir zu Ehren«, fiel ihm die Tochter wieder ins Wort, »so wollen wir sie heute auslöschen und noch an einem andern Tage für mich anzünden.«

»Nun, meinetwegen, laß sie brennen oder auslöschen, aber jetzt wird gegessen.«

Georg setzte sich neben Felchner, Pauline stand noch einmal auf und rief zur Türe hinaus: »Wer die Lichter angezündet hat, soll sie wieder auslöschen, die Illumination ist vorbei.« Dann setzte sie sich wieder auf den vorigen Platz. In demselben Augenblick läutete draußen die Glocke, es war sieben Uhr, und damit ward das Zeichen zum Abendessen gegeben. Der Tisch war noch für acht Personen gedeckt. Es waren die unverheirateten Faktoren und Buchhalter Felchners, welche bei ihm den Tisch hatten. Sie traten rasch und geräuschvoll ein, mit einer stummen Verbeugung vor Paulinen, und nahmen stumm ihre Plätze ein. Pauline sah sie verstohlen der Reihe nach an, wie sie hastig zulangten und unbeschreiblich schnell aßen, mit Messer und Gabel auf Teller und Tisch klirrend. Es waren noch einige junge Leute unter ihnen, aber alle hatten mürrische, halbvertrocknete, teilnahmslose Gesichter, in deren Falten es war, als ob lauter Zahlen verzeichnet stünden. Dieses stumme Essen, wobei keiner auf den anderen Rücksicht nahm, keiner dem anderen irgendeinen tischnachbarlichen Dienst erwies, hatte für Paulinen etwas Befremdendes, Widerliches, ja es kam ihr sogar tierisch vor. Die Stille bei Tische war ihr namentlich peinlich. Felchner ließ jetzt einige Weinflaschen die Runde den Tisch hinab machen, indem er dabei sagte: »Wir wollen die Ankunft meiner Tochter feiern.«

Das war das einzige Wort, womit er diese den Anwesenden vorstellte. Diese machten als Antwort darauf einige hastige Bewegungen mit Schultern und Köpfen, Bewegungen, welche wohl dankende Verneigungen vorstellen mochten, schenkten sich ein, tranken aus, standen dann auf, schoben geräuschvoll die Stühle zurück, und indem einer nach dem andern zur Türe hinausging, murmelte jeder halb unverständlich:

»Ich wünsche wohl zu schlafen!«

Der Fabrikherr und sein Sohn antworteten mit einem einzigen halbverschluckten »Gleichfalls«.

Auch Pauline erhob sich und sagte zu dem Vater: »Kann ich nun nicht mit dir in deine Stube gehen?«

»In mein Comptoir, Kind? Was wolltest du dort?«

»Nein, in deine Stube, wo du dich aufhältst, wenn du nicht arbeitest, oder in die Wohnstube, wo wir noch oft zusammensitzen und traulich plaudern werden!«

»Nun, wenn ich nicht mehr arbeite, bin ich in dieser Stube hier, es ist meine und deine Wohnstube.«

Die Magd räumte eben lärmend ab. Der Kutscher trat ein und nahm aus einem an der Wand befestigten kolossalen Schlüsselschrank ein Bund klirrender Schlüssel, mit dem er wieder hinausging, kurz nachher lief ein Faktor stumm durch die Stube in das Zimmer nebenan, holte da ein Buch heraus und ging mit demselben unter dem Arm wieder zu derselben Türe hinaus, durch welche er gekommen.

Dieses geschäftige, rücksichtslose und stumme, aber doch keineswegs stille Tun kam Paulinen so ungewohnt und wunderlich vor und machte darum einen so unfreundlichen, ja verletzenden Eindruck auf sie.

»Das ist meine Wohnstube?« sagte sie deshalb befremdet zu dem Vater.

»Nun, nun«, sagte er, »der glänzenden Stellung, welche du einnehmen sollst, wird nicht vergeben, wenn du auch manchmal in einem weniger brillanten Zimmer bist. Du findest oben die schönsten für dich, und wenn Gäste kommen, wie sie keine Prinzessin schöner haben kann. Aber für gewöhnlich ist der Luxus unbequem, und da befinde ich mich in dieser Stube ganz gut. Willst du hinauf, so mag dich deine Rieke hinaufführen, wenn du etwas auspacken und dich oben umsehen willst, du wirst auch müde sein von der Reise.«

»Ja, sehr müde und erschöpft«, sagte sie. »Aber erst hätte ich eine Bitte an dich; wenn sie nicht gleich heute von meinem Herzen herunterkommt, so kann ich nicht ruhig schlafen.« Georg hatte die Stube verlassen. Sie hing sich schmeichelnd an den Hals des Vaters, mit dem sie jetzt allein war.

»Herzensmädel«, sagte er, »ich kann dir nichts abschlagen, wenn's nur nicht wider meine Grundsätze ist.«

»Nein, das ist's gewiß nicht!« sagte sie zuversichtlich. »Ich bat dich vorhin, die Lichter auslöschen zu lassen. Erlaube mir, sie am Christmorgen wieder anzubrennen für die armen Kinder, die in unsrer Fabrik arbeiten, erlaube mir, diese armen Kleinen zu bescheren.«

Herr Felchner machte ein sehr böses Gesicht: »Das ist eine einfältige Idee, für solche Narrenspossen habe ich kein Geld, das ist wider meine Grundsätze. Geh zu Bette und träume etwas Bessers als solch dummes Zeug.«

»Liebes Väterchen«, sagte sie, »das ist nicht dein Ernst, und wäre es: Laß die Christbescherung für mich nur halb so reich sein wie voriges Jahr, und gib mir die Hälfte für die Kinder.«

»Nein, mit solchen Narrheiten richtet man bei mir nichts aus, das laß dir ein für allemal gesagt sein, ich will von solchen Possen nichts hören, das merke dir!«

Herr Felchner ging aufgeregt in der Stube hin und her, und seine Augen blinzelten und funkelten unruhig und verdrossen nach beiden Seiten, seine Nase schien noch spitziger zu werden als sie ohnehin schon war. Er nahm eine Prise und nieste mehrmals so laut, daß Pauline bei jedem Male zusammenfuhr. Sie saß zitternd in der Sofaecke und sah stumm vor sich nieder. Nach langer Pause sagte sie schnell, und man hörte an ihrer Stimme, daß sie weinte: »Wie wird sich nun die gräfliche Herrschaft über uns lustig machen. Die Gräfin Elisabeth will alle Kinder des Dorfes bescheren, um damit ihre Ankunft zu feiern, und ich soll nun zurückstehen.«

Der Fabrikherr stand horchend still: »Ist das wahr? Auch gewiß?«

»Wie könnt ich es sonst behaupten? Du wirst es erfahren, man wird die Herrschaft rühmen und uns verhöhnen.«

»Freilich, freilich, das ändert alles. Ich werde sie beschämen. Unsre Bescherung soll noch einmal so prachtvoll sein als die ihrige, du magst alles besorgen, ich will dir morgen das Geld dazu geben. Freilich, freilich, es wird mich ärgern für die nichtsnutzigen Würmer. Aber nun kann es einmal nicht anders sein, nun muß ich schon.«

»Herzensvater!« rief Pauline, ihn umarmend, und dankte mit liebkosenden Worten tausendmal. Aber so recht von Herzen ging es ihr doch nicht. Sie schämte sich beinah vor sich selbst, daß sie nur dadurch zu ihrem Ziel gekommen war, daß sie hinterlistig, wie sie es nannte, ein minder edles Gefühl als sie gewünscht hätte, in ihres Vaters Innerm hatte wecken müssen. Ja, sie schämte sich mehr noch als vor sich selbst in ihres Vaters Seele hinein, und das tat ihr noch weher. Sie nahm daher bald gute Nacht von ihm und klingelte dem Mädchen, welches sie in ihr Schlafzimmer führte.

Ihr Vater hatte recht gehabt, es war prachtvoll eingerichtet, wie das einer Fürstin, nur zu prachtvoll, es war durch Prunk überladen. Die Tapete war silbergrau mit roten Blumen, die Vorhänge von gelber Seide mit goldnen Quasten, die Fußteppiche ebenfalls gelb mit roten Kanten. Es herrschte ein grelles, geschmackloses Bunt durch das ganze Zimmer. Das Licht darin war so hell, daß es ihre Augen kaum aushalten konnten. Sie verlöschte es so bald als möglich und begab sich zur Ruhe.

Da war sie nun in dem ersehnten Vaterhaus – und seitdem sie da war, hatte sie noch keine andern als verwundende Eindrücke empfangen.

Glänzend im Lichtermeer hatte ihr die heimatliche Wohnung zuerst wie ein Feenpalast entgegengelacht. Da hatte sie schon den schneidenden Hohn und die Jammerflüche des Elendes und der Not gehört, von diesen Menschen gehört, in deren Mitte sie sich glücklich waltend träumte, von denen sie wähnte, daß ihr Vater auch ihnen Vater sei, und sie ihn kindlich verehrend liebten. Und weiter ließ sie alles an sich vorüberziehen, was sie in diesen wenigen Stunden erlebt – und es war nichts, was sie hätte beruhigen oder heitrer stimmen können. Sie seufzte. Aber sie war müde von dem tagelangen Fahren, der kalten Luft, von all dem Erlebten dieses Tages, dieses Abends, sie schloß die müden Augen und schlief sanft und fest bis in den spät anbrechenden Tag hinein.

Louise Aston
Aus dem Leben einer Frau (Auszug)
1847

Louise Aston (1814–1871) gilt als eine der entschiedensten Feministinnen des Vormärz. In erster Ehe mit einem englischen Fabrikanten verheiratet, wurde sie nach der Trennung von Samuel Aston zu einer radikalen Verfechterin der Frauenemanzipation, unterstützte jedoch zugleich nachdrücklich die Forderungen der ausgebeuteten Klassen. Sie liebte es zu provozieren, indem sie etwa Männerkleidung trug, öffentlich rauchte und sich zu freier Liebe bekannte. 1846 nahm die Reaktion ihren Lebensstil, ihren Umgang mit Oppositionellen sowie angeblich ›staatsgefährliche‹ Äußerungen zum Anlaß, sie aus Berlin auszuweisen.

Als Autorin ist Louise Aston nur in den Jahren 1846 bis 1849 hervorgetreten. Es erschienen von ihr zwei Gedichtbände und vier Prosawerke, darunter der stark autobiographische Roman ›Aus dem Leben einer Frau‹, dem Erfahrungen aus ihrer ersten Ehe zugrunde liegen.

Johanna Oburn, mit einem Fabrikanten verheiratet, entwickelt sich im Lauf der Handlung von einer an den Geschäften ihres Mannes nicht teilnehmenden, treusorgenden und zugleich aufwendig lebenden Ehefrau zu einem kritischen, selbstbewußten Menschen, als sie erstmals vom sozialen Elend der Arbeiter ihres Mannes erfährt. Sie löst ihre Ehe mit Oburn, als dieser sie bittet, eine Nacht mit einem Adligen zu verbringen, der als Kreditgeber für die Oburnschen Fabriken dringend benötigt wird.

In dem hier abgedruckten Auszug verläßt Louise Aston ihre Erzählerrolle und reflektiert frühsozialistische Theorien und Ereignisse der englischen und französischen Arbeiterbewegung, um sie in Zusammenhang mit dem schlesischen Aufstand zu bringen. Obwohl Louise Aston für gesellschaftliche Veränderungen eintritt, ist sie der Meinung, daß durch ein ›Evangelium der Liebe‹ die Herrschenden Revolutionen verhindern könnten.

›Weberzug‹. Blatt 4 aus dem Zyklus Weberaufstand von Käthe Kollwitz

Im Comptoir des Fabrikherrn Oburn war wenige Monate nach seiner Rückkehr vom Bade unter den Kommis eine große Unruhe und Untätigkeit wahrzunehmen. Die Feder hinter das Ohr geklemmt, sahen sie entweder neugierig in die nahe Fabrik, die von den Fenstern des Comptoirs zu übersehen war, oder auf den Buchhalter Ehrig und flüsterten sich dabei verstohlen einige Worte ins Ohr. Das Gesicht des Herrn Ehrig gab ihnen indes nicht den gewünschten Kommentar – es war heute so undurchdringlich ernst wie es immer zu sein pflegte. Nur die hohe, tiefgefurchte Stirn war noch etwas finsterer als gewöhnlich zusammengezogen, und die schwarzen, intelligenten Augen verschlangen gleichsam die Zahlen des vor ihm aufgeschlagenen Hauptkassenbuchs. »Da muß es nicht richtig sein«, lispelte einer der pomadeduftigen Kontoristen seinem Nachbarn zu, der ihm ähnlich sah wie ein nichtssagender Abdruck; »da fehlt's, o das habe ich schon lange bemerkt.«

Der Buchhalter, der diese Bemerkung gehört, wandte sich rasch auf seinem runden, hohen Schreibsessel um, sah die faden Gestalten drohend an, und schien im Begriff, ihnen eine Lektion geben zu wollen, als das plötzliche Öffnen der Tür, die zur Fabrik führte und der Anblick, der sich ihm hier darbot, ihn alles andere vergessen machte. Zwölf Männer aus der arbeitenden Klasse, dem Greisenalter nah, sichtbar abgemagert, mit eingefallenen hohlen Augen, den Rücken krummgezogen durch übermäßiges Arbeiten, die Hände voller Schwielen, um den elenden Leib einige Kleiderfetzen hängend, traten langsam, einer nach dem andern, ein. Es waren die verschiedenen Werkmeister der Oburnschen Fabrik. Kummervoll überschaute Ehrig jede einzelne Figur; doch er suchte seine Rührung zu verbergen und frug ziemlich barsch: »Nun, was soll das? Warum verlaßt ihr die Fabrik während der Arbeitsstunden? Ich muß euch für dieses Versäumnis die übliche Taxe eures Wochenlohns abziehn. Geht schnell zurück; was wollt ihr hier?« – Da ergriff der älteste unter ihnen, Webermeister Schmidt, das Wort: »Was wir wollen, Herr Buchhalter, das will ich Ihnen jetzt im Namen aller meiner Kameraden sagen. Wir sind hier, um mit unserm Herrn zu reden, weil wir nicht Hungers sterben wollen mit Weib und Kind. Das ist wahrhaftig Grund genug! Ihr Herren wißt nicht, wie weh der Hunger tut, wie es einem alten Vater fast das Herz bricht, wenn die Kinder, die ihm der Himmel geschenkt, vergeblich nach Brot rufen. Ja, Herr Ehrig, so kann es nicht länger mit uns bleiben! Wir sind Menschen und wollen auch menschlich leben. Vor Jahren, als Herr Oburn diese Fabriken gründete, bekamen wir doch wenigstens Lohn genug, um, wenn wir des Tags rechtschaffen und fleißig gearbeitet, des Abends ein gesundes Nachtessen zu genießen und in einem reinlichen Bett Kräfte für den kommenden Morgen zu sammeln. Sonntags ruhten wir uns aus, gingen mit unseren Kindern in die Kirche und dankten dem lieben Gott für die Wohltat der Ruhe. Dann ging's in die Schenke; und bei einem Kruge Bier, bei einer Pfeife Tabak vergaßen wir alle Lasten des Lebens. Mehr brauchen wir nicht – dabei waren wir glückliche Leute und trösteten uns dafür, daß wir auf Erden nicht alle gleich sein können mit der Hoffnung auf ein besseres Jenseits. Denn wer hier Arbeit und Mühsal hat, dem verspricht ja die Heilige Schrift im Himmel tausendfältigen Lohn. Mit uns ist's aber von Jahr zu Jahr schlechter geworden. Unser Herr ward inzwischen ein reicher Mann. Unser saurer Schweiß hat die Fabriken gehoben und das Gold in seiner Kasse gehäuft. Wir meinen denn, da wär's recht und billig gewesen, uns eine kleine Zulage zu geben. Es hätte uns schon gefreut, weil wir des Herrn Freundlichkeit und Menschenliebe daraus ersehen. Und das tut wohl und weckt auch bei uns Liebe und Vertrauen, und in die Arbeit kommt ein guter Geist. Doch statt einer verdienten Zulage hat man uns nach und nach immer mehr Abzüge gemacht, so daß jetzt unser ganzer wöchentlicher Verdienst sich auf anderthalb Taler beläuft. Davon können wir mit unseren Familien nicht leben. Sehen Sie unsere morschen, ausgemergelten Knochen – woher soll uns die Kraft kommen, Tag für Tag sechzehn Stunden zu arbeiten? Wir wollen daher alle einstimmig unsern Herrn bitten, uns wieder unseren früheren Lohn auszuzahlen. Sonst arbeiten wir alle nicht mehr! Not kennt kein Gebot! Kommt keine Hilfe von oben, so müssen wir uns selbst helfen!« Fast drohend hatte der alte Mann die letzten Worte gesprochen und schwieg hier erschöpft still. Seine Knie zitterten und schienen ihn nicht länger tragen zu können. Der Buchhalter aber sprach freundlich und begütigend: »Setzt Euch Meister Schmidt! Ihr seid müde geworden, und ich hab auf euer Anliegen doch manches zu erwidern. Leider ist es wahr, daß euch in den letzten Jahren bedeutende Abzüge gemacht sind; doch nicht dem bösen Willen des Herrn dürft ihr diese harte Maßregel zuschreiben, die er nur mit Widerstreben ergriff, von ungünstigen Konjunkturen gezwungen. Ihr wißt es nicht, welche großen Verluste der Herr in den letzten Messen erlitten hat durch Gründung neuer Fabriken, welche dieselben Stoffe billiger liefern. Doch vertraut mir eure Angelegenheit an! Ich will sie vor eurem Herrn vertreten, als wäre es meine eigene, und alles aufbieten, daß eurer größten Not abgeholfen werde!« Diese Worte der Hoffnung übten einen mächtigen Zauber aus auf die Gemüter der Bittenden. Alle diese abgemagerten Gestalten, die nicht das Alter, sondern das Elend, der Hunger und die Sorge zu Greisen gemacht, drängten sich zu dem Buchhalter, reichten ihm zum Dank für diese Aussicht die harten Hände und ließen sich, getröstet von diesem Hoffnungsschimmer, geduldig wieder einspannen in das alte Joch. – Während dieser Szene saß der Fabrikherr in einem eleganten Négligé mit seiner jungen Gattin an einem reichgedeckten Frühstückstische. Alles war komfortabel eingerichtet in dem wohnlichen Arbeitszimmer. Ein lustiges Kaminfeuer wetteiferte mit der mattgelben Oktobersonne, die mitunter neugierig einen Strahl durch das Fenster fallen ließ und dem Gemach den Schein einer behaglichen Wärme lieh. Düfte von gebratenen Speisen und ausländischen Weinen stiegen so lieblich auf, als sollten hier den alten Göttern Opfer dargebracht werden. Gemütlich schlürfte Oburn ein Glas Burgunder nach dem andern, verspeiste dazwischen mit seltener Virtuosität ein halbes Schock Austern und tranchierte eben ein delikates Rebhuhn, als der Buchhalter in das Zimmer trat. »Verzeihen Sie, Herr Oburn, wenn ich jetzt störe; aber die Angelegenheit ist so dringend, daß ich jede Verzögerung mir als ein Unrecht anrechnen müßte.« Erschreckt durch diese Anrede, ließ Oburn aus seiner Hand die schwere silberne Gabel fallen und fragte heftig: »Nun, was gibt's? Wieder ein neuer Verlust? Sind die Ballen Baumwolle, welche wir von England steuerfrei erwarten, etwa in die Hände der Zollbeamten geraten? Sprechen Sie doch, Mann! Machen Sie mir keine Angst!«

»Nein, Herr, das Geschäft ist gut beendet! Die Ballen sind in

Sicherheit. Es erwächst Ihnen durch diesen billigen Einkauf ein großer Gewinn, und gerade dies gibt mir den Mut, jetzt als Abgesandter sämtlicher Arbeiter zu Ihnen zu sprechen. Die Not der Leute hat den höchsten Grad erreicht. Erbittert durch die letzten Abzüge, die ich auf Ihren Befehl machen mußte, haben sie fest beschlossen, unverzüglich die Fabrik zu verlassen und die Arbeit bei Ihnen gänzlich aufzugeben, wenn Sie den Lohn nicht wieder bis zu der früheren Taxe erhöhen.«

»Was«, schrie Oburn wütend, »das Volk will nicht mehr arbeiten? Ist für solche Kreaturen nicht 1 Rtlr. 15 Sgr. wöchentlich ein reiches Einkommen? Was brauchen sie denn mehr zum Leben? Wollen sie übermütig ein ganz besonderes Glück in Anspruch nehmen? Ein für allemal, Herr Ehrig – reden Sie hierüber kein Wort mehr – es bleibt so; und damit Punktum!«

Ehrigs Blick überflog mit bedeutsamem Ausdruck den mit den feinsten Leckereien besetzten Tisch, den er mit der kärglichen Kartoffelmahlzeit der Arbeiter verglich. Seine Gedanken verweilten bei der maßlosen Kluft zwischen den Besitzenden und den Besitzlosen, nach deren Ausfüllung das Jahrhundert in jugendlichem Streben ringt, bei jenem Bruch der Gesellschaft, den noch kein System der edelsten Denker zu heilen vermochte, bei jenem Abgrund, an dessen Rand die Revolutionen der Zukunft stehen. Voll Verachtung gegen die Herren der Welt, die ihren Besitz als den sichtbaren Ausdruck der göttlichen Gnade, als ein Monopol betrachten; die nicht einmal die bescheidensten Prozente einer maßlosen Einnahme auf dem Altar der leidenden Menschheit niederlegen, entgegnete Ehrig: »Nun denn, wenn Sie die herzzerreißende Lage Ihrer Leute nicht rührt – ich habe Ihrem Willen keine Macht entgegenzusetzen. Doch Sie erlauben mir, daß ich Ihr Geschäft verlasse; denn der immerwährende Anblick von Sorge und Gram und Verzweiflung reibt mich auf. Ich hatte mein Wort gegeben, bei Ihnen Fürsprache zu tun. Da sie fruchtlos geblieben, so will auch ich nicht länger, auf Unkosten der Armut, ein gutes Gehalt beziehn und gebe hiermit freiwillig meine Stellung auf.«

Nach diesen Worten entfernte sich Ehrig schnell. Oburn sah ihm bestürzt nach; der Appetit war ihm vergangen; er stand hastig auf und ging im Zimmer auf und nieder. Madame Oburn war eine stillschweigende Zeugin dieser Unterredung gewesen. Sie hatte sich während der ganzen Ehe nie um die Geschäfte ihres Gatten gekümmert. Sein Reichtum überhob sie sogar jeder kleinen Sorge für die Häuslichkeit, der auch Frauen aus den höchsten Ständen sich sonst oft unterziehn. Besonders seit ihrer Rückkunft von Karlsbad hatte sie, der Außenwelt fast unzugänglich, sich ganz einem innerlichen Leben zugewendet und träumerisch vor ihrer Seele die Gestalten vorübergehn lassen, die so bedeutsamen Eindruck auf ihr tiefstes Wesen gemacht. Nur auf den Klängen der Musik wiegte sie oft die wechselnden Gefühle: Schmerz und Freude, all die Erinnerungen einer inhaltvollen Zeit. Denn die Töne sind die sanftesten Dolmetscher des Gefühles und der Schwärmerei und lassen die leisesten Schwingungen der Seele ausklingen, wo das Wort in seiner scharfen und schneidenden Bestimmtheit das Gefühl verletzen würde. Oburn hielt diesen apathischen Zustand für Krankheit und ängstigte sich ab, bis ihm der Arzt die Versicherung gab, daß seine Frau sich körperlich vollkommen wohl befinde. Getröstet begann er nun, sie eine Närrin zu schelten, die ihm das Leben durch ihre Launen verbittere und immer ihren abgeschmackten Träumereien nachjage. Auch zog er sich ganz von ihr zurück, und nur eine zufällige Stimmung hatte die beiden Gatten zusammengeführt. Madame Oburn, tief erregt durch Ehrigs Worte, folgte scharf betrachtend jeder Bewegung ihres Mannes, erhob sich dann plötzlich, näherte sich ihm leise, legte freundlich ihren Arm auf den seinen und sprach: »Du tust nicht wohl daran, den Arbeitern Abzüge zu machen; es wird für dich selbst schlimme Folgen haben; glaube es dem redlichen Ehrig und laß es um keinen Preis dahin kommen, daß der treue Mann, der so eifrig für dein Wohl sorgt, das Haus verlasse!«

Erstaunt sah Oburn seine Frau an; denn es war das erste Mal, daß sie über Angelegenheiten seines Geschäftes mitsprach. Erfreut über diese Teilnahme und überzeugt von der Notwendigkeit, Ehrig zu behalten, sprach er in einem liebevollen Ton: »Du hast wohl recht, liebe Johanna! Doch nach den vielen Verlusten, die ich kürzlich erlitten, bin ich wirklich nicht imstande, die Lage meiner Arbeiter zu verbessern! Doch das findet sich vielleicht mit der Zeit wieder! Und dann, mein Kind, du kennst dies Volk nicht! Wenn sie sehn, daß ich jetzt bei meinem Willen bleibe, daß ich mich nicht schrecken lasse, so werden sie schon ruhig fortarbeiten. Wo wollen sie denn hin? *Die* sind mir sicher! Grade ihre Armut fesselt sie an mich! Ich kann ihnen noch weit größere Abzüge machen – sie müssen *doch* bleiben und nach meiner Pfeife tanzen! Aber den Ehrig kann ich nicht entbehren, ich will ihm das Doppelte seines Gehaltes bieten, wenn er bleibt.« Verwundert hörte die junge Frau ihrem Manne zu: »Du hast Verluste gehabt, lieber Oburn? Du kannst deshalb den Leuten nicht geben, worauf sie durch mühsame Arbeit ein Recht sich erworben? Aber warum brauchen wir denn so viel? Laß uns einfach leben! Fort mit dem übermäßigen Aufwande! Die Summen, welche wir dadurch nutzlos vergeuden, könnte die Lage aller deiner Arbeiter sorgenfrei machen. Hätte ich nur früher von deinen Verlusten gewußt: ich würde schon längst Einschränkungen im Hause gemacht haben.«

Bei diesen Worten lachte Oburn hell auf: »Närrchen! Wir wollen uns deshalb nichts abgehen lassen! Kümmere dich nicht weiter darum und sei zufrieden, wenn deine kleinen Füßchen auf weichen Teppichen gehen, und die niedlichen, weißen Hände nicht durch Arbeit ihre Schönheit einbüßen.«

Errötend, mit vorwurfsvollem Blick, sah Madame Oburn den Gatten an und entgegnete: »Oburn, hätte ich die Not deiner Leute in ihrer ganzen Größe gekannt, ich würde mich geschämt haben, ihnen, mit Gold und Samt geschmückt, unter die Augen zu treten! O daß ich mich nicht früher darum bekümmert! Wie mancher Not hätte ich abhelfen, wie manchen Fluch in Segen verwandeln können!«

Rasch, als könnte jeder ungenutzte Augenblick ihr verderblich werden, eilte sie in ihr Boudoir, öffnete eilig alle Fächer ihres Sekretärs, packte verschiedene, sehr wertvolle goldene Ketten, Ringe, Geschmeide, Arm- und Stirnspangen aus, wog mit sichtlicher Freude diese Preziosen in der Hand hin und her, schellte, und ließ den Buchhalter zu sich rufen. Als dieser bald darauf eintrat, rief sie ihm zu: »Herr Ehrig! Ich war zugegen, als Sie meinem Gatten die Bitte der Arbeiter um Erhöhung ihres Lohnes vortrugen! Da Oburn, selbst bedrängt, sie für den Augenblick nicht erfüllen kann, so bitte ich Sie dringend, meine Schmucksachen zu verkaufen und den Erlös zum wöchentlichen Zuschuß für die Leute insgeheim zu verwenden. Lange wird diese Summe leider nicht ausreichen; doch wenigstens für den kommenden Winter die größte Not lindern! Und im Frühjahr, hoffe ich, wird mein Gatte imstande sein, die pekuniäre Lage der Arbeiter für immer besser zu gestalten.«

Ehrig sah sprachlos bald die glänzenden Preziosen, bald die liebliche junge Frau an und frug darauf zweifelnd: »Gnädige Frau, Sie wollen wirklich zum Vorteile der Armut sich von Ihrem Schmucke trennen?« – »Das will ich in allem Ernste! Jetzt, da ich mit den Zuständen der Armut vertraut geworden, will ich solchen Schmuck nicht eher tragen, bis unsere Leute vor Not geschützt sind! Aber, Herr Ehrig, bitte! sagen Sie meinem Gatten nichts davon! Ich kenne ihn! Sonst würde auch diese kleine Hilfe den Armen entgehn!« Stumm packte Ehrig die Sachen zusammen und verließ eilig das Gemach, um die ihn übermannende Rührung zu verbergen. Sobald Madame Oburn sich allein sah, rief sie Köchin, Stubenmädchen, Bediente und Kutscher zu sich herein, zahlte ihnen das rückständige Gehalt aus und verabschiedete sie sämtlich. Nur die treue Lisette behielt sie um sich. – Als Herr Oburn später diese eigenmächtige Maßregel erfuhr, polterte er arg im Hause umher, schalt seine Frau eine Romanheldin und beruhigte sich endlich durch die Hoffnung, daß diese Grille doch nur von kurzer Dauer sein und das *ancien régime* im Haushalt bald wieder herrschen würde. Doch Madame Oburn blieb fest in ihrem Vorsatz. Die bis dahin so verwöhnte weichliche Frau übernahm jede häusliche Beschäftigung, mochte sie ihr noch so ungewohnt und fremd sein, ohne je den Wunsch nach Unterstützung zu äußern. Von früh bis spät sorgte sie bereitwillig für die Bedürfnisse und Bequemlichkeiten ihres Mannes und fand immer noch Zeit genug, die Fabriken zu besuchen. Ihr natürliches richtiges Gefühl sagte ihr, daß freundlicher Zuspruch und menschliche Behandlung diesen Leuten noch nötiger sei als die Erhöhung ihres Lohnes. Deshalb sprach sie freundlich mit allen, erkundigte sich nach den Familien und half nach Kräften, wenn sie von einer Krankheit oder einem Unfall hörte. Die Arbeiter, die sie bisher als die Ursache ihres gesteigerten Druckes angesehen hatten, beteten sie jetzt an. Die bärtigen Gesichter glänzten vor Freude, wenn sie in die Arbeitssäle trat; und von dem Widerschein dieser Freude wurde selbst das sonst undurchdringlich ernste Gesicht des Buchhalters verklärt, der seine Herrin auf diesen Gängen zu begleiten pflegte! – Bei all ihrer Milde und Menschlichkeit, trotz des Segens, den sie überall verbreitete, konnte Madame Oburn doch bei den Werken der Wohltätigkeit ein peinliches Gefühl nicht überwinden. Ihr richtiger Takt gab ihr das Bewußtsein, das die tiefsten Denker dieses Jahrhunderts erkannt, und in kühnen Problemen wissenschaftlich ausgearbeitet, das Bewußtsein, daß in der Wohltätigkeit selbst, und mag sie mit noch soviel christlicher Liebe prunken, eine Erniedrigung liege für die Bedürftigen, deren ewige Menschenrechte zu einem Gegenstand frommer Herablassung herabgewürdigt würden, zu einem Gnadengeschenk, das eine aus dem Katechismus geschöpfte Sittlichkeit mit den andern zugleich sich selbst macht! Abgesehen von dem Posaunenton des Pharisäertums, der noch jetzt in allen Gassen, an allen Ecken ertönt, wenn er sich auch in den Heroldruf überschwänglicher Christlichkeit verwandelt; abgesehen von der eigennützigen Wohltätigkeit, welche ihre Gaben nur auf Abschlag himmlischer Belohnung spendet: Wird nicht durch unsere sozialen Verhältnisse selbst die milde Humanität gezwungen, die Miene der Herablassung anzunehmen und einem entwürdigten Pariatum[31] als Gnade und Segen gegenüberzutreten? Doch allmählich beginnt auch in den Massen das Bewußtsein der ewigen Menschenrechte, wie sie die Französische Revolution proklamiert, die keine Form der Freiheit geben ohne ihren Inhalt; sondern den Anspruch auf eine Existenz, die in allem Reichtum der Schöpfung sich mit Freiheit auszubreiten berechtigt ist. In den neuesten Entwicklungen des französischen Geistes gären diese Probleme mit dunkler Gewalt, eine Gärung, die noch keine feste Form gewinnen kann, die proteusartig ihre Gestaltungen wechselt, oft in leere Luftbilder verweht, in eiteln Dunst ausdampft; aber stets Zeugnis ablegt von der innern, schaffenden Notwendigkeit, welche fortzuleugnen eine Blasphemie ist gegen den neuen Geist der Menschheit. Die deutsche Philosophie hat die Aufgabe, diese Erscheinungen auf ihren wahren Gehalt zurückzuführen, ihre innerste Bedeutung aufzufassen, ihnen ihre Stelle anzuweisen in der Entwicklung des Geistes.

In Rousseaus Urwälder[32] zurückzufliehen, die ganze Kultur als Flitterwerk und Unnatur, als aufgedrungene Last von sich zu werfen, und ein vierbeiniges Leben zu führen: das ist der neuen Menschheit nicht möglich: das hieße ihre innerste Entwicklung verleugnen; das ist der Gedanke der kolossalsten Reaktion, den je ein Menschengeist gedacht! Doch die tiefern Gegensätze, welche aus dieser Kultur hervorgegangen, müssen auf ihrem eigensten Terrain sich auskämpfen. Die Industrie, die Mutter des Proletariats, die zugleich den Reichtum und die Armut bringt, den Reichtum für einzelne, welche die Nation repräsentieren; die Armut für die Massen: sie ist das neueste Kind der Kultur, unter bedenklichen Auspizien geboren, einer bedenklichen Zukunft entgegensehend. Sie hat die Armut, die bisher zufällig war und isoliert oder in der Knechtschaft Rettung vor dem Hunger fand, zuerst freigegeben und organisiert, so daß sie jetzt als eine imposante Macht in die Geschichte tritt.

Die Assoziationen der Armut, der englische Chartismus[33], ihre ersten Schlachten in Lyon und Paris[34], ihre verzweifelte Experimental-Revolution in den schlesischen Gebirgen: das sind Taten, mit denen ein neues Blatt in der Geschichte beschrieben wird. Dazu der Zweifel an dem Eigentum, dessen Heiligkeit von der kühnen Kritik eines Proudhon[35] aufgelöst wird; der phantastisch organisierte Kommunismus eines Cabet[36] und Weitling[37]; die sozialen Theorien eines Dezamy[38] und Louis Blanc[39]: sie alle legen Zeugnis ab von den neuen Gedanken, welche der Gemüter der Menschen sich bemächtigen, und von dem tiefen Bruch in unseren Verhältnissen, der sie hervorruft. In all diesen prophetischen Träumen, in diesen oft chimärischen Zukunftsbildern, wie in der kühnen, zerfetzenden Dialektik der Denker, welche keine bestehende Einrichtung wegen ihres verjährten Brauches respektiert: webt und lebt ein neuer, menschheitserlösender Genius, eine neue, erhabene und aufopferungsfähige Sittlichkeit, die in Frieden und Krieg, in Leben und Tod, mit der Tat des Hasses oder dem Werk der Liebe, mit Überredung oder Gewalt den Segen der allgemeinen Verbrüderung heraufführen will über eine innerlich verfallene Welt. Du armes Proletariat, Erbe des alten Fluches vom Paradiese, verdammt, im Schweiße des Angesichts dein Brot zu essen und nimmer frei und unbefangen den Blick emporzurichten mit all der Majestät der Menschenwürde; verdammt, die Maschine zu sein, die gedankenlos von Tag zu Tag sich abarbeitet für fremden Genuß und nimmer die Früchte des eigenen Fleißes erntet: auch dir wird bald die Sonne eines bessern Lebens aufgehen, eines Lebens, das deine Arbeit mit Bewußtsein und mit Genuß belohnt und alle Entbehrung und Bedürftigkeit kümmerlicher Verhältnisse von dir fernhält. Die Arbeit der Denker wird und kann nicht vergebens sein; die Macht des Gedankens wird und muß die Welt unterwerfen. Das geheiligte Recht, das eine sklavische Gelehrsamkeit nur zu glossieren und zu erläutern wagte, ist von der Wissenschaft nachgewiesen als ein Unrecht, das in seinen neuesten Entwicklungen schwer auf der Menschheit lastet und sich selbst auflösen muß. Eine Reform tief eingreifender Übel, die den Schein des Guten, das bestehende menschliche und göttliche Gesetz für sich haben, muß eine Revolution verhindern. Die Besitzenden müssen nicht länger ihre Ohren verstopfen vor dem neuen Evangelium der Liebe, das ihnen gepredigt wird, ein verstocktes Pharaonentum wird ihr eigenes Verderben sein. Die kleinen Geldtyrannen, welche auf ihr Erbe so stolz sind wie die Herren von Gottes Gnaden auf das ihre, und einen Despotismus *en miniature* ausüben, werden, wenn sie nicht freiwillig abstehen von so quälendem *régime,* eine Revolution hervorrufen, welche den ganzen Bau der Gesellschaft zusammenschüttelt; der gegenüber die Französische Revolution nur ein politisches Kegelschieben war. Darum, ihr Besitzenden! erkennt die unveräußerlichen Menschenrechte an, in einer Assoziation des Friedens und der Liebe, ehe sie euch proklamiert werden – von einer blutigen Assoziation des Hasses und des Krieges.

Herr Oburn war indes von solchen Gedanken weit entfernt. Er sah, daß die Arbeiter sich beruhigten, ohne die geheime Ursache zu kennen. Darüber triumphierte er: »Sehen Sie, Herr Ehrig! Die Leute sind, ohne Lohnerhöhung, doch geblieben! O ich weiß sie zu beurteilen; ich verstehe, sie zu behandeln! Das Volk *muß* gedrückt sein – der Druck ist sein Lebenselement! Wenn es erst anfängt, frei aufzuatmen, dann ist es um den Wohlstand der Fabrikherren geschehn!« Ehrig erwiderte nichts auf diese Reflexion. [. . .]

Carl Schloenbach
Der Weber und der Mucker
1848

Carl Arnold Schloenbach (1807–1866) hatte ursprünglich Agrarwissenschaften studiert, war Domänen-Amtssekretär und wurde Anfang der vierziger Jahre von Gottfried Kinkel in einen Dichterkreis in Mühlheim am Rhein eingeführt. 1842 gab Schloenbach seine sichere Stellung als Beamter auf, um zunächst – ohne sonderlichen Erfolg – Schauspieler zu werden. Ab 1847 arbeitete er als Schriftsteller, orientiert an Berthold Auerbach (1812–1882), der sich seit 1843 mit seinen ›Schwarzwälder Dorfgeschichten‹ einen Namen gemacht hatte. Weiteres Vorbild Schloenbachs war der populäre Vormärz-Autor Adolf Glaßbrenner (1810– 1876), der das Berliner Volksleben mit aufklärerischem Witz und radikalliberalem Engagement dargestellt hat.

Schloenbach widmete Auerbach und Glaßbrenner seinen ersten Prosaband ›Das deutsche Bauernbuch oder: So lebt das Volk!‹, in dem er verschiedene Berufe und Schicksale schildert. Die daraus entnommene Novelle ›Der Weber und der Mucker‹ prangert das Zusammenspiel von Kapital und Kirche an, wie es derart konsequent und schonungslos in der übrigen ›Weberliteratur‹ nicht aufgedeckt wird.

›Sturm‹. Blatt 5 aus dem Zyklus Weberaufstand von Käthe Kollwitz

Man findet oft auf hochgelegenen öden Heiden unerwartet einen Platz, der formlos mit Felsblöcken bedeckt ist, die gleichsam wie hingenagelt erscheinen. Hier liegen sie dicht auf- und neben-, dort schritt-, sprung- und steinwurfsweit auseinander: So war es grade mit dem Dorfe dieser Geschichte und das ist nicht zuviel gesagt; denn dafür, daß hier verschiedene Häuser in verschiedener Weite auseinander lagen, hingen dort einige so dicht aufeinander, daß man glauben konnte, eines wolle das andere totdrükken; die meisten Häuser waren auch nicht viel größer als so Felsblöcke und manchmal nicht viel mehr nach außen geformt; ringsumher war auch so hochgelegene öde Heide, und im Dorfe selbst war es am Tage über nicht viel lauter als dort. Nur darin unterschied sich das Dorf von so einem Heideplatz mit Felsblökken: Es lag ein furchtbarer Kot zwischen den einzelnen Wohnungen, den man entweder durchwaten oder sprungweise vermeiden mußte; auf den weitesten und gar zu tief gehenden Zwischenstrecken fand man höchstens die Reste eines Ziegelsteines oder ein halb verfaultes Tannenbördchen. Keine Kirche, kein Pfarr- oder Schulhaus, nicht einmal ein Gemeinde-Backofen zierte das traurige ›Nest‹; man erblickte auch weit und breit keine blühenden, dampfenden Felder; nur hier und da war ein Stückchen angebaut, das sah aber aus, als wenn es dort verlorengegangen sei, und von Vieh war nichts zu sehen als höchstens eine magere, häßliche Ziege, an einen Pfahl oder Weidenzweig gebunden. Eine schöne Viehart war zwar noch vorhanden; aber die hielt sich immer in den Häusern selbst auf: das waren Katzen; aber Katzen, die man gar nicht mehr Katzen hätte nennen sollen, so träge, schmutzig, unzierlich waren sie; Katzen, davor die Mäuse sich zuletzt gar nicht mehr fürchteten; denn sie wußten schon, daß ihre Feindinnen nichts weiter mehr taten, als neben ihren Hausherren zu sitzen, und diese saßen von früh bis spät auf den Bänken ihrer Webstühle und sahen es als die einzige und beste Abwechslung und Erholung an – von Zeit zu Zeit ihren Katzen hinter die Ohren zu krabbeln. Unser Dorf war nämlich ein Weberdorf, dadurch ist seine gegebene Charakteristik erklärt. Die Leute mußten weben und immer weben, also hatten sie keine Zeit, für die Verschönerung und Reinlichkeit ihres Ortes zu sorgen; und wenn auch: sie hätten doch nichts davon gehabt, denn sie bekamen ihr Dorf ja fast gar nicht zu sehen; der eine Teil der Bewohner webte nämlich zu Hause und kam darum selten heraus; an gegenseitigen Besuch, an abendliches Sitzen vor den Türen war am Werkeltage gar nicht zu denken, und sonntags schliefen sie, das war ihre Belohnung. Der andere Teil (meist Frauen, Mädchen, Kinder und Burschen) webte und arbeitete unten in der Fabrik, und da gingen sie frühmorgens, wenn es noch dämmerte, hin und kamen spätabends, wenn es dunkel war (auch im Sommer), zurück; da konnten sie nun doch gar nicht bemerken, wie im Dorfe umher es aussah, und des Sonntags hatten sie fürs Haus gar mancherlei zu tun; da wuschen und kämmten sie sich, reinigten ihre Kleider von den Fasern und Flecken, schälten Kartoffeln für die ganze Woche etc. – Was nun alle zusammen für ihren Lebensunterhalt brauchten, bekamen sie statt baren Geldes von ihrem Brotherrn, wenigstens das meiste, und für das noch Nötige sorgte der Verwalter, der sich so nebenbei einen kleinen Kram von allem möglichen hielt. – Von dem Herrn *mußten* sie die Sachen nehmen, das war bedungen; vom Verwalter zu entnehmen, war nun zwar nicht gerade Gesetz, aber sie taten es mit der Zeit doch alle, denn man hatte schon bemerkt, daß es jedem immer schlechtging, daß er schickaniert, gehänselt und verklagt wurde, wenn er *nicht* vom Verwalter nahm. Sie brauchten also darum auch keine Felder, Gärten und Kühe; die nötige Milch (den einzigen nicht kaufbaren Gegenstand) gaben die armen Ziegen. – Samstagabends war es nun immer ein eigentümliches, aber durchaus nicht erquickliches Bild, wenn die Leute aus der Fabrik nach Hause zogen: mit dem Schmutz der ganzen Woche auf den teils zerlumpten, teils zerflickten Kleidern, in den ungekämmten Haaren und auf dem bleichen Gesicht, darin die von den feinen Fäserchen und dem Staub der verarbeiteten Gegenstände entzündeten Augen tief und hohl lagen. Ein jedes bepackt mit Lebensmitteln aller Art; aber niemand (nicht einmal die Kinder) fröhlich oder gar singend, sondern träge oder finster, stier oder mißmutig (die meisten keuchend) dahingehend; nur hier und da murrte einer, dem man an Strafe oder für zuwenig Arbeit etwas abgezogen; dazwischen schwankte auch wohl ein alter, todesschwacher Mann, der bis zur letzten Lebensstunde arbeiten wollte und von den Jungen zur Fabrik (zum Wolle zupfen) geführt war; auch manche bleiche Frau, die einen Tag vorher niedergekommen, aber schon wieder in die Arbeit gegangen war, um das Versäumnis des einen schweren Tages einzuholen und sich nun vergebens bemühte, rasch nach Hause zu kommen, wo das neugeborne Kind nach Nahrung schrie oder vielleicht schon verhungert war. Manchmal wurde auch einer auf einer Weidenflechte getragen, der in der Fabrik sich einen Finger oder eine Hand oder gar ein Bein zerquetscht hatte, und der war dann wohl der Unglücklichste von allen; der wünschte wohl einer von denjenigen zu sein, die manchmal in der Fabrik oder am Webstuhl auf einmal tot niedergefallen waren und dann – ohne Begleitung – (die andern mußten ja arbeiten) und ohne Geläute und Grabrede (denn beides kostete Geld) wie Vieh begraben wurden. Und er hatte recht, sich das zu wünschen: denn weh ihm, wenn er länger als vier Tage aus der Fabrik blieb! Vier Tage, bei ganz besonderen Fällen auch sechse, wurden nämlich dem Arbeiter noch für voll angerechnet, *wenn er in der Fabrik zu Schaden* kam (geschah es außerhalb, kein einziger Tag); aber wenn er nun noch länger ausblieb, so war das sein Schaden, da half ihm kein Heiliger davon. Sechs verlorne Arbeitstage erforderten schon 4 Monat Nacht- und Sonntagsarbeit; noch 14 Tage mehr – und der Mann war ruiniert, elend, verloren fürs ganze Leben. Ehe die neue Dampfmaschine in die Fabrik gekommen war, hatte bei höherem Lohn sich wohl mancher was erübrigen können; aber seit der darauf erfolgten Lohnverringerung war es nie geschehen, daß die Leute sonnabends bares Geld mit nach Hause brachten; der Lohn hatte (im glücklichsten Falle) immer nur bis für die Lebensmittel gereicht. Der Herr hatte es zwar so eingerichtet, daß sie bei ihm die Sachen noch etwas wohlfeiler bekamen als auf anderem Wege; er machte aber doch noch seine 15 Prozent daran, und was der Verwalter verkaufte, war um vieles teurer, als man es sonst hätte kaufen können, und der Herr tat, als wisse er von des Verwalters Handel nichts. Der hätte sonst gar den Leuten die 15 Prozent verraten und so eine Unzufriedenheit unter sie gebracht, die immer einen nachteiligen Einfluß auf den Gang des Geschäftes gemacht hätte. – Ein Punkt war es indessen, der jede etwaige Unzufriedenheit, jedes Auflehnen auf zweifache Art verhinderte: Der Herr gab nämlich allen Arbeitern des Dorfes den

Brand fast ganz umsonst; nämlich so, daß er zwar keinen direkten Schaden, aber auch keinen direkten Nutzen davon hatte, daß er nur die Kosten der Gewinnung dieses Brandes wieder herausbekam, und das war leicht, da er selbst mehrere Steinkohlenbergwerke besaß. – Diese unerhörte Güte stellten sich die Leute immer vor, wenn ihnen der Mißmut aufstieg: das war der eine Zweck. – Sie benutzten diese Güte nun auch in ausgedehntester Weise, indem sie Winter und Sommer furchtbar darauflos feuerten (ihre engen Räumchen bedurften aber zur größten Heizung nicht viel), sich sonach an eine übertriebene Hitze gewöhnten und in dieser immerwährenden Hitze schlaff, geistig träge und dumpf wurden: das war der zweite Zweck, und der Herr berechnete scharf und richtig, wie hiernach seine halb verschenkten Kohlen sich mit der Zeit mit manchem Prozent rentierten. – Dabei sorgte er nun auch auf jede Weise, daß kein fremdes Element unter seine Arbeiter kam. Alle Nachrichten von außen wurden verschwiegen, alle Fremden, die zur Fabrik kamen, sorgfältig gehütet, kein neuer gedruckter Buchstabe wurde vor ihren Augen geduldet, und Schulmeister und Pastor (beide wohnten in der Nähe der Fabrik, wo auch die kleine Kirche stand) durften nichts lehren, was er nicht wußte; sie waren eigentlich beide überflüssig, denn wenige gingen in die Kirche, und was die Kinder in den Freistunden lernten, war nicht der Rede wert. Er hatte einen guten Beitrag zur Erhaltung der alten kleinen Kirche und ebensoviel zur Erbauung einer neuen Kirche in der Nachbarschaft gegeben und sich dadurch ein großes Ansehen und einen Orden erworben; aber es geschah nur deshalb, damit seine Leute nicht in die Nachbarschaft zur neuen Kirche gehen und die aus der Nachbarschaft nicht herüber in diese Kirche kommen, sondern die ersteren hübsch allein bleiben sollten. – Das alles war gut berechnet und tat auch lange seine Wirkung; aber in letzter Zeit schien es dem Herrn doch, als wenn seine Berechnungen zuschanden gingen; es keimte unter den Leuten schon hier und da ein Trotz auf, es ging manchmal, besonders Samstag abends und wenn der Herr fort war, ein leises Murren in den Haufen umher, und ein 20jähriger Bursche gab sogar einmal dem Verwalter, der ihn schimpfte, einen Schlag ins Gesicht, daß dem das Blut aus der Nase lief. Der Herr untersuchte heimlich, ob irgend vielleicht eines der verruchten neuen Bücher oder Lieder unter sie gekommen seien, oder ob jemand ihnen von außen her was zubrächte; aber nein! Da meinte er denn: daß die sonderbaren Regungen der Zeit sich auch ohnedies wie die Cholera Morbus oder die Pest durch die Luft verbreiteten, und er griff nun zu einem anderen Mittel! *Die Muckerei sollte ihm beistehen*; jetzt und dann hauptsächlich später, zu einem Hauptstreich, den er vorbereitete. Er wußte nun von vielen Fabrikherren, daß die Muckerei unter den Webern für sie eine Phalanx, ein Schutz gegen alle schlechten und aufrührischen Regungen sei und darum auch wacker von den Hohenpriestern derselben gepflegt würde. Er kannte auch wohl so einige dieser Erwählten; aber das waren lauter Falsche, die mit ihrer Frömmigkeit bloß Schacher trieben; abgefeimte protestantische Jesuiten, die sich wohl für eine schon supergebildete, also leichter betrügbare Gemeinde, aber nicht für seine rohen und darum scharfsichtigeren Arbeiter paßten, ihm zugleich auch in die Karten gesehen und dann – wer weiß was? gefordert hätten. Er wollte darum einen *echten* Frommen und schrieb nun einen Brief voll Moral und Würde an das Ministerium, den verwilderten Zustand seiner lieben Arbeiter, die Unfähigkeit des jetzigen Pfarrers und seines Herzens lauten Wunsch schildernd: einen echt Gläubigen, einen Mann nach dem Herzen Gottes in seiner Gemeinde zu haben. – Es dauerte nicht 14 Tage, da war schon der jetzige Pfarrer versetzt und der neue an seiner Stelle, und einen besseren konnte sich der Herr gar nicht wünschen.

Ein junger Kandidat, mit einem unermüdlichen Eifer, ›für den Herrn zu streiten‹, und mit wildem, begeisterten Feuer, um dies nach seiner Weise auch zu können. Er war bis jetzt Lehrer im Hause einer großen, dem Minister befreundeten Exzellenz gewesen. – Keine Beschäftigung bereitet mehr zum Einsaugen des Muckertums vor als das Weben. Die tote Einförmigkeit dieser Arbeit, das immerwährende Sitzen und doch die nervenangreifende Bewegung dabei namentlich der Fingerspitzen, macht die Leute (um einen modernen Ausdruck zu gebrauchen) nervösblasiert, und so ein Zustand ist der beste Boden für jenen Muckerei-Samen.

Sitzt nun so einer jahrelang am Webstuhl und hat nichts anders zu denken und will doch gern etwas denken! dann hat so ein eingestreutes Körnlein Zeit sich auszubilden – und auf einmal ist er ein Mucker und weiß nichts davon. Sind ihrer viele zusammen, so ist es leicht, daß unter den vielen einer von jener Sorte ist, und wenn der nun Tag für Tag 15 Stunden des Tages, und das macht viele Stunden im Jahre, nichts tut als seine Redensarten vorbringen: so *müssen* die zuletzt bei den andern eindringen und wenn sie auch nur aus Langeweile angenommen werden. Oft treibt auch der Hunger, die Verzweiflung, die gänzliche Hoffnungslosigkeit die armen Weber und Fabrikarbeiter in den Rachen der Muckerei; in deren falscher, toter Ruhe sie eine Art Opiumschlaf oder in deren Übermut und Stolz sie eine magere Entschädigung für das äußere Elend finden, das sie sich, dem Leben gegenüber, als Paria fühlen läßt.

So war in unserm Dorfe ein gutes Feld für die Tätigkeit des neuen Pfarrers; aber er fing die Sache doch gleich im Anfang zu furchtbar scharf an. Die Leute waren zwar bei der ersten Predigt sehr erschrocken, sie sperrten Nase und Mund dabei auf, und es wurde ihnen manchmal recht ›grauslich‹ zumute; aber zuletzt meinten sie, daß sie denn doch solch schrecklich verworfene Geschöpfe, wie der Pastor sie schildere, nicht wären und wenn sie – wie er wollte – noch mehr der irdischen Güter, des Genusses entbehren sollten als bisher: da hätten sie ja nicht einmal das liebe Brot und den Schlaf und könnten sich dann lieber gleich auf der Stelle zum Sterben hinlegen. Der Herr merkte auch die verkehrte Wirkung dieser Predigt und riet dem eifrigen Prediger: nach Christo Vorbild Geduld mit der Verworfenheit zu haben und bei seinem Bekehrungswerk hübsch gradatim zu gehen. Dieser führte nun zwar das Beispiel von Christus an, wie dieser mit Zorn die Sünder aus dem Tempel getrieben habe; bat aber doch den lieben Gott, ihm Geduld zu schenken, ›daß der Geist, im gewaltigen Wollen, ihn nicht zu rasch fortreiße‹ und beschloß zuletzt, sein Bekehrungswerk mit einzelnen zu beginnen.

Überall, in jedem Kreise, wird man immer eine besonders hervortretende Kraft erblicken, die auf irgendeine Weise ihren Einfluß auf alle übrigen, beiden Teilen bewußt oder unbewußt, ausübt. Eine solche war in unserem Dorfe der Weber Zeisig. Er war nicht einer der ältesten (etwa 40 Jahre alt); aber der gesündeste und stärkste von allen, und das war in ihren Augen schon ein großer Vorzug; ein noch größerer: er war der wohlhabendste (d.h. am wenigsten arm), einesteils wegen seines stets rüstigen Körpers, andernteils wegen seiner großen Geschicklichkeit im Weben der Blumen und Figuren, und weil man diese Geschicklichkeit anerkennen mußte, so war man auch nicht neidisch wegen seines größeren Wohlstandes; er war ferner auch fürs gewöhnliche Leben der gescheiteste unter ihnen: er konnte nach den vier einfachen Species rechnen, einen Brief schreiben und nicht allein Gedrucktes, sondern auch Geschriebenes lesen; er hatte sogar früher eine Reise nach einer entlegenen Fabrik gemacht, wo ein Oheim von ihm wohnte und wußte davon wiederholt gar hübsch zu erzählen. Durch dieses alles hatte sich der Weber Zeisig mit der Zeit ein solches Ansehen erworben, daß er unbedingt für den Ersten galt; wo etwas zu rechnen, zu schreiben, zu lesen war: der Zeisig mußte es tun; der Zeisig wurde um Rat gefragt bei jeder Angelegenheit; der Zeisig mußte sprechen, wenn dem Herrn oder dem Verwalter etwas vorgetragen, etwas ›verexpliziert‹ werden sollte, und er tat das auch stets so gesund und klar, daß oft ein gutes Resultat damit erzielt wurde. – Aber eben diese Verehrung, die der Zeisig im Dorfe genoß, der Einfluß, den er hatte, seine höhere Bildung, die Kraft seiner Worte hatten ihn dem Herrn und Verwalter mißliebig gemacht, zuletzt verhaßt, weil sie anfingen, ihn zu fürchten; doch eben diese Furcht hielt ihn auch wieder: es hätte nicht gut getan, wenn man den Zeisig entlassen oder gedrückt hätte, und dann war er ja auch ein Arbeiter, wie man ihn für den Augenblick nicht so leicht wieder fand.

Der Zeisig wurde nun dem Pfarrer als der unchristlichste und einflußreichste der Arbeiter bezeichnet, dessen Gewinnung für den wahren Glauben vor allen andern zu erstreben, am dankbarsten bei Gott und am wichtigsten bei den übrigen Arbeitern sei. Daß dieselbe aber schlau, nach einem Plane angefangen werden müsse, den der Heilige Geist dem Herrn eingegeben habe. – Diesen Plan faßte der fromme Pastor recht gut auf: Der Heilige Geist hatte ihn ja eingegeben, also war er geheiligt, wenn auch mit Lügen dabei umgegangen wurde.

So begab sich denn eines Tages der heilige Mann in die Wohnung des Zeisig, ›um sich nach seinem lieben Gemeindekind in

Demut des Herrn zu erkundigen‹; das war ein wahres Ereignis im Dorfe, und der Zeisig tat sich nicht wenig darauf zugute; er fragte so demütig, wie er nie gewesen war (denn unerwartete Artigkeit und Menschlichkeit haben bei dem sonst stets Gedrückten meist solche Wirkung) nach dem Grunde solcher Gnade, und der Heilige antwortete: »Mein Glaube belehrt mich, mich unter die Geringsten zu stellen und überall Gottes Ebenbild, wenn auch voll Sünde, zu erblicken.« – »Ei nun«, meinte da der Zeisig, »das muß schon ein schöner Glaube sein, den Ihr da habt, Herr Pastor!« – »Euer Herz wird noch darnach lechzen und ich werde Euch tränken«, erwiderte der Pastor und empfahl sich, baldiges Wiederkommen versprechend. Er hatte für jetzt schon genug getan.

Der Zeisig blieb danach lange untätig vor der Webe sitzen und drehte bloß eine Spule in der Hand herum! Aber innerlich war es in ihm desto lebendiger: Den Glauben, den der Pastor hatte und der ihn lehrte, so artig, freundlich und demütig zu sein, hätte er doch näher kennenlernen mögen; und doch war das nur eine befriedigte Eitelkeit, denn wenn der Pastor auch noch zu andern gegangen wäre, so hätte sein Besuch bei ihm ihn gar nicht so sehr besonders angeregt; er murmelte nämlich einigemal vor sich hin: »bei mir ganz allein, ganz allein!« – aber er wußte das gar nicht. Dann reizte ihn auch das Geheimnisvolle, was in den letzten Worten des Pastors vom Lechzen und Tränken und besonders im Ton derselben zu liegen schien; er konnte gar nicht erwarten, bis der würdige Herr wiederkommen würde. Der ließ auch nicht lange auf sich warten; er sagte diesmal dem Zeisig, daß er etwas Großes vorhabe und dabei auf ihn rechne, weil er der Klügste und Gebildetste und Erste im Orte wäre; der Zeisig möge ihm aber auch ganz vertrauen und glauben, und er würde bald wiederkommen. – Der Zeisig hätte im Augenblick alles geglaubt, was der Pastor gewollt hätte, denn der konnte unmöglich etwas Falsches wollen, hatte er ihn ja doch – den Klügsten, Gebildetsten und Ersten im Dorfe genannt und wollte mit ihm was Großes. Das war am Samstagmorgen; am Samstagabend, in der Zahlstunde, trieb er eifrig alle Arbeiter an, nur ja den andern Tag in die Kirche zu gehen; der Pastor sei ein wackrer Mann etc. Das wirkte; die zwei Besuche desselben beim Zeisig hatten diesen noch höher in Ansehn gebracht; auch keinen Neid erregt, weil der

Zeisig schon hoch genug stand, um so etwas zu verdienen, und dann galten sie doch auch einem wie dem andern der Arbeiter, weil der Zeisig ja doch immer einer der ihrigen war. – Die Kirche war diesmal so voll wie seit Jahren nicht und seit Jahren nicht so erregt wie heute; man kann nicht sagen ergriffen, durchdrungen, reuig oder dergleichen, nein! ich halte mich bloß an das Wort ›erregt‹; die Rede des Pastors war nämlich so sonderbar-geheimnisvoll, so feurig, und doch nicht brennend wie neulich, so mystisch-dunkel, kurz: es war beinahe wie eine Art Geisterbeschwörung, und die Leute meinten, es müsse auch etwas ganz Besonderes, wenn auch grade kein Geist, kommen; sie wußten gar nicht recht, was sie daraus machen sollten und wollten es auch unter keiner Bedingung ignorieren. Da mußte nun der Zeisig dran: der sollte deuten, erklären, ›verexplizieren‹; zum erstenmal fühlte der nun das Schwierige, Unangenehme einer Stellung wie die seinige: Er hatte ebensowenig verstanden wie die andern, aber er durfte das doch nicht zeigen; nachdem er nun nach einigem Räuspern, Husten und mehreren Hm! Hm! mit einigen ebenso unverständlichen Redensarten (deren sich kein ordentlicher Professor hätte zu schämen brauchen) die Leute etwas beruhigt oder vielmehr verblüfft hatte, versprach er, die Rede sich noch einmal durchzudenken, mit dem Herrn Pastor (wenn der ihn besuchen würde – und hier reckte sich der Zeisig ein wenig) zu besprechen und ihnen dann ganz genau zu erklären. – Das ›die Rede noch einmal durchzudenken‹ fing der Zeisig auch sofort, wie er nach Haus kam, an und dachte sie durch bis zum andern Tag, wo der Pastor wiederkam. Den bat er nun mit großem Eifer um eine nähere Deutung, worüber derselbe sehr erfreut schien: »Ich habe solchen Eifer, solches Nachdenken von einem Manne *wie Ihr seid* schon vorausgesetzt und darum ein paar Büchlein mitgebracht, darin Ihr die ganze Lösung findet; lest dieselben aufmerksam durch und bereitet Euch dadurch zum Empfang desjenigen vor, was ich Euch geben will.« Dies waren die einzigen Worte des Pastors, er legte die ›Büchlein‹ mit einem vielsagenden Blick in die Hände des Zeisig und ging, denselben aufs neue sehr geschmeichelt und erwartungsvoller, aufgeregter als je zurücklassend. Der Weber konnte nicht erwarten, bis es anfing dunkel zu werden (zu welcher Zeit gewöhnlich eine viertel oder halbe Stunde ›gelunzt‹

wurde), um diese Zeit zum Lesen in den Büchlein zu benutzen. Sogleich oder während der bestimmten Arbeitszeit dies zu tun, wär Sünde, auch zu sehr gegen alle Gewohnheit gewesen. Er meinte aber doch, daß an diesem Tage es früher als sonst zu dunkeln beginne, und so las er wohl eine gute halbe Stunde in einem der Büchlein, las es ganz aus, und den andern Morgen, beim ersten Dämmerlicht, auch das zweite. Die zwei Büchlein waren Muster der allberüchtigten Traktätlein und namentlich von derjenigen Sorte, die mit schlauer Berechnung besonders für das rohere Volk geschrieben sind, indem sie durch dickfarbige Bilder seine Phantasie erregen und erhitzen, durch verständliche Gleichnisse und bekannte praktische Sprichwörter ihm nahetreten und durch eine Menge großgedruckter Bibelstellen (mit Angabe, wo sie nachzuschlagen sind) ihm das Ganze als wahr und bewiesen erscheinen lassen.

Auf einen Menschen wie Zeisig, der immer gern denken wollte, aber nichts zu denken hatte und nun endlich froh war, dazu Gelegenheit zu haben, verfehlten jene Musterbüchlein am wenigsten ihre Wirkung; sie gingen ihm gar nicht mehr aus dem Kopf, er sann hin und her, er wollte sich zwar noch nicht gestehn, daß er wirklich ein so erschrecklicher Sünder sei, wie die Traktätchen ihn nannten; aber als der Pastor nun kam und erklärte, daß er selbst sich für solchen Sünder ansehe: da gab er schon einigermaßen zu – kurz: da hatte der Teufel ihn schon bei einem Haar gepackt; wir wissen aus dem Sprichwort, was dann weiter geschieht, und um nun die Sache nicht zu lange auszuspinnen: Schon nach 6 Wochen war der Zeisig ein Mucker erster Klasse und alle Arbeiter waren Mucker. – Man hörte jetzt den ganzen Tag von den Webstühlen herüber nur murmelndes Beten und widerwärtig näselndes Psalmensingen; in der Fabrik war es totenstill, und zogen die Leute abends nach Hause, so gellte durch die ganze Heide hin ihr Choralgesang und um so lauter, d. h. gellender, als sie ihre ›Inbrunst‹ tagsüber nicht konnten laut werden lassen. Das Dorf, die Wohnungen und die Menschen wurden dabei immer schmutziger; man hatte zum Reinigen und Ordnen nun gar keine Zeit mehr, das Beten und Singen nahm zu sehr in Anspruch, und der Pastor meinte auch, daß dieses notwendiger sei. Es lag eine dumpfe, schmutzige Schwüle über allem. Der Herr hatte also sein Spiel gewonnen, und jetzt sollte auch sein Hauptschlag kommen: An einem Samstag abend wurde sämtlichen Arbeitern, nach vorhergegangener Schilderung des schlechten Absatzes der Gebilde und Tücher und der Teuerung der Rohstoffe, erklärt, daß eine Verringerung sowohl des Tage- als des Webelohnes eintreten müsse – und wer damit nicht zufrieden sei, brauche ja nicht mehr für ihn zu arbeiten. Das war ein furchtbarer, entsetzlicher Schlag für die armen Leute! Der Abzug sollte für jeden ungefähr 6 Pfennig pro Tag (mitberechnet für das tägliche Verdienst der Hausweber) sein; das machte die Woche 36 Pfennige, den Monat 10 Groschen, aufs Jahr 3 Taler, so berechneten sie im Augenblick und denn weiter: drei Taler war ein großes Kapital; das war ungefähr das Schuhgeld, woher sollten sie jetzt Schuhe kriegen? Die Hausweber brauchten freilich nicht so viel Schuhe, weil sie immer zu Hause und dann bloß in Strümpfen am Webstuhl saßen; aber sie brauchten dafür wieder Reparaturen an diesem Webstuhl, und die andern – ei! die mußten jeden Tag zweimal einen weiten Weg machen, das kostete Schuh! Oder sollten sie nun nackig gehen? – Das alles ging den Leuten rasch und wild im Kopf herum, es gab ein Murmeln und dann ein Murren, ja sogar trotz aller Frömmigkeit hier und da einen Fluch, und es hätte wohl noch mehr gegeben, wenn nicht rasch der Pastor dazwischen getreten wär. Diesen hatte der Herr als Reservegarde im Hintergrund gehalten und schob ihn nun vor. Der heilige Mann ließ höchst salbungsvolle Reden von christlicher Ergebenheit und Demut los; von der Nichtigkeit der irdischen Güter, von Kasteiung des Leibes durch Entbehrung usw. und beschwichtigte, ja zerknirschte sogar die arme Menge. Sie ging nach Hause und berechnete unterwegs: Man dürfe von nun an die gewöhnlichen 4 Lot Fleisch des Sonntags nicht mehr essen; die allabendliche Hafergrütze müsse bloß sonntags an die Stelle dieses Fleisches kommen; statt daß man bis jetzt zu den Kartoffeln jeden Tag einmal Schmalz gegessen (abends bloß Salz), dürfe man das nur 3mal in der Woche tun und dann müsse man wieder Holzschuhe tragen wie früher; dieselben waren zwar damals abgeschafft, weil sie die Füße krank und wund machten und im Winter nicht warm hielten; aber nun ging es doch nicht anders, und sie sollten gleich angeschafft werden, damit die noch vorhandenen Lederschuhe für sonntags verwahrt würden; auf diese Weise konnte der Ausfall im Verdienst gedeckt werden.

Also beruhigt, kamen die Leute zu ihren Wohnungen und währenddem saß der Herr im damastnen Schlafrock auf Ruhekissen von Atlas, trank eine Flasche Sillerei zu frischen Austern und berechnete noch einmal mit einem feinen Lächeln, wieviel der gewonnene Abzug ihm einbringe.

Der Weber Zeisig verlor am meisten von allen dabei, denn er hatte 6 Kinder (von 8 bis 19 Jahren) und eine Frau, die alle mitarbeiteten; da wurde ihm also ein täglicher Abzug von 8mal 6 Pfennigen, und wenn nun zwar auch acht Personen verdienten, so stand dieser Abzug doch in gar keinem Verhältnis mit dem Verdienst: 8mal 6 Pfennige, 4 Groschen des Tages, das war schon soviel, als seine und seiner Frau Tageskost erforderte, d. h. nach den Preisen, wie der Verwalter die Sachen lieferte. Das lag nun dem Zeisig schwer auf der Brust, und daß ihm das so viel Sorge machte, machte seiner Frömmigkeit noch mehr Sorge; um diese Schuld zu büßen, verordnete er für die ganze Woche allen Seinigen und sich selbst ein zweistündiges Gebet des Morgens, d.h. vor der Arbeitszeit zu unternehmen; aber Gewohnheit und Müdigkeit ließen alle nicht früher aufstehen als sonst; die Gebete mußten indessen gehalten werden, da kamen denn Kinder und Frau die ganze Woche hindurch fast jeden Tag zu spät in die Fabrik, er brachte ein kürzeres Stück fertig, und als der Samstag kam, da war bei seiner Einnahme ein verhältnismäßig sehr bedeutender Ausfall. Die wenigen Groschen, die er, als der einzige, früher noch liegen hatte, waren für Traktätchen und für den Missionsverein (zur Bekehrung der Heiden) draufgegangen, es langte also bei dem Einkauf der wöchentlichen Lebensmittel nicht aus, und der Herr (erfreut, den noch immer innerlich Gehaßten in Not zu wissen) gab ihm ›der Ordnung wegen‹ keinen Vorschuß. Er klagte nun dem Pastor und meinte auch wohl, daß das Beten an dem Elend schuld sei; dieser bewies ihm aber deutlich: daß es besser wäre, den Körper zu verderben, als die Seele nicht zu pflegen und daß er, der Zeisig, noch gar nicht fest genug im Glauben, noch ein verworfener Sünder sei. Darüber geriet denn der Zeisig beinahe in Verzweiflung; er wollte sich jetzt bestimmt im Glauben befestigen; aber er wollte auch für Frau und Kinder sorgen und das verlorne Geld wieder einbringen. Jetzt arbeitete er 4 Nächte hintereinander und brachte das Versäumte beinahe halb ein; um 3 Uhr morgens weckte er schon die Seinigen und trieb sie zum zweistündigen Beten an, so wurde denn dieses und auch die Arbeitszeit nicht versäumt. Die fünfte Nacht schlief er aber am Webstuhl ein, und als er in der Frühe erwachte, sah er mit Schrecken, daß er im ›Schlafdusel‹ viel dummes Zeug an der Weberei gemacht hatte. Da mußte nun wieder die Arbeit von drei Stunden ›ausgeschifft‹ werden und das dauerte 6 Stunden, also waren 9 Stunden verloren; die Nacht darauf webte er nicht, aus Angst, es möchte wieder so gehn; aber er schlief auch nicht; d. h. er hätte wohl schlafen mögen, aber weil in voriger Nacht ›das Fleisch ihn überwunden hatte‹, wollte er durch dieses Wachen büßen und er wusch sich nun alle Augenblicke mit kaltem Wasser, und wenn dennoch die Augen zufallen wollten, biß er sich in den Finger, daß der zuletzt rot anschwoll. Am Morgen kam ein noch größeres Unglück: Das kleinste Mädchen war beim Beten wieder eingeschlafen, mußte darum nachbeten und blieb hinter den andern zurück, als die zur Fabrik gingen; nun wollte es das aber nicht, lief darum, was es laufen konnte nach und im Laufen fiel es, weil die klobigen Holzschuhe ihm noch nicht passend waren und auf einmal feststachen; es fiel so, daß grad am Rand des Holzschuhes das linke Beinchen zerbrach; so ein Holzschuh gibt ja nicht nach wie ein Lederschuh: Wenn er festsitzt, muß bei solchen Fällen er oder das Bein brechen, und da das Bein eines achtjährigen Mädchens zarter ist als der Holzschuh, so war das Unglück hier ganz natürlich. Auf das Geschrei des unglücklichen Kindes kehrten Mutter und Geschwister rasch um, und nun wurde vorderhand an die Fabrik gar nicht gedacht. Die zwei ältesten Burschen trugen das Mädchen nach Hause, die übrigen folgten weinend und – betend.

Du lieber Gott! was war das für ein Jammer bei dem Zeisig, als der Zug ankam; er hatte das Kind am liebsten, weil es das jüngste und noch gar so lieb und kindlich war; er legte sich zu dem Kinde auf den Strohsack, küßte ganz sachte das zerbrochene Beinchen und dann weinte er, grade wie das Kind selbst weinte; dabei kam auch wohl ein Ausruf: »Das kommt von wegen der Holzschuhe und vom« – was er da noch sagen wollte, verschluckte er rasch, mit einem flehentlichen Blick um Verzeihung nach dem Himmel. Nun wurde der älteste Sohn zwei Stunden weit zum Doktor geschickt; die übrigen mußten bald darauf in die Fabrik; mit Widerstreben gingen sie, denn alle hatten das Kind unendlich lieb und wußten ja nicht, ob sie es lebendig wiedersehen würden. Nur die Mutter blieb, und wenn drei Taler verlorengegangen wären – sie hätte bleiben müssen; der Vater konnte nicht weben, die Hände zitterten ihm, wenn er das Schiff in die Hand nahm, und wenn das Kind leise röchelte und stöhnte, so schnitt ihm das durchs Herz, und er mußte hinstürzen zu dem armen Wurm. Das dauerte bis Ende Nachmittag; da erst kam der Sohn mit dem Doktor zurück, denn er war ihm ins Gebirge zu einem Kranken nachgelaufen. Das Kind wurde nun verbunden, der Doktor gab Hoffnung zu seiner Rettung, und nun ging der Zeisig hinunter zur Fabrik, weil es Samstag war, um den Lohn zu holen. Ach! der war gering; er, die Frau, der Sohn und das jüngste Kind hatten einen ganzen Tag, die übrigen einen viertel Tag verpaßt – das gab einen großen Abzug. Der Zeisig bat flehentlich, man möchte Nachsicht haben wegen des Unglückes, aber ›das Kind konnte ja vorsichtig sein‹ – hieß es; er flehte wieder um Vorschuß, er hätte ja noch etwas auf dem Stuhl, was zwar noch nicht fertig, aber doch schon so gut wie verdient sei; – da bekam er einen halben Taler Vorschuß. Mit dem halben Taler ging der zweite Sohn nun noch spät abends nach dem Orte, wo der Doktor wohnte und mußte ihn da in der Apotheke lassen, für die Rezepte und Getränke, die dem Kinde verordnet waren. In der Fabrik war zwar auch so etwas zu haben, aber bloß für solche, die grade da zu Schaden gekommen, und die bekamen es auch nur um sehr weniges wohlfeiler. Der Zeisig brachte nun die eingekauften Lebensmittel nach Hause; ach! es waren gar wenig, sie reichten noch weniger aus als in der vorigen Woche, und da hatte man schon arg entbehrt; es zeigte sich das auch immer deutlicher, denn alle wurden so matt, so matt; – die Jüngeren bekamen in der Fabrik manches Scheltwort, die Jüngsten manchen Seiten- oder Rückenstoß.

Die Mutter blieb bei dem Kinde; machte das auch wieder einen bedeutenden Ausfall, schalt der Verwalter auch, meinte auch der Herr: »Die Brut wird darum doch nicht eher besser, wenn das Weib auch dabeisteht und jammert« –: sie konnte nicht von dem Kinde gehen und meinte: ›Mutterblick heilt‹; und wollte sie auch, von Angst fürs Brot getrieben, manchmal fort: dann merkte es das Kindchen auf der Stelle, streckte die mageren Ärmchen aus und rief: »Mütterchen – dableiben! hierbleiben Mütterchen!« und dann konnte sie doch unmöglich gehn; dafür daß sie aber nun nicht arbeitete, wollte sie auch weniger essen (d. h. die andern meinten, sie wär satt), und der Zeisig arbeitete mit wahrhaft heroischer Kraft; – er hatte heute gehört, daß der Durst gar nicht schlafen lasse (der Hunger zwar anfangs auch nicht, aber hernach wird er doch überwältigt), und da trank er Wasser mit aufgelöstem Salz und nun bekam er so wütenden Durst, daß er gar nicht schlafen und dafür immer weben konnte und nicht zu fürchten brauchte, wieder ›Duselei‹ zu machen; um 3 Uhr morgens war dann die Feststunde, wo er trinken durfte, um sich zur Früharbeit zu stärken. Das Stück, was er webte, *mußte* fertig werden bis Samstag, – daran wollte er alles setzen, denn dann war der halbe Taler Vorschuß und sogar der Ausfall wegen der Frau gedeckt; und am Samstag morgen schon war es nah, nah fertig: Da fiel der Weber auf der Bank zusammen und schien wie tot. Der schreckliche Schmerzensschrei seines Kindes, was von der Mutter beim Hinzuspringen in der Angst am zerbrochenen Beinchen getreten war (es lag ja am Boden auf dem Strohsack), weckte ihn aber augenblicklich wieder auf; da verlangte er nach – dem Pastor und siehe (lupus in fabula) – da kam auch der Pastor schon herein. Er richtete den Weber auf; dieser schwankte zu seinem Kinde, beruhigte es mit tonloser, zitternder Stimme und gab dann seiner Frau einen Wink hinauszugehen. Nun lehnte er sich an den Webstuhl und schilderte dem Pastor sein ganzes Elend; der Pastor hörte ihn ruhig an, und als der Weber geendigt hatte, rief er aus: »Dank Dir – o heiliger Gott! – daß Du diesen Bruder in Christo also hochwert Deiner Gnade hältst und ihn also heimsuchst! O mein Bruder! wen der Herr lieb hat, den züchtigt er! – darum falle auf die Knie und preise ihn!« Darauf riß er wie entzückt den müden schwachen Mann zu Boden und betete vor – und der betete das nach; aber er tat es mit einer dumpfen, hohlen Stimme; es ging ihm auf einmal wüst im Kopf herum; dann geriet er fast in Verzweiflung und beichtete dem Pastor alles Sündliche, was er auf Augenblicke gedacht, besonders den Gedanken, den er bei dem Unglücksfall des Kindes nicht ganz ausgesprochen hatte. O – das war ja entsetzlich! Der Pastor war wie außer sich; er malte dem Unglücklichen hundertfache Höllenstrafen vor, die ihn treffen würden; aber noch wäre es Zeit zur Rettung: er solle sich züchtigen, geißeln, bis aufs Blut – und da langte er eine zusammengelegte Geißel von Pferdehaaren, an den äußeren Enden mit kleinen Bleikügelchen beschwert, hervor: das sei ein Gott wohlgefälliges Werkzeug und sogleich solle die Kasteiung geschehen. Der Weber war so gebrochen und doch auch wieder so aufgeregt, daß er einesteils alles mit sich machen ließ, was man hätte haben wollen; andernteils solch neue, wilde Arbeit seinen aufgeregten Nerven wahre dämonische Freude machte. Der Pastor entkleidete nun selbst des Webers Oberkörper und ließ dann die scharfe Geißel sausend auf die nackten Glieder schwirren, bei jedem Hieb einen Bibelspruch hersagend. Der Weber rührte sich nicht, und man vernahm keinen anderen Laut als das wilde Murmeln phantastischer Gebete und das Schwirren der Geißel. Wäre der Pastor nicht müde geworden, der Weber hätte noch länger ausgehalten, und als ob die Schläge ihn erkräftigt hätten, sprang er stark auf, zog sich an, und wie der Pastor fort war, setzte er sich an den Webstuhl, webte rüstig und rasch das Stück fertig und ging damit eifrigen Schrittes zur Fabrik. – Aber »Herrgott im Himmel!« rief er da plötzlich und zitterte krampfhaft – das kostbare Stück war voll Blut!! Die Geißel des Pastors hatte auch seinen Oberarm getroffen, so daß Blut kam, und während der Bewegung beim Weben war noch mehr Blut gekommen und durch den Ärmel des Wamses in die Fäden hineingetropft – so daß es gleichsam mit verwebt worden war, und er hatte es im Eifer nicht gesehn; nicht einmal beim Abnehmen und Aufrollen – und erst jetzt glänzte es ihm rot entgegen; aber er meinte, jeder Fleck sei ein tiefes, schwarzes Grab, – so entsetzlich geängstigt war er, denn das mußte ja sein Ruin werden.

Die Wut des Herrn ist gar nicht zu beschreiben; er packte den Weber bei der Brust und schrie: »Mein Stück! mein schönes kostbares Stück! mein schönes kostbares Stück! Ihr sollt mir's bezahlen! – bezahlen!« – Aber wovon denn? – Zuerst vom ganzen Lohn der Woche und dann vom halben Lohn der Woche, so viel Wochen lang, bis der ganze Preis heraus wär. Jetzt stürzte der

Weber dem Herrn zu Füßen und flehte, – flehte wie nur ein Gatte und Vater flehen kann, der den Hungertod der Seinigen vor Augen sieht. Der Herr ließ währenddem seinen Pudel nach dem seidenen Schnupftuch springen, und als der Weber ihm die Füße umklammerte und dabei plötzlich in konvulsivischen Zuckungen der Länge nach auf dem Boden lag, die Finger aber krampfhaft in die faltenreiche Haushose des Herrn gewühlt hatte: da riß dieser sich unwillig los und ging fort, der Köchin zurufend: daß sie die Krebse (die heute erhaltene seltene Sendung eines Nachbarn) nur nicht zu lange sollte kochen lassen. – Der Weber wurde von mitleidigen Arbeitern nach Hause gebracht und auf den Strohsack neben sein krankes Kind gelegt. Die Stärke, die er nach der Kasteiung gezeigt hatte, war nur eine falsche, ein Fieber gewesen und das packte ihn jetzt furchtbar an, so daß er wohl acht Tage lang gar nicht recht zur Besinnung kam, und als er wieder dazu kam, da hätte er beinahe gewünscht, es wäre nicht geschehen: Das erste, was er sah, war sein totes Kind, das einen Tag vorher gestorben war. Man hatte es, um auf dem Strohsack Raum zu bekommen und weil sonst kein Platz war, auf ein kleines Bänkchen in der Ecke an die Wand gesetzt; wie nun der Zeisig es so sitzen sah, meinte er, es wäre schon so weit besser, daß es sitzen könne und rief es an – aber es gab keine Antwort und statt dessen hörte er ein stilles Weinen; der Zeisig drehte sich hin, woher das Weinen kam: Da sah er seine Frau auf zwei Stühlen liegen (sie hatte ihn nicht belästigen wollen) – eingefallen, bleich, krank, mit rotverweinten Augen, und ringsherum kauerten die drei jüngsten Kinder und waren ganz still, d. h. sie wimmerten bloß so leise vor sich hin. Die zwei andern waren in der Fabrik, um das blutfleckige Stück abzuverdienen.

Da kam es auf einmal ganz sonderbar über den Weber: Er richtete sich hoch auf, sein Gesicht wurde von unten auf bis zur Stirne nach und nach sichtbar wie verklärt, und die Augen strahlten auf einmal in einem ganz wunderseltsamen Glanze; er zog sich – ungeachtet aller Bitten seiner Frau – an und ging hinaus. Die Frau hätte ihn gewiß festgehalten, wenn sie gekonnt hätte, aber sie konnte sich ja nicht rühren und er sagte: »Der Geist ist über mich gekommen«, und das glaubte sie auch, zumal da er auf einmal so seltsam aussah. – Er ging festen Schrittes zum Pastor und der meinte im Augenblick nicht anders, als der Geist des Zeisig wäre da; als er jedoch den wirklichen Zeisig vor sich erblickte, nötigte er ihn eifrig zum Sitzen. Aber der Zeisig setzte sich nicht; er trat dicht vor den Pastor hin und fragte nur: »Herr Pastor – habe ich auch das jetzige, noch viel schrecklichere Elend verdient?«

»Welche Frage?! – versteht sich!«

»Haben's auch meine Frau und Kinder verdient?«

»Wir alle – alle – verdienten noch weit größeres Elend ob unserer elenden Sündhaftigkeit.«

»Also wir sind wirklich alle so in Grund und Boden schlecht und verworfen?«

»Verworfen! elend! schlecht! sündhaft!«

»Warum leben wir aber denn?«

»Das ist ja eben die hohe Güte und Gnade des barmherzigen Gottes, daß er uns trotz unserer Sündhaftigkeit das Leben schenkt!«

»Also das Leben ist wirklich ein kostbares Geschenk?«

»Das kostbarste!«

»Und wir verdienen das also nicht?«

»Nein! nein! wir sollen nur streben, es zu verdienen; aber nie wird es uns gelingen!« – »Ich danke, Herr Pastor, für die gefällige Belehrung – guten Tag!«

Mit diesen Worten verließ er ganz ruhig den etwas verwunderten Pastor und trat ebenso ruhig zum Herrn ein. Dieser hatte schon einigemal fragen lassen, ob der Zeisig arbeite und wie er sich unterstehen könnte, krank zu werden, wenn er seine Schuld abarbeiten müsse. Als nun der Zeisig zu ihm eintrat, wunderte er sich der schnellen Besserung, meinte aber doch:

»Nun – ist das Faulenzen jetzt aus?«

»Ja, Herr! Ich komme eigentlich, etwas zu fragen: nämlich – ob Ihr mir den noch restierenden Ersatz wegen des fleckigen Stückes nicht erlassen wolltet?«

»Unsinn! Tollheit!«

»Also durchaus nicht?«

»Geht! geht! guten Tag!«

»Noch eins Herr: Könnt Ihr dann nicht wenigstens so viel tun, daß ich den Ersatzabzug erst später – etwa nach 4 Monat – leiste, damit ich mich jetzt erst wieder zurechtarbeite und nicht so viel Schaden auf einmal kommt?«

»Nein! Ich habe jetzt schon durch Euer und Eures Weibes und Eurer Kinder krankes Faulenzen Schaden genug gehabt!«

»Aber Herr – wenn wir nun verhungern müssen?«

»Unsinn! man verhungert nicht so leicht.«

»Also – durchaus nicht?«

»Geht! geht!«

Der Zeisig ging so ruhig fort wie er gekommen war; er hatte nun abgeschlossen mit sich und zwar so: ›Hat der Herr Pastor recht, daß wir unser schreckliches Elend verdienen und daß das Leben eine köstliche Gabe ist, die wir nicht verdienen: so ist es ein gutes, demütiges Werk, diese Gabe dem lieben Gott freiwillig zurückzugeben. Hat er nicht recht, verdienen wir das Elend nicht und ist das Leben keine kostbare Gabe: so ist es ein großes Versehen vom lieben Gott, daß er uns mit dem schrecklichen Elend in das Leben gesetzt hat, und dann ist es eine gute Handlung, das Versehen wieder gutzumachen, indem wir mit unserm Leben unser Elend vertilgen, ein Elend, das jetzt mit jedem Tage wachsen wird.‹

Wie es an diesem Tage Schlafenszeit war, befahl der Zeisig allen Kindern, im Zimmer zu bleiben und darin die Nacht auf ausgebreitetem Stroh zu schlafen. Das gab nun zwar große Verwunderung, aber sie waren in letzter Zeit des Seltsamen am Vater gewohnt und meinten, daß diese Anordnung wieder vom Geist eingegeben sei. – Um Mitternacht stand der Zeisig ganz leise auf, überzeugte sich, daß alle fest schliefen, holte einige dicke Steinkohlen herein, die er anglimmte, verstopfte alle Tür- und Fensterritzen und setzte sich dann feierlich an den Webstuhl, einen Psalm Davids leise vor sich hinsingend. Der immer stärker und stärker sich entwickelnde tötende Dunst der Steinkohlen war ihm dabei ein heiliger Tempelweihrauch.

Als der Herr den Tod der Familie erfuhr, schimpfte er, daß er nun sein kostbares Stück nicht ersetzt bekomme. Der Verwalter riet ihm, sich dafür an die Hinterlassenschaft von Mobilien zu halten, und das tat er auch. Bald darauf bekam er den Titel ›Kommerzienrat‹ (einen Orden hatte er ja schon), und der Pastor wurde durch eine sonderbare Fügung Erzieher eines Prinzchen; durch einen andern Heiligen aber bei der Gemeinde würdig ersetzt.

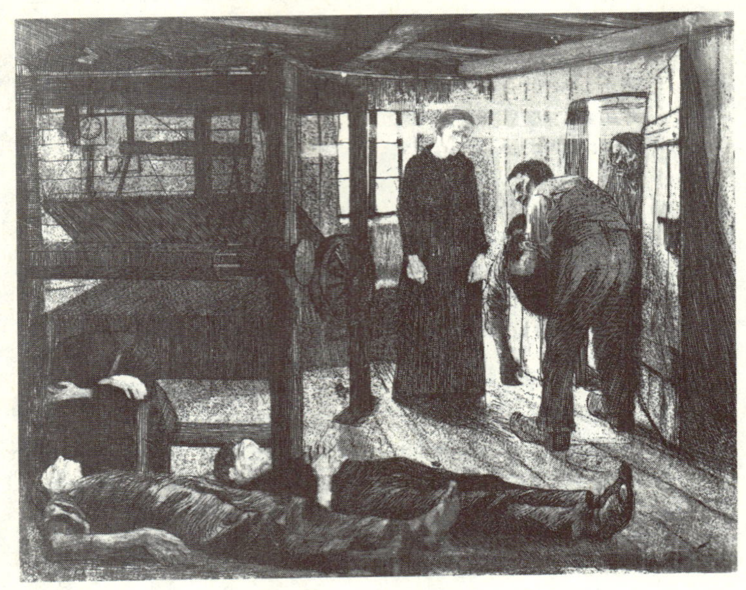

›Ende‹. Blatt 6 aus dem Zyklus Weberaufstand von Käthe Kollwitz

Friedrich Wilhelm Hackländer
Handel und Wandel (Auszug)
1850

Friedrich Wilhelm Hackländer (1816–1877) war zunächst als Kaufmann tätig. Mit teils autobiographischen Schilderungen aus dem Soldatenleben hatte er großen Erfolg, den er als Reiseschriftsteller in fürstlichen Diensten und als Unterhaltungsautor fortsetzte. ›Handel und Wandel‹ (1850) ist einer seiner ersten Romane. Von den zahlreichen anderen, die bis zu seinem Lebensende erschienen, ist ›Europäisches Sklavenleben‹ (1854) noch am bedeutendsten.

In ›Handel und Wandel‹ wird, ähnlich wie in Gustav Freytags ›Soll und Haben‹ (1853), die Geschichte eines bürgerlichen Handelshauses erzählt. Der hier wiedergegebene Auszug ist ein Rückblick auf die Verhältnisse in einem Handelshaus der vierziger Jahre.

Auf der Wiegkammer

Die Wiegkammer ist für die Fabrikation, was das Comptoir für das Handlungshaus ist, die Seele des Geschäftes, in der alle Lebensfäden zusammenlaufen. Um vom Urstoff anzufangen, so wird die rohe Seide, welche durch einen Makler von den großen Seidehändlern erkauft ist, alsbald in das Magazin gebracht, die Bücher hierüber sind aber auf der Wiegkammer, wo sich auch Muster von allen vorrätigen rohen Seiden befinden. Von der Wiegkammer erhält der Färber die Stoffe zugleich mit den Farbenmustern, und dorthin wird die gefertigte Seide wieder eingeliefert. Der Name ›Wiegkammer‹ zeigt schon an, daß hier alles genau abgewogen wird, es ist auch mit der Seide nicht anders möglich. Der Kettenscherer, das ist der Mann, welcher zum Stoff die Kette zurichtet, erhält sein Quantum zugewogen und muß die fertige Kette nach Abzug des angenommenen Verlustes in derselben Schwere abliefern; die Einschlag-Seide wird nach Gewicht von der Wiegkammer zum Spulen gegeben und kommt dorthin zurück.

Dies Gemach hat nun ein recht freundliches Aussehen, an den Wänden befinden sich große Realen, in welchen die gespulte Seide auf zierlichen Röllchen gehaspelt zu Tausenden aufgestellt ist; da glänzen alle möglichen Farben durcheinander und wieder von diesen Farben stehen die feinsten Schattierungen von der hellsten bis zur dunkelsten schön geordnet nebeneinander. Ich glaube nicht, daß ein Maler so feine Nuancen beobachten muß wie der Seidenfabrikant. Hier ist z. B. Schwarz nur ein sehr allgemeiner Ausdruck, und es gibt vielleicht einige Dutzend Schwarz, Blauschwarz, Rotschwarz und wie sie alle heißen mögen. Ebenso ist der Unterschied in Weiß sehr groß und nach den verschiedenen Zwecken, wozu die Stoffe bestimmt sind, ist das Weiß ganz weiß oder mehr gelblich, mehr bläulich, mehr rötlich usw.

Auch die geschorenen Ketten liegen, auf Rollen von schönem harten Holz gewickelt, nebeneinander und mit sauber geschriebenen Etiketten versehen, worauf zu lesen ist, von wem die Seide gekauft wurde, wieviel sie in der Station verloren, wer sie gefärbt und geschoren. Ebenso ist hier viel rohe Seide zu sehen, nach ihren verschiedenen Gattungen geordnet, denn rohe Seide ist nicht bloß rohe Seide, sondern hier gibt es auch viele Racen[40], wenn ich mich so ausdrücken darf, von der groben Filetseide an bis hinauf zum feinsten Turiner Organzin. Nicht nur jedes Land, jede Stadt liefert verschiedene Seide, sondern auch ein einzelner Kokon von der äußern grauen Umhüllung an bis zum innersten Gewebe, das wie ein batistenes Schlafhemd die eingesponnene Raupe umgibt.

Daß ein Comptoirtisch und mächtige Bücher in der Wiegkammer nicht fehlen, ist natürlich, ebensowenig mächtige Folianten, in welchen Tausende von Mustern eingeklebt sind; in der Mitte des Zimmers steht ein langer Tisch mit einer schönen messingenen Waage, fein gearbeitet, denn sie muß das kleinste Gewicht richtig angeben, und dieselbe ist blank und sauber geputzt. Jeder Fabrikant, der nur einigermaßen auf Ordnung und Sauberkeit sieht, setzt seinen Stolz darein, daß dieses Gemach hell und freundlich und schön geordnet aussieht, und meistens hat der Herr des Geschäfts selbst, oder bei großen Fabriken ein vertrauter Geschäftsführer, seinen Sitz auf der Wiegkammer. Hier sind die schärfsten Augen versammelt und die genauesten, ja unbarmherzigsten Kommis prüfen die Waren, welche der Weber einbringt. Große Strenge ist notwendig, denn bei der Seidenweberei ist die kleinste Nachlässigkeit imstande, ein ganzes Stück zu verderben. Diese Strenge nun war namentlich in früheren Zeiten und bei manchen Fabrikanten, die bei dem armen Arbeiter einen Fehler und ein Unglück nicht als möglich zugaben und sich nur selbst für unfehlbar hielten, oft über alle Maßen hinausgetrieben, und dadurch wurde selbst dem geschickten, sauberen und fleißigen Weber dieser Ort oft zur Qual und Verzweiflung. Da wurde ein kleiner Fehler in der Kette, der einen falschen Punkt vielleicht von der Größe eines Nadelkopfes hervorbrachte, ein unbedeutender Irrtum im Dessin oder Verlust einiger Lot an Seide, der sich bei dem Abwiegen des Stücks herausstellte, aufs fürchterlichste mit großen Abzügen geahndet; dann herrschte noch, namentlich in kleineren Landstädten, der fluchwürdige und schändliche Gebrauch, daß der arme Weber genötigt war, für einen Teil seines sauer verdienten Lohnes Lebensbedürfnisse, als: Kaffee, Zucker, Seife, Öl, von dem Fabrikanten statt bares Geld anzunehmen, zu welchem Zweck sich neben der Wiegkammer eine Art Spezereiladen befand. Die erste Einführung dieses Gebrauchs mag vielleicht in einer guten Absicht geschehen sein, und der Fabrikant, welcher väterlich für seine Arbeiter sorgte, mag hierdurch seinen Leuten gute und billige Lebensmittel haben verschaffen wollen, doch artete das sehr aus, ist aber jetzt glücklicherweise fast gänzlich wieder verschwunden; ein rechter Fabrikant gab sich auch nie mit diesem Geschäfte ab.

Es ist morgens acht Uhr, die Wiegkammer wird geöffnet und vor der Türe haben sich schon eine Menge Weber versammelt, die abgefertigt sein wollen. Einige wohnen in der Stadt, andere auf dem Lande und diese machten schon in der Frühe einen Marsch von einigen Stunden, um zur rechten Zeit da zu sein. Der Prinzipal des Hauses – ich spreche nicht von dem unsrigen[41] – eine kleine, dicke Gestalt mit rotem Gesicht, eine Brille auf der Nase, kam eben von seinen Zimmern, und die Art, mit der er brummend guten Morgen sagt und die Heftigkeit, mit welcher er sein Buch aufschlägt, zeigt den Kommis und Lehrlingen an, daß der Chef äußerst schlechter Laune ist und man sich sehr zusammenzunehmen habe. Er schlägt einige Pagina[42] nach, schielt aber währenddessen nach seinen Leuten, und das erste Ungewitter bricht los. »Herr Block«, sagt er zu einem der Lehrlinge, »sind Sie nicht imstande, Ihre ewige Lust zu Kindereien zu bändigen, oder glauben Sie, es gehöre zum Geschäft, die Waage ewig auf- und abtanzen zu lassen? Nehmen Sie sich zusammen, Herr!« – »Und Sie, Herr Braun, lassen Sie die Leute hereintreten.« Der Herr Braun ist ein alter Kommis, viel älter wie der Prinzipal, mit einem langen, dürren Gesicht, einer rötlichen Haartour, einer Habichtsnase und mit Augen wie ein Falke, ein wahres Vogelgesicht, denn er hat gar kein Kinn, und wenn er ißt, glaubt man, er schiebe die Speisen in die Nasenlöcher; bei der Anrede des Prinzipals fährt er erschrocken zusammen, denn er hat höchst verbotenerweise eine Prise genommen.

Der Herr Block öffnet die Tür, und der erste Weber tritt ein, dieser hat bloß einen Einschlag zu verlangen, der Herr Braun schlägt das Konto auf und sagt mit erschrecklicher Fistelstimme: »Es ist dem Meister zuwenig mitgegeben worden, der Herr Block hat die Seide eingeschrieben.«

»Wieder der Herr Block«, entgegnet der Prinzipal, »ist denn

mit Ihnen gar nichts anzufangen? – Doch hätte ein alter Meister wie Er«, wandte er sich an den Weber, »auch eigentlich schon wissen können, was er braucht.« Dieser erhielt seine Seide und trat in das Nebenzimmer, wo ein solcher Laden eingerichtet war, von dem wir vorhin sprachen.

Diesem Filial-Geschäft stand die Schwester des Prinzipals vor, und Fräulein Pfeffer, so hieß dieselbe, verdiente sich hier im Schweiße ihres Angesichts und dem der Weber ein kleines Nadelgeld. Von diesem Laden ging eine Blechröhre, eine Art langes Sprachrohr, bis zum Pult des Prinzipals, und kaum war der Weber drüben eingetreten, so schallte die Stimme der Fräulein Pfeffer, welche ihren Bruder fragte, wieviel der Mann noch zu bekommen habe.

»Sobald er abliefert«, war die Antwort, »noch cirka fünf Taler« – »wovon er mir«, schallte es zurück, »schon drei Taler schuldig ist, kann ihm nichts mehr geben.« Gleich darauf kam der Weber traurigen Angesichts zurück, und es war zu bemerken, wie er das Seiden-Paket, das er in der Hand trug, fest umklammerte. »Herr Pfeffer«, sagte der Mann, »es ist allerdings wahr, daß ich schon für drei Taler Waren bekommen habe, aber ich habe weiß Gott nicht mehr geholt, wie ich notdürftig brauchte.«

Der Prinzipal zuckte die Achsel und sagte kalt: »Liefere Er ab.« – »Aber Herr Pfeffer«, entgegnete schüchtern der Arbeiter, »ich muß doch leben, damals wollt ich ja nur für einen Taler kaufen, aber man drang mir Waren für drei Taler auf.«

Der Prinzipal fuhr in die Höhe: »Was sagt Er, wer drang auf? Sieh einer an.«

»Nun ja«, antwortete der Weber, »ich nahm freilich für drei Taler, aber heute brauch ich wieder Öl und Mehl und Sie können sich denken, daß ich jetzt in einem anderen Spezereiladen auch keinen Kredit bekomme.«

»Kann nichts dafür«, entgegnete der Prinzipal, »liefere Er ab und Er kann wieder Waren bekommen.«

»Auch mein Geld?« fragte der Weber gereizt.

»Zwei Drittel Waren, ein Drittel Geld, wie es bei mir der Brauch ist«, sagte kalt der Herr Pfeffer. Der Weber verließ das Zimmer.

Es trat ein anderer ein, ein kleiner, gutaussehender Mann,

aber mit tief bekümmertem Gesicht, er hat ein großes Stück Seide abzuliefern, und der Prinzipal, der ihn freundlicher wie den ersten begrüßte, trat an den Tisch, um es mit Herrn Braun durchzumustern. »Schon fertig?« kreischte dieser, »Ihr seid sehr fleißig, Meister Haase.«

»Habe mehrere Nächte durchgearbeitet«, antwortete seufzend der Weber, »mein Weib wird immer kränker, und da muß ich des Nachts wachen und webe unterdessen.«

»Das ist mir nicht lieb«, sagte der Prinzipal, der, unterstützt von den scharfen Augen des Herrn Braun, Elle um Elle mit der größten Genauigkeit durchsah, »das ist mir gar nicht lieb, Meister Haase, das schadet der Ware, sieht Er, hier fangen die Nachtwachen an«, dabei bezeichnete er eine Stelle des Stoffs, wo der Herr Braun ein kleines Knötchen entdeckt hatte. »Ja, ja, hier fangen die Nachtwachen an«, wiederholte er, »das ist schlechte Arbeit und da wieder ein Knoten.«

»Schlechte Arbeit«, sagte der Weber, »habe ich noch nie gemacht.« –

»Sehen Sie da«, fistelte der Herr Braun, »da ist ein Ölflecken, um Gottes willen ein Ölflecken!«

»Wahrhaftig ein Ölflecken!« bekräftigte der Prinzipal, »da müssen wir bedeutende Abzüge machen.«

»Abzüge, Herr Pfeffer?« sagte ernst der Weber, »das kann Ihr Ernst nicht sein, haben Sie mir je einen Fehler nachweisen können? Ich habe den Flecken auch gesehen, aber er läßt sich ja ganz gut herausbringen, o dieser Flecken, Herr Pfeffer, ist vorgestern Nacht in das Stück gekommen, das war für mich eine schreckliche Nacht! Die Frau im Bett, ich denke sie stirbt jeden Augenblick und ich mußte beständig vom Webstuhl zu ihr hinlaufen, die Arbeit stehenlassen und der kranken Frau bald zu trinken geben, bald sie zurechtlegen.«

»Diese Unterbrechungen sieht man wohl an der Arbeit«, sagte kalt der Prinzipal.

»Auch«, fuhr der Weber ruhig fort, »auch mein kleines Kind ist krank, es konnte nicht schlafen und warf die Lampe vom Webstuhl um, daher kommt der Flecken, wofür Sie wohl diesmal Nachsicht haben können, ich brauche mein Geld so notwendig.«

»Tut mir leid«, sagte der Prinzipal und ging an sein Buch zurück, »notieren Sie die notwendigen Abzüge, Herr Braun. Der Meister Haase bekommt acht Taler sechs Groschen, davon – was macht der Abzug? – also davon zwei Taler sechs Groschen Abzug für schlechte Arbeit, bleibt sechs Taler. Zwei Drittel hiervon werden dem Meister auf Waren-Konto gutgeschrieben, bekommt Er bares Geld zwei Taler.«

Bei dieser Abrechnung zuckte ein wilder Schmerz über das Gesicht des Webers und sein sonst gutmütiges Gesicht wurde ernst, ja drohend. »Herr Pfeffer«, sagte er, »Sie wollen also keine Barmherzigkeit mit mir haben und wollen mir, der Ihnen schon seit langer Zeit untadelhafte Ware geliefert, einen Abzug wegen eines Fehlers machen, der, ich sage es offen, unbedeutend ist und den zu verhüten, weiß Gott nicht in meiner Macht lag; nun gut, ziehen Sie mir zwei Taler sechs Groschen ab, ich will nicht vor das Fabrikgericht gehen, aber zahlen Sie mir sechs Taler bares Geld, weiß Gott, ich kann keine Ihrer Waren gebrauchen«, hier seufzte der Mann, »denn die Waren, welche ich um dieses Geld für meine Kranken kaufen muß, haben Sie ja doch nicht.« –

Der Prinzipal hob seine Brille auf und sagte kalt: »Was ausgemacht ist, bleibt ausgemacht, zwei Drittel Waren, ein Drittel bares Geld; hier sind zwei Taler, ein so fleißiger Mann wie Sie wird den kleinen Verlust bald wieder eingebracht haben. Herr Braun, notieren Sie für den Meister Haase die Rosa-Kette dort und Sie, Herr Block, geben Sie weißen Einschlag dazu Nummer 4.«

Der Weber kämpfte während dieser Zeit mit sich selbst, doch trat er nach einer Pause ruhig vor den Prinzipal und sagte: »Bemühen Sie sich nicht mit der Rosa-Kette, Herr Pfeffer, schließen Sie mein Konto und zahlen Sie mir meine sechs Taler, ich arbeite nicht mehr für Sie.«

Erstaunt blickte der Prinzipal auf und Herr Braun wollte einige begütigende Worte sagen.

»Sparen Sie Ihre Rede«, sagte der Meister Haase, »so behandelt man keinen Menschen, es wird schon noch die Zeit kommen, daß überhaupt kein ordentlicher Weber mehr in Ihre Wiegkammer kommt.«

Der Prinzipal kämpfte einen Augenblick mit sich selber, ob er seinen besten Arbeiter wegen dieser Kleinigkeit solle ziehen lassen, doch zischelte es in diesem Augenblick aus dem Sprachrohre an sein Ohr – und Fräulein Pfeffer sprach die Worte: »Laß den Kerl laufen, er bekommt so viel mehr bezahlt wie jeder andere und hat an meinen Waren immer etwas auszusetzen, hat neulich sogar gesagt, ich habe zu leicht gewogen und mein Zucker sei naß, der Schlingel.« Dies entschied. Von seinen sechs Talern mußte der Weber die Hälfte stehenlassen, bis er die hölzernen Spulen, die dem Fabrikherrn gehörten, und die vielleicht einen Wert von zehn Silbergroschen hatten, abliefern würde, alsdann verließ er mit einem unterdrückten Fluch das Zimmer.

Solche Szenen folgten eine der andern. Herr Braun spürte an den Seidenzeugen umher und seinem Blick entging nicht das geringste. Die Zunge der Waage mußte mit einer Schärfe einspielen, die unglaublich war, Abzüge wegen fehlender Seide oder wegen kleiner und großer Fehler wurden unzählige gemacht, und je größer die Liste derselben wurde, je eifriger rieb sich der Prinzipal die Hände. In dem Sprachrohr zischelte es hin und her, und auch Fräulein Pfeffer machte glänzende Geschäfte. Dieselbe, über die Blütenjahre längst hinaus, war lang und hager, äußerlich ein vollkommener Gegensatz ihres Bruders, im Innern aber harmonierte das Geschwisterpaar aufs vollkommenste. Hatte man auf der Wiegkammer dem armen Weber abgezogen, was nur möglich war, so schraubte ihn Fräulein Pfeffer aufs allerentsetzlichste, indem sie ihm für das Guthaben auf dem Waren-Konto schlechten Zucker und noch schlechteren Kaffee gab oder den armen Leuten Sachen aufhängte, die sie oftmals gar nicht brauchen konnten.

Diese würdige Dame trug ein altes, verschossenes, hochgelbes Seidenkleid und hatte auf zwei mächtigen, falschen Locken eine große Blondenhaube mit verknitterten Blumen, dabei war es komisch anzusehen, wie sie in diesem prachtvollen Anzuge Kaffee und Zucker wog und Butter und Seife auf blaues, schmutziges Papier strich.

In der Wiegkammer klapperten die Spulen, klirrte die Waage, fistelte der Herr Braun, und dazwischen rumorte der Herr Block mehr wie notwendig schien, und der Prinzipal annoncierte seiner Schwester die unglücklichen Schlachtopfer, welche aus dem Regen in die Traufe kamen.

»Die Frau Müller«, schallt es in den Laden herüber, »hat gut drei Taler«, und so angekündigt, erschien die Weberfrau vor der Fräulein Pfeffer. »Nehme Sie sich einen Stuhl«, sagt dieselbe herablassend und kritzelt in ihr Buch. »Sie hat zwei Taler gutgeschrieben, was wünscht Sie, liebe Frau?«

Die Frau Müller zieht ein Papier heraus und legt es auf den Tisch; da sind verzeichnet: Kaffee und Zucker, Salz und Pfeffer, Baumöl und Brennöl, wollener Stoff zu einem Unterrock, wollenes Garn zu Strümpfen für den Mann und baumwollenes Zeug zu Hemden für die Kinder. Das Ganze macht einen Taler und vierundzwanzig Silbergroschen.

»Was legen wir hinzu für die sechs Silbergroschen, die noch fehlen?« sagt Fräulein Pfeffer. »Ißt Sie gerne Stockfisch, ein sehr gesundes Essen, und weiß Sie was, tue Sie Ihrem Manne etwas zugut und nehme ein Pfund Tabak zu zwei Silbergroschen.«

»Aber mein Mann raucht nicht«, sagt die Frau, »den Stockfisch würde ich schon nehmen.«

»Stockfisch macht zwei Silbergroschen«, entgegnet die Schwester des Prinzipals, »dazu legen wir zwei Ellen Band, um Ihre Sonntagshaube aufzuputzen, macht fünf Silbergroschen, und«, setzt sie mit einem Lächeln hinzu, das gutmütig aussehen soll, »wenn man so weit gegangen ist, kann man schon ein Schnäpschen trinken und eine Brezel essen, macht zusammen sechs Silbergroschen. Ein Taler vierundzwanzig und sechs macht zwei Taler.« Wie der Blitz sind die zwei Ellen verschossenes, für die Frau ganz unbrauchbares Band abgeschnitten, der Kümmel, der sich in einer Flasche befand, welche so voll mit Fliegen ist, als habe man einen Fliegen-Likör zubereiten wollen, ist eingeschenkt, eine harte Brezel daneben gelegt, und die arme Frau muß es hinnehmen. Der Schnaps verdirbt ihr den Magen und zu Hause angekommen, duldet sie sehr von einer unglücklichen Familien-Szene, denn der Meister Müller kann bei seiner sitzenden Lebensweise keinen Stockfisch vertragen und tobt mit vollem Recht, als er die zwei Ellen Band bemerkt, die höchst unnötig sind und drei Silbergroschen gekostet haben.

Wie aber oft schon hier in der Welt Vergeltung für Gutes und Böses den betreffenden Taten auf dem Fuße folgt, werden wir zu unserer besonderen Genugtuung auf der Wiegkammer des Herrn Pfeffer zu sehen Gelegenheit haben. Herr Block flüsterte dem

Herrn Braun einige Worte zu und dieser meldete dem Prinzipal, der Färber Brand sei draußen. »Was will der Kerl?« fragte der Prinzipal, »ich habe nichts mit ihm zu schaffen.«

»Aber ich mit Ihnen«, sagte eine tiefe Stimme, und ohne die Erlaubnis abzuwarten, tritt der Angemeldete ins Gemach. Der Meister Brand ist eine große, kräftige Gestalt, nichts wie Muskeln und Sehnen, welche ein außerordentlich starkes und kräftiges Knochengebäude zusammenhalten, eine Gestalt, wie sie sich für einen Färbermeister paßt. Das Gesicht hat einen braunen Anstrich, die Merkmale der frischen Luft und des Wassers, in welch beiden Elementen sich der Meister den Tag über bewegt, doch zeigt die Nase eine verdächtige Röte, welche deutlich beweist, daß der Färber das letztere Element nur äußerlich anwendet und daß er zur innern Erwärmung und Auffrischung andere Mittel anwendet. Seine Hände, die unverhältnismäßig groß und lang sind, spielen in verschiedenen Farben, doch ist Violett und Schwarz vorherrschend. Er hat bei seinem Eintreten die Mütze mit sichtlichem Widerstreben abgenommen und drückt sie in der Hand zusammen.

»Was will Er«, fährt ihn der Prinzipal an, »wir sind geschiedene Leute, gehe Er mir aus den Augen, denn mir läuft die Galle über, wenn ich an die schöne Partie Schwarz denke, die Er, Meister Brand, durch Seinen ewigen Brand mir verbrennt.« Es zuckte bei diesen Worten eine kaum merkliche Heiterkeit über einen gelungenen Witz über das Gesicht des Prinzipals, und der Herr Block und der Herr Braun lachten pflichtschuldigst.

Der Färber schien aber nicht geneigt, diesen Spaß so ruhig hinzunehmen, obgleich er ebenfalls ein klein wenig lachte. »Das sind«, sagt er mit seiner tiefen, rauhen Stimme, »abgemachte Sachen und davon spricht man nicht weiter, die Seide war verbrannt, so haben Sie nämlich vor dem Fabrikgericht ausgesagt, obgleich der Meister Steffens eine Ware davon geliefert hat, eine Ware, nun die nicht schlechter ist wie Ihre übrigen. Dabei haben Sie aber vergessen, daß ich den Auftrag hatte, die Ware schwerer zu färben, als es eigentlich möglich war, weshalb die Seide verderben mußte, was ich Ihnen auch im voraus gesagt.«

»Und was wollt Ihr eigentlich?« entgegnete Herr Pfeffer, »wir sind im reinen, das Gericht hat Euch den Abzug für die verbrannte Seide zuerkannt, Ihr habt ihn bezahlt und damit Punktum.«

»Noch lange nicht Punktum«, entgegnete der Färber ruhig, »es hat sich in der Abrechnung ein kleiner Fehler ergeben, das haben mein Advokat und ich herausgebracht, und hier ist der Nachweis darüber.« Er legte ein Papier auf den Comptoirtisch, und der Chef des Hauses, während er es entfaltete, sagte gereizt: »Das ist unmöglich, ich irre mich nie.«

»Zu Ihrem Nachteil, ganz richtig, das kommt wohl selten vor, aber zum Nachteil der armen Leute, die für Sie arbeiten, zuweilen.«

»Was, Ihr wollt mir auf meiner Wiegkammer Injurien sagen?« entgegnete der Prinzipal, »Herr Block, Herr Braun, Sie sind Zeugen.«

»Ja«, entgegnete der Färber lachend, »dies Papier zeugt auch, und wenn es Ihnen lieber ist, so kann ich es auch beim Fabrikgericht vorzeigen.« Der Herr Pfeffer hielt das Papier in zitternder Hand und las es heftig durch, der Zorn stieg ihm blau und rot ins Gesicht, dann sprang er ans Hauptbuch und jagte die Pagina herum, daß Staub und die eingelegten Blätter von feinem Papier in die Höhe wirbelten, dann rechnete er emsig, zerstieß ein paar Federn, notierte aus dem Buch und verglich die Zahlen alsdann mit der Abrechnung des Färbers, wurde ganz blaß, als er zum Endresultat kam und schnappte mühsam nach Atem. Der Färber hatte dieser Szene lächelnd zugesehen, einen Stuhl an den Tisch gezogen, und sich ruhig niedergesetzt.

»Wer hat«, fragte jetzt der Chef des Hauses, und die Wut erstickte fast seine Stimme, »wer hat jene Abrechnung für das Fabrikgeschäft ausgezogen? Herr Braun, ich will nicht hoffen?«

»Herr Prinzipal«, entgegnete der dünne Mann schüchtern, »ich war, wie Sie wissen, damals einige Tage unwohl und, wie ich glaube, hat der Herr Block – – «

»Der Herr Block also?«

Dieser junge Mensch hatte dem Auftritt mit großer Seelenruhe zugesehen und entgegnete kaltblütig: »Allerdings habe ich den Auszug gemacht und ihn dem Herrn Prinzipal zur Unterschrift vorgelegt, doch stand ja ausdrücklich darunter: Irrtum vorbehalten.«

»Herr Block also«, sagte der Prinzipal majestätisch und groß und schlug das Hauptbuch zu, daß es krachte, »Herr Block, Sie sind aus meinen Diensten entlassen, gehen Sie nach Haus, ich werde mit Ihrem Vater über Sie sprechen.«

Herr Block sah den Prinzipal einige Augenblicke ruhig an und es schien, als habe der Abschied keinen großen Eindruck auf ihn gemacht; lachend sagte ihm der Färber: »Es tut mir leid, Herr Block, aber machen Sie sich nichts daraus, Sie finden überall eine solche Stelle, wie gesagt, machen Sie sich nichts daraus.« Der Lehrling schien diesen guten Rat auch vollkommen zu befolgen, er nahm seine Mütze von der Wand, klopfte den Staub heraus und sagte, indem er gegen den Prinzipal eine Verbeugung machte: »Adieu, Herr Pfeffer, der Papa hat mir gesagt, als ich hierher kam, das sei ein Glück für mich, ich bekäme einen wohlwollenden freundlichen Prinzipal, könne was Rechtes hier lernen, und das habe ich auch so geglaubt, aber, Irrtum vorbehalten. Guten Morgen, Herr Pfeffer!« Damit ging er zur Tür hinaus.

»Und meine Abrechnung«, sagte der Färber, »nicht wahr, wir können auch rechnen, ich bekomme demnach noch sechs Taler.«

Der Chef würdigte ihn keiner Antwort, wollte aber vollkommen ruhig scheinen, doch als er die Kasse aufschloß, klirrten die Schlüssel bedeutend in seiner Hand, und er zählte die sechs Taler zitternd auf den Tisch.

Ein boshaftes Lächeln überflog die Züge des Färbers, indem er sagte: »Ei, wo denken Sie hin, Herr Pfeffer, ich bekomme freilich sechs Taler, aber wie es immer in Ihrem werten Hause der Brauch war, ein Drittel in barem, zwei Drittel in Waren. Ich kann es wahrhaftig nicht unterlassen, der Fräulein Pfeffer einen Abschiedsbesuch zu machen.«

Das war zuviel für den Prinzipal, er sprang von seinem Stuhl auf und wollte hitzig werden; aus dem Sprachrohr zischelte es: »Laß mir diesen Kerl um Gottes willen nicht in den Laden«, und der Herr Pfeffer hatte darauf allerhand Entwürfe, doch was war zu tun, als Fabrikherr auftreten in Würde und Hoheit, das machte keinen Eindruck auf den Färber, nach der Polizei schikken, das widerriet die Fistelstimme des Herrn Braun, vor das Fabrikgericht gehen, war nicht tunlich, denn er hätte dort unrecht bekommen und wäre von seinen Kollegen ausgelacht worden, er hatte einmal den Kontrakt mit seinen Arbeitern gemacht und was dem einen recht ist, ist dem anderen billig. »Ich kann nichts tun«, sagte er in die Sprachröhre, »gib dem Kerl, was er verlangt.« Damit setzte er seine schwarze Samtmütze auf und stürzte aus der Wiegkammer, indem er die Tür hinter sich zuwarf, ohne den Färber anzusehen.

Dieser schritt lachend in den Laden und hielt an der Tür das Fräulein Pfeffer auf, das ebenfalls eben im Begriff war zu entfliehen. »Ist das auch eine Art«, sagte er, »wenn man sein Geld sauer verdient hat, daß man Umstände macht, einem die Waren dafür zu geben?«

Was wollte die Ladenbesitzerin machen, es war die herbste Stunde ihres Lebens, aber sie mußte sich in Geduld fügen. Der Färbermeister teilte seine Einkäufe in sehr kleine Portionen, das Geschäft dauerte über eine halbe Stunde, auch bekrittelte er die Waren und wog die Sachen häufig selber nach, da ihm hier und da ein halbes Lot zu fehlen schien. Alsdann machte er seine Rechnung mit mehreren Gläsern Schnaps voll, zu welchem Zweck er aber den Fliegenlikör verwarf, und dann ging er geistig erheitert und stolz seines Sieges von dannen.

Dieser Zustand war wohl schuld, daß er dem Herrn Braun in Gegenwart von ein paar Webern einige höchst unpassende Worte sagte und ihn ermahnte, doch ja zu bedenken, daß der Färber und der Weber eigentlich auch Menschen seien.

Herr Pfeffer kam an diesem Tage nicht mehr auf die Wiegkammer, und Fräulein Pfeffer mußte sich heftiger Krämpfe halber zu Bett legen.

Baumwollmanufaktur. Mechanische Webstühle. Lithographie um 1840

Robert Prutz
Das Engelchen (Auszug)
1851

Robert Eduard Prutz (1816–1872) war als Schriftsteller, Publizist und Literarhistoriker im Vormärz einer der Hauptvertreter der liberalen bürgerlichen Opposition. Immer wieder bemühte er sich vergeblich um einen Lehrstuhl. 1844 wurde die Aufführung seiner Tragödie ›Moritz von Sachsen‹ von der Zensur untersagt, ein Jahr später handelte er sich mit seiner Komödie ›Die politische Wochenstube‹ eine Anklage wegen ›Majestätsbeleidigung‹ ein. 1847 wurde ihm in Berlin verboten, seine ›Vorlesungen über die deutsche Literatur der Gegenwart‹ zu halten. Erst nach der Revolution von 1848/49 übertrug man ihm eine außerordentliche Professur für deutsche Literaturgeschichte in Halle. Seit 1858 war er als freier Gelehrter in seiner Vaterstadt Stettin tätig.

1845 beginnt Prutz mit der Arbeit an dem dreibändigen Roman ›Das Engelchen‹. Erst sechs Jahre später wird dies Werk im Druck vorgelegt. Wie H. E. R. Belani und Louise Otto überzeugt auch Prutz nicht durch seine Stellungnahme zur ›sozialen Frage‹. Die Spinn- und Webfabriken, die er beschreibt, sind Fabriken, die der habgierige Fabrikant Wolston mit in England gestohlenen Plänen in Deutschland errichten läßt. Wie in Willkomms Roman ›Eisen, Gold und Geist‹ (1843) wird auch Wolston durch seine eigenen Maschinen getötet, die Weber bilden am Ende des Romans einen zunftähnlichen Zusammenschluß.

Die hier abgedruckte Szene ›Das Fabrikdorf‹ folgt auf die romantisierende Beschreibung einer Dorfidylle und soll den sozialen Wandel zeigen, der durch das Fabrikwesen eingetreten ist. Dieses von Prutz dargestellte Fabrikwesen erscheint aber für das Deutschland der vierziger Jahre in dieser Dimension übertrieben.

Das Fabrikdorf

Von dem allen nun war freilich in dem Fabrikdorfe, in welches wir soeben mit dem Alten eingetreten sind, nichts zu bemerken. Wohl waren auch hier die Glocken geläutet worden, sehr lange sogar und sehr kunstreich, ein sehr wohllautendes und sehr vollständiges Geläute, das erst ganz kürzlich die gnädige Frau hierher geschenkt hatte: nur daß es übertäubt worden war vom Rasseln der Maschinen, vom Pochen der Hämmer, vom Sausen der Webstühle! Auch hier war die Sonne hinabgestiegen, goldig, in purpurnem Glanz, auch hier hatte die Lerche ihr Abendlied getrillert: nur daß niemand Zeit gehabt hatte, darauf zu merken!

Erst als die große, heisere Fabrikuhr rasselte, als die Türen der ungeheuern Arbeitssäle aufsprangen in knarrenden Angeln, und die Aufseher, durch Wolken von Staub und Schweiß und Qualm hindurch, mit rauher Stimme den Schluß der Arbeitsstunden verkündigten: da erst begann auch hier der Feierabend.

Aber wie beginnt er! – Nicht mit Frieden und Stille und heitrer, seliger Befriedigung, sondern im Gegenteil mit Lärm und Streit und widerwärtigem Gezänke. Flüche sind das erste, wozu diese Lippen, so lange verstummt, sich wiederum in Bewegung setzen! Drohungen, Stöße, Schläge das erste, wozu diese arbeitsmüden, diese zitternden Hände sich erheben! – Saal um Saal entleert sich, Männer, Weiber, Kinder, in wüstem Durcheinander – ›Heda, wartet! Drängt nicht so! Nehmt das Kind in acht . . .!‹

Umsonst! Niemand hört! Alles, in wilder Gier, drängt, stößt, stürzt sich die breiten, aber unsaubern Treppen abwärts, die dumpfigen Gänge entlang, den Geschäftszimmern zu, wo, an vergitterten Pulten, mächtige Säcke mit kleiner Münze neben sich, die Kassenführer sie erwarten.

›Nun Ordnung, Gesindel! Der Reihe nach, Mann für Mann, tretet vor! Wo sind eure Arbeitsbücher?‹ – ›Du da, Weib, du bist dreimal eine halbe Stunde zu spät gekommen . . . Du hast ein kleines Kind zu Hause, sagst du? Das heckt gedankenlos in die Welt hinein; als ob es nicht schon genug solch Gesindel gäbe wie ihr! Und krank obendrein? Gut, so werde Krankenwärterin, in der Fabrik kann man dich nicht dafür bezahlen, daß du zu Hause kranke Kinder pflegst . . . Nichts da geheult! Hier ist der halbe

Wochenlohn, die andere Hälfte kommt zur Strafkasse . . . Du raisonnierst? Du willst dich beim gnädigen Herrn beschweren? Ah charmant, beschwere dich – Herr Werkführer, streichen Sie das Weib aus Ihren Listen, sie ist zum letztenmal heut in der Fabrik gewesen . . . Nichts da! Die Ordnung der Fabrik verträgt es nicht, daß wir Arbeit geben an Leute, welche die reglementsmäßigen Stunden nicht innehalten und dann hinterdrein, statt die gesetzliche Strafe auf sich zu nehmen, noch mit Beschwerden und Schikanen drohen . . .‹

›Was gibt's, Alter? Du hast allemal etwas zu reden, faß dich kurz . . . Ah so, jawohl, ganz richtig, da find ich dich schon auf meiner Liste – du hast zweimal die Spindel zerbrochen, nicht wahr? Das wird gebüßt, du weißt, nach Paragraph sieben . . . Ei was, Zittern in den Händen, das kann jeder sagen: Ungeschicklichkeit, reine Ungeschicklichkeit . . . Dreiundsiebzig Jahre? Aber du närrischer Kerl, wer heißt dich auch dreiundsiebzig Jahre werden? Da gibt's andere Leute als du, und werden nicht so alt . . . Nun genug davon! Paragraph sieben – ich kann die Statuten nicht ändern, und wenn ich's könnte, tät ich es doch nicht; Volk wie ihr muß kurzgehalten werden . . . So? Nun, für deine ungebührlichen Reden verdopple ich hiermit den Abzug – und übrigens rat ich dir, mach daß du stirbst, alter Narr: denn es ist ja doch nur ein reines Almosen, was du bekommst, und die Zeiten sind nicht danach angetan, Almosen zu geben an Tagediebe . . .‹

›Und nun ihr da, Platz! Und laßt die Kleine vor, die da, mit den schwarzen Augen, die kleine frische . . . Aber weißt du auch, du kleiner Satan, daß das sehr schlecht zusammenpaßt, solche verwetterte schwarze Augen im Kopfe haben und dabei so unartig sein? Der Werkführer hat Beschwerde über dich angebracht; du bist schnippisch, sagt er, und faul . . . Ah bah, geh doch! Wegen eines Kusses? Du bist auch wohl eine, die sich lange bitten läßt wegen eines Kusses? Und nach dem Fabrikreglement fällt ja auch so etwas gar nicht vor . . . Es käme darauf an, sagst du? Und willst mir die Sache auseinandersetzen? Hm? Ei? So? Auseinandersetzen? Sieh mal an . . . Auf meinem Zimmer? Morgen früh? Gut, gut, du Teufelsauge, morgen früh! . . . Ei, ei! hm, hm! . . . Komm doch noch ein bißchen näher, wie schmuck du bist . . . Wir werden sehn, mein Schatz! Wir werden sehn! Einstweilen mag es dir für diesmal noch so hingehn. Aber wenn du nicht Wort hältst, Teufelsauge . . .‹

Und so geht es ohne Aufhören, hier und dort, da und drüben! Zanken, Schreien, Drohen! Gekreisch der Weiber, Fluchen der Männer, Heulen der Kinder, Schelten der Beamten! Dazwischen Klappern der Münzen, Kritzeln der Federn – bis endlich, unter tausend Widersprüchen, tausend Schimpfworten, das schwere Geschäft der Abrechnung beendet ist, und der ganze zahllose Haufe, gleich einem entfesselten Strom, über den Vorplatz weg sich in das Dorf ergießt.

Wohin? Welche Frage? Ist es nicht ein Feierabend im Fabrikdorf, den wir schildern? Und wohin anders also kann der Zug sich wälzen als in die Schenke?

Die Schenke! Die das stattlichste Haus im ganzen Dorfe ist! Die, gleich einem Palast, mit hohen, hellen Fenstern, in sauberem Anstrich, mit prangendem Schilde, dem Fabrikgebäude gerade gegenüber liegt! Wo die Kaffeekessel schon sieden! Die Suppen schon dampfen! Wo, die Wand entlang, hinter dem erhöhten Sitz des Wirtes, auf vergoldetem Gestelle die Flaschen winken, die köstlichen, gelb, rot, grün, mit langen goldenen Buchstaben daran, und jede hat ein Spiegelchen hinter sich, das glitzert und blinkt und wirft den geliebten Anblick verdoppelt zurück!

Also in die Schenke. ›Heda, Wirtschaft! Hier ist Geld – Branntwein, Branntwein her! Und Würfel! Karten!! . . . Was da, ihr Weiber? Laßt die Tasche los, sag ich . . . Kein Brot im Hause? Lächerlich! Wozu Brot im Hause, da wir hier alles in der Schenke haben können, fix und fertig, Branntwein, Musik, Vergnügen?! Setzt euch heran, ihr Weibsgesichter, ihr sollt ja nicht leer ausgehen. Da, trinkt! und macht die Schultern weit . . .! Die Kinder? Ah pah, die Kinder! Gebt ihnen Branntwein zu saufen, den Kindern, so werden sie ruhig sein! . . . Und nun Musik! Musik!! den allerneuesten Schleifer, und ob es mein letzter Groschen in der Tasche wäre und mein letzter Atem in der Kehle: Musik! –‹

Hinwirbeln die Paare; dieselben Menschen, die noch soeben todmüde, kraftlos zusammenzubrechen drohten – dennoch, wie die Musik ihr Ohr berührt, der Branntwein Feuer durch ihre Adern jagt, fühlen sie sich ergriffen, gepackt, bewältigt von bacchischem Taumel! Rasen sie hin, unaufhaltsam, mit verrenkten

Gliedern! Fallen, stürzen, taumeln durcheinander! Die Tänzer jauchzen, Dirnen schreien, Kinder quieken, zerschmetterte Flaschen klirren; dazwischen das Scharren der Füße, das Krächzen der Geigen, der gellende Triller der Pickelflöte, Kreischen, Stampfen, Toben – ein Sabbat, ja: aber ein Hexensabbat!

Und doch, was sich hier immer begibt, beim Glanz der Lampen, angesichts der ganzen Versammlung, wie roh, wie widerwärtig an sich: es ist sittsam, es ist tugendhaft im Vergleich mit dem, was draußen geschieht! – Hinaus mußt du treten auf die Gasse, die sonst so still, so öde, jetzt widerhallt von rohen Flüchen und unzüchtigen Gesängen. Sehen mußt du, wie in jedem abgelegenen Winkel, jeder Höhlung des Wegs Laster sich zu Laster gattet. Hören mußt du, wie halberwachsene Dirnen, zehn- und zwölfjährige Kinder, den Vorübergehenden anfallen mit schamlosen Reden und den armen unreifen Leib feilbieten um eine Scheidemünze, ja nur um ein Glas Branntwein . . .

Verhülle, wohltätige Nacht, mit keuschem Schleier den entsetzlichen Anblick dieses Elends! Sechs Tage haben diese Unglücklichen gearbeitet, von früh bis spät, Maschine unter den Maschinen, ohne Trieb, ohne Gedanken, ohne Gefühl des Eigentums, stumpfsinnig, bewußtlos, wie das Tier im Pfluge, ja schlimmer noch: denn das Tier im Pfluge atmet doch wenigstens reine Luft – darf es uns wundernehmen, dürfen wir den Stein aufheben wider sie, weil sie jetzt, am Schluß dieses langwierigen Tagewerks, in den wenigen Stunden, die sie aus ihrem Joch entlassen werden, sich in ihren Freuden gleichfalls roh und tierisch zeigen? Sechs Tage lang ununterbrochen, jahraus, jahrein, von Kindesbeinen an, ist an diesen Armseligen gearbeitet worden, den letzten Rest von Menschenwürde, den letzten Funken menschlichen Bewußtseins in ihnen zu ersticken – und jetzt wollt ihr Zeter schreien und wollt den Stab über sie brechen, weil ihr euch überzeugt, daß euer Werk gelungen ist? Alles, was das Leben veredelt und verschönert, was ihm Anmut, Wert und Würde verleiht, das Glück des eignen Herdes, die Gemeinschaft der Familie, der Segen der Bildung, habt ihr es ihnen nicht vorenthalten und verkümmert, habt ihr sie nicht absichtlich blind, dumm, taub erhalten, weil sie euch so besser dienen und weil blinde Pferde am besten in das Tretrad taugen – und nun überrascht es euch, daß sie wirklich geworden sind, wozu ihr sie mit so vielem Eifer zu machen gesucht habt – Bestien?!

Und redet mir auch nichts vom sträflichen Leichtsinn dieses Volkes! Leichtsinn? O ganz gewiß: der Leichtsinn der Verzweiflung! Sie wissen alle, wie sie hier sind, daß sie dem Tode verfallen! Sie wissen wohl, wie jede Stunde, die sie an diesen Maschinen zubringen, jeder Atemzug, den sie in der verpesteten Luft dieser Werkstätten tun, an ihrem Leben zehrt; sie sind auch durchaus nicht im unklaren darüber, zu welchem Schicksal ihre Kinder gleicherweise emporwachsen, und daß Armut, Siechtum, Knechtsdienst das einzige Erbteil ist, das sie ihnen zu hinterlassen imstande sind. Ist es nicht – wir wollen nicht sagen gerechtfertigt: aber ist es nicht zum wenigsten erklärbar, ist es nicht menschlich, ja das einzige, was noch menschlich ist an ihnen, daß sie die elende Neige Leben, die ihnen übrig, so wild, so lustig zu verschlemmen wünschen, als sie können? Daß sie mit wahnsinniger Hast jedem Genuß, jeder Freude nachjagen, wie vergänglich, wie nichtig, wie entwürdigend sie sei, genug, wenn sie nur auf Augenblicke wenigstens das Bewußtsein ihres Jammers übertäubt? Ja selbst daß sie ihre Kinder sogar geflissentlich anlernen zu dieser elenden Lebensweise, daß sie frühzeitig sie vertraut machen mit aller Verworfenheit, allen Lastern ihres künftigen Schicksals – ist nicht auch dies, wie sehr immerhin unser Gefühl sich dagegen empören mag, ist es nicht recht eigentlich menschlich, nicht wahrhaft väterlich gehandelt, der ganze Rest von Elternliebe, den diese Unglückseligen ihren Kindern erweisen können?!

Oder wie wollte ein Mensch – ich sage gar nicht die tägliche Erfahrung, nein: nur den täglichen Anblick dieses Jammerlebens ertragen, es wäre denn, daß er von Kindheit an daran gewöhnt und gleichsam abgestumpft ist gegen seine Schrecken?!

Anonym
Das Blutgericht
1844

Lied der Weber in Peterswaldau und Langenbielau
Melodie: ›Es liegt ein Schloß in Österreich‹

Hier im Ort ist das Gericht,
Viel schlimmer als die Femen,
Wo man nicht mehr ein Urteil spricht,
Das Leben schnell zu nehmen.

Hier wird der Mensch langsam gequält,
Hier ist die Folterkammer,
Hier werden Seufzer viel gezählt
Als Zeugen von dem Jammer.

Die Herren *Zwanziger* die Henker sind,
Die Diener, ihre Schergen,
Davon ein jeder tapfer schind't,
Anstatt was zu verbergen.

Ihr Schurken all, ihr Satansbrut!
Ihr höllischen Kujone[43]!
Ihr freßt der Armen Hab und Gut,
Und Fluch wird euch zum Lohne!

Ihr seid die Quelle aller Not,
Die hier den Armen drücket,
Ihr seid's, die ihr das trockne Brot
Noch von dem Munde rücket.

Was kümmert's euch, ob arme Leut
Kartoffeln kauen müssen,
Wenn ihr nur könnt zu jeder Zeit
Den besten Braten essen?

Kommt nun ein armer Webersmann,
Die Arbeit zu besehen,
Find't sich der kleinste Fehler dran,
Wird's ihm gar schlecht ergehen.

Erhält er dann den kargen Lohn,
Wird ihm noch abgezogen,
Zeigt ihm die Tür mit Spott, und Hohn
Kommt ihm noch nachgeflogen.

Hier hilft kein Bitten, hilft kein Flehn,
Umsonst sind alle Klagen;
Gefällt's euch nicht, so könnt ihr gehn,
Am Hungertuche nagen.

Nun denke man sich diese Not
Und Elend dieser Armen;
Zu Hause keinen Bissen Brot,
Ist das nicht zum Erbarmen?

Erbarmen? Ha! ein schön Gefühl,
Euch Kannibalen! fremde;
Ein jeder kennt schon euer Ziel:
Es ist der Armen Haut und Hemde.

O! Euer Geld und euer Gut,
Das wird dereinst zergehen
Wie Butter an der Sonne Glut,
Wie wird's um euch dann stehen?

Wenn ihr dereinst nach dieser Zeit,
Nach diesem Freudenleben,
Dort, dort in jener Ewigkeit
Sollt Rechenschaft abgeben?

Doch ha! sie glauben an keinen Gott,
Noch weder an Höll und Himmel,
Religion ist nur ihr Spott,
Hält sich ans Weltgetümmel.

Ihr fangt stets an zu jeder Zeit,
Den Lohn herabzubringen,
Und andre Schurken sind bereit,
Eurem Beispiel nachzuringen.

Der Reihe nach folgt *Fellmann* nach,
Ganz frech ohn' alle Bande,
Bei ihm ist auch herabgesetzt
Der Lohn, zur wahren Schande.

Die Gebrüder *Hofrichter* sind,
Was soll ich ihnen sagen?
Nach Willkür wird auch hier geschind't,
Dem Reichtum nachzujagen.

Und hat auch einer noch den Mut,
Die Wahrheit nachzusagen,
Dann kommt's so weit, es kostet Blut,
Und dann will man verklagen.

Herr Cammlott, *Langer* genannt,
Der wird dabei nicht fehlen,
Einem jeden ist es wohl bekannt,
Viel Lohn mag er nicht geben.

Wenn euch, wie für ein Lumpengeld,
Die Ware hingeschmissen,
Was euch dann zum Gewinne fehlt,
Wird Armen abgerissen.

Sind ja noch welche, die der Schmerz
Der armen Leut beweget,
In deren Busen noch ein Herz
Voll Mitgefühle schläget.

Die müssen, von der Zeit gedrängt,
Auch in das Gleis einlenken,
Der andern Beispiel eingedenk
Sich in dem Lohn einschränken.

Ich sage, wem ist's wohl bekannt,
Wer sah vor zwanzig Jahren
Den übermüt'gen Fabrikant
In Staatskarossen fahren?

Sah man dort wohl zu jeder Zeit
Paläste hoch erbauen?
Mit Türen, Fenstern, prächtig weit,
Ist's festlich anzuschauen!

Wer traf wohl dort Hauslehrer an
Bei einem Fabrikanten?
In Livreen Kutscher angetan,
Staats-Domestiken, Gouvernanten!

Ferdinand Freiligrath
Aus dem schlesischen Gebirge
März 1844

›Nun werden grün die Brombeerhecken;
Hier schon ein Veilchen – welch ein Fest!
Die Amsel sucht sich dürre Stecken,
Und auch der Buchfink baut sein Nest.
Der Schnee ist überall gewichen,
Die Koppe nur sieht weiß ins Tal;
Ich habe mich von Haus geschlichen,
Hier ist der Ort – ich wag's einmal:
Rübezahl!

Hört er's? Ich seh ihm dreist entgegen!
Er ist nicht bös! Auf diesen Block
Will ich mein Leinwandpäckchen legen –
Es ist ein richt'ges volles Schock!
Und fein! Ja, dafür kann ich stehen!
Kein bessres wird gewebt im Tal –
Er läßt sich immer noch nicht sehen!
Drum frischen Mutes noch einmal:
Rübezahl!

Kein Laut! – Ich bin ins Holz gegangen,
Daß er uns hilft in unsrer Not!
Oh, meiner Mutter blasse Wangen –
Im ganzen Haus kein Stückchen Brot!
Der Vater schritt zu Markt mit Fluchen –
Fänd er auch Käufer nur einmal!
Ich will's mit Rübezahl versuchen –
Wo bleibt er nur? Zum drittenmal:
Rübezahl!

Er half so vielen schon vorzeiten –
Großmutter hat mir's oft erzählt!
Ja, er ist gut den armen Leuten,
Die unverschuldet Elend quält!
So bin ich froh denn hergelaufen
Mit meiner richt'gen Ellenzahl!
Ich will nicht betteln, will verkaufen!
Oh, daß er käme! Rübezahl!
Rübezahl!

Wenn dieses Päckchen ihm gefiele,
Vielleicht gar bät er mehr sich aus!
Das wär mir recht! Ach, gar zu viele,
Gleich schöne liegen noch zu Haus!
Die nähm er alle bis zum letzten!
Ach, fiel auf dies doch seine Wahl!
Da löst ich ein selbst die versetzten –
Das wär ein Jubel! Rübezahl!
Rübezahl!

Dann trät ich froh ins kleine Zimmer,
Und riefe: Vater, Geld genug!
Dann flucht er nicht, dann sagt er nimmer:
Ich web euch nur ein Hungertuch!
Dann lächelte die Mutter wieder,
Und tischt uns auf ein reichlich Mahl;
Dann jauchzten meine kleinen Brüder –
O käm, o käm er! Rübezahl!
Rübezahl!‹

So rief der dreizehnjähr'ge Knabe;
So stand und rief er, matt und bleich.
Umsonst! Nur dann und wann ein Rabe
Flog durch des Gnomen altes Reich.

So stand und paßt er Stund auf Stunde,
Bis daß es dunkel ward im Tal,
Und er halblaut mit zuckendem Munde
Ausrief durch Tränen noch einmal:
Rübezahl!

Dann ließ er still das buschige Fleckchen,
Und zitterte, und sagte: Hu!
Und schritt mit seinem Leinwandpäckchen
Dem Jammer seiner Heimat zu.
Oft ruht er aus auf moos'gen Steinen,
Matt von der Bürde, die er trug.
Ich glaub, sein Vater webt dem Kleinen
Zum Hunger- bald das Leichentuch!
– Rübezahl?!

Ferdinand Freiligrath
Aus dem schlesischen Gebirge (Nachtrag)[44]
1844

Nun stehn entlaubt die Brombeerhecken –
's ist auch schon Allerseelenfest!
Kein Vogel mehr sucht Moos und Stecken,
Öd und verlassen jedes Nest.
Hilf Gott, die ersten Flocken fliegen;
Kalt meine Hand, kalt mein Gesicht!
Hier ist dürr Laub, hier will ich liegen –
Ein ander Lager hab ich nicht!
Was wird aus mir?

Hier ist die Stätt. Hier nickt die Weide,
Hier noch die Birke, dran ich stand.
Hier rief ich aus in meinem Leide:
›Ha, Rübezahl! Kauf Leinewand!‹
Ich ward seitdem ein halb Jahr älter –
Weh, meine Brust – der rasche Lauf!
Der Nordwind heult, 's wird immer kälter,
Ich glaub, ich steh nicht wieder auf.

Ja, Rübezahl! Das war ein Wähnen!
Jetzt weiß ich schon, wie's damit ist.
Doch hat mich Vater unter Tränen
Nach jenem Waldgang heiß geküßt.
Nun ist er tot! – Tot und erschossen!
Zu Langenbielau stürzt er hin! –
Hui, wie das pfeift! Und auch noch Schloßen,
Weh, daß ich eine Waise bin!
Was wird aus mir?

So war's: Die Mutter lag im Sterben.
O trüber Tag – wir weinten sehr.
Wir stellten ihre Blumenscherben
Zu ihren Häupten um sie her.

Der Vater murmelte: ›Kein Retter!‹
Da hallten Schritte durch das Tal.
Da stürmt ein Trupp – Herr, welch ein Wetter!
Ach und des Hungers bittre Qual!
Was wird aus mir?

Ein wild Gesicht sah durch die Scheibe:
›'s ist an der Zeit! Nachbar heraus!‹ –
›Großmutter, bleibt bei meinem Weibe!‹
So trat der Vater jach vors Haus.
Die Mutter stöhnt – es war das Ende;
Sie sah uns an – ihr Auge brach.
Ich küßt ihr jammernd Mund und Hände,
Und dann hinaus – dem Vater nach.
Was wird aus mir?

Hinaus, hinaus – hin bis zur Stelle,
Wo sich des Kaufherrn Schloß erhob.
Hui, wie da Meister und Geselle
Brecheisen, Beil und Hammer hob!
Die knirschten wütend mit den Zähnen,
Die hieben alles kurz und klein.
›Das unser Schweiß! Das unsre Tränen!
Das unser Blut!‹ hört ich sie schrein.
Was wird aus mir?

Und dann – sie sprachen zum Erbarmen.
Bei allem Ding steht eine Wacht,
Doch, wie der Reiche drückt den Armen,
Drauf hat kein Polizeimann acht . . .

Anonym
Mein Vaterland, ich biete dir
1844

Mein Vaterland, ich biete dir
Zwei kräft'ge Arme an,
Gib mir ein Kleid und Brot dafür,
Ich bin ein armer Mann.

Ein träger Bettler bin ich nicht,
Ob ich um Mitleid fleh.
Der Hunger ist's, der aus mir spricht,
Und Hunger tut so weh.

Halb unbekleidet ist mein Leib;
Ach! wär ich noch allein,
Ich hab ein Kind, ich hab ein Weib,
Die Brot zum Vater schrei'n.

Der Webstuhl steht in meinem Haus,
Das Schiffchen fliegt nicht mehr,
Kein Fabrikant gibt Arbeit aus,
Wer doch gestorben wär.

Brauchst du mich nicht, mein Vaterland?
Nimm meiner Knochen Mark,
Nur jetzt vom Hunger abgespannt
Erschein ich nicht mehr stark.

Die Erde, die mein Schweiß gedüngt
Von frühster Kindheit an,
Die Heimat zu verlassen zwingt
Die Not mich armen Mann.

Als der Maschinengeist erwacht,
Verblühte unser Lenz,
Und England hat uns arm gemacht,
Durch seine Konkurrenz.

Anonym
Schlesisch Weberlied
1844

O Schiffchen, fliege hin und her,
Und spute dich nur immer mehr!
Ich muß noch heut zu Ende weben,
Sonst hab ich morgen nichts zu leben!

Sobald der frühe Morgen graut,
Noch eh die Sonn ins Fenster schaut,
Verlass ich meine Lagerstätte
Und web, als webt ich um die Wette.

Bereits die gold'ne Sonne sinkt,
Der Abendstern am Himmel blinkt;
Am Webstuhl muß ich spät noch kleben,
Sonst hab ich morgen nichts zu leben!

O Herr, der Du den Raben nährst,
Ein fröhlich Dasein ihm gewährst,
O laß den Weber nicht verderben,
Den Menschen nicht vor Hunger sterben.

Zum Kaufmann trag ich morgen hin
Die Arbeit: Gib ihm milden Sinn!
Laß ihn den sauern Lohn mir geben,
Sonst hab ich morgen nichts zu leben!

Die Kinder schrein zu mir um Brot:
Errette sie aus Hungersnot!
Allgüt'ger Gott, o hab Erbarmen,
Laß nicht verhungern mir die Armen!

O Schiffchen, fliege hin und her,
Und spute dich nur immer mehr!
Ich muß noch heut zu Ende weben,
Sonst hab ich morgen nichts zu leben!

Georg Herwegh
Fragment ohne Titel
1844

Da zog sich der König in Jammer und Graus
Die Krone wohl über die Ohren,
Denn gehen nicht alle die Weber nach Haus
So ist's auch mit den Königen aus –
Und geriet in großen Zoren.

Wir brauchen die Weber sicherlich
Hier unten u[nd] dort oben,
Herr J[esus] C[hristus] erhöre mich,
Sie haben ja auch ein Röcklein für dich
Zu Trier der Stadt gewoben.

Wir brauchen die Weber – Potz saperlott,
Wer wollt' uns denn Hosen geben?
Erhör mich, lieber Herre Gott,
Und mach uns nicht alle sansculott,
Laß weben o Himmel, laß weben!

Erhört mich ihr guten Weberlein,
Ich schick' euch meine Profosen*.
Ihr sollt w[eder] hungrig noch durstig sein,
Trinkt Wasser aus meinem freien Rhein,
Dazu freßt die Franzosen.

Sie haben gewoben bei Tag und bei Nacht,
Und haben am Morgen Revolte gemacht,
Und am selben Mittag

* Stockmeister.

Heinrich Heine
Die armen Weber
1844

Im düstern Auge keine Träne,
Sie sitzen am Webstuhl und fletschen die Zähne:
›Altdeutschland, wir weben dein Leichentuch,
Wir weben hinein den dreifachen Fluch!
Wir weben! Wir weben!

Ein Fluch dem Gotte, dem blinden, dem tauben,
Zu dem wir gebeten mit kindlichem Glauben;
Wir haben vergebens gehofft und geharrt,
Er hat uns geäfft und gefoppt und genarrt.
Wir weben! Wir weben!

Ein Fluch dem König, dem König der Reichen,
Den unser Elend nicht konnte erweichen,
Der uns den letzten Groschen erpreßt,
Und uns wie Hunde erschießen läßt!
Wir weben! Wir weben!

Ein Fluch dem falschen Vaterlande,
Wo nur gedeihen Lüg' und Schande,
Wo nur Verwesung und Totengeruch –
Altdeutschland, wir weben dein Leichentuch!
Wir weben! Wir weben!‹

Heinrich Heine
Die schlesischen Weber
1847

Im düstern Auge keine Träne,
Sie sitzen am Webstuhl und fletschen die Zähne:
›Deutschland, wir weben dein Leichentuch,
Wir weben hinein den dreifachen Fluch –
Wir weben, wir weben!

Ein Fluch dem Gotte, zu dem wir gebeten
In Winterskälte und Hungersnöten;
Wir haben vergebens gehofft und geharrt,
Er hat uns geäfft und gefoppt und genarrt –
Wir weben, wir weben!

Ein Fluch dem König, dem König der Reichen,
Den unser Elend nicht konnte erweichen,
Der den letzten Groschen von uns erpreßt,
Und uns wie Hunde erschießen läßt –
Wir weben, wir weben!

Ein Fluch dem falschen Vaterlande,
Wo nur gedeihen Schmach und Schande,
Wo jede Blume früh geknickt,
Wo Fäulnis und Moder den Wurm erquickt –
Wir weben, wir weben!

Das Schiffchen fliegt, der Webstuhl kracht,
Wir weben emsig Tag und Nacht –
Altdeutschland, wir weben dein Leichentuch,
Wir weben hinein den dreifachen Fluch.
Wir weben, wir weben!‹

Heinrich Heine
Weber-Lied[45] [anonyme Bearbeitung]

Im düstern Auge keine Träne,
Wir sitzen am Webstuhl und fletschen die Zähne,
Alt-Deutschland! wir weben dein Leichentuch,
Wir weben hinein den dreifachen Fluch!
Wir weben! wir weben!

Fluch dem König, dem König der Reichen,
Den unser Elend nicht konnte erweichen!
Der von uns den letzten Heller erpreßt,
Uns dann wie Hunde erschießen läßt!
Wir weben! wir weben!

Fluch dem Gotte, dem blinden, dem tauben,
Zu dem wir vergeblich gebetet im Glauben,
Auf den wir vergeblich gehofft und geharrt!
Er hat uns gefoppt, er hat uns genarrt!
Wir weben! wir weben!

Fluch dem schlechten Vaterlande,
In dem unser Erbteil nur Elend und Schande!
Alt-Deutschland! wir weben dein Leichentuch,
Wir weben hinein den dreifachen Fluch!
Wir weben! wir weben!

Hermann Kunibert Neumann
Zueignung für die verarmten Spinner und Weber im schlesischen Gebirge
1844

Wir sind so fromm in dieser Zeit,
So voll im Drang zur Mäßigkeit,
Wir leben in der Furcht des Herrn
Und gehn in seinen Tempel gern,
Es fließet über jede Stund
Von Bruderliebe unser Mund,
Und doch will es auf Erden
Des Jammers noch kein Ende werden.

Wir haben Frieden, – doch der Mord
Schleicht durch die Berge fort und fort,
Wir sind voll Freude und voll Schmerz,
Und stündlich bricht manch wackres Herz.
Denkmale setzen wir dem Tod,
Nicht denkend an des Lebens Not,
Wir bauen Dom[46] und Städte wieder,
Und lassen hungern unsre Brüder.

Doch seid getrost, die Hilfe naht,
Schon regt es sich mit Rat und Tat, –
Ihr webtet uns in Trän und Leid
Manch Wiegen- und manch Hochzeitskleid,
Manch Sterbehemde weiß und fein,
Dafür soll euch geholfen sein! –
Was wir versäumt, mag Gott vergeben; –
Jetzt, arme Weber, laßt uns weben!

Der König soll der Meister sein,
Er schlägt die gold'nen Fäden ein,
Was er dem Dom am Rheine tut,
Was er getan bei Hamburgs Glut,

Tut er den armen Schlesiern auch;
Die Reichen folgen, wie es Brauch!
Wir andern sorgen, daß das Linnen
An Läng und Breite mag gewinnen.

Ein jeder tue, was er kann,
Der reiche, wie der arme Mann;
Der Dichter, der sein Lied nur hat,
Der gibt es hin an Geldes Statt. –
Tauscht es für reiche Gabe ein,
Und laßt es ein Gedächtnis sein:
Daß ihr für fremde Not und Armen
Getragen habt ein mild Erbarmen.

Adolph Schults
Ein neues Lied von den Webern
1845

Die Weber haben schlechte Zeit –
Doch wer ist schuld an ihrem Leid?
Einleuchten muß es jedermann:
Sie selber sind nur schuld daran.
Das alte Wort bewährt sich stets,
Das Sprichwort: Wie man's treibt, so geht's!
Sie sollten, statt zu klagen, weben,
So könnten sie gemächlich leben.

Die Weber haben schlechte Zeit –
Doch wer ist schuld an ihrem Leid?
Was soll der übermäß'ge Putz?
Wozu ist er dem Volke nutz?
Braucht denn zum Rock ein Weber Tuch?
Ist ihm ein Kittel nicht genug?
Sie sollten, statt zu prunken, weben,
So könnten sie gemächlich leben.

Die Weber haben schlechte Zeit –
Doch wer ist schuld an ihrem Leid?
Was hungern sie nach Fleisch, nach Bier?
Sie sollten zügeln ihre Gier!
Das Sprichwort sagt: Gesalzen Brot
Und Wasser färbt die Wangen rot!
Sie sollten, statt zu prassen, weben,
So könnten sie gemächlich leben.

Die Weber haben schlechte Zeit –
Doch wer ist schuld an ihrem Leid?
Sonntag wird's keinem je zu bald,
Da heißt es denn um Mittag: halt!

Dann gehn sie dem Vergnügen nach
Den ganzen lieben Nachmittag;
Sie sollten, statt zu schwärmen, weben,
So könnten sie gemächlich leben.

Die Weber haben schlechte Zeit –
Doch wer ist schuld an ihrem Leid?
Die Morgenstund hat Gold im Mund,
Früh aufstehn ist dem Leib gesund;
Sie sollten wach sein früh am Tag,
Punkt viere mit dem Glockenschlag;
Sie sollten, statt zu schlafen, weben,
Dann könnten sie gemächlich leben.

Die Weber haben schlechte Zeit –
Doch wer ist schuld an ihrem Leid?
Vier Stunden sind zum Schlaf genug,
Drum fragen wir mit gutem Fug:
›Wer heißt die Trägen denn um zehn
Am Abend schon zu Bette gehn?‹
Sie sollten hübsch bis zwölfe weben,
Dann könnten sie gemächlich leben.

Brüderschaftslieder eines rheinischen Poeten
Der Weber [von Wolfgang Müller-Königswinter] 1845

Hier wird der Mensch langsam gequält,
Hier ist die Folterkammer,
Hier werden Seufzer viel gezählt
Als Zeugen von dem Jammer.
Lied der schlesischen Weber

Am Webstuhl fliegen die Schifflein geschwind,
Wüst durch die Winternacht heult der Wind,
Du frierst, mein Weib, beim hungernden Kind.
Die Stunden, sie schleichen, sie schleichen!

Das gibt ein schönes, langes Lein,
So blendend weiß, so zart und fein,
Bald gehst du in die Welt hinaus,
Sie schneiden manche Windel draus;
  Die Armen,
  Sie wirst du nicht erwarmen,
  Dich trägt das Kind des Reichen!

Am Webstuhl fliegen die Schifflein geschwind,
Wüst durch die Winternacht heult der Wind,
Du frierst, mein Weib, beim hungernden Kind.
Die Stunden, sie schleichen, sie schleichen!

Du dienest noch zu manchem Kleid,
Mit Lust näht dich die schönste Maid,
Und legt als Braut dich um die Brust
Mit blühend jungfräulicher Lust;
  Die Armen,
  Sie wirst du nicht erwarmen,
  Dich trägt die Braut des Reichen!

Am Webstuhl fliegen die Schifflein geschwind,
Wüst durch die Winternacht heult der Wind,
Du frierst, mein Weib, beim hungernden Kind.
Die Stunden, sie schleichen, sie schleichen!

Du deckst noch manchen langen Tisch,
Dran zechen sie beim Weine frisch,
Und auf dir duften Speisen viel,
Und Sang und Jauchzen hat kein Ziel;
  Die Armen,
  Sie wirst du nicht erwarmen,
  Dich trägt der Tisch des Reichen!

Am Webstuhl fliegen die Schifflein geschwind,
Wüst durch die Winternacht heult der Wind,
Du frierst, mein Weib, beim hungernden Kind.
Die Stunden, sie schleichen, sie schleichen!

Ach Gott, wann hört dann auf die Not,
Wann wird die Liebe Hauptgebot,
Wann wird verbrüdert, was sich fremd:
O Lein, dann werde Totenhemd!
  Die Armen,
  Auf daß sie all erwarmen,
  Sei Totenhemd der Reichen!

Hermann Püttmann
Der alte Weber
1845

Fliege, Schifflein, fliege!
Du flogst jahrein, du flogst jahraus,
Und brachtest selten Gold nach Haus;
Und flögest du auch noch so schnell,
Du brächtest mich nicht von der Stell.

Fliege, Schifflein, fliege!
Nun sind es wohl an sechzig Jahr,
Daß ich ein armer Weber war;
Vorbei ist bald die Lebenszeit,
Doch nimmer die Mühseligkeit!

Fliege, Schifflein, fliege!
Hier sitz' ich aller Freude bar,
So arm als ich geboren war,
Und webe hin und webe her,
Und Herz und Sinn bleibt sorgenschwer.

Fliege, Schifflein, fliege!
Ich web' mir selbst mein Totenkleid
Und webe dran so lange Zeit;
Bald bin ich an dem letzten Saum,
Das Garn ist fort vom Webebaum.

Fliege, Schifflein, fliege!
Ach, nicht so viel erwerb ich hier,
Ein eig'nes Grab zu kaufen mir;
Man scharrt mich an der Mauer ein,
Für so viel Müh der Lohn wird's sein!

Fliege, Schifflein, fliege!
Jedoch, wer trägt davon die Schuld?
Ein dummes Vieh ist die Geduld –
Ha, würd' ich wieder jung – fürwahr,
Ich trüg' die Schmach kein halbes Jahr!

Fliege, Schifflein, fliege!
Dann ging ich zu dem reichen Herrn
Und sprăch': ›Bleib mir vom Leibe fern!
Du hast geerntet, ich gesät,
Mit *meiner* Sichel hast du gemäht.‹ –

Fliege, Schifflein, fliege!
›Gib her, was du durch mich gewannst,
Und webe selbst, soviel du kannst;
Und willigst du nicht friedlich ein:
Sollst du von mir *gezwungen* sein! –‹

Hermann Püttmann
Die Gefangenen
1845

Der Aufruhr ist bezwungen,
Der Tag des Bluts vorbei,
Die Toten sind begraben,
Die Toten sie sind frei.
Die preußischen Soldaten
Haben das Werk vollbracht,
Die preußischen Soldaten
Schlugen die Weberschlacht.

Die Bajonette blinken
Im Abendsonnenstrahl;
Schnurrbärtig stolz marschieren
Leutnant und Korporal;
Der ritterliche Hauptmann
Sprengt mutig vor dem Heer,
Die alten Fahnen rauschen
Im Winde dumpf und schwer.

Es blasen die Trompeten:
Heil unserm König, Heil!
Das arme Volk erschrocken
Entflieht in größter Eil.
Die preußischen Soldaten
Haben viel Beut gemacht:
An achtzig der Rebellen
Fingen sie in der Schlacht.

Geknebelt und gebunden
Mit trübem düsterm Sinn,
Die Herzen fast gebrochen
So ziehen sie dahin.

Bleichgelb die hagern Wangen,
Das Auge stier und tot,
Die Adern haßgeschwollen,
Fluchend aus tiefster Not.

So lumpig, so zerrissen
Führt man sie vor Gericht,
Wo man im sichern Dunkel
Den Stab gelassen bricht.
So lumpig und *doch* trotzig –
Weh euch! Gerechtigkeit
Bestraft die *armen* Sünder,
Die reichen tun ihr leid.

Mit Salbung spricht der Richter
Zum ärmlichen Geschlecht:
›Kein greulicher Verbrechen
Als Hochverrat am Recht,
Dem heiligen, uralten,
Das in jedwede Brust
Christus voll Liebe senkte –
Wie euch ist wohl bewußt.

Ihr sollt des Nächsten Habe
Nicht freventlich entweihn,
Selbst nicht in höchsten Nöten
Räuber und Diebe sein.
Ihr aber habt den Herren,
Die euch allzeit ernährt,
In üpp'gem Übermute
Ihr Eigentum verheert.‹ –

Die armen Sünder schweigen,
Das Herz von Zorn erfüllt,
Und beißen sich auf die Lippen,
Daß helles Blut entquillt.

Mit tiefgesenkten Wimpern
Starren sie auf die Flur,
In ihren bleichen Zügen
Von Reue keine Spur.

Und einer spricht: ›Herr Richter,
Urteile *nur* nach Recht.
Wir Arme sind verlassen,
Die Reichen, die sind schlecht.
Die Reichen haben genommen
Uns Ehre, Glück und Ruh,
Sie sind die wahren Räuber
Und Mörder noch dazu.

Sie stahlen uns aus der Seele
Den frischen Lebensmut,
Sie stahlen uns von den Wangen
Das purpurrote Blut;
Gern nähmen sie mit dem Hemde
Die Haut vom Leib zugleich –
Die Reichen mag verdammen
Der Gott im Himmelreich.

Wenn uns're Frau'n gebären,
Ein Jammer ist's, ein Graun,
Die armen kleinen Wesen
So kläglich anzuschaun.
Verflucht zum Hungerleiden
Von Anfang bis zu End,
Geboren und gestorben
Im *Elend* – wie man's nennt.

Doch sie, die reichen Herren,
Sie jubeln allezeit
Und haben keine Sorgen
Und kennen gar kein Leid.

An ihren Wiegen duften
Des Glückes Rosen schon,
Stolz auf den Gräbern prangen
Denkmäler uns zum Hohn.

Wir aber sind wie Hunde,
Die man beliebig tritt;
Wir aber sind wie Würmer,
Zerdrückt von jedem Schritt.
Und sprechen wir von Hunger,
Und fordern wir uns Brot,
So heißt's: *Heu müßt ihr fressen*
Dereinst noch in der Not.

D'rum haben wir's gewaget
Und wagen's noch zur Stund,
Die Reichen zu verderben,
Und gingen wir all' zugrund.
Und können *wir* nicht werden
Gleich ihnen froh und *reich*,
So sollen sie gezwungen
Arm werden und uns gleich!‹

Der Richter spricht gelassen
Das milde Urteil drauf:
Ins Zuchthaus sie zu führen
Nach des Gesetzes Lauf.
Fünf Jahre und auch zehn,
Das ist fürwahr nicht schwer,
Es waren ihrer achtzig –
O wären's ihrer mehr!

Im Zuchthaus lebt sich's besser
Als im Gebirge dort,
Die hungrigen Gesellen
Sehnen sich nimmer fort.

Viel milder sind die Büttel
Als ihre frühern Herrn,
Und da sie's Salz verdienen,
Arbeiten sie auch gern.

D'rum singen sie im Chorus:
›Heil unserm König, Heil!
Er läßt uns hier nicht darben,
Gibt jeglichem sein Teil –
Wir wollen ihn beloben
Und flehen immerfort:
Daß alle uns're Brüder
Einzieh'n in diesen Ort!‹

Hermann Püttmann
Der Winter[47]
1845

Eiszacken blitzend hangen
Im dunkelgrünen Tann,
Gebirg und Täler ruhen
Unter des Winters Bann.
Das Blut erschlagner Weber
Ist tief im Schnee versteckt,
Ein weißes Leichenhemde
Ganz Schlesien bedeckt.

Juchhei! – die Fabrikanten
Sind wieder obenauf.
Die Furcht hat sie verlassen,
Sie prassen drauf und drauf.
'S ist wieder wie beim alten:
Die Herren säckeln ein,
Die armen Sklaven darben
Und *müssen* zufrieden sein.

In Hütten kaltes Elend,
Im Palast glüh'nde Lust,
Dort bittere Verzweiflung
Hier Hohn in jeder Brust.
Die blutige Emeute
Wird allgemach verlacht,
Der Schaden für die Reichen
Ist bald ja eingebracht.

Die preußischen Soldaten
Sind allzeit konsigniert;
Die preußischen Spione
Haben sich einquartiert;

Der Polizeidirektor[48]
Ist doppelt klug und schlau;
Ja, selbst der Herr Minister[49]
Hält eine – Armenschau.

Der Pfaff von Langenbielau
Donnert sich zornesrot,
Nach ihm sind alle Armen
Selbst schuld an ihrer Not;
Geduldig stets beim Schinden,
Das sei ja Christenpflicht,
Und wer seine Schwäger hasse,
Ererb' den Himmel nicht. –

Das hilft – die armen Teufel
Ducken sich wiederum,
Sie lungern und sie hungern,
Sind wie das Vieh so stumm.
Das hilft – fast ohne Klage
Bricht ihnen still das Herz,
Und dumpfe Racheschwüre
Retten sich himmelwärts.

Das hilft – nur *hin und wieder*
Wagt's einer frei und frank,
Sich heimlich zu – erhängen.
Wohl ihm, wenn es gelang!
Und ob auch je zuweilen
Ein Menschenkind erfriert –
Die Ruhe und der Frieden
Des Staats sind garantiert.

Juchhei! die Fabrikanten
Sitzen am warmen Herd
Und reiben sich die Hände
Und schauen sich an verklärt:
›*Das* wäre überstanden –
Wir halten das Geld im Sack,
Die preußischen Kugeln zwangen
Das lumpige Weberpack!‹

Karl Grün
Das Schöne und die schlesischen Weber
1846

Glücklich der Dichter, der ins Weltgetriebe
Mit offnen Sinnen, freier Brust sich stürzt,
Der dann durchs süße Bild all jener Liebe
Und jenes Unglücks spät're Tage würzt!

Und glücklich noch, wem in die Einsamkeiten
Ein solches Kunstgebild herniedersteigt;
Wer sich dem Spiegel jener Näh'n und Weiten
Sinnig verständnisvoll entgegenneigt! –

Doch elend der, dem immer blieb verschlossen
Der Wirklichkeit sowie des Abbilds Tor;
Der, arm im Leben und am Geist verdrossen,
Sich nie in die Unendlichkeit verlor!

Ja, der ist arm, der darf die Welt verklagen –
Verklagen? – – Dazu selbst ist er zu arm!
Warum nicht auch das Leben dem versagen,
Der nie empfand, wie es so reich, so warm?

Paris, im Juni 1845,
als ich an dem Buch über
Goethe schrieb[50].

Wilhelm Caspary
Scheltet nicht
1846

Scheltet nicht das Weib, die Mutter,
Ob ihr gleich das Kind gehört.
Sprecht das arme Weib ihr schuldig –
Menschen, o ihr seid betört!

Mache Platz, du Gaffermenge!
Platz, hier kommt die Polizei!
Scheltet nicht das Weib, die Mutter;
Die Geschichte ist nicht neu.

Dort im Zuchthaus webt der Vater;
War ein hungriger Rebell.
Scheltet nicht das Weib, die Mutter –
Das Geschick, es schreitet schnell.

Seht ihr sie mit Tränen betteln
An des reichen Kaufmanns Tor?
Scheltet nicht das Weib, die Mutter;
Geht und helft – das Kind erfror!

Louise Otto
Im Hirschberger Tale
1846

Es ist wohl eine Freudenträn
Mir in das Aug getreten,
Als ich die Gegend hier gesehn –
Ein wortlos stilles Beten.
Hier, wo die Berge ringsherum
Sich heben wie Altäre,
So feierlich, so ernst und stumm,
So stark zu Gottes Ehre.

Es trägt das Haupt der Koppe Schnee,
Hell schimmert die Kapelle,
Es springen von der Berge Höh
Die muntern Wasserfälle.
Die Wiesen sind so frisch und grün,
So schön die dichten Wälder,
Und wunderbare Blumen blühn,
Hoch stehn die Saatenfelder.

Mir ist, ich sei im Paradies,
Wenn ich so ringsum schaue!
Und hingesunken träum ich süß
Auf dufterfüllter Aue.
So traut, so heimlich ist's im Tal,
Und von den Bergen droben
Klingt's wie ein Gruß von Rübezahl,
Der seine Stimm erhoben.

Doch weiter setz' ich meinen Fuß
Hin, wo die Menschen wohnen,
Ich biete einen frohen Gruß
Und sie: ›Mag's Gott Euch lohnen!‹

Das klingt so traurig, schmerzensreich,
Was blickt Ihr so zur Erde?
Helf Gott! – du Weib – wie bist du bleich,
Wie schmerzlich von Gebärde?

In deine Hütte laß mich sehn –
Da drin am Weberstuhle
Gestalten voller Jammer stehn
Und klappern mit der Spule.
Die Kinder schreien laut nach Brot,
Die blinde Alte singet
Ein düstres Lied vom Freunde Tod,
Der einst Erlösung bringet. –

Es ist wohl eine Schmerzensträn
Mir in das Aug getreten,
Als ich die Menschen hier gesehn,
Ein wortlos stilles Beten.
Bis einen Schrei hervor ich stieß –
O hört ihn nicht vergebens! –:
Die Schlange ist im Paradies
Und frißt vom Baum des Lebens!

Louise Otto
Wohlauf!
1846

Erwach mein Volk, heiß deine Töchter spinnen,
Wir brauchen wieder einmal deutsches Linnen
Zu deutschem Segeltuch!
G. Herwegh[51]

Der Herwegh rief's – wir haben's wohl vernommen!
Wir stimmten an: das Lied der deutschen Flotte.
Doch sagt: durch welches Meer ist sie geschwommen,
Daß Wirklichkeit nicht unserer Lieder spotte?

[. . .]

Wohlauf ihr Weber, trauernde Gestalten!
Kein Webstuhl soll bei euch mehr stillestehn.
Die Sorgen fort, und laßt die Hoffnung walten,
Ermutigt mögt ihr an die Arbeit gehn.
Frisch an das Werk! Bald flattert euer Linnen
Als stolzes Segel durch das Meer von hinnen;
Weiß flattert's wie Taube Noahs aus,
Und bringt euch segnend Hoffnungsgrün nach Haus.

Die Hoffnung, daß nun eurer Not ein Ende:
Die deutsche Flotte ist der Rübezahl,
Nach dem ihr rufend strecktet eure Hände,
Daß er nur einmal mildre eure Qual,
Daß er nur einmal freundlich euch begegne,
Und euren Fleiß und eure Mühe segne – –
Seht, er erscheint! doch nicht aus Bergesgründen:
Ihn und sein Glück sollt ihr im Meere finden. –

Louise Otto
Weberlied
um 1846

Seht auf dem Felde die Lilien an:
Die arbeiten nicht
Und die spinnen nicht –
Doch scheint ja die liebe Sonne sie an,
Doch tragen sie Kleider, schön gemacht,
Noch schöner als Salomo in seiner Pracht.

Seht auf den Bäumen die Vöglein an:
Die arbeiten nicht
Und die spinnen nicht –
Die singen nur froh zu dem Himmel hinan
Und werden ja alle, all' ernährt
Und nimmer wird ihnen das Leben erschwert!

Am Webstuhl aber da stehen wir,
Wir arbeiten früh
Und wir spinnen spät:
Doch tragen wir Lumpen, doch hungern wir –
Doch finden wir nimmer des Lebens Freud
Und schleppen mit uns ein nie endendes Leid! –

Karl Beck
Aus Schlesien
1846

Herr, gib uns unser täglich Brot!
Das Vater Unser

Die Reiche kutschieret in die Bäder,
Jagt schwängerndes Wasser ins Geäder:
Sie möchte Kinder gebären,
Und küßt den heiligen Rock.
Es kauert die Arme verlassen zu Hause,
Bei nüchternem Trank und magerem Schmause,
Und brütet in Mutterzähren,
Und hat ein ganzes Schock.

Ein Leineweber im dürftigen Städtchen,
Der war geschlagen mit Buben und Mädchen.
Hat sich für Reiche bemühet,
Blieb arm zu jeder Frist.
Was weiter? Es ist die alte Geschichte
Vom angezündeten Kerzenlichte,
Das anderen willig glühet,
Und selbst im Sterben ist.

Es sprach das lüsterne Weib zum Gemahle:
»O Klaus! Kartoffeln in der Schale –
Ein Gläschen Wein zum Schmause –
Wie brennt mein Herz darauf;«
Es sprach der Mann: »Du kindische Liese,
Wir leben ja nicht im Paradiese;
Uns fehlt das Brot im Hause,
Das Letzte zehrten wir auf.«

»Doch Gott verläßt ja nimmer die Frommen!
Als meine Schwester den Spinner genommen,
Sie buck und barg zwei Brote
In ihrem Kämmerlein:
Man sagt, dann fehlt es nimmer und nimmer
An Brot im Haus, für des Kindes Gewimmer,
Geh, wasche dir die Pfote,
Und hole das Futter herein.«

Sie tat es; sie lief auf nackten Sohlen
Mit ihren Bälgen das Brot zu holen;
Hart war's wie Straßenpflaster,
Drei Monde war es alt –
Sie täten's mit lauem Wasser begießen,
Es aufzulockern und rasch zu genießen;
Doch beteten erst die Faster –
Solch Mahl wird ja nicht kalt.

Er sprach zu seinen Mädchen und Knaben:
»Einst las ich vom Fugger, der ist begraben!
Oft borgte von ihm der Kaiser
Wohl Gold und Edelgestein.
Einst lud er den spanischen Karl zum Essen,
Und als sie die Sorgen beim Becher vergessen,
Warf er in die zimtenen Reiser
Des Kaisers Wechsel hinein.«

»Das war ein herrlicher Mann, o Kinder!
Ein Weber wie ich, nicht mehr, noch minder.
Man gab ihm Adel und Wappen,
Der Würden mehr und mehr.
Er half den Armen von Not und Schande,
Gab Brot und Geld und Wintergewande,
Ging selbst in gewöhnlichen Lappen –
Doch das ist lange her.«

Adolph Schirmer
Der Weber
1846

Ein schwarzes Lied meinen Sinn durchfährt
Vom armen Weber, dem frechen Gesellen –
Herr König, du hast's mich singen gelehrt,
Ich sing's, bis dir die Ohren gellen!

Auf feuchtem Stroh, nur halb bedeckt,
Ist eine Leiche hingestreckt;
Das Antlitz, verzerrt im wilden Krampf,
Zeugt noch vom letzten Todeskampf.
Dies Antlitz, einst so sanft und mild,
Ist jetzt ein marmorn Jammerbild,
Ein Totenaltar, halb zerschellt,
An dem das Grausen Wache hält. –
Die Leiche regungslos und stumm,
Doch Tränen und Ächzen ringsherum.
Fünf Kinder, abgehärmt und bleich,
Zu Leid und Trauer nur geboren,
Die haben nun den letzten Trost,
Die blasse Mutter, auch verloren.
Noch kälter als der kalte Stein,
Auf dem sie krank lag viele Wochen,
Muß jetzt ihr totes Herze sein,
Das Not und Elend hier gebrochen.
Fünf Kinderherzen zucken leis,
In denen noch ein Fünkchen lebt,
Und durch die düstre Sterbekammer
Ein unterdrücktes Wimmern bebt.
Und ist's der grimme Schmerz allein
Um der geliebten Mutter Tod,
Der auf die matten Äugelein
Still haucht des Wahnsinns Fieberrot?
Nein, nein! Durchs kleine Hüttchen zieht
Noch eine zweite Nachtgestalt –

Der Hunger brach ein Mutterherz,
Er macht auch Kinderherzen kalt.
Der Vater droben mög euch retten,
Denn der auf Erden kann's nicht mehr;
Der sitzt im Kerker, Eisenketten
Belasten seine Glieder schwer.
Der steckt im Armensünderkleide
Und träumt vom Hüttlein auf der Heide,
Träumt von der bittern Not der Seinen
Und kann nichts tun als – weinen – weinen.
Kann nur die Eisenstangen rütteln
Und machtlos seine Ketten schütteln,
Kann, wildem Stumpfsinn halb verfallen,
Zähnknirschend nur die Fäuste ballen,
Das trotz'ge Haupt mit dumpfen Klagen
Sich blutig an der Mauer schlagen,
Kann fluchen nur der Fürstenmacht,
Die stolz und grausam, gottvergessen,
Ihn um die Freiheit hat gebracht,
Das einz'ge Gut, das er besessen! –
Was tat er denn, der arme Mann,
Der Kinder, Weib und Sonnenlicht
Und Gottes Welt nicht schauen kann?
Was tat denn er, der arme Wicht?
Hat er das Vaterland verraten?
Hat er von Gott sich abgewendet?
Hat er durch blut'ge Freveltaten
Sein Freiheitsanrecht schnöd verpfändet?
Nein, nein! Er sah die Kindlein hungern,
Doch wollt er nicht bei Reichen lungern;
Er sah Entbehrung, Krankheit, Not,
Er sah den bleichen Hungertod
An seines Hüttleins Schwelle stehn,
Und – konnte doch nicht betteln gehn!
Da hat er in der höchsten Not
An seinen Fürsten sich gewendet:
Mein König, sprich ein Machtgebot,
Damit dies Jammerleben endet!

Uns quält und schindet bis aufs Blut
Der herzlos stolze Fabrikant,
Uns, die wir jeglich Hab und Gut
Dem harten Manne zugewandt;
Die wir ein kümmerliches Leben,
Vom Tagesgrau'n bis in die Nacht,
Für dürft'ge Nahrung hingegeben,
Wenn er geschwelgt in Glanz und Pracht.
War's Nahrung doch! Wir murrten nicht
Und taten seufzend unsre Pflicht.
Doch jetzt – jetzt will der harte Mann
Auch diesen Lohn – das trockne Brot! –
Zur Hälfte uns entziehn – fortan
Soll für den nahen Hungertod
Ich noch die letzte Kraft verschwenden,
Um – wie ein räud'ger Hund zu enden!
Herr König, blick auf meine Pein! –
Du sollst ja Landesvater sein –
Blick auf die hageren Gestalten,
Die betend hier im Hüttchen knien,
Blick auf des Jammers düstre Falten,
Die Kinderschläfen schon umziehn;
Blick auf die geisterbleichen Wangen,
An denen bittre Tränen hangen –
Blick hin – und willst du dann noch nicht
Erfüllen deine Fürstenpflicht,
So muß ich – droht auch Tod und Haft –
Die halb gebrochne Manneskraft
Verzweiflungsvoll zusammenraffen,
Und selber mir mein Recht verschaffen! –
Er sprach es aus, das kecke Wort,
Und was – was hat er sich errungen?
Sein Weib liegt auf dem Lager dort,
Vom grausen Hungertod bezwungen;
Die Kinder – bloß und unbewacht –
Die – werden sterben über Nacht;
Er – steckt im Armensünderkleide
Und träumt vom Hüttlein auf der Heide,

Träumt von der bittern Not der Seinen
Und kann nichts tun als – weinen – weinen!
Kann fluchen nur der Fürstenmacht,
Die stolz und grausam, gottvergessen,
Ihn um die Freiheit hat gebracht,
Das einz'ge Gut, das er besessen!

Ein schwarzes Lied meinen Sinn durchfährt
Vom armen Weber, dem frechen Gesellen –
Herr König, du hast's mich singen gelehrt,
Ich sing's, bis dir die Ohren gellen!

Ernst Dronke
Das Weib des Webers
1846

In meinen Schoß dein Haupt geneigt,
Wie liegst du stumm, wie starr erbleicht,
Mein armes Kind!
Es rinnt dein Blut in Tröpflein leis,
Und eine Wunde brennend heiß
In mir auch rinnt.

Ein Knösplein frech dahingestreckt,
Noch eh' der Lenzhauch dich geweckt,
So liegst du blaß.
Dein Vater stirbt den Kerkertod,
Ich bin allein in meiner Not
Und meinem Haß.

Dein Vater fand für gutes Recht –
Wie groß die Qual, der Lohn wie schlecht!
Gott weiß! Gott weiß!
Sie standen all für Weib und Kind,
Sie heischten von dem Raubgesind
Des Schweißes Preis.

Dein Vater stand – die Schergen auch:
Es schützt ja der Gesellschaft Brauch
Des Vampirs Gut.
Dein Vater stand, ich flog herbei,
Die Salve kracht, es saust das Blei –
Wie trifft es gut!

Du sankst mit leisem Schrei zurück,
Es suchte Schutz dein Schmerzensblick
In meinem Arm.
Es stockt dein Herz, dein Äuglein bricht,
Auch deine Mutter schützt dich nicht –
Daß Gott erbarm!

Ein Knösplein frech dahingestreckt,
Noch eh' der Lenzhauch dich geweckt,
So liegst du blaß!
Dein Vater stirbt den Kerkertod,
Ich bin allein mit meiner Not
Und meinem Haß!

Schlaf wohl, schlaf wohl, mein Röslein bleich,
Ist doch der Tod noch besser gleich
Als unsre Qual.
An deinem Grabe will ich stehn
Und auf die Mörder heiß erflehn
Der Rache Strahl!

Adolph Zeising
Ein Weberlied
1846

Der Tisch ist gedeckt mit dem Damastgedeck,
Die schmausenden Zecher, sie bechern gar keck!
Der Purpur im Glase wird lustig geschwenkt –
Bald schaut das Gedeck wie mit Blute getränkt.[52]

Die Bilder im Damast – sie starrten so bleich
Und stumm wie die Schemen im schattigen Reich;
Doch kaum, daß sie trinken vom blutigen Saft,
Durchrieselt's sie plötzlich wie Leben und Kraft.

Und wie, nur vom Krampf auf die Bahre gebannt,
Die erwachende Leich' aus dem Leichengewand,
So treten sie plötzlich heraus aus dem Tuch,
Den Zechern ein grauser, gespenstischer Zug!

Was wollt ihr? Wer seid ihr? – So schreien entsetzt,
Die noch eben am funkelnden Blut sich geletzt,
Und erstarren vor Schrecken in Mark und Gebein,
Als tauschten von jenen die Rollen sie ein.

›Was wollt ihr? Wer seid ihr? Ei, kennt ihr uns nicht?
O schaut uns nur tiefer und scharf ins Gesicht!
Zwar stieg uns das Blut in die Wangen einmal,
Doch sind's noch die alten Züge, so fahl!

Schaut her, es ist noch das zitternde Haupt,
Von Sorgen gebleicht, von Kummer entlaubt!
Die Stirne, gefurcht von dem zehrenden Gram,
Das Auge, gebrochen vor Jammer und Scham!

Auch sind's noch die Wangen, die jung schon so alt,
Die bebenden Lippen, so trocken und kalt,
Die hageren Arme, vom Hunger gestreckt,
Und die schlotternden Schenkel, von Lumpen bedeckt!

Was also stutzt ihr und bebt ihr zurück?
Die so oft ihr uns saht mit verächtlichem Blick?
Die so oft ihr den Fuß auf das Haupt uns gesetzt
Und schier uns mit Hunden vom Hofe gehetzt? –

Wir sind ja die Weber – so arm und so schwach!
Wenn wir weinten und schrien – was frugt ihr danach?
Ihr seid ja die Steine – wir sind ja der Kern –
Staub unter dem Druck so gewaltiger Herrn!

Wir waren ja stets ein geduldig Geschlecht,
Und haben gedürstet, derweil ihr gezecht,
Und haben gehungert, derweil ihr gepraßt,
Und die Nächte durchweint, die ihr jubelnd durchrast!

Wir haben ja für euch geschwitzt und gekeucht,
Mit unserem Schweiß und Blut euch gesäugt,
Und selbst euch gewirkt für Jammer und Schmach
Die Unterlagen zu eurem Gelag!

Und haben uns selber hinein mit verwebt,
Just wie ihr uns kanntet, so bleich und verlebt,
Und sind nun als Schemen im toten Damast
Noch schweigende Träger der drückenden Last.

So zechet denn weiter und fürchtet uns nicht!
Wer fürchtet die Toten vorm Jüngsten Gericht?
Das Blut, so wir tranken, bald wirkt es nicht mehr:
Dann schauen wir wieder so bleich wie vorher!

Doch merkt euch, es keimet ein junges Geschlecht,
Dem sprudelt's im Herzen noch feurig und echt!
Vor *diesem* erzittert – denn, trügt es uns nicht,
So wartet das nicht bis zum Jüngsten Gericht!‹

Carl Rosen
Der arme Weber
1846

Weber, webe schnelle,
Webe Tag und Nacht –
An der Hüttenschwelle
Not und Elend wacht.

Willst du Hilfe finden,
Suche sie in dir,
Deine Kräfte schwinden,
Niemand hilft dir hier.

Dulde noch ein wenig,
Trag dein hartes Joch,
Gib zuvor dem König
Seine Steuern noch.

Deine Kräfte spanne,
Bis die Sehne reißt.
Gib dem Edelmanne,
Was man Zinsen heißt.

Gib sie ihm, dann sterbe,
Deine Zeit ist aus.
Merke dir, dein Erbe
Ist das Armenhaus.

Wenn man dich begraben
Ohne Sang und Klang,
Halten deine Knaben
Einen Bettelgang.

Und zur feilen Metze
Wird dein Mägdelein –
Müssen die Gesetze
Dir nicht heilig sein?!

Darum, Weber, webe,
Webe Tag und Nacht.
Für das Elend lebe,
Das dich stumpf gemacht.

Heinrich Pröhle
Wie die Bergleute die Weber totgeschlagen haben[53]
1846

Die armen Weber hatten kein Brot;
Da kamen die Bergleut und schlugen sie tot.
Hört an, o hört an wie das geschehn
Wohl in den Tälern und auch auf den Höhn!

Die Bergleut graben im tiefen Schacht,
Sie graben immer bei der Nacht;
Der eine gräbt das Silber, der andre gräbt das Gold:
Dafür gibt ihnen der König den Sold.

Die Bergleut graben immer fort,
Und keiner pfeift und sagt ein Wort;
Bei ihnen ist kein Zank und Streit,
Und keiner tut dem andern ein Leid.

Die Bergleut haben ihr eigen Gericht
Über der Erde, doch brauchen sie's nicht.
Die Bergleut tun, was der König gebeut,
Die Bergleut sind gar fromme Leut.

Und als nun für ihr letztes Geld
Die Weber sonntags den Tanz bestellt,
Da standen die Bergleut in guter Ruh
Von fern und machten Musik dazu.

Der schönste Bub und die schönste Maid,
Die tanzten zusammen lange Zeit;
Die Bergleut haben die ganze Nacht
Gestanden und haben Musik gemacht.

Der eine, welcher gräbt das Gold,
Der strich die Geige so wunderhold;
Der andre, welcher das Silber gräbt,
Der stieß ins Horn, daß alles erbebt.

Des Morgens früh erst um halb vier,
Just als die Sonne ging herfür,
Ward im Gebirg es totenstill. –
O Herrgott, es geschah dein Will!

Und als nun die Weber revoltiert,
Sind wieder die Bergleut requiriert;
Sie stiegen aus ihrem Schacht empor
Auf einer langen Leiter und rückten vor.

Über der Erde da stellten sie sich
In eine Ordnung säuberlich;
Sie kamen und schlugen die Weber tot
Mit Weibern und Kindern und Dirnlein rot.

Der eine, welcher das Silber grub,
Erschlug den schönsten Weberbub;
Der aber, welcher gräbt das Gold,
Erschlug das schönste Mägdlein hold.

Die armen Weber hatten kein Brot,
Da kamen die Bergleut und schlugen sie tot.
Dann aber zogen sie ganz müd
Zurück zum Schacht in Reih und Glied.

Dort graben sie noch lange Zeit
Im Dunkeln fort, die ernsten Leut.
Der eine gräbt das Silber, der andre gräbt das Gold;
Dafür gibt ihnen der König den Sold.

Indessen über die Höhen von Eis
Wandelt der Geist des Gebirges leis,
Und unter seinen Füßen sacht
Keimt der Lawinen stolze Pracht.

Hedwig und Eleonore Wallot
Über die schlesischen Weber
1846

Jammertöne füllen Schlesiens Lüfte,
Denn die Habgier frevelt mit der Not,
Gräbt den armen Webern ihre Grüfte,
Lohnet ihre Arbeit kaum mit Brot!
Unerschöpflich sind der Reichen Güter,
Unersättlich ist ihr Durst nach Gold:
Mammons Sklaven, ihrer Schätze Hüter,
Zahlen sie selbst nicht den schuld'gen Sold!
Keine Scheu mit Menschenrecht zu spielen,
Keine Scheu vor des Gewissens Ruf,
Ist befleckt das Glück, das sie erzielen,
Und verfehlt ihr himmlischer Beruf.
Still und traurig mit gesenktem Flügel,
Harrt ein Genius der bessern Zeit.
Menschenliebe ist der weise Zügel,
Welchen er den Reichen hier geweiht;
Glückes Stolz zu mäßigen, zu adeln,
Und verwerten flücht'gen Freudenrausch.
Nicht den Bruder um der Armut tadeln,
Sondern reichen ihm die Hand zum Tausch!
Das nur heiligt Reichtum hier auf Erden,
Das ist Leben menschen-, göttergleich!
Das ist Gleichheit, das heißt Brüder werden,
Dann, ach dann erst sind wir wahrhaft reich!

Ludwig Pfau
Der Leineweber
1847

Der bleiche Weber sitzt am Stuhl,
Er wirft mit matter Hand die Spul –
  Knick, knack! –
Er hebt den müden Fuß zum Treten: –
›Herrgott! Jetzt kann ich nimmer beten –
  Knick, knack! –
Du Linnentuch, du Linnentuch!
Ein jeder Faden sei ein Fluch!‹

Es webt und webt sein morscher Leib,
Am Boden liegt sein sterbend Weib –
  Knick, knack! –
Die Not sitzt bei ihr, sie zu pflegen,
Der Hunger gibt ihr noch den Segen –
  Knick, knack! –
›Du Linnentuch, du Linnentuch!
Ein jeder Faden sei ein Fluch!

Der erste Fluch für unsern Herrn!
Hussa! Da springt mein Schifflein gern –
  Knick, knack! –
Er darf am vollen Tische lungern,
Wenn wir am Webestuhl verhungern –
  Knick, knack! –
Du Linnentuch, du Linnentuch!
Ein jeder Faden sei ein Fluch!

Und einer für den Pfaffen gleich,
Der uns verspricht das Himmelreich –
  Knick, knack! –
Wir sollen sterben und verderben,
Das heißt, die Seligkeit erwerben –
  Knick, knack! –
Du Linnentuch, du Linnentuch!
Ein jeder Faden sei ein Fluch!

Der Faden hier sei dem verehrt,
Der Kugeln uns statt Brot beschert –
  Knick, knack! –
Dem hohen Herrn von Gottes Gnaden:
O werd ein Strick, du schwacher Faden! –
  Knick, knack! –
Du Linnentuch, du Linnentuch!
Ein jeder Faden sei ein Fluch!

Die Lampe, wie sie plötzlich loht!
Gottlob, mein Weib, nun bist du tot –
  Knick, knack! –
Das ist der Trost in unsrem Leben,
Daß wir das Bahrtuch selber weben –
  Knick, knack! –
O könnt ich weben Fluch um Fluch,
Der ganzen Welt ein Leichentuch!‹

Georg Weerth
Sie saßen auf den Bänken
1847

Sie saßen auf den Bänken,
Sie saßen um ihren Tisch,
Sie ließen Bier sich schenken
Und zechten fromm und frisch.
Sie kannten keine Sorgen,
Sie kannten kein Weh und Ach,
Sie kannten kein Gestern und Morgen,
Sie lebten nur diesen Tag.

Sie saßen unter der Erle –
Schön war des Sommers Zier –
Wilde, zorn'ge Kerle
Aus York und Lancashire.
Sie sangen aus rauhen Kehlen,
Sie saßen bis zur Nacht,
Sie ließen sich erzählen
›Von der schlesischen Weberschlacht‹.

Und als sie alles wußten,
Tränen vergossen sie fast,
Auffuhren die robusten
Gesellen in toller Hast.
Sie ballten die Fäuste und schwangen
Die Hüte im Sturme da;
Wälder und Wiesen klangen:
›Glück auf, Silesia!‹

Louise Aston
Lied einer schlesischen Weberin um 1847

Wenn's in den Bergen rastet,
Der Mühlbach stärker rauscht,
Der Mond in stummer Klage
Durch's stille Strohdach lauscht;
Wenn trüb die Lampe flackert
Im Winkel auf den Schrein:
Dann fallen meine Hände
Müd in den Schoß hinein.

So hab ich oft gesessen
Bis in die tiefe Nacht,
Geträumt mit offnen Augen,
Weiß nicht, was ich gedacht;
Doch immer heißer fielen
Die Tränen auf die Händ –
Gedacht mag ich wohl haben:
Hat's Elend gar kein End? –

Gestorben ist mein Vater, –
Vor kurzem war's ein Jahr –
Wie sanft und selig schlief er
Auf seiner Totenbahr!
Der Liebste nahm die Büchse,
Zu helfen in der Not;
Nicht wieder ist er kommen,
Der Förster schoß ihn tot. –

Es sagen oft die Leute:
›Du bist so jung und schön,
Und doch so bleich und traurig
Sollst du in Schmerz vergehn?‹ –

›Nicht bleich und auch nicht traurig!‹
Wie spricht sich das geschwind,
Wo an dem weiten Himmel
Kein Sternlein mehr ich find!

Der Fabrikant ist kommen,
Sagt mir: ›Mein Herzenskind,
Wohl weiß ich, wie die Deinen
In Not und Kummer sind;
Drum willst du bei mir ruhen
Der Nächte drei und vier,
Sieh dieses blanke Goldstück!
Sogleich gehört es dir!‹

Ich wußt nicht, was ich hörte –
Sei Himmel du gerecht
Und lasse mir mein Elend,
Nur mache mich nicht schlecht!
O lasse mich nicht sinken!
Fast halt ich's nicht mehr aus,
Seh ich die kranke Mutter
Und's Schwesterlein zu Haus!

Jetzt ruh'n so still sie alle,
Verloschen ist das Licht,
Nur in der Brust das Wehe,
Die Tränen sind es nicht.
Kannst du, o Gott, nicht helfen,
So laß uns lieber gehn,
Wo drunten tief im Tale
Die Trauerbirken stehn! –

Anonym
Auf den schlesischen Bergen
1848

Nur von den Bergen werd' ich einst erzählen,
Hinauf, hinauf treibt mich die Wanderlust.
Den blauen Himmel trag' ich in der Seelen
Und tausend Lerchen in der Jünglingsbrust,
  Und hier die Klüfte zwischen Blumenauen,
  Sie lassen meines Lebens Bild mich schauen.

Ich halte dich, du leichtbeschwingte Freude,
Auf diesem Plan der lachenden Natur,
Hier schwelgst du süß im grünen Feierkleide,
Damit ein Weltengott geschmückt die Flur,
  Und ziehst du, Flücht'ge, ist's von Berg zu Berge:
  Dein Schatten nur berührt im Tal die Zwerge.

Ich schau' nun sinnend auf die Hütten nieder,
Ist drinnen Lust und Freud' wie auf den Höhn?
Die Lust, sie tönet nicht beim Webstuhl wider,
Hier weinet niemand eine Freudenträn.
  O Schmerz, daß hier die Menschen darben müssen,
  So reich und doch so arm auch an Genüssen.

›Gib Mutter Brot!‹ sie darf das Kind nicht hören,
Sie spinnt, die Wang' ist bleich, das Auge rot,
Es schaut zum Vater auf, es schwimmt in Zähren;
Er webt und webt und webt sich bald zu Tod
  Und ächzend ruft er mit erhob'nen Blicken:
  ›Wann wirst Du Gott uns Deinen Retter schicken?‹

Hört ihr den Ruf, ihr Mächtigen der Erde?
Wollt ihr die Retter, die Erlöser sein?
Fort mit des Stolzes, mit des Hohns Gebärde,
Gerechtigkeit ist's, was die Armen schrein.
  Ihr hört sie nicht, bis an Palastes Stufen
  Sie grausenvoll dafür einst Rache rufen.

Ich will nicht ferner auf den Bergen weilen,
hinunter in die Täler will ich ziehn,
Ich will die Schmerzen der Bedrängten heilen
Mit aller Kraft, die mir ein Gott verliehn.
  Ein treuer Sohn des Volks, ich fühl's mit Freuden,
  Bin ich ein rüst'ger Träger seiner Leiden.

Franz Egenter
Der Schulmeister
1848

Du trittst in eine Weberschule,
Wo Meister aus dem Höllenpfuhle
An Jacken weben, Gurt und Strang,
Zum Körper- und zum Seelenzwang.

Hier werden Menschen gleich den Hunden
In eignen Stoß- und Prügelstunden
Zum Menschenfang und Mord dressiert,
Zum Schlag- und Schlachtvieh degradiert.

Hier müssen Menschen als Maschinen
Zum Völkerdruck den Teufeln dienen,
Und auf Kommando Feuer spein,
Und sollt's ins Herz der Mutter sein.

So mache denn die Weberschule,
Doch werd' im Geiste keine Spule,
Die nur mechanisch geht und steht,
Die Korporal und Tambur dreht!

Du sollst mir ja das *eigne Denken*
An keinen Menschen ganz verschenken,
Daß dich ein and'rer ungeniert
Wie seinen Hund am Stricke führt!

Der los dich läßt und wieder bindet,
Sowie er sich's beliebig findet,
Der dich, den Hund, auf Hunde hetzt,
Sowie es ihn, den *Herrn*, ergötzt.

Erlern die Künste, die sie lehren,
Um einst die Waffe umzukehren,
Den Meistern selbst gib den Beweis,
Wie deine Hand zu treffen weiß!

Anonym
Das arme Kind

[Entstehungsjahr war nicht zu ermitteln.]

Mutter, Mutter! Mir bangt und graut!
Mir ist so weh, mir ist so schwer!
Nur heute, nur heute den einen Tag
Gönn mir die Ruhe und wehre der Plag:
Im Hirn – da zuckt es hin und her!
Mutter, Mutter! Mir bangt und graut.

Mein Kind, mein Kind! Groß ist die Not!
Der Kasten leer, der Winter naht,
Der Vater, der arme, liegt krank im Spital,
Nicht bleibet, wo Not drängt, offen die Wahl!
Schaffen und Schaffen – früh und spat!
Mein Kind, mein Kind! groß ist die Not!

Krank hin, krank her! Es fehlt die Zeit,
Das Schaffen geht vor, wenn der Hunger treibt!
So eile mein Kind dem Maschinenhaus zu,
Nur *dreizehn* Stunden – dann findest du Ruh!
Das Schaffen geht vor, wenn der Hunger treibt!
Krank hin, krank her! Es fehlt die Zeit!

Die Räder rollen, – der Zeiger schleicht;
Die Riemen sausen – der Faden wächst.
Mit müden Fingern, mit wirrem Sinn
Müht sich das Kind um kleinen Gewinn.
Die Riemen sausen, – der Faden wächst,
Die Räder rollen, der Zeiger schleicht;

Hab acht, hab acht! o, armes Kind!
Dich zwingt der Schlaf, die Werke gehn:
Ein Schlag, ein Stoß und – weg der Arm –
Ein Schmerzensschrei! daß sich Gott erbarm!
Dich trägt man fort – die Werke gehn –
Und doppelt elend, mein armes Kind!

Dahin die Kraft, und groß die Not!
Noch will dich nicht der Retter Tod:
Es naht der Wagen dem Krankenhaus,
Da trägt man den toten Vater hinaus.
O, schwerer Kampf ums liebe Brot!
Dahin die Kraft, und groß die Not!

Carl Bern
Für die hungernden Schlesier
1848

Der Boden zuckt; es bebt die Erd' im Sturm;
  Im Süd' und Westen hängen die Gewitter;
Die Flamme lodert hell aus manchem Turm
  Und unter Krachen stürzt manch Kerkergitter;
Die Fluten gehen hoch, es schwellen an
  Zu Strömen groß der Menschheit Kummerzähren,
Europa liegt in Weh'n und im Orkan
  Soll es die neue Zeit ans Licht gebären.

Im Sturme wandelt die Geschichte oft einher,
  Doch im Orkan, so scheint's, in unsern Tagen;
Wohl wogt empor oft wild bewegt das Meer,
  Doch jetzt will's bergehoch der Sturm wohl tragen.
Noch liegt Gewitterschwüle auf dem Land,
  Doch ferne donnern schwer die Lärmkanonen,
Da tönt ein greller Schrei durchs Vaterland,
  Bis zu der höchsten Berge starren Kronen.

Schon einmal zog er durch die deutschen Aun,
  Ein Weheruf, der durch die Länder hallte,
Es war, als vor des Elends düstern Graun
  Das Volk mit letzter Kraft die Fäuste ballte.
Nun klingt er anders schon, der Hungerschrei,
  Tief zitternd hört ihr ihn die Luft durchschneiden;
Im Tode zuckt der angeschoss'ne Weih*:
  Der Schrei des Sterbenden ist's im Verscheiden!

* Vogelgattung.

Und Deutschland wäre stumm bei diesem Ton,
Er sollte ungehört im Wind verhallen?
Es sollten zu des treusten Duldens Lohn
Des Hungers Sichel Tausende verfallen?
Er sollte umgeh'n länger noch, der Tod,
In seinen fürchterlichsten Graungestalten?
O! hat denn Deutschland nicht mehr ein Stück Brot,
Um seine ärmsten Kinder zu erhalten?

Sind wir so arm, sind wir so tränenlos,
Daß solcher Jammer unser Herz nicht rühre?
Liegt denn auch jetzt die Hand noch still im Schoß,
Wenn solch ein Elend pocht an uns're Türe?
Ha, Hungertod! Sie liegen auf dem Feld,
In Scheunen, auf den Wiesen, hinter Sträuchen,
Das hag're Antlitz grauenvoll entstellt,
Die todesblassen, stillen Hungerleichen!

Auf, mein Volk! Kein Zug sei mehr gemalt,
Das ist ein Bild, das Blut dir zu erstarren!
Auf, rette! hilf! doch eile und hilf *bald*,
Auf Rettung darf der Hungernde nicht *harren*.
Mit deiner Hilfe lind're seine Qual,
Gieß Balsam in die große, tiefe Wunde,
Und fleh zum Himmel, daß *zum letzten Mal*
Durch Deutschland töne solche Trauerkunde!

Ludwig Pfau
Der schlesische Weber
1849

Was blühst du, Feld! was prangst du so?
Mein Weib liegt unterm grünen Klei.
Du Nachtigall! was schlägst du froh?
Mein süßes Kind liegt auch dabei.
Sie darbten, darbten mit Geduld,
Bis sie zuletzt gestorben sind;
Der Hunger hat sie eingelullt,
Barmherz'ger als ein Menschenkind.

Mein Vater zog nach Westen fort
Mit wankem Fuß und weißem Haar;
Zum Sterben sucht er einen Ort,
Der alte, müde Proletar.
Mein Mütterlein, das arme Weib,
Das braucht jetzt keine Grube mehr:
Sie senkten ihren morschen Leib
Zur ew'gen Ruh' ins tiefe Meer.

Wohl flüstert noch der Lindenbaum
Von alter Zeit ob meinem Haupt,
Die Glocken singen wie im Traum
Die Lieder, die ich sonst geglaubt.
Wer sagt, daß Glauben selig macht?
O schöner Trost der Ewigkeit!
Wo man also euch reich bedacht –
Wann ihr einmal gestorben seid.

Mein Weib liegt unter grünem Klei,
Gott segne ihr die Ruhestätt!
Mein süßes Kind liegt auch dabei,
Sie lagen stets in einem Bett.
Mein Vater zog nach Westen fort,
Mein' Mutter ward des Meeres Raub –
Ich schüttle bald im fernen Port
Von meinem Fuß den deutschen Staub.

O unglückselig Vaterland!
Dein Morgenlicht ist Abendrot;
Am Webstuhl dorrt die fleiß'ge Hand,
Das treuste Herze bricht die Not.
Dein Nachttau ist die Träne nur,
Dein Stab, das ist der Wanderstab;
Das Elend reift auf deiner Flur,
Drum ist dein bestes Feld das Grab.

Du gleichst der Mutter, die ihr Gut
Mit fremden Buhlen schnöd verpraßt,
Und betteln schickt ihr eigen Blut,
Vor fremde Türen jagt zu Gast.
Blüh nur und grüne wie ein Grab,
Bedeck mit Blumen deine Schand;
Gib her mein Erb', den Bettelstab,
Du unglückselig Vaterland!

Adolf Strodtmann
Das Lied vom Spulen
1849

Wein, Kellner, Wein! Mein Tagwerk ist vollbracht,
Noch diese Stunde stehlen wir der Nacht –
Gib auch das Zeitungsblatt vom heut'gen Tage!
Laß sehn: was macht der morsche Königsthron?
Schickt uns der Frühling seine Boten schon?
Wie, oder ist das Recht noch Sage?

Berlin . . . Die Kammer schläft – das tat sie längst! –
Ungarn . . . Verratnes Heldenvolk, was drängst
Du mir die Brust, ob deiner Schmach zu sinnen! –
Standrecht und Rache . . . fort! – Doch halt! den Schluß –
Stettin, den zwölften: ›Gottfried Kinkel[54] muß
In Züchtlingstracht nun Wolle spinnen!‹

Ist's möglich? Gott! Wüst brennt mir's im Gehirn,
Die Hände streich ich über meine Stirn –
Mein Gottfried spulen im Verbrecherkleide!
Derselbe Geist, der hohe Lieder sann,
Ein Knecht am Webstuhl – jahrelang – und dann? –
Vor Wahnsinn schütze Gott uns beide!

Kein einzig Wort – die klirrende Münze warf
Ich auf den Tisch. Die Nachtluft wehte scharf,
Und eisig fuhr der Sturm durch meine Locken.
Ich ging nach Haus. Dann schrieb ich bleich und matt
›Das Lied vom Spulen‹ auf ein knisternd Blatt,
Die Wangen heiß, das Auge trocken:

Der Webstuhl kracht, das Schifflein zieht
Hinüber und herüber;
Beim Spulen tönt ein wildes Lied,
Das gellet trüb und trüber:
›Mein Schifflein, zieh! Wir oder sie!
's wird anders nie! Mein Schifflein, zieh
Herüber und hinüber!‹

Der eine im Verbrecherhaus
Spinnt fort und fort den Faden;
Am Ende wird ein Tuch daraus,
Ein Tuch von Gottes Gnaden!
Viel Fäden schlug des Spinners Fluch
Ins Leichentuch! – Noch nicht genug! . . .
Spinn fort und fort den Faden!

Wir andern aber, zorngemut,
Wir sitzen auch am Stuhle,
Das Schifflein treibt der Zeiten Flut,
Es schnarrt und knarrt die Spule.
Dazwischen Sang und Schwerterklang
Und Wogendrang das Feld entlang –
So webt die Zeit am Stuhle.

Der Webstuhl kracht, das Schifflein zieht
Herüber und hinüber.
Beim Spulen tönt ein wildes Lied:
›Bald ist dein Zeit vorüber!
Die Freiheit siegt, die Fessel liegt!
Die Freiheit siegt! – Dein Schifflein fliegt
Hinüber und herüber!‹

Zur Rezeption der Weber-Revolte

Gerhart Hauptmann, nicht unseren Geschichtsbüchern, ist zu verdanken, wenn heute nach 135 Jahren die Revolte der schlesischen Weber noch nicht in Vergessenheit geraten ist. Erst dem Schlesier Gerhart Hauptmann gelang es mit seinem rund fünfundvierzig Jahre nach dem Aufstand geschriebenen Weber-Drama, eine breite Öffentlichkeit für das Thema zu interessieren. Seit 1890 war von sozialdemokratischer Seite die unverändert schlechte Lage der Textilarbeiter mit den Ereignissen von 1844 verbunden worden. Wie konnte so viele Jahre nach der Revolte ein Drama Auseinandersetzungen provozieren, bei denen es nicht allein um literarische Formprobleme ging, sondern vielmehr um politische und soziale Konflikte der neunziger Jahre? War dies möglich, weil die Staats- und Gesellschaftsordnung des Jahres 1844 noch immer bestand – wie der Berliner Polizeipräsident von Richthofen im Februar 1893 in dem Verfahren um die Freigabe des Weber-Dramas für die öffentliche Aufführung feststellte[1]? Oder hatte etwa Wilhelm Wolff mit seiner Bemerkung aus dem Jahr 1844 recht, die schlesischen Weber seien ›die verlornen Posten einer siegreichen Zukunft‹? (Vgl. S. 234.)

Was war bis 1890 aus den elend lebenden, zerlumpten, dem Hungertode nahen und gegen ihre Ausbeutung revoltierenden Spinnern und Webern des Jahres 1844 geworden?

Ruhe und Ordnung waren schon wenige Tage nach dem Aufstand durch den konzentrierten Einsatz preußischen Militärs wiederhergestellt. Ober-Präsident von Merckel versuchte auch nach der Revolte, gegenüber der preußischen Regierung jeglichen Notstand in Schlesien zu leugnen. Trotzdem ordnete sie noch vor den Urteilsverkündungen im Prozeß gegen die Aufständischen eine Untersuchung der Notlage in den Webereidistrikten an; beauftragt damit wurde Alexander von Minutoli[2]. Auch die Hilfsvereine, besonders der Breslauer, dem durch die Spendenaufrufe in der deutschen Presse und die ausführliche Berichterstattung über die Revolte erhebliche, freilich in keiner

Weise ausreichende Summen zugekommen waren, setzten ihre Tätigkeit fort. Aber das Geld war bald aufgebraucht und die Öffentlichkeit durch weitere Spendenaufrufe kaum noch zu ›milden Gaben‹ zu bewegen[3]. Strukturprobleme, wie sie Alexander von Minutoli in der schlesischen Textilindustrie erkannt hatte und die seiner Meinung nach nur durch staatliche Investitionshilfen für die notwendige Mechanisierung des Spinnens und durch eine strenge staatliche Überwachung von Produktion und Distribution zu lösen gewesen wären, blieben bestehen. Der preußische Staat ersetzte den Gebrüdern Dierig die während der Revolte beschädigten Jacquard-Webstühle, stellte bescheidene Mittel zur Anschaffung neuer Arbeitsgeräte für die Hand- und Heimweber zur Verfügung und gab zaghafte Hilfen zur Förderung der Maschinenspinnerei. Darin erschöpfte sich die staatliche Hilfe; das schlesische Elend dauerte fort. Erst etwa zwanzig Jahre nach dem Aufstand war das Spinnen in Schlesien überwiegend mechanisiert. *Gewebt* wurde in den sechziger, aber auch noch in den neunziger Jahren meist mit der Hand – was die *schlesischen* Webereidistrikte betrifft. Die übrige deutsche Textilindustrie, in der in den sechziger Jahren noch 40 Prozent aller Lohnabhängigen arbeiteten, war aufgrund der allgemeinen technischen und wirtschaftlichen Entwicklung – nicht zuletzt durch die rasante Ausweitung des Verkehrswesens – dezentralisiert und mechanisiert worden. Die schlesische Textilfertigung aber, die schon in den dreißiger und vierziger Jahren den Anschluß an die englische Konkurrenz nicht hatte halten können, blieb rückständig und war mehr und mehr auch der Binnenkonkurrenz ausgesetzt. Die schlesischen Spinner und Weber, die nicht in die neu entstandenen Industriezentren, z. B. Berlin und das Ruhrgebiet, abgewandert waren, waren tatsächlich ›verlorne Posten‹ der Sozialgeschichte. Für sie hatte sich, bei allen politischen Umwälzungen in Deutschland zwischen 1844 und 1890[4], nichts geändert: Zeitungsberichte, die um 1890 die Lebens- und Arbeitsbedingungen der schlesischen Weber beschrieben, unterschieden sich kaum von denen aus dem Jahr 1844[5].

Den Industrie- und Fabrikarbeitern ging es in den neunziger Jahren besser als den schlesischen Webern. Hatte für jene etwa die ›siegreiche Zukunft‹ schon begonnen? Sie verdienten fast

Plakat von Emil Orlik (1897), Gerhart Hauptmann gewidmet

doppelt soviel[6] wie ein schlesischer Heimweber, aber auch ihre Löhne lagen immer noch zirka 20 Prozent unter dem Existenzminimum. Wirtschaftskrisen und Konjunkturschwankungen, miserable Wohn- und Arbeitsverhältnisse, fehlende soziale Sicherheit bei Krankheit und Arbeitsunfähigkeit, ein 12stündiger Arbeitstag ließen in der Arbeiterschaft immer mehr das Gefühl, die Erfahrung und das Bewußtsein sozialer Ungerechtigkeit aufkommen. Die Arbeiter erreichten zwischen 1850 und 1890 erst allmählich jenen Grad an Meinungsbildung, Organisation und theoretischer Grundlage, der sie nicht mehr in einzelnen Fabrikanten und Kapitalisten den Gegner sehen ließ, sondern in der Staats- und Gesellschaftsordnung des deutschen Kaiserreichs. Hierin liegt der wichtige Unterschied, wenn man den Bewußtseinsstand der revoltierenden Spinner und Weber des Jahres 1844 mit dem der Industriearbeiter der achtziger und neunziger Jahre vergleicht: Die schlesischen Spinner und Weber hatten nicht die Staats- und Gesellschaftsordnung Preußens ändern wollen. Ihr Aufstand richtete sich, auch aus christlich motivierter Empörung über ihre materielle Not, gegen die Handelsherren und deren verschwenderischen Reichtum. Allerdings konnte man schon 1844 die Aktion der Spinner und Weber so interpretieren, als zielte sie gegen die staatlichen und wirtschaftspolitischen Ordnungsprinzipien Preußens. Bereits wenige Tage nach dem Aufstand kommt es in der Presse zu zahlreichen Deutungsversuchen. Der Verlauf der Revolte wird in allen Einzelheiten geschildert, die oft auch so zurechtgestutzt werden, wie der Korrespondent sie haben will; etwa in der Frage, ob denn die Weber die Weinkeller gestürmt und die Weinvorräte lediglich vernichtet oder ob sie sich erst sinnlos betrunken und dann im Rausch die Gebäude demoliert haben[7].

Darüber hinaus werden aber auch soziale und politische Grundsatzfragen gestellt: Soll Deutschland sich zum Industriestaat entwickeln oder besser Agrarstaat bleiben? Wie steht es mit dem Verhältnis von Kapital und Arbeit? Hat der Socialismus und Communismus (in seinen damals verbreiteten frühen Thesen) unter Tagelöhnern, Spinnern, Webern und anderen Pauperisierten eine Chance? Welchen Einfluß hat die Presse auf soziale und politische Vorgänge?

Die Fragen sind ebenso grundsätzlicher Art wie die Antworten: Eduard Pelz zum Beispiel sieht in der ›Händearbeit‹ und in der Abschaffung von Maschinen die Lösung der sozialen Probleme Schlesiens[8]; Karl Grün in einer Organisation der Arbeit und Industrie[9], die dem Menschen Freiheit und Emanzipation bringen könne; Wilhelm Wolff in einer gerechten und solidarischen Reorganisation und Umgestaltung der Gesellschaft. Aber es gibt auch Stimmen, die jeglichen Notstand leugnen oder ihn in individuellen Unzulänglichkeiten, etwa in Trunksucht oder in mangelnder Religiosität und Moral begründet sehen.

Diese Fragen, die auch schon vor dem Weberaufstand vereinzelt gestellt worden waren, bleiben in Preußen und dem späteren Kaiserreich bis in die neunziger Jahre und darüber hinaus aktuell. Bis 1890 ändern sich diese Probleme kaum – es kommen noch viele hinzu; was sich ändert, sind die Antworten und Forderungen der Industriearbeiter, ihrer Theoretiker und Funktionäre.

Die schlesischen Weber nehmen an der deutschen Arbeiterbewegung der zweiten Hälfte des 19. Jahrhunderts als Gruppe keinen aktiven Anteil, auch treten sie nicht wieder revoltierend in Erscheinung. 1864 entsenden sie eine Abordnung zum preußischen König Wilhelm I., um sich über ihre unzureichenden Löhne zu beklagen. Eine daraufhin eingesetzte Untersuchungskommission kommt zu dem Ergebnis: der Verdienst der schlesischen Weber liege etwa 25 Prozent unter dem Existenzminimum. August Bebel bringt 1879 im Selbstverlag eine Broschüre ›Wie unsere Weber leben‹ heraus. Gewährsleute und Weber berichten darin über die katastrophalen Lebensverhältnisse der deutschen Textilarbeiter. Die ersten wirtschaftswissenschaftlichen Untersuchungen zur Weberfrage erscheinen. Die Arbeiten von Gustav Schmoller[10] und Alfred Zimmermann[11] spielen bei der Diskussion in den achtziger Jahren nicht annähernd die Rolle wie die vielen Zeitungsberichte, in denen die aktuelle Not der Textilarbeiter beschrieben wird. Besonders 1891, zwei Jahre bevor Hauptmanns Weber-Drama uraufgeführt wird, greifen sozialdemokratische Redakteure in ihren Blättern die Weberfrage auf und beziehen sich auf den Aufstand von 1844[12].

Dabei wird an ihn als erste bedeutende Arbeiterrevolte auf deutschem Boden erinnert. Hierdurch sollte Verständnis für die historische Dimension der aktuellen Konflikte geweckt werden. Zugleich aber auch den Herrschenden vor Augen geführt werden, daß es bei den zahlreichen Streiks nicht immer nur bei friedlichen Forderungen nach einer Verbesserung der Lebens- und Arbeitsbedingungen bleiben müsse. Die Rückbesinnung auf die Weber-Revolte war also zu Anfang der neunziger Jahre mit der Tendenz verbunden, das revolutionäre Potential der Arbeiterbewegung zu mobilisieren. Damit schloß sich die nach der Aufhebung der Sozialistengesetze in ihrer Organisation und ihrem Selbstbewußtsein erstarkte Sozialdemokratie der Marxschen Deutung an, die Revolte sei ein proletarisch bewußter Arbeiteraufstand gegen die ›Gesellschaft des Privateigentums‹ gewesen. Diese Einschätzung mutet auf den ersten Blick übertrieben an, vor allem, wenn man bedenkt, daß die schlesischen Weber in der Mehrzahl königstreu und stark von Pietismus oder Katholizismus geprägt waren. Aber die Stoßrichtung und auch die Art des Aufstands belegen deutlich, daß sie zwar nicht den politischen Feind oder den Klerus im Auge hatten, wohl aber die Fabrikanten, und diese keineswegs nur als einzelne Personen, sondern als Vertreter ihrer Klasse. Über das ›Bewußtsein‹ des einzelnen Webers werden sich schwerlich Aussagen machen lassen, über das Bewußtsein der aufständischen Weber als Gruppe dagegen sehr wohl. Insofern hatte diese Revolte, die Praxis, durchaus ›theoretischen und bewußten Charakter‹[13]. Es war eben kein Aufstand neidischer und luxusgieriger Hungerleider, eine oft wiederholte Fehleinschätzung, die schon 1844 die Kriminalisierung dieser Gruppe zum Ziel hatte.

Die durch die Revolte ausgelöste ›Weberliteratur‹ blieb in ihrer Wirkung, wie auch die übrige soziale Literatur der vierziger Jahre, zunächst auf die Zeit bis zur Revolution von 1848/49 beschränkt. Noch 1851 formulierte der schlesische Literarhistoriker Hermann Hettner seine Auffassung vom ›sozialen Drama‹ so: ›Eben weil uns jetzt und in der nächsten Zukunft fast mehr noch als die politischen Kämpfe die sozialen Fragen beschäftigen werden, darum wird auch die kommende Dramatik uns weit mehr soziale als politische Kämpfe darstellen.‹[14] Aber zwischen 1850 und 1880 findet man, von ganz wenigen und heute zu Recht vergessenen Ausnahmen[15] abgesehen, keine sozialen Dramen. ›Das soziale Drama im weitesten Sinne des Begriffs stellt den Regelfall der naturalistischen Dramatik in den achtziger und neunziger Jahren dar‹.[16] Auch wenn man an die bürgerlich-realistischen Erzähler der zweiten Hälfte des 19. Jahrhunderts denkt, z. B. an Adalbert Stifter, Theodor Fontane, Theodor Storm, Wilhelm Raabe, so wird man das in den vierziger Jahren kurzfristig dominierende Weber-Thema nicht wiederfinden. Robert Prutz und Theodor Fontane grenzen sich schon zu Beginn der fünfziger Jahre gegen die soziale Literatur der vierziger Jahre ab. Im Gegensatz zu Ernst Dronke, der sich 1846 erklärtermaßen nicht als ›Belletrist‹ verstand (vgl. S. 272), fordern Robert Prutz und Theodor Fontane von einer zukünftigen Literatur ›poetische Verklärung‹ und ›Läuterung‹. Prutz schreibt 1853: ›Das praktische Leben verdrängt das ästhetische; nicht mehr die Literatur, sondern der Staat und die bürgerliche Gesellschaft mit ihren unentbehrlichen praktischen Voraussetzungen, mit Handel, Gewerbe etc. bildet die wahre historische Aufgabe unserer Zeit. Auch diese Epoche wird dereinst ebenfalls ihre poetische Verklärung finden und eine neue klassische Poesie erzeugen, eine Poesie der Wirklichkeit, des Kampfes, der Arbeit [. . .]. Ja die Anfänge dazu sind zum Teil schon gemacht, und nur ein blödes Auge kann den Kern verkennen wegen der unansehnlichen Schale, in welcher derselbe zur Zeit noch auftritt; in unseren politischen Dramen, unseren sozialen Novellen und Gedichten liegen die Anfänge dazu bereits vorhanden [. . .]‹[17].

Ähnlich wie Prutz urteilt Theodor Fontane im gleichen Jahr in seinem Aufsatz ›Unsere lyrische und epische Poesie seit 1848‹: ›[. . .] es ist auch noch nicht allzu lange her, daß man (namentlich in der Malerei) *Misere* mit Realismus verwechselte und bei Darstellung eines sterbenden Proletariers, den hungernde Kinder umstehen, oder gar bei Produktionen jener sogenannten Tendenzbilder (schlesische Weber, das Jagdrecht u. dgl. m.) sich einbildete, der Kunst eine glänzende Richtung vorgezeichnet zu haben. Diese Richtung verhält sich zum echten Realismus wie das rohe Erz zum Metall: die Läuterung fehlt.‹[18]

Fontane und Prutz argumentieren mit ihrer Kenntnis von sozialer Kunst der vierziger Jahre, Prutz auch als Autor von ›Weberliteratur‹ (vgl. S. 463 bis 468), Fontane mit dem Hinweis auf die ›schlesischen Weber‹ (gemeint sind Carl Wilhelm Hübners Bilder ›Die schlesischen Weber‹, vgl. S. 271, und ›Das Jagdrecht‹). Die hier entworfene Theorie und spätere Praxis des bürgerlichen literarischen Realismus gestatteten nicht mehr die kontrastvolle Darstellung von arm und reich wie in der Vormärz-Literatur: Das lesende Bürgertum der Restaurationszeit wollte nicht mehr mit den Folgen der eigenen Wirtschaftspolitik konfrontiert werden.

In der Literatur wird das Weber-Thema zwischen 1851 und 1890 von Autoren des bürgerlichen Realismus nicht aufgenommen. Robert Schweichel (1821–1907), Sozialdemokrat und mit Wilhelm Liebknecht[19] befreundet, greift das Weber-Thema in zwei Erzählungen (vgl. Literaturverzeichnis S. 613) auf, die sich nicht auf die Revolte von 1844 beziehen[20], und für die Maifeier von 1891 der ›Volksbühne‹[21] schreibt Bruno Wille ein sozialdemokratisches Agitationsstück ›Durch Kampf zur Freiheit‹. Am 3. Mai 1891 berichtet der Berliner ›Vorwärts‹ darüber: ›[. . .] im ersten Akt wird das Elend einer schlesischen Weberfamilie geschildert. Die Ärmsten wollen nach Amerika auswandern, lassen sich aber durch die jammernde alte Mutter zurückhalten. Ein Aufstand entsteht, eine Fabrik wird demoliert, und das Schlußbild zeigt uns den Kampf der unerschrockenen Anführer gegen das Militär, das sie zum Abzug zwingen. Der zweite Akt führt uns ein Stimmungsbild aus dem Jahre 1848 vor, und das lebende Bild zeigt uns zum Schluß den Barrikadenkampf in Berlin. Der alte Weber Steinmann wird in diesem Kampf erschossen, aber sein Sohn kämpft in 40 langen Jahren den Kampf weiter. Er wird Sozialdemokrat. Im dritten Akt finden wir ihn wieder mit seinen beiden Neffen, in einem Walde bei Berlin, die Maifeier mitfeiernd. Bevor das lebende Bild aufgerollt wird, treten sich noch einmal, wie am Anfang, die Genien der Freiheit und der Tyrannei gegenüber. Die Freiheit siegt, und die Tyrannei stürzt beim Anblick der in Liebe und Brüderlichkeit geeinten Arbeiter aller Länder gebrochen zu Boden. Dieses Bild zum Schluß stellt die Welt-Maifeier der Arbeiterschaft dar.‹[22]

Von der Weber-Revolte zu den aktuellen Kämpfen der Sozialdemokratie. Gerhart Hauptmann mußte also die publizistische und die beginnende literarische Rezeption des historischen We-

Heimweber um 1890

beraufstands kennen, als er Anfang 1890 mit systematischen Vorarbeiten für sein Drama begann. Er beschaffte sich Literatur über die schlesischen Weber und besuchte zweimal den ›klassischen‹, aber schon etwas ›aufgeweichten‹[23] Boden des schlesischen Aufstands. Die Erstaufführung seines Werkes ›Die Weber. Schauspiel aus den vierziger Jahren‹ am 26. Februar 1893 führte zu einer heftigen Diskussion in der deutschen Presse. Im Mittelpunkt stand die Frage, ob das Drama nur historische Ereignisse vom Juni 1844 wiedergebe oder ob das Stück nicht vielmehr die aktuelle Lage des Industrieproletariats im Visier habe. Enthusiastisch äußerte sich Franz Mehring (1846–1919), heftigster zeitgenössischer Kritiker des deutschen Naturalismus, über das Drama: ›Was an Hauptmann noch mehr erfreut als sein schönes Talent, das ist die ehrliche Selbstkritik. Vor kaum vier Jahren priesen ‚geniale' Kritiker seinen dramatisch so ziemlich und sozial gänzlich mißglückten Erstling ‚Vor Sonnenaufgang' über den Schellendaus, und diese fade Reklame hätte einen noch sehr jungen Dichter wohl berauschen können. Aber Gerhart Hauptmann ist ruhig seinen Weg weitergegangen, und daß er kaum drei Jahre später schon aus dem Born des Sozialismus zu schöpfen verstanden hat, das stellt ihm nur ein ehrendes Zeugnis aus.‹[24] Mit dem ›Born des Sozialismus‹ meinte Franz Mehring den Aufsatz von Wilhelm Wolff (›Das Elend und der Aufruhr in Schlesien), der im ›Deutschen Bürgerbuch für 1845‹ erschienen war.

Für das Verständnis des Schauspiels wurden aber nicht nur Texte herangezogen, die 1844 als sozialistisch galten. Paul Schlenther, erster Biograph und Freund Hauptmanns, schreibt: ›Die Weber [. . .] sind ein geschichtliches Drama, dessen Stoff mit großer Treue aus historischen Quellen geschöpft ist. Ein wissenschaftlicher Forscher hat dem Dichter den Weg zu diesen Quellen geebnet. Alfred Zimmermann, ein aus der Schule Gustav Schmollers hervorgegangener Nationalökonom, veröffentlichte 1885 bei Korn in Breslau ein lehrreiches Buch über ‚Blüthe und Verfall des Leinengewerbes in Schlesien'.‹[25] Und einige Seiten weiter: ›Was aber den Stoff betrifft, so sei nochmals auf das historisch objektive Werk Alfred Zimmermanns hingewiesen. Legationsrat Zimmermann steht im diplomatischen Reichsdienst, sein Buch ist dem staats- und königstreuen Professor Gustav Schmoller gewidmet, ein konservativer Zeitungsverleger hat es verlegt, königliche Behörden versorgten es mit Material.‹[26]

Hätte Hauptmann sich in der von Schlenther angenommenen Weise der Arbeit Zimmermanns bedient, könnte dem Drama und seinem Autor tatsächlich keine sozialkritische oder gar sozialrevolutionäre Tendenz zugesprochen werden. Zu klären, wie Hauptmann seine Kenntnisse über die schlesischen Weber und ihren Aufstand erlangt hat, ist deshalb für ein Verständnis seines Schauspiels außerordentlich wichtig.

›Wenn ich nur Material für die Weber hätte‹, schrieb der 27jährige Hauptmann im Juni 1890 in sein Tagebuch[27] und fragte seinen Freund Otto Pringsheim nach Quellen. Dieser antwortete in einem Brief vom 14. Juni 1890: ›Hauptwerk über Geschichte der schlesischen Weber ist Alfred Zimmermanns Blüthe und Verfall des Leinengewerbes in Schlesien, Breslau Korn 1885. Hier findest Du auch weitere Literatur angegeben. Püttmanns Bürgerbuch enthält nur einen Aufsatz über die Weber, der nicht von großer Bedeutung ist. Wenn ich nicht irre, besitze ich das Buch und will ich es, sobald ich nach Hause komme, heraussuchen. Übrigens wird es auch bei der Königl. Bibliothek in Berlin zu haben sein! Ich bitte Dich aber, bei Deinen Studien vorsichtig zu sein, damit Dir nicht Unannehmlichkeiten erwachsen.‹[28] Denn Vorsicht war im Umgang mit sozialistischen Quellen geboten: Erst drei Jahre zuvor, im Sommer 1887, sollte Hauptmann im Breslauer Sozialistenprozeß als Zeuge gegen seine Freunde Alfred Plötz und Ferdinand Simon sowie gegen seinen Bruder Carl Hauptmann aussagen, die als Mitglieder der ›Gesellschaft Pacific‹ der ›gemeingefährlichen Bestrebungen der Sozialdemokratie‹ bezichtigt worden waren. Gerhart Hauptmann leugnete in der Vernehmung jede Verbindung dieser Gesellschaft zur Sozialdemokratie, was vom Richter aber als unglaubwürdig gewertet wurde. Vorsicht war auch geboten, weil sozialdemokratische Redakteure, die Heines Gedicht ›Die schlesischen Weber‹ abdruckten, in der Regel mit einer halbjährigen Gefängnisstrafe rechnen mußten. Aber Hauptmann ließ sich nicht beirren. Er besorgte sich das ›Deutsche Bürgerbuch‹ und übernahm von Wilhelm Wolff eine Reihe wichtiger und nur dort vorkommender Details[29]. Über die Anregungen Pringsheims hinaus beschaffte Hauptmann sich weitere Literatur, was sinngemäße und wörtliche Übernahmen aus Alexander Schneers Bericht von 1844 belegen[30]. Seine kritische Rezeption des Materials wird vor allem daran deutlich, daß er Wolffs Aufsatz und Schneers Bericht als zeitgenössisch-authentische Quellen der vierziger Jahre benutzt und der Arbeit Alfred Zimmermanns, in der Wolff mit keinem Wort erwähnt wird, vorzieht.

Das Weber-Drama wurde in den neunziger Jahren ganz unterschiedlich aufgefaßt: Wurde es auf die Lage des Industrieproletariats bezogen, war Hauptmann ein Verbündeter der Arbeiterbewegung, wurde es vordergründig auf die vierziger Jahre historisiert, blieb für Hauptmann nicht viel mehr als das Lob einer detail- und milieugetreuen, naturalistischen Beobachtungsgabe und einer treffenden, aus Mitleid erfühlten Menschenschilderung. Das Weber-Drama aber bekam in der politischen und sozialen Situation um 1893 seine Brisanz durch Hauptmanns bewußt-kritische Aufnahme von Berichten und Aufsätzen des Jahres 1844, nicht zuletzt durch den leitmotivischen Einbau einiger Strophen des ›Blutgerichts‹. In der am 3. März 1892 ergangenen Verbotsbegründung des Berliner Polizeipräsidenten heißt es denn auch, daß die ›Deklamation des Weberliedes‹ in einer öffentlichen Aufführung ›zu erheblichen Bedenken Anlaß‹ geben könne. Und aus zeitgenössischen Rezensionen geht hervor, wie sehr das ›revolutionäre Weberlied‹ heftigste Zuschauerreaktionen provozierte, wie die ›Wut der auf der Bühne zur Empörung schreitenden Weber [. . .] ein vollklingendes Echo in dem Zorn der aufgestachelten Zuschauer‹[31] fand. Mit dem ›Blutgericht‹ bezog sich Hauptmann am deutlichsten auf eine Quelle von 1844; ein Lied, das während der schlesischen Revolte unter den Webern ein solidarisierendes Band gebildet hatte und zusammen mit Heines ›Weberlied‹ inzwischen zu einem Bestandteil sozialdemokratischer und sozialistischer Kulturtradition geworden war. Hauptmann schwieg über die Bezüge seines Dramas zu anderen Texten, weil er annehmen konnte, daß nicht nur ihm diese Texte aus den vierziger Jahren bekannt waren.

Um den politisch-historischen Hintergrund des Weber-Dramas zu verdeutlichen, machte Franz Mehring 1893 den ›Bürgerbuch‹-Aufsatz Wilhelm Wolffs einem breiteren Publikum bekannt[31]. Mit der erneuten Zugänglichkeit dieser frühen sozialistischen Quelle und des ›Blutgerichts‹, aber auch durch die häufigen Wiederabdrucke des ›Weberliedes‹ von Heinrich Heine, hatte die Weber-Revolte – über den in diesem Band dokumentierten Zeitraum hinaus – bis in die neunziger Jahre eine *literarische* Wirkung, die in einem krassen Mißverhältnis zu ihrer *politischen* Wirkung steht. Denn die schlesischen Weber hatten durch den Aufstand ihre Arbeitsbedingungen nicht bessern können, an der Ausbeutung durch die Handelsherren änderte sich nichts, der Aufstand führte auch nicht zu einem organisatorischen Zusammenschluß. Aber von den vielen Unruhen der vierziger Jahre[32] unterscheidet ihn sein publizistisches Echo und seine Wirkung auf die Literatur. Sie war durch die zahlreichen bis zum Juni 1844 erschienenen Berichte vorbereitet, in denen die Notlage der schlesischen Weber anschaulich beschrieben worden war. Das soziale Gewissen der zeitunglesenden bürgerlichen Öffentlichkeit war schon geweckt, als die Revolte ausbrach. Dieser informierten Öffentlichkeit wurde im Juni 1844 schlagartig klar: Unerträgliche Arbeits- und Lebensbedingungen konnten auch zu einem Aufstand führen. Und da diese nicht nur in Schlesien bestanden, kündigte sich zum ersten Mal die Möglichkeit einer allgemeinen sozialen Revolution in Deutschland an. Das zwang zur Parteilichkeit, die sich aber nur publizistisch und literarisch artikulieren konnte, weil es politische Interessenvertretungen im Sinne von Parteien und Gewerkschaften nicht gab. Das aktive Eingreifen der Arbeiterschaft[33] in die soziale Frage vollzog sich zu Beginn der vierziger Jahre noch weitgehend getrennt von ideologiebildenden Prozessen. So fehlten die Voraussetzungen für unmittelbare politische Nachwirkungen der Weber-Revolte. Ihre Wirkungsgeschichte besteht deshalb lediglich in ihren unterschiedlichen politischen Interpretationen und literarischen Gestaltungen.

Lutz Kroneberg

Anhang

Fritz Hoenow [1893–1940; gebürtiger Berliner, Volksschullehrer in Langenbielau]
Chronik von Langenbielau (Auszug)
1931

Am 5. Juni 1844 erhielt der Landrat des hiesigen Kreises von der Polizeibehörde in Langenbielau folgendes Schreiben:

›Langenbielau, den 5. Juni 1844

An den Königl. Landrat
von Prittwitz-Gaffron,
Hochwohlgeboren
auf Hennersdorf

Herr Landrat!

Jetzt eben um 1 Uhr ist ein Haufe fremder Menschen von Peterswaldau her hier in Oberbielau eingezogen und zerstören hier wie dort das Eigentum der Fabrikanten. Bereits sind von Polizei wegen Anstalten getroffen, den Tumultuanten kräftig entgegenzuschreiten, doch hat sich die wilde Schar in ihrem Unfuge noch nicht hindern lassen. Euer Hochwohlgeboren zeige ich dies pflichtmäßig an und bitte um schleunige Hilfe.

(Unterschrift)‹

Die Antwort lautete:

›Eine Wohllöbliche Orts-Polizeibehörde benachrichtige ich hierdurch in Eile, daß in ca. 3 Stunden von jetzt ab eine Infanterie-Macht von 600 bis 700 Mann nebst 4 Geschützen mit ca. 40 Pferden am dasigen Orte von Peterswaldau her eintreffen werde, welcher morgen noch eine Kavalleriemasse folgen wird ---.*
Reichenbach, den 5. Juni 1844

Der Königliche Landrat‹

Welche Ereignisse in Langenbielau veranlaßten die hiesige Polizei, den Landrat um Hilfe zu ersuchen? Was sollten die Truppen in Langenbielau? Was war geschehen?

* Ein Schlußsatz betr. Quartier für die Truppen ist hier weggelassen.

›[. . .] Im Jahre 1828 gab der damalige Landrat des Kreises Reichenbach in einer Denkschrift als Hauptursachen der bedrängten Lage der Baumwollenspinnerei und -weberei den Mangel an Absatz der fertigen Waren ins Ausland und die über ein normales Maß hinausgehende Fabrikation (Überproduktion) an. Dazu kam noch, was er vielleicht nicht auszusprechen wagte, die verfehlte Zollpolitik Preußens und das engherzig-bürokratische Arbeiten der Breslauer Regierung als auch der Staatsregierung. Beide wurden wiederholt auf die Notlage der Weberbevölkerung durch die Kreisbehörden, Fabrikanten und Presse hingewiesen, aber den Angaben wurde nicht geglaubt. Auch die Konkurrenz Englands, das infolge früherer Einführung des mechanischen Webstuhls billiger arbeiten konnte und die ausländischen Märkte mit seinen Waren überschwemmte, wirkte lähmend auf den schlesischen Leinenhandel. Auch ließen hiesige Fabrikanten viele Waren in Böhmen gegen geringeren Lohn anfertigen, was leicht möglich war, da dort die Lebenshaltung weit billiger war als in Schlesien, wo durch einige Mißernten die Teuerung immer mehr zunahm.

Im Jahre 1828 hatte Peterswaldau 560 Spinner und 280 Weber; im Jahre 1840 zählten die vier Peterswaldauer Gemeinden 670 Baumwollstühle, 58 Wollstühle, 8 Leinwandstühle, 41 Stühle zu anderen Zeugen, 4 Stühle zu grobem Zeug. Durch die schlechte Bezahlung der Weber und die zunehmende Teuerung hatte schon lange große Mißstimmung geherrschaft, wie man an vereinzelten Schmähungen und Drohungen merken konnte. Mit einem Male tauchte ein Lied auf, das die Volksstimmung so recht zum Ausdruck brachte und sich mit Windeseile verbreitete. Es war das Weberlied *‚Das Blutgericht‘*, dessen Verfasser vergeblich von der Polizei mit großem Eifer gesucht wurde. Das Gedicht ging von Mund zu Mund und wurde nur handschriftlich verbreitet.‹*

[. . .]

* Die hier gegebene Darstellung der Ereignisse während des Weberaufstandes stützt sich zunächst auf die im Rentamt zu Langenbielau vorgefundenen umfangreichen ›Acta betreffend den Weber-Aufruhr zu Langenbielau am 5. Juny 1844‹, sodann auf die im ›Wanderer aus dem Eulengebirge‹ im Jahre 1926 erschienenen, nach Akten der Kreisverwaltung bearbeiteten Aufsätze über den Weberaufstand. [. . .]

›Das Lied, durch eine volkstümliche Melodie (‚Es liegt ein Schloß in Österreich‘) leicht singbar, wirkte als Zündstoff angesichts der allgemeinen Gärung. Am 3. Juni 1844 zog ein Arbeitertrupp unter Absingen des genannten Liedes an dem Fabriketablissement von Zwanziger vorüber. Darüber erzürnt, ließ der Fabrikherr einen der Leute greifen und übergab ihn der Polizei. Drohend forderten die anderen Arbeiter seine Freilassung, die ihnen aber verweigert wurde. Trotzdem blieb alles ruhig bis zum nächsten Nachmittag. Da zog um 3 Uhr eine Anzahl Menschen ganz still vor die Fabrik, warf mit Steinen die Fenster ein und drang durch dieselben in das Gebäude, wo sie alles zerschlug und zerstörte. Zwanziger war mit seinem Personal geflüchtet. Man zerschnitt die Stoffe und warf sie in den Dorfbach. Allmählich fanden sich immer mehr Menschen ein, die auch in die Privatwohnung des Fabrikbesitzers eindrangen, die Einrichtung zerstörten und alle Kostbarkeiten und Geld raubten. Jeder nahm, was er mitschleppen konnte; doch gab es unter ihnen auch Besonnene, die das Geraubte für den Eigentümer retteten und es ihm nach den Unruhen ohne Aufforderung zurückerstatteten. Die Polizei war diesen Massen gegenüber machtlos; der Polizeiverweser wurde sogar verwundet. Der Gendarm eilte schließlich zum Landrat von Prittwitz, der in Hennersdorf wohnte, erstattete ihm Bericht und bat um Unterstützung. Der Landrat, aufs höchste erschreckt, fuhr sofort, nachdem er in Reichenbach noch den Kreissekretär geholt hatte, nach Peterswaldau, um durch persönliches Eingreifen die Unruhen zu dämpfen.

Hier war das Zerstörungswerk fortgesetzt worden. Um 6 Uhr hatte man zwar die Fabrik verlassen und war, mit einer Fahne an der Spitze, unter dem Gesang des ‚Blutgerichts‘, im Dorfe herumgezogen, kehrte aber um 8 Uhr in die Fabrik zurück. Es war ein eigenartiges Schauspiel; man hörte kein Schimpfen oder Lärmen, jeder verrichtete sein Zerstörungswerk mit tiefem Schweigen. Man erkannte daraus, daß ein Gedanke, der der Rache, die Menschen beseelte und nicht gemeine Raubsucht die Triebfeder ihres Handelns war. Auf der Dorfstraße standen Haufen neugieriger Dorfbewohner, die untätig dem Treiben zusahen. Der Landrat, der von draußen das Krachen der zerbrechenden Maschinen und Möbel hörte, stand unschlüssig da; er sah ein, daß er gegen diese Massen wohl nichts ausrichten würde. Als er zu einer kurzen Besprechung mit dem Kreissekretär und dem Gendarm in ein benachbartes Haus trat, redete ihn ein unbekannter Mann mit den Worten an: ‚Herr Landrat, ich werde Sie beschützen!' Der Mann geleitete ihn dann in die Fabrik und führte ihn durch alle Räume, wo man den Landrat ruhig empfing und höflich grüßte, ihm auch bereitwillig Platz machte. Als der Landrat die Leute ermahnte, von dem Zerstörungswerk abzulassen, schlug man ihm dies mit ruhigen, höflichen Worten ab und zerstörte ruhig weiter.

Der Landrat forderte von Schweidnitz Militär an und ordnete vorläufig in einer Besprechung mit den Gemeindevorstehern die Schließung sämtlicher Wirtshäuser und die Bildung einer Sicherheitswache an. Unterdessen zogen die Plünderer ab. Der Landrat begab sich am späten Abend nach Hennersdorf zurück. (Es ist ihm später vom Minister des Innern ein scharfer Tadel erteilt worden, weil er nicht in der Nacht zum 5. Juni in Peterswaldau geblieben ist.)

Am nächsten Morgen kamen die Plünderer nochmals wieder und demolierten die Fabrikanlagen völlig. Es blieben nur noch die kahlen Wände stehen. Die Absicht, die auch in Peterswaldau befindlichen Fabriken von Fellmann und Hofrichter zu zerstören, kam nicht zur Ausführung, da die Leute durch Geldverteilungen beschwichtigt wurden. Von hier aus zog der Haufe, etwa 300 Mann stark, mit einer roten Fahne an der Spitze des Zuges, *nach Langenbielau*, um hier sein Zerstörungswerk zu beginnen.

Währenddessen waren gegen Mittag zwei Kompanien Infanterie aus Schweidnitz in Peterswaldau eingetroffen, die aber die Fabrikanlagen von Zwanziger leer vorfanden. Einige Strolche, die unter den Trümmern nach Beute suchten und beim Nahen der Soldaten flüchteten, waren die einzigen Menschen in den weiten Räumen. Den Truppen gelang es bald, die Ordnung wiederherzustellen.

Am Morgen des 5. Juni, nachdem nochmals die Fabrik von Zwanziger in Peterswaldau verwüstet worden war, setzte sich ein Zug von etwa 300 Mann nach vorangegangener lebhafter Beratung, wobei auch einige Schlägereien stattgefunden hatten, nach Langenbielau in Bewegung. An der Spitze des Zuges wurde eine rote Fahne [vgl. S. 189 f.] getragen, die angeblich aus einer roten Gardine hergestellt gewesen sein soll. Gegen 12½ Uhr erblickte man von Langenbielau aus den Weberhaufen, worauf man von beiden Kirchtürmen Sturm läutete. Mit großer Schnelligkeit war die hiesige Bevölkerung zusammengeströmt, und der größte Teil nahm für die Ankommenden Partei; eine Anzahl übelberüchtigter Leute, namentlich fremde Strolche, gesellten sich ihnen zu. Ein Teil zog vor die Fabrik von Hilbert und Andretzky und drang, trotzdem ihm Geld zur Verteilung angeboten wurde, in das Haus ein, das völlig verwüstet wurde. Ein anderer Teil zerstörte ebenso schnell die Fabrik von F. Dierig, wo sich die Arbeiter aus treuer Anhänglichkeit den Wütenden vergeblich gegenüberstellten. Die neue große Dampfmaschine, die erst einige Jahre vorher aufgestellt war, entging auf eigenartige Weise der Zerstörung. [Die hier nicht wiederabgedruckte Schilderung entspricht der auf S. 175 des vorliegenden Bandes.] Unterdessen hatte der in Peterswaldau mit zwei Kompanien Infanterie (Füsiliere des 23. Infanterie-Regiments) aus Schweidnitz eingetroffene Major Rosenberger den größten Teil seiner Truppen nach Langenbielau gesandt und traf selbst gegen 2½ Uhr in Begleitung des Landrats von Prittwitz hier ein. Die Truppen fanden zwei Fabriken völlig zerstört vor; die Volksmassen waren vor der W. Dierigschen Jacquard-Weberei im Mitteldorfe versammelt, wo sie sich anscheinend ganz ruhig verhielten. Man machte dem Landrat höflich Platz, entgegnete ihm aber auf seine Aufforderung, auseinanderzugehen: ‚Das können wir nicht eher, bis die Fabrikbesitzer höheren Lohn versprechen.‘

Wilhelm Dierig hing eine Tafel aus, auf der die Worte standen: ‚Ihr sollt alle befriedigt werden‘.

Auf Veranlassung des Landrats erklärte er sich auch bereit, Geld unter die Weber zu verteilen. Eine Schutzwache von 30 Mann umstellte das Gebäude, und zwei Angestellte wurden beauftragt, das Geld auszuzahlen. Da sich die Leute anfänglich geordnet in Reihen aufstellten, war eine ruhige Abwicklung gewährleistet. Eine Anzahl unvernünftiger Elemente drängte aber, trotzdem sie schon ihren Teil erhalten hatten, aufs neue zum Empfang. Es entstand ein Drängen und Stoßen, das sich die Angestellten energisch verbaten. Als Antwort beschimpfte man sie und schlug nach ihnen, so daß sie den Kopf verloren, die Geldbeutel unter die Leute warfen und davonliefen.

Major Rosenberger kam mit 30 Soldaten der Schutzwache zu Hilfe. Seine Aufforderung, auseinanderzugehen, wurde mit höhnischem Lachen beantwortet. Er wiederholte nochmals mit lauter Stimme seine Aufforderung und drohte, im Weigerungsfalle schießen zu lassen. Diese Drohung erregte die erbitterten Leute in solchem Maße, daß sie mit Knüppeln auf die wenigen Soldaten losgingen. Major Rosenberger ließ feuern. Die Soldaten feuerten zuerst über die Köpfe der Anstürmenden; die dadurch noch mehr erbitterten Weber drangen aber noch mehr auf die kleine Schar ein, so daß diese gezwungen war, in die Massen zu schießen. Es wurden 11 Mann (nach anderer Lesart 18 Mann) getötet, 5 schwer verwundet, die in den nächsten Tagen starben, und mehr als sechzig leicht verwundet. Der Landrat, der sich unterdessen die angerichteten Verwüstungen angesehen hatte und jetzt zurückkehrte, machte dem Major wegen seines Vorgehens Vorwürfe; doch dieser erklärte, er habe nicht anders handeln können. Der Landrat versuchte nochmals, aber vergeblich, die Massen zu beruhigen. Diese fuhren fort, die Soldaten mit einem Steinhagel zu überschütten und das Dierigsche Gebäude – Dierig hatte jetzt alle Türen verschließen lassen – zu bestürmen. Mehrere neue Salven vermochten nicht, die Leute einzuschüchtern, so daß sich der Major mit seinem Häuflein, von Steinwürfen begleitet, nach Peterswaldau zurückzog. Zwei Unteroffiziere und ein Mann waren durch die Steinwürfe erheblich verletzt worden.

[. . .]‹

In der Nacht zum 6. zog ein Teil der Truppen in Begleitung des Kommissars der Breslauer Regierung, Regierungsassessor von Kehler, in Langenbielau ein, wo letzterer sofort an die Ermittelung der Rädelsführer ging. Militärpatrouillen durchzogen den Ort; jede Zusammenrottung von mehr als fünf Mann war verboten, desgleichen die Abhaltung von Versammlungen in den Wirtshäusern. In der Nacht zum 8. Juni ließ von Kehler in Langenbielau 11 Personen festnehmen und in offenen Karren gefesselt nach Schweidnitz schaffen. Die 11 in Langenbielau Erschossenen wurden in aller Stille beerdigt; es waren dies:

Joseph Winzig, Lohnweber, aus Langenbielau.
Friedrich Wolff, Weber, aus Langenbielau.
August Landek, Weber und Inwohner, aus Ernsdorff.
Franz Schindler, Färber, aus Langenbielau.
Robert Pohl, Seilergeselle, aus Langenbielau.
Eduard Polensky, Weber, aus Langenbielau.
Wilhelm Scholz, Hausknecht, aus Langenbielau.
Wilhelm Langer, Dienstknecht, aus Langenbielau.
Carl Meyer, Weber, aus Langenbielau.
Verehel. Johanne Klinghardt, geb. Hilbert, aus Langenbielau.
Gottlob Benjamin Anlauff, Weber, aus Langenbielau.

[...]

Wie sehr man an anderen Orten neue Unruhen der Weber befürchtete, geht aus folgendem Schreiben an den hiesigen Polizeiverwalter Rosemann hervor:

›Umlaufenden Gerüchten nach sollen aufs neue in der dortigen Gegend unruhige Bewegungen stattfinden, namentlich die Weber und Fabrikarbeiter Zusammenkünfte halten, deren Endzweck zwar noch unbekannt, jedoch zu erraten steht und schlimmstenfalls eine Wiederholung der so straffälligen wie unglücklichen Auftritte vom 4ten und 5ten d. Mts. befürchten läßt.

Im Interesse der Erhaltung der öffentlichen Ordnung und Sicherheit, welche beide auch im hiesigen Kreise, namentlich im Bereich der unterzeichneten Verwaltung, stark gefährdet erscheinen, wenn neuerdings allezeit bedauernswerte Unordnungen stattfinden sollten, erlaubt sich Ew. Wohlgeboren die unterzeichnete Verwaltung so ergebenst wie dienstfreundlichst zu ersuchen, ihr gefälligst über den dasigen Zustand der Dinge, namentlich über die Stimmung der dortigen Bevölkerung, eine baldige Mitteilung machen zu wollen, wogegen die unterzeichnete Verwaltung jederzeit zu Gegendiensten sehr gern bereit sein wird.

Die unterzeichnete Verwaltung würde es überhaupt sehr erwünscht finden, wenn Ew. Wohlgeboren die Güte haben wollten, ihr eine kurze Mitteilung zukommen zu lassen, sobald sich auch fernerhin irgendein bezügliches Ereignis von Erheblichkeit in

Wohlderen Verwaltungs-Bereiche zutragen sollte, um sofort diesseits die nötigen Maßregeln gegen etwaige Vorkommnisse treffen zu können.

Ober-Waldenburg, den 29ten Juni 1844
Polizei-Verwaltung der Freistandesherrschaft
Fürstenstein
Rothe.‹

Auch die Ortspolizeibehörde befürchtete neue Unruhen, besonders von den Angehörigen der in Haft befindlichen Tumultuanten. Die Regierung in Breslau teilte jedoch diese Besorgnisse nicht, sondern erklärte:

›Die Königliche Regierung sieht den Zustand der Ruhe zu Langenbielau und Peterswaldau als wiederhergestellt an, und da in Reichenbach ein stets bereites Militär-Kommando stationiert ist, so scheint die Wiederholung der Weberunruhen überhaupt nicht zu befürchten; am allerwenigsten aber sind ernstliche Exzesse von den Angehörigen der wenigen Gefangenen zu besorgen, die das Gerichts-Amt zur Zeit in das Gefängnis zu Langenbielau unterzubringen vermag.‹

Die Darstellung der Ereignisse vom Weberaufstand wäre unvollständig ohne die Erwähnung der am 28. Juni 1844 von der Regierung veröffentlichten amtlichen *Bekanntmachung*:

›Über die anfangs dieses Monats in der Gegend von Reichenbach stattgefundenen tumultuarischen Auftritte sind durch öffentliche Blätter, z. B. die Allgemeine [Preußische] Zeitung Nr. 168, 169, 173, 174 teils unvollständige, teils unrichtige Nachrichten verbreitet worden. Da gegenwärtig ausreichende zuverlässige Nachrichten darüber vorliegen, so wird das Erheblichste von diesen verbrecherischen Vorgängen zur öffentlichen Kenntnis gebracht.

1) Am 3. d. M. abends zogen in Peterswaldau etwa 20 Personen an den Gebäuden der Baumwollenwaren-Fabrikanten Zwanziger vorbei, ein Spottlied auf sie singend. Bei dem entstandenen Lärm verhaftete der Gerichtsmann Wagner einen Teil-

nehmer, Webergesellen Wilhelm Maeder. Am folgenden Tage nachmittags wurde im Dorfe ein ungewöhnliches Treiben der Webergesellen bemerkbar; der Polizeiverwalter Krist fand etwa 20 hinter dem Schloßhofe versammelt und erfuhr bald darauf, daß bei Zwanziger bereits Lärm ausgebrochen sei. In Begleitung des Gendarm Rißmann sich dahin verfügend, ermahnte er die Versammelten, die bereits mit Einwerfen und Einschlagen der Fenster beschäftigt waren, zur Ruhe und Ordnung, aber vergebens; er wurde umringt, und obgleich er die von ihm verlangte Freilassung des Maeder versprach, wurde er doch gemißhandelt, verwundet und mußte eiligst entfliehen. Den Maeder entließ er aus dem Gefängnis. Der hiernächst von dem Vorfall benachrichtigte Landrat requirierte militärische Hilfe aus Schweidnitz, welche am folgenden Tage mittags eintraf. Inzwischen wurden in den beiden Wohnhäusern der Familien Zwanziger, von welchen das eine ganz neu und gut eingerichtet war sowie in den Werkstätten alles, was zerschlagen werden konnte, total zertrümmert. Haus- und Warenvorräte wurden, zum Teil von Frauen und Kindern, geplündert. Am nächsten Morgen setzten die Zerstörer ihr Werk fort, insoweit noch etwas zu zerstören und zu rauben war, und zogen gegen Mittag nach Langenbielau, um hier gleich Exzesse zu begehen.

2) Die Fabrikanten Fellmann zu Peterswaldau schützten ihre Gebäude gegen die andringenden Tumultuanten nur dadurch, daß sie ihnen im ganzen etwa 280 Tlr. auszahlten, auch Lebensmittel unter sie verteilten.

3) In ähnlicher Weise wurden dem Sohn des kürzlich verstorbenen Fabrikanten Hofrichter an Geld und Nahrungsmitteln gegen 350 Tlr. abgepreßt.

4) Mittags den 5. d. M. begaben sich die Tumultuanten von Peterswaldau unter Anführung mehrerer Weber aus Langenbielau, welche ermittelt sind, mit einer selbstgemachten Fahne nach Langenbielau, zunächst vor das Wohnhaus der Kaufleute Andretzky und Hilbert. Letzterer versuchte vergeblich, sie mit Gelde abzufinden. Das Haus wurde gestürmt, alles Zerbrechliche zertrümmert, die Kasse und Warenvorräte geplündert.

5) Bei dem Fabrikanten Ernst ließen sich die Tumultuanten durch Geld abfinden.

6) Hierauf zogen sie zu den Gebäuden der Kaufleute Friedrich und Wilhelm Dierig, die gemeinschaftlich ein Geschäft in Seiden- und Baumwollenwaren betreiben. Friedrich Dierig, der Pfarrer Seifert, der Gendarm Riegel und der Gerichtsmann Werner versuchten, die Tumultuanten, als sie mit Gewalt nicht zurückgedrängt werden konnten, durch das Versprechen einer Geldabfindung zu beruhigen, was anfangs auch gelang. Doch bald begannen sie das Friedrich Dierigsche Haus zu stürmen und zu demolieren und die Waren zu vernichten und zu plündern.

7) Der Maurermeister Mathias und Gendarm Riegel brachten etwa 50 Mann zum Schutz des Wilhelm Dierigschen Hauses zusammen, gingen damit auf die Tumultuanten, welche mit der Plünderung bei Friedrich Dierig beschäftigt waren, los und vertrieben sie von dort. Der jetzt mit Truppen von Peterswaldau her eingetroffene Major Rosenberger besetzte das Friedrich Dierigsche Haus. Nach kurzer Zeit forderten die Personen, welche die aus Peterswaldau gekommenen Tumultuanten eben vertrieben hatten, die ihnen dafür von Wilhelm Dierig versprochene Belohnung. Auf das Ansuchen des Landrats und des Gutsbesitzers Grafen v. Pfeil aus Hausdorf im Kreise Glatz, welcher sich ebenfalls eingefunden hatte, schickte der Major Rosenberger 20 Mann unter dem Leutnant Hille zur Aufrechterhaltung der Ruhe ab. Wilhelm Dierig begann auch wirklich, vor seinem Hause Geld zu verteilen. Bald fingen die hintersten Reihen der Tumultuanten aber an, auf das Militär einzudringen, worauf der Major Rosenberger, hiervon benachrichtigt, mit 30 Mann herbeikam. Mehrmalige Aufforderungen desselben blieben ebenso erfolglos als die früheren des Leutnant Hille. Als der zusammengerottete Haufe von Tausenden Steine in die Fenster des Dierigschen Hauses und auf das Militär warf, machte das Militärkommando nach vorherigem Befehl von der Schußwaffe Gebrauch. Etwa *fünf* Personen fielen. Nach kurzer Zeit wiederholte sich der Angriff gegen das Militär mit Steinen, so daß der Major Rosenberger von neuem schießen ließ, sich aber dann vor der Übermacht zurückzog. Darauf wurde das Wilhelm Dierigsche Haus bis zum späten Abend geplündert und wie die übrigen demoliert. Auch wurden die in einem besonderen Gebäude stehenden Jacquard-Webstühle zertrümmert. Durch die Steinwürfe

sind zwei Unteroffiziere und ein Gemeiner erheblich, mehrere andere Getroffene aber nicht bedeutend verletzt. Aus den Fenstern des Dierigschen Hauses ist seitens der Tumultuanten ein Schuß auf die Truppen getan, hat aber nicht getroffen. Durch das Militär sind 11 Personen erschossen, 29 verwundet, von denen einer als gestorben angezeigt ist, außerdem sollen noch 2 oder 3 von den Verwundeten gestorben sein. Die Verwundeten befinden sich in ärztlicher Behandlung.

8) In Leutmannsdorf, Schweidnitzer Kreises, zogen am 5. d. M. abends 9 Uhr viele Personen vor das Haus des Gerichtsmanns Wunsch, Garnausgebers des Kaufmanns Kertscher zu Reichenbach, um, obgleich sie für diesen nicht arbeiten, Erhöhung des Webelohnes zu fordern, was Wunsch nicht bewilligen konnte.

9) In Leutmannsdorf waren eine Menge Waren gefunden worden, welche von Einwohnern dieses Orts und der Kolonien Groß- und Klein-Friedrichsfelde beiseite geworfen worden waren. Der Polizeiverweser daselbst, Erbscholtiseibesitzer Kobelt, verwahrte sie. Am 6. d. M. sammelte sich vor seiner Wohnung ein großer Haufe mit Stöcken bewaffneter Männer und Knaben, wozu sich auch viele Weiber und Mädchen gesellten. Sie forderten unter Gewaltsdrohung die Herausgabe der Waren, behauptend, durch die Plünderung das Eigentum daran erworben zu haben. Der erst später eingetroffene Kobelt und der gleichfalls hinzugekommene Landrat v. Gellhorn ermahnten sie vergeblich zur Ordnung und wichen dann der Gewalt, die geraubten Waren der tumultuierenden Menge überlassend.

10) Am 6. d. M. nachmittags brachen 60 bis 70 Mann bei dem Gottfried Winkler zu Alt-Friedersdorf, Kreises Waldenburg, welcher Garnausgeber für die Kaufleute Zwanziger ist, mit Gewalt in die verschlossenen Gemächer ein und gaben alle Vorräte an Garn und verarbeiteten Waren der Plünderung preis.

11) Ein Drohbrief d. d.* Langenbielau, den 6. d. M., sagte dem Oberförster in Neurode, Kreises Glatz, eine Demolierung der Försterwohnung für den Fall an, daß die gegen Langenbielauer Einwohner festgesetzten Forstkontraventions-Strafen vollstreckt werden sollten. Der Verfasser des Drohbriefes ist entdeckt.‹

* gegeben zu.

[Der Schluß dieser *Bekanntmachung* vom 28. Juni 1844 wurde in zahlreichen deutschen Zeitungen abgedruckt. Vgl. S. 215 bis 217.]

[. . .]

Auch die von den Langenbielauer Dorfgerichten auf Ersuchen der gerichtlichen Untersuchungskommission erstatteten Berichte über die Lage der Weber sind wohl geeignet, zu einer gerechten Beurteilung der traurigen Vorgänge vom 5. Juni 1844 beizutragen. Wir entnehmen diesen Berichten folgende Stellen:

›Die Ursachen der hier verarmten Weber sind daher mit einem Wort zu geringer Lohn; man wende nicht ein, es sei dasselbe Lohn wie vor vielen Jahren, und so es ja ist, dann wird die Arbeit gewiß um den 3ten Teil seit jener Zeit verlängert sein.

Auch durch Errichtung jeglicher Maschinen werden hier schon viel Menschenkräfte übriggemacht, alle bisher an sich gerissen, und da viele tausend fremde Weber aus dem Gebirge, wo Miete, Holz, Lebensbedürfnisse wohlfeiler, Abgaben weniger, hierher arbeiten, so müssen die hiesigen Weber manchmal froh sein, daß ihnen Arbeit gegeben wird; ist diese Arbeit gefertigt, der Weber bringt sie zu Hause, so hat er meistens zwar vom Fabrikherrn nichts zu fürchten, desto mehr aber sich von der Willkür seines Dieners in acht [zu] nehmen und zu sehen, wenn dieser sagt, hier ist euer Lohn, mehr bekommt ihr nicht, und wenn es euch nicht gefällt, so laßt es bleiben, ihr werdet euch schon Abzüge gefallen lassen müssen.‹ (11. 7. 1844)

[. . .]

›Die Vermögens-Verhältnisse und die Lage der hiesigen Lohnweber ist von der Art, daß dieselben, selbst bei dem angestrengtesten Fleiße und der ausdauerndsten Tätigkeit mit sehr wenigen Ausnahmen nur soviel erwerben, um ihren Hunger mit trockenem Brote stillen zu können. Dieses läßt sich dadurch erklären, daß ein *fleißiger* Weber im Durchschnitt bloß 20 Sgr. wöchentlich verdienen kann; für diesen geringen Lohn muß er überdies noch *unentgeltlich* eine Person mit dem Spulen des Schußgarnes beschäftigen, eine bisweilen zahlreiche Familie ernähren, Feuerung und Mietzins beschaffen, soll auch noch Königliche und Kommunal-Abgaben zahlen, *und dieses alles von circa 3 Sgr. täglichem Lohn?*

Über die Ursachen des gegenwärtigen Notstandes kann wohl kein Zweifel obwalten, wenn man erwägt, daß die Industrie in Schlesien überhaupt bei weitem noch nicht so weit vorgeschritten ist, um seit dem eingetretenen Zollverbande* die Konkurrenz mit dem Auslande und vorzüglich mit Sachsen bestehen zu können. Dadurch werden die Preise der Waren immer mehr herabgedrückt, und die inländischen Fabrikanten selbst veranlaßt, unter sich eine Art Konkurrenz zu bilden, wobei der weniger Wohlhabende allerdings immer in Nachteil gerät. Um nun ihre Verluste zu mindern oder auch gänzlich zu ersetzen, wird in der Regel jedem Weber, ohne Unterschied, ein gewisser Betrag vom Lohn abgezogen, wobei öfters noch von seiten der Kommis pp.** mit der größten Willkür und Eigennützigkeit verfahren wird. Wenn nun einerseits, infolge des Zoll-Verbandes, die Provinz mit fremden Erzeugnissen jeder Art, zum größten Nachteil der inländischen Fabrikate, fast überschwemmt wird, so ist für die letztere andererseits der frühere Absatzweg nach dem Königreich Polen, durch eine beinahe hermetische Grenzsperre, schon längere Zeit gänzlich abgeschnitten, und müssen mithin die diesseits fabrizierten Waren nur einzig und allein auf den Verschleiß im Inlande beschränkt bleiben. Übrigens ist auch die übergroße Anzahl von Webern, und überhaupt die bei Erlernung und Betreibung der Weberei bestehenden Einrichtungen und herrschenden Mißbräuche, eine der Haupt-Ursachen, daß erstens eine zu große Menge von Waren angefertigt werden und daß solche nicht immer von der Güte und Beschaffenheit sind, wie sie eigentlich sein könnten und sollten. Die bedeutende Menge der Weber rührt jedoch daher, weil sonst im ganzen schlesischen Gebirge nur *leinene* Waren aus Hand-Gespinsten verfertigt wurden, wodurch Tausende von Menschen, verschiedenen Geschlechts und Alters, vorzüglich durch Flachsspinnen, Baumwollespinnen, Beschäftigung und Unterhalt hatten. Da dieses Geschäft nunmehr auch gänzlich in Verfall gekommen, und die etwa noch erforderlichen

* Gemeint ist der im Jahre 1834 gegründete Deutsche Zollverein.
** et cetera.

Garne, sowohl leinene als schafwollene, nicht mehr durch Menschenhände produziert, sondern entweder aus dem Auslande bezogen oder mittelst Maschinen gesponnen werden, so hat die dadurch brotlos gewordene Menschenmasse sich genötigt gesehen, die Baumwollenwaren-Weberei und andere damit verbundene Nebenbeschäftigungen zu betreiben, wodurch die Quantität der Waren wohl vermehrt, die Qualität derselben hingegen verringert werden mußte. Dieses hat die Fabrikanten auch hauptsächlich veranlaßt, den Lohn der Weber nach und nach auf eine so niedrige Stufe herabzusetzen, daß davon kaum ein einzelner Mensch, noch viel weniger aber eine ganze Familie ihren notdürftigen Unterhalt zu finden imstande ist.

Wenn demnach nicht eine totale Umgestaltung in den Handels-Verhältnissen mit den benachbarten Staaten eintritt und für den Verkehr neue Quellen eröffnet werden, so dürfte eine günstigere Gestaltung der jetzigen in jeder Beziehung drückenden Zeit-Periode wohl nicht in naher Aussicht stehen, vielmehr eine noch traurigere Zukunft zu befürchten sein.‹ (18. 7. 1844)

Ohne besondere Aufforderung und wohl hauptsächlich in dem Bestreben, *den in Haft befindlichen Webern einen Dienst zu erweisen*, wandte sich ein hiesiger Webermeister in einem persönlichen Schreiben an den Ober-Präsidenten:

›Hochpreislicher Herr!
Vor mein Teil mache ich Ihnen bekannt, daß ich 20 Jahr Meister bin und die Weberei während dieser Zeit mit 2 bis 3 Weberstühlen betrieben und mein Durchkommen gefunden.

Seit bereits 2 Jahr ist es nicht mehr möglich, durch Sparsamkeit und strengsten Fleiß das zu verdienen, was die Notdurft erfordert, wieviel weniger der Spinner, Spuler und Lohnweber. Ein Spinner bekommt Spinnlohn pro Pfund ¾ Sgr., 1 Sgr. und 1¼ Sgr. Ein nicht zu flinker Spinner hat 2 Tage Arbeit daran. Hat er seine 4, 6, 8 Pfund verfertigt und ausgesponnen, ist selbiger 1 bis 1½ Meile von seinem Spinn-Fabrikanten entfernt.

Auf was sollen nun die paar Sgr. gerechnet werden, ist es Lohn, oder der Weg bezahlt, oder wenn es Winter ist auf die Schuhsohlen, wenn er welche hat.

Von 1 Stück Barchent* Arbeitslohn pro Stück 2½ bis 3 Sgr., 30 Ellen. Von 1 Stück Kattun einer Länge von 130 Ellen und aller übrigen Zubereitung sind ½ Rtlr. Arbeitslohn.

Ich habe vor einem Monat Spinngeld bezahlt pro Pfund 2¹⁄₁₂ Sgr. Von einem Stück Barche* 9 Sgr., etwas besser 10 Sgr. Arbeitslohn. Da kann ich und kein anderer meinesgleichen den Fabrikanten nachkommen. Auch andere Fabrikanten von 10, 12 bis 20 Weberstühlen arbeiten lassen, müssen dadurch zunichten werden und von Tage zu Tage verarmen, bis es endlich so weit ist, solchen großen gewaltigen Fabrikanten unter die Flügel zu kommen, und auch so um einen geringen Lohn arbeiten und dabei durch strengen Fleiß des so wenigen Arbeitslohnes verschmachten mit ihrer Familie.

Ja, es gibt noch gute Arbeit, wo gesagt worden ist, ein Weber verdiente sich in einer Woche 2 Rtlr. Dies ist eine gewaltige Lüge. Gute Arbeit und ein ausgezeichneter Weber bringt es bis 1 Rtlr. 10 Sgr., und dann ist es nicht jede Woche und nur eine Seltenheit. Der allgemeine Verdienst Mann und Frau kommen 15, 20, 24, 28 Sgr., höchstens einen Taler, nachdem nun die Arbeit ist.

Der Arbeiter aber, dem die Gabe zur Arbeit fehlt und schlechte Arbeit hat, dem kann ich gar keinen Lohn bestimmen, die stehen leider weit hinter dem Hunde.

Nicht alle Fabrikanten sind Blutsauger und geben ein so geringen Lohn; es gibt auch noch welche Gefühl in ihrer Brust hegen. Besonders kann man das den Gebrüder Dierig anerkennen, und vielmehr ihrem Herrn Vater, der auch die drückende Zeit-Periode kennt und den Druck der Not.

Schlechte unzufriedene Menschen gibt es freilich, und vor uns gegeben; wir wollen aber auch diejenigen betrachten (friedliche gutgesinnte), die eher aus Not verhungern und wie ein Schatten umhergehen, ehe sie etwas von Schlechtigkeiten begehen.

Es wird sich auch alles wieder in Ruhe stellen, wenn nur dahin gewirkt werden könnte, etwas am Lohn beizulegen. Ein solcher Fabrikant wie Zwanziger einer war, hat mit ganzer Gewalt auf solche Unruh-Revolte gewirkt. Erstens durch ein gar sehr zu geringes Lohn und zweitens aufreizende Reden gegen das Armut.

* Einseitig aufgerauhtes dichtes Baumwollgewebe.

Werden denn solche wie Zwanziger einer ist u. a. mehr vor das Vaterland alles aufrichten können? wenn von Gott Krieg bestimmt sein sollte; gewiß können Sie nicht mehr tun denn eine arme Familie.

Braucht nicht auch unser Gnädiger Herr und König Kinder des Armuts, welche leider bei solchen gewaltigen Druck in Mutterleib schon verderben müssen.

Friedrich Scheidewig

Unser Ort Langenbielau ist ein glänzendes Elend. Mit Wahrheit kann behauptet werden, daß 1/3 der Familien ganz verarmt und sich kein Kleidungsstück für ihren Körper schaffen können.

Eltern, die 4 bis 5 und noch mehr Kinder haben, können selbige Winterszeit nicht zur Schule schicken wegen Mangel der Bekleidung und noch viel mehr der Beschuhung. Eine einzelne Person ist heutzutage nicht imstand, sich bei Fleiße ein Hund anzuschaffen.

Sein Verdienst geht auf, nur den Hals zu erhalten und noch mit trockenem Brote.

Wie soll sich eine Familie ernähren? Da ist es nun so weit gekommen, daß schlechte Leute mit Gewalt gemacht werden.

Langenbielau, den 11ten Juni 1844 Fr. Scheidewig

An einen
Hochpreislichen Herrn
Regierungs-Präsident
von Land Schlesien.‹

[. . .]

An einer Deputation, die 1848 von Reichenbach zum Könige Friedrich Wilhelm IV. nach Berlin gesandt wurde, um schleunige Abhilfe der großen Not unter den Eulengebirgswebern zu erbitten, nahmen u. a. teil: Gerichtsscholz Schreyer aus Peterswaldau und Fabrikant Andretzky aus Langenbielau.

Zur Zeit der *Märzunruhen* 1848 wurden auch im Kreise Reichenbach ähnliche Unruhen wie im Jahre 1844 befürchtet. Da erließen die Rittergutsbesitzer des Kreises Reichenbach an die ländliche Bevölkerung folgenden Aufruf:

›Wir, die unterzeichneten anwesenden Rittergutsbesitzer des Reichenbacher Kreises, fühlen uns in der Mitte unserer wackeren Dorfbewohner sicher und meinen der Militärgewalt zur Aufrechthaltung der Ordnung und Sicherheit entbehren zu können.

Wir hegen zu der Ehrenhaftigkeit der Einsassen des hiesigen Kreises überhaupt das Vertrauen, daß zum Schutze des Besitzes, des Eigentums und der Personen es für uns nicht der Hilfe des Kriegsheeres bedarf.

Wir haben aus diesen Gründen bei den Königl. Behörden erbeten, daß die dauernde Verlegung eines Militär-Kommandos in den Reichenbacher Kreis in der gegenwärtigen Zeit unterbleibe, und diesem unserem Antrage ist ein gewährender Bescheid gefolgt.

Wir bitten die ländliche Bevölkerung des Kreises, dem Vererbeten, daß die dauernde Verlegung eines Militär-Kommandos haben, nicht bloß durch Aufrechthaltung der Ruhe und Ordnung und durch den Schutz des Eigentums und der Personen zu entsprechen, sondern auch unser Vertrauen durch eine gleiche Gesinnung ihrerseits zu erwidern.‹

[. . .]

Am Ende des Jahres 1848 bildete sich in Langenbielau ein *Auswanderungsverein*, um zur Linderung der Not durch Verminderung der Bevölkerung die Auswanderung zu fördern. Anfang 1849 hatten sich bereits 150 Familien gefunden, die nach den westlichen Staaten Nordamerikas auswandern wollten. Der Verein wandte sich an die Allgemeinheit um Unterstützung seiner Arbeit durch Geldspenden.

[. . .]

Reichstagswahl vom 14. September 1930.

Stimmbezirk	Sozialdem. P. Deutschlands	Deutschnat. Volkspartei	Zentrum	Kommun. Partei	D. Volksp.	Deutsche Staatspartei	Reichsp. d. deutsch. Mittelstandes (Wirtschaftsp.)	Handel, Handwerk Hausbes.	N. S. D. A. P. (Hitlerbwg.)	Schl. Landvolk	Volksrechtpartei (Reichsp. f. Volksrecht u. Aufwertg.) u. Christl.-Soziale Reichspartei	Deutsche Bauernpartei	Konservative Volkspartei	Christl.-soz. Volksdienst [Evangelische Bewegung]	Polsko-Katolicka Partja Ludowa (Pol.-Kath. Volkspartei)	Deutsch. Einheitsp. für wahre Volkswirtschaft	Haus- und Grundbesitzer	Mieter- und Volks-Reichspt.	Ungültig
1. Städt. Turnhalle . . .	610	64	50	419	29	13	37	10	119	7	1	—	—	10	—	—	—	—	13
2. Stern	491	126	156	350	29	22	28	3	194	2	1	1	5	29	1	1	3	—	14
3. Deutsches Haus . . .	448	187	340	320	47	16	52	7	287	4	—	1	15	44	1	—	1	1	14
4. Oberrealschule	337	178	296	179	54	11	40	4	279	2	1	1	13	29	—	1	—	4	12
5. Dinters Gesellschaftshaus	397	229	158	168	33	17	34	1	281	5	—	—	9	31	—	1	—	1	10
6. Kaiser Friedrich III. . .	438	109	99	322	29	22	46	5	147	1	3	7	5	33	—	—	1	1	15
7. Goldene Sonne . . .	632	166	121	349	17	15	29	7	291	1	1	1	6	48	—	—	1	1	15
8. Eulengebirgsbahn . . .	380	111	90	444	24	11	48	9	150	3	1	—	1	38	—	—	1	2	14
Langenbielau insgesamt:	3733	1170	1310	2551	262	127	314	46	1748	25	8	11	54	262	2	3	7	10	107
Kreis Reichenbach	12119	3676	5073	5633	797	373	654	109	10294	106	56	204	152	1234	8	6	20	15	188

Aus: Fritz Hoenow, Chronik von Langenbielau

Anmerkungen

Anmerkungen zur ›Einführung‹ (Seite 17 bis Seite 30)

1 Die zeitgenössischen Angaben über die Zahl der Aufständischen in Langenbielau liegen teils unter 3000, teils gehen sie weit darüber hinaus.

2 Friedrich Theodor von Merckel (1775–1846), erst Vize-, dann Chef- und schließlich Ober-Präsident der Breslauer Provinzialregierung (1816). Als ihm 1820 die Oberaufsicht über Gymnasien und Seminare entzogen wird, scheidet er auf eigenen Wunsch aus dem Dienst. Fünf Jahre später wird er abermals Ober-Präsident von Schlesien und bleibt bis 1845 im Amt.

3 Wilhelm Wolff, Das Elend und der Aufruhr in Schlesien. In: Deutsches Bürgerbuch für 1845. Hrsg. von Hermann Püttmann. Darmstadt: C.W. Leske 1845. Neu hrsg. von Rolf Schloesser. Köln: informationspresse – c. w. leske 1975 (= Materialien zum Vormärz, Bd. 1), S. 174 bis 199. Vgl. S. 241ff. Wilhelm Wolff (1809–1864), in dem schlesischen Dorf Tarnau als Sohn eines feudalabhängigen Kleinbauern geboren, setzte sich als Burschenschafter für bürgerlich-konstitutionelle Freiheiten sowie für die Polnische Revolution ein. Dafür wird er 1835 zu achtjähriger Haft verurteilt, von der er drei Jahre auf der Festung Silberberg absitzen muß. Da er sein Studium nicht fortsetzen darf, wird er vorübergehend Hauslehrer. Bald ist er in Schlesien als Journalist bekannt (vgl. S. 23ff.). Sein Engagement für die sozial Schwachen und besonders seine Berichterstattung über die Weber-Revolte führen zu seiner Ausweisung aus Schlesien. 1846 trifft Wolff in Brüssel mit Karl Marx zusammen und ist 1847 Mitbegründer des ›Bundes der Kommunisten‹. Durch Korrespondenzen für den 1844 in Paris erscheinenden und auch in Deutschland zugänglichen ›Vorwärts!‹, vor allem aber durch seine Mitarbeit an der ›Neuen Rheinischen Zeitung‹ 1848/49,

erweitert sich sein Wirkungskreis. Drei Jahre nach Wolffs Tod (er starb im Exil in Manchester) widmet Karl Marx 1867 den ersten Band des ›Kapitals‹ ›[...] meinem unvergeßlichen Freunde, dem kühnen, treuen, edlen Vorkämpfer des Proletariats‹. Wilhelm Wolff gehört zu den ganz wenigen deutschen Sozialisten, die schon 1844 ein sozialistisches Bewußtsein allein aus der Anschauung deutscher Sozialverhältnisse entwickeln. Vgl. zu Wilhelm Wolff: Walter Schmidt, Wilhelm Wolff. Kampfgefährte und Freund von Marx und Engels 1846–1864. Berlin: Dietz 1979.

4 Handwerker.

5 Zit. nach Alfred Zimmermann, Blüthe und Verfall des Leinengewerbes in Schlesien. Breslau: Korn 1885, S. 198 f.

6 Ein 1837 gegründeter Londoner Arbeiterverein, die Working Men's Association, fordert in einer Volkscharta parlamentarische Beteiligung für die arbeitende Klasse und eine moderne Sozialgesetzgebung. Mit großangelegten Unterschriftenaktionen und Massenumzügen werben die Chartisten für ihr Programm. Als das Parlament 1839 beschließt, die Charta nicht in die Gesetzgebung einzubeziehen, kommt es in England zu blutigen Auseinandersetzungen. In den vierziger Jahren versuchen die Chartisten vergeblich, die Charta auf konstitutionellem Weg durchzusetzen. Die Bezeichnung Volkscharta sollte an die Magna Charta erinnern, die der Adel 1215 von König Johann erzwungen hatte. Sie berechtigte den Adel zum Aufstand, wenn der König sich eines Rechtsbruches schuldig gemacht hatte.

7 Im Ersten Schlesischen Krieg (1740–1742) hatte Friedrich II. Kaiserin Maria Theresia gezwungen, Schlesien an Preußen abzutreten. Infolge der österreichischen Erbfolgeauseinandersetzungen sah Friedrich den preußischen Besitz Schlesiens bedroht, den er aber mit dem Zweiten Schlesischen Krieg bestätigte. Im Dritten Schlesischen Krieg, auch Siebenjähriger Krieg genannt (1756–1763), behauptet Friedrich erneut den Besitz Schlesiens.

8 Alexander von Minutoli (1806–1887), preußischer Regierungsrat in Liegnitz.

9 Abgedruckt in: Alexander von Minutoli, Die Lage der Weber

und Spinner im Schlesischen Gebirge und die Maßregeln der Preußischen Staats-Regierung zur Verbesserung ihrer Lage. Berlin: Hertz 1851, S. 65.

10 Zit. nach Bruno Gloger, Als Rübezahl schlief. Vom Aufstand der schlesischen Weber. Berlin: Rütten & Loening 1961, S. 12f.

11 Zu Karl August Varnhagen von Ense vgl. S. 281.

12 Tagebücher von Karl August Varnhagen von Ense. Aus dem Nachlaß hrsg. [von Ludmilla Assing]. Leipzig: Brockhaus 1861, Bd. II, S. 296.

13 Vgl. S. 249.

14 Das deutsche Eisenbahnnetz wird zwischen 1840 und 1845 von 548 auf 2304 Kilometer vergrößert. Die Kohleproduktion steigt zwischen 1840 und 1850 von 3,4 auf 6,7 Millionen Tonnen. Die Roheisenerzeugung verdoppelt sich in den Ländern des Deutschen Zollvereins zwischen 1834 und 1847 auf 230 000 Tonnen.

15 Die Jennymaschine benannte ihr Erfinder J. Hargreaves nach seiner Tochter Jenny. Die Mulemaschine wurde von S. Crompton gebaut. Englisch ›mule‹ bedeutet Maulesel, womit ausgedrückt werden sollte, daß die Mulemaschine eine Kombination früherer Erfindungen war.

16 Friedrich Engels, Die Lage der arbeitenden Klasse in England. Nach eigner Anschauung und authentischen Quellen. Leipzig: Wigand 1845.

17 Horst Blumberg, Ein Beitrag zur Geschichte der deutschen Leinenindustrie von 1834 bis 1870. In: Mottek / Blumberg / Wutzmer / Becker, Studien zur Geschichte der Industriellen Revolution in Deutschland. Berlin: Akademie-Verlag 1960, S. 131.

18 Vgl. S. 203f. und S. 254.

19 Vgl. Helmut Bleiber, Zwischen Reform und Revolution. Lage und Kämpfe der schlesischen Bauern und Landarbeiter im Vormärz 1840–1847. Berlin: Akademie-Verlag 1966, S. 37f.

20 Das durch den Reichsfreiherrn Karl vom und zum Stein (1757–1831) erlassene Edikt vom 9. Oktober 1807 wird als Beginn der Bauernbefreiung angesehen.

21 Das Ablöseverfahren sollte durch Edikte vom 14. September 1811 und vom 7. Juni 1821 geregelt werden. Eine allgemeine Regelung wurde aber erst mit dem Ablösegesetz vom 2. März 1850 geschaffen. Um den Bauern das für die Ablösung aus dem Grundbesitz notwendige Kapital zu leihen, werden von 1850 an Rentenbanken gegründet.

22 Helmut Bleiber (Anm. 19), S. 31.

23 Zu Bettina von Arnim vgl. S. 40. 1844 beschäftigt sich Bettina mit Plänen zu einem ›Armenbuch‹. Sie schreibt dem schlesischen Fabrikanten Friedrich Wilhelm Schlöffel (1800–1870), der sich in Schlesien mehrfach für die Spinner und Weber eingesetzt hatte, und bekommt von ihm 92 kurze Armuts-Beschreibungen. In seiner Rechtfertigungsschrift ›Mein Prozeß wegen Anklage auf Hochverrath‹, Heidelberg: Groos 1846, S. 26 f., bemerkt Schlöffel dazu: ›Zu besonderen Maßregeln fand die Regierung zu Liegnitz sich durch nachstehenden Vorfall veranlaßt. In den ersten Tagen des März 1844 erhielt ich eine Aufforderung von Frau Bettina von Arnim, mich über die Verhältnisse der schlesischen Spinner und Weber und deren in jener Zeit so viel besprochenen Notstand zu äußern. Um dem an mich gerichteten Ansuchen zu entsprechen, gab ich einigen in der Umgegend wohnenden Arbeitern den Auftrag, einige Weber und Spinner in meine Wohnung zu bestellen. [. . .] Wenige Tage nachher erfuhr ich, daß Gendarmen nach denjenigen geforscht, welche in meiner Wohnung gewesen seien und sie darüber abgehört, was ich mit ihnen gesprochen. Ich selbst ward wegen dieses Vorganges auf Denunziation des Kreislandrats zur Verantwortung gezogen, und wie ich durch den Inhalt der Untersuchungsakten erfahren, auf Veranlassung der Regierung zu Liegnitz unter besondere polizeiliche Aufsicht des Gutsbesitzers Premier-Leutnant von Rosen gestellt.‹

24 Ernst Dronke (vgl. S. 585, Anm. 36) beschreibt in seinem Buch ›Berlin‹, Frankfurt/Main: Literarische Anstalt 1846, Bd. 2, S. 43 bis 53, das Vogtland unter Verwendung der Dokumentation Grunholzers (vgl. S. 42 ff.). Nach Angaben Dronkes lebten und arbeiteten in den Arbeitshäusern des Vogtlandes 2500 Menschen in 400 Räumen.

25 Am 18. November 1843 in Nr. 271 der ›Breslauer Zeitung‹. Hier zit. nach ›Gesammelte Schriften von Wilhelm Wolff. Nebst einer Biographie Wolffs von Friedrich Engels. Mit Einleitung und Anmerkungen hrsg. von Franz Mehring‹. Berlin: Buchh. Vorwärts 1909 (= Sozialistische Neudrucke, Bd. 3).

26 Kasematten (italienisch ›casa matta‹ = gedecktes Haus), überwölbte Räume in Festungsanlagen, auch in Stadtmauern, die der Unterbringung, Verpflegung und dem Nachschub von Kasemattenkorps dienten. Gegen Mitte des 19. Jahrhunderts wurden die ehemals militärisch genutzten Breslauer Kasematten zu Elendsquartieren.

27 Eugène Sue (1804–1857), französischer Schriftsteller, der aufgrund seiner Erfahrungen als Schiffsarzt die ersten französischen Seefahrerromane schrieb; er hatte 1842/43 mit dem zehnbändigen Sittenroman ›Mystères de Paris‹ einen beispiellosen Erfolg, der in Deutschland zu einer Welle sogenannter ›Mysterienliteratur‹ führte.

28 Eduard Pelz (1800–1876), Sohn eines Advokaten und Gastwirts, geht nach dreijähriger buchhändlerischer Tätigkeit 1836 nach St. Petersburg, wo er den russischen Buchhandel organisieren soll. Als Pelz drei Jahre später nach Seitendorf in Schlesien zurückkehrt, läßt er sich als Freigutsstellenbesitzer nieder und wird bald in und außerhalb Schlesiens durch seine publizistischen Aktivitäten bekannt. 1848 ist Pelz Mitarbeiter der liberalen ›Deutschen Volkszeitung‹ in Mannheim und versucht, in Frankfurt eine ›Allgemeine Arbeiterzeitung, Organ für die politischen und sozialen Interessen des arbeitenden Volkes, zugleich Zeitung des Arbeitervereins zu Frankfurt am Main‹ herauszugeben. Nach dem Erscheinen der ersten Nummer wird er sofort ausgewiesen. Er kehrt nur kurz nach Schlesien zurück und wandert 1849 nach Nordamerika aus, wo er weiter publizistisch tätig ist.

29 Druckschriften von Eduard Pelz: Die Dorfgerichte in Preußen. Bruchstück aus den Memoiren eines schlesischen Bauern. Mitgeteilt von Treumund Welp. Braunschweig [Leipzig]: Literar. Museum 1843; Die Patrimonialgerichtsbarkeit. Bruchstück aus den Memoiren eines schlesischen Bauern. Mitgeteilt von Treumund Welp. Leipzig: Hunger 1843; Die

Stellung der Arbeiter bei der Landwirtschaft. Breslau: Verlags-Comptoir 1847.

30 Eduard Pelz, Über den Einfluß der Fabriken und Manufakturen in Schlesien. Von Treumund Welp. 1. Brief, Die Gebirgsdistrikte. 2. Brief, Polemisches. 3. und 4. Brief, Die Handwerker auf dem Lande und Blicke auf den Zustand unserer Gewerbe. Leipzig: Literar. Museum 1844/46; Noch ein Wort über die deutsche Leinwandfrage. Breslau: Verlags-Comptoir 1845; Stand der Leinwandangelegenheiten in Schlesien. Breslau: Korn 1846.

31 Vgl. S. 74f. und S. 83, darüber hinaus hier nicht abgedruckte Beiträge in der ›Breslauer Zeitung‹, der ›Privilegirten Schlesischen Zeitung‹, der ›Aachener Zeitung‹ und im ›Leuchtthurm‹ (Bremen).

32 Adolf Heinrich Graf von Arnim-Boitzenburg (1803–1868), von 1842 bis 1845 preußischer Innenminister, im Jahr der Revolution 1848 für kurze Zeit Ministerpräsident.

33 Zur Belebung des preußischen Außenhandels wurde am 14. Oktober 1772 in Berlin die Seehandlungssozietät als Aktiengesellschaft gegründet. Der Gesellschaft wurden Vergünstigungen im Salzhandel und bei der Leinenausfuhr eingeräumt. Bis 1794 erhielten die Aktionäre eine zehnprozentige Dividendengarantie. 1810 ging die Seehandlung in ein staatliches Unternehmen über. In den vierziger Jahren vermittelt die Seehandlung Anleihen, ist im Straßenbau aktiv und beteiligt sich an industriellen Unternehmungen, was auf den Widerstand konkurrierender Unternehmer stößt. Die Flachsgarn-Maschinenspinnereien in Schlesien (Erdmannsdorf und Grüssau) sind um 1844 die einzigen Fabrikationsstätten der Seehandlung, die sich fortan immer stärker auf das Bankgeschäft konzentriert.

34 Der vollständige Titel dieses Blattes lautet: ›Der Sprecher oder: Rheinisch-Westphälischer Anzeiger‹.

35 Hermann Theodor Oelckers (1818–1869), Übersetzer und Schriftsteller in Leipzig, verfaßt Mitte der vierziger Jahre einige Schriften, mit denen er die frühsozialistischen französischen Utopisten (vgl. Anm. 42) dem deutschen Publikum bekanntmachen will. Aus seiner Schrift ›Die Bewegung des

Socialismus und Communismus‹, Leipzig: Fest'sche Verlagsbuchhandlung 1845, bringt der Pariser ›Vorwärts!‹ 1844 in den Nummern 87, 89, 94, 98, 99 und 102 bis 104 Auszüge. Wegen seiner Teilnahme am Dresdner Maiaufstand von 1849 wird Oelckers als vermeintlicher Hochverräter zu lebenslanger Festungshaft verurteilt. Zehn Jahre später wird er begnadigt, übernimmt für kurze Zeit die Redaktion einer deutschen Zeitung in Brasilien und schreibt zwischen 1862 und 1869 unbedeutende Unterhaltungsliteratur, unter anderem für die ›Gartenlaube‹.

36 Ernst Dronke (1822–1891), zunächst wahrsozialistischer Publizist und Schriftsteller (vgl. S. 272), veröffentlicht 1846 das zweibändige Werk ›Berlin‹, worin seine frühen Positionen am deutlichsten zum Ausdruck kommen. Später Mitglied des ›Bundes der Kommunisten‹, gehört er 1848/49 zu den Redakteuren der ›Neuen Rheinischen Zeitung‹. Nach der gescheiterten Revolution emigriert er erst in die Schweiz, anschließend nach England, wo er zunächst weiter engen Kontakt zu Marx und Engels hält, sich dann aber aus dem politischen Leben zurückzieht.

37 Otto Lüning (1818–1868), Arzt und ebenfalls wahrsozialistischer Publizist, gibt von 1845 bis 1848 ›Das Westphälische Dampfboot‹ und von 1845 bis 1847 ›Dies Buch gehört dem Volke‹ in drei Bänden heraus. Nach 1866 ist er nationalliberaler Abgeordneter in der preußischen Nationalversammlung (Berlin).

38 Die Bezeichnung ›wahre‹ Sozialisten vergaben Marx und Engels im ironischen Sinn an Sozialisten der vierziger Jahre, die sich rühmten, die ›absolute Wahrheit‹ zur Lösung der sozialen Frage gefunden zu haben. Die Polemik von Marx und Engels gegen die ›wahren‹ Sozialisten kann aber nicht darüber hinwegtäuschen, daß diese in Deutschland die Träger der frühen sozialistischen Bewegung Mitte der vierziger Jahre waren.

39 Vgl. S. 307.

40 Hermann Püttmann (1811–1874), Journalist, Schriftsteller und Anthologist, schafft mit seiner Tätigkeit Mitte der vierziger Jahre immer wieder Publikationsmöglichkeiten für den

aktuell vorhandenen Sozialismus in Deutschland; so mit den ›Bürgerbüchern‹ 1845/46 und den ›Rheinischen Jahrbüchern zur gesellschaftlichen Reform‹ 1845/46. 1852 emigriert Püttmann mit seiner siebenköpfigen Familie nach Australien.

41 Karl Grün (1817–1887), in den vierziger Jahren Mitarbeiter an verschiedenen liberalen und sozialistischen Zeitungen. Vgl. S. 64 und S. 96f.

42 Zum französischen Frühsozialismus gehörten unter anderen: Claude Henry de Rouvroy de Saint-Simon (1760–1825), französischer Sozialtheoretiker, der zur Lösung der sozialen Frage die Pflicht zur Arbeit (›Gewerbefleiß‹) und die Technisierung der Industrie forderte. – François Marie Charles Fourier (1772–1837) wollte Produktion und Distribution so organisieren, daß innerhalb dieser Organisation und auf ihrer Grundlage alle Fähigkeiten des Menschen entfaltet würden. Seine Lehre wurde vor allem von Victor Prosper Considérant (1808–1893) verbreitet. – Jean Joseph Louis Blanc (1811–1882), französischer Journalist, Historiker und Politiker, prägte 1839 den Begriff von der ›Organisation der Arbeit‹; plädierte für die Errichtung vom Staat unterstützter Arbeiterproduktivgenossenschaften.

43 Moses Heß (1812–1875), redigierte 1845 bis 1846 erst von Elberfeld, dann von Belgien aus den ›Gesellschaftsspiegel‹. Der Untertitel dieser Zeitschrift lautete: ›Organ zur Vertretung der besitzlosen Volksklassen und zur Beleuchtung der gesellschaftlichen Zustände der Gegenwart‹. Unter den ›wahren‹ Sozialisten ist er der bedeutendste Philosoph. Neben seiner frühen Bewunderung für Karl Marx entsteht während seiner Exilzeit zwischen 1849 und 1861 ein enger Kontakt zu Ferdinand Lassalle, mit dem er bei der Bildung des ›Allgemeinen Deutschen Arbeitervereins‹ (gegründet 1863 in Leipzig) zusammenarbeitet.

Anmerkungen zu: ›Weber-Schilderungen in der deutschen Literatur vor 1844‹ (Seite 33 bis Seite 53)

1 Durch das Kardieren oder Krempeln werden die Fasern während des Spinnvorgangs gleichmäßig im Garn verteilt.

2 Ambrosius Lobwasser (1515–1585), von 1563 bis 1580 Professor der Rechte und Hofgerichtsassessor in Königsberg, wurde unter den deutschen Reformierten durch seine Psalmenübersetzungen aus dem Französischen bekannt. Seine einfach gebauten, meist etwas holprigen Psalmen wurden vielfach bearbeitet und ergänzt und waren noch im 19. Jahrhundert sehr beliebt.

3 Eine Elle entspricht etwa einem halben Meter.

4 Casimir Périer (1777–1832), Bankier und Politiker, vertrat die wirtschaftlichen Interessen des französischen Bürgertums. Unter dem ›Bürgerkönig‹ Louis Philippe war er nach der Julirevolution von 1830 kurze Zeit Ministerpräsident.

5 1 Taler = 30 Silbergroschen oder 24 gute Groschen (gGr.); 1 Silbergroschen = 12 Pfennig; 1 Dreier = 3 Pfennig. Diese Währung blieb bis 1873 in Preußen gültig.

6 Anspielung auf die Freiheitskriege von 1813 bis 1815 gegen Napoleon.

7 Öffentliches Krankenhaus.

8 Eine klebrige Flüssigkeit, mit der beim Weben die Kettenfäden glatter und fester gemacht wurden.

9 Garnspule in der Baumwollweberei, aber auch großmaschiges Baumwollgewebe.

10 Anspielung auf die Völkerschlacht bei Leipzig 1813.

11 Einen Beschluß mitteilen.

12 Gemeint ist Ephraim Karl Hornungs 1820 in Berlin erschienene ›Fibel für den ersten Unterricht im Lesen, zum Gebrauch für deutsche Schulen‹, der im gleichen Jahr noch ein ›Leselernbuch‹ als Zusatzheft folgte.

13 Zwangsweise aus einer Wohnung weisen.

14 Anspielung auf den Rußlandfeldzug Napoleons 1812.

15 Volkstümlicher Ausdruck für eine Berliner Arbeits- und Besserungsanstalt, über deren Eingang ein Ochsenkopf-Relief angebracht war.

Anmerkungen zu: ›Vor dem Aufstand‹ (Seite 69 bis Seite 143)

1 Zuteilung von Naturalien.

2 Mit Unterstützung der preußischen Regierung wurden nach der Revolte Spinn- und Webschulen eingerichtet. In Wuppertal kostete 1844 der einjährige Besuch 120 Taler(!).

3 Im Märzheft 1844 der ›Schlesischen Provinzialblätter‹ erschien ein detaillierter Plan zur Aussiedlung verarmter Spinner und Weber in unbesiedelte preußische Ostgebiete. Dieser Plan zur Anlegung von Armen-Kolonien wurde in der Presse mehrfach aufgegriffen.

4 Ein Palliativmittel dient nur zur Linderung einer Krankheit, beseitigt aber nicht deren Ursachen.

5 Vgl. S. 58.

6 Seit Anfang des 17. Jahrhunderts in Schlesien ansässiges Adelsgeschlecht.

7 Königin Elisabeth von Preußen (1801–1873), seit 1823 mit dem späteren König Friedrich Wilhelm IV. verheiratet.

8 Carl Moritz von Beurmann (1802–1870), Rechtsgelehrter, von 1843 bis 1850 Ober-Präsident der Provinz Posen; von 1862 bis 1870 Kurator der Universität Halle.

9 Vgl. zur ›Breslauer Zeitung‹ S. 58f.

10 Gemeint ist die Rheinprovinz.

11 Eduard Pelz, Über den Einfluß der Fabriken und Manufakturen in Schlesien. Vgl. S. 584, Anm. 30.

12 Vgl. auch bei Wilhelm Wolff S. 262.

13 Walter Schmidt (vgl. S. 580, Anm. 3) bezeichnet den Schweidnitzer Arzt J. Pinoff als ›Gesinnungsfreund‹ Wilhelm Wolffs.

14 Anonym verfaßter Artikel. Die Chronologie der Berichte wird hier unterbrochen, weil dieser Plan zur Geschichte der schlesischen Hilfsvereine gehört, auf die sich auch der vorhergehende Artikel bezieht.

15 Verfasser dieses Artikels ist Eduard Pelz.

16 Verfasser dieses Artikels ist Wilhelm Wolff.

17 An die obersten Behörden gerichtetes Dringlichkeitsgesuch.

18 Ein auf den französischen Finanzminister Jean Baptiste Colbert (1619–1683) zurückgehendes Wirtschaftssystem, bei dem

möglichst viel exportiert und möglichst wenig importiert werden sollte, um so das Kapital im eigenen Land beständig zu vermehren. Dabei spielten die enormen Ausgaben für die Kriegspolitik Ludwig XIV. eine große Rolle.

19 Adam Smith (1723–1790), englischer Logiker und Moralphilosoph, Begründer der Nationalökonomie, trat für den Freihandel ein.

20 Anspielung auf Shakespeares ›Hamlet‹.

21 Gemeint ist die Predigerfamilie Krummacher; zu ihr gehörten die Brüder Gottfried Daniel (1774–1837) und Friedrich Adolf Krummacher (1767–1845) sowie dessen Söhne Friedrich Wilhelm (1796–1868) und Emil Wilhelm (1798–1886).

22 Gemeint ist der Breslauer ›Verein zur Abhilfe der Not unter den Webern und Spinnern in der Provinz Schlesien‹, der am 29. Februar 1844 in Nr. 51 der ›Privilegirten Schlesischen Zeitung‹ einen Statutenentwurf vorlegt. Schon am 2. März berichtet die ›Aachener‹ darüber; ein Beleg für die guten Korrespondenzverbindungen des Blattes nach Schlesien.

23 Justus Wilhelm Eduard von Schaper (1792–1868), 1842 bis 1845 Ober-Präsident der Rheinprovinz, von 1845 bis 1846 Ober-Präsident der Provinz Westfalen, danach Generalpostmeister des preußischen Postwesens.

24 Dieser Aufruf erscheint in nahezu allen deutschen Zeitungen des Jahres 1844.

25 Alexander Schneer (1806–1885), 1844 Regierungsassessor in Breslau, war 1848/49 gemäßigt liberaler Abgeordneter in der Frankfurter Nationalversammlung. 1844 publiziert Schneer seinen aufsehenerregenden Bericht ›Über die Noth der Leinen-Arbeiter in Schlesien und die Mittel ihr abzuhelfen‹ (vgl. S. 114ff.). Ebenfalls unter Benutzung amtlicher Quellen verfaßt er 1845 die Schrift ›Über die Zustände der arbeitenden Klassen in Breslau. Berlin: Krautwein'sche Buchhandlung 1845‹.

26 Der vorliegende Artikel stammt von Karl Grün. Er setzt sich für das von Charles Fourier (vgl. S. 586, Anm. 42) entworfene sozialistische Modell der Phalanstère oder Familistère ein, wonach jeweils 1800 Menschen eine autonome Gemeinschaft von Produzenten und Konsumenten bilden sollten.

27 C.G. Kramsta, großes Leinenhandelshaus im schlesischen Freiburg, das 1844 schon einige Flachsgarn-Spinnmaschinen betreibt.

28 Martin Websky, für die Seehandlung in Erdmannsdorf und Grüssau tätiger Kaufmann, mit einer Tochter Kramstas verheiratet.

29 Vgl. S. 584, Anm. 33.

29a Aus inhaltlichen Gründen wird der folgende Artikel den unter dem 11. und 15. April datierten Texten nachgestellt.

30 Eine Brandkatastrophe hatte im Mai 1842 große Teile Hamburgs vernichtet.

31 Bei den Römern den Göttern geweihte Gedenktafeln. Seit dem frühen 16. Jahrhundert in Europa gebräuchlicher Begriff für Heiligenreliefs.

32 1844 hält Karl Grün im Rheinland mehrere Vorlesungen über Shakespeare.

33 Diese Nachricht findet sich als Abschrift unter Bettinas Materialsammlung für das geplante ›Armenbuch‹. Vgl. zum ›Armenbuch‹ S. 582, Anm. 23.

34 Schneer bezieht sich auf das Komitee des Breslauer ›Vereins zur Abhilfe der Not unter den Webern und Spinnern in der Provinz Schlesien‹. Vgl. S. 78f. und S. 95.

35 Louis René Villermé (1782–1863), Mediziner und Soziologe, veröffentlichte die von Schneer genannte Schrift 1840. Villermé setzte sich zu Anfang der vierziger Jahre vor allem für eine Begrenzung der Kinderarbeitszeit ein.

36 Ursprünglich französische Goldmünze (Sol d'or), in den vierziger Jahren 5-Centime-Stück.

37 Lateinische Abkürzung für ›gegeben zu‹.

38 Nebeneinkünfte.

39 Berge im Riesengebirge.

40 Beilage B in Schneers Bericht enthält eine Aufzählung der in Maiwaldau lebenden Armen.

41 Herleiten, aufzeigen.

42 Schutzgeld mußten auch die Nichtgewerbetreibenden an ihren Feudalherrn entrichten.

43 Steuern.

44 Die volle Anwendung des Rechtes führt zur Ungerechtigkeit.

45 Edward George Bulwer-Lytton (1803–1873), erfolgreicher englischer Schriftsteller und liberaler Politiker, veröffentlichte 1833 das Buch ›England and the English‹, in dem alle sozialen Schichten Englands dargestellt werden.
46 Den Rauch ableiten.
47 Die Schrift konnte in bundesdeutschen Bibliotheken und Archiven nicht nachgewiesen werden.
48 Vgl. dazu den Brief eines Langenbielauer Webers, S. 574ff.
49 Gemeint ist die Seehandlung. Vgl. S. 584, Anm. 33.
50 Unterstellung.
51 In der ›Vossischen Zeitung‹ vom 3. Juni 1844.
52 Vgl. S. 242f. und S. 346f.
53 Verkrümmt, versteift, im übertragenen Sinne auch kränkelnd.
54 Hier: Zuwendungen an Arme aus einem erbschaftlich oder testamentarisch ungeregelten Vermögen Verstorbener.
55 Zwangsversteigerung.
56 Die Übersicht findet sich im Anhang zu Schneers Bericht.
57 Anspielung auf Wilhelm Wolffs Kasemattenartikel. Vgl. S. 23.
58 Vollbrachte Werke.
59 Gemeint ist die Zensur-Instruktion vom 24. Dezember 1841. Vgl. S. 57.
60 Anspielung auf Eugène Sues ›Mystères de Paris‹. Vgl. S. 583, Anm. 27.

Anmerkungen zu: ›Der Aufstand‹ (Seite 147 bis Seite 264)

1 Es konnte kein früherer Bericht ermittelt werden, mit dem der Aufstand gemeldet wird.
2 Vgl. S. 17f.
3 Der Aufruf Major von Schlichtings wurde in vielen außerschlesischen Zeitungen abgedruckt, in Schlesien nur im ›Schweidnitzer Kreisblatt‹.
4 Ursprünglich polnische Familie, die infolge des Dreißigjährigen Krieges nach Preußisch-Schlesien kam, wo sie seit 1759 das Majorat in Langenbielau besaß.

5 Graf Sandreczky-Sandraschütz.

6 Zwanziger und Söhne.

7 Gemeint ist das ›Blutgericht‹. Vgl. S. 469ff.

8 Heinrich Wilhelm Adalbert (1811–1873), Sohn des jüngsten Bruders König Friedrich Wilhelms III., setzte sich für den Aufbau einer preußischen Flotte ein.

9 Französisch: Estafette = deutsch: Stafette. Mit reitenden Boten wurde der Schriftwechsel zwischen einer Regierung und ihren oberen Behörden überbracht. Stafetten wurden auch in der privaten Nachrichtenübermittlung und bei der Presse bis zur Einführung des Telegraphen eingesetzt.

10 Durch die Kabinettsorder vom 24. Mai 1844 wurde der Handel mit nicht-preußischen Eisenbahnaktien genehmigungspflichtig, was einen allgemeinen Kursverfall von Eisenbahnaktien zur Folge hatte, den die preußische Regierung durch Stützungskäufe aufzufangen versuchte.

11 Richtig: Jacquard-Webstühle.

12 Kleineres Leinenhandelshaus, das schon sehr früh Spinnmaschinen betrieb, von der Revolte aber nicht betroffen war.

13 Vgl. das Gedicht Heinrich Pröhles ›Wie die Bergleute die Weber totgeschlagen haben‹ S. 521ff.

14 Der Originalbericht der ›Vossischen‹ in Nr. 171 vom 19. Juni 1844 wurde von vielen anderen Blättern in Deutschland übernommen; er wird hier aus der ›Weser-Zeitung‹ zitiert.

15 Ansteckend.

16 Aufstand, Meuterei, Aufruhr.

17 1831 revoltierten die Lyoner Seidenweber. Vgl. S. 38f.

17a Obwohl von der konservativen Presse geleugnet, bestand zweifellos ein Zusammenhang zwischen den Unruhen in Breslau (6. bis 8. Juni) und dem Weberaufstand. Vgl. S. 158 und S. 259f.

18 Friedrich Wilhelm III. (1770–1840), preußischer König von 1797 bis 1840.

19 Eine andere Darstellung der Reise von Pelz gibt die ›Kölnische Zeitung‹. Vgl. S. 197.

20 Anthony Ashley-Cooper (1801–1885), Graf von Shaftesbury, setzte sich aus christlichen Motiven im Unter- und Oberhaus für eine verbesserte Lage der Arbeiter ein.

21 Leon Faucher (1803–1854), französischer Publizist und Staatsmann, unterstützte den Freihandel.

22 Vgl. S. 80ff. und S. 588, Anm. 3.

23 Feldwachen.

24 von Kehler war auch an den Untersuchungen gegen Eduard Pelz und Friedrich Wilhelm Schlöffel beteiligt. Vgl. S. 582, Anm. 23 und S. 600, Anm. 48.

25 Vgl. zur Berichterstattung der ›Kölnischen Zeitung‹ S. 186f. und S. 196f.

26 In der Beilage zu Nr. 171 vom 19. Juni 1844 der ›Kölnischen Zeitung‹.

27 Vgl. S. 584, Anm. 32.

28 Gabriel de Riqueti Graf von Mirabeau (1749–1791), französischer Publizist und Politiker, wurde 1789 vom Dritten Stand in die Generalstände gewählt.

29 Emanuel Joseph Sieyès (1748–1836), französischer Staatsmann, hatte 1789 in seiner Schrift ›Was ist der Dritte Stand?‹ die politische Emanzipation des wirtschaftlich erstarkten Bürgertums gefordert.

30 Vgl. ›Allgemeine Preußische Zeitung‹ Nr. 161 vom 11. Juni 1844, S. 157f.

31 Johann Albrecht Friedrich Eichhorn (1779–1856), von 1840 bis 1848 preußischer Kulturminister.

32 Gemeint ist das als Bundesgesetz gültige Preßgesetz, das am 20. September 1819 in Kraft trat und per Edikt vom 18. Oktober 1819 in Preußen gültig wurde.

33 Walter Schmidt (vgl. S. 580, Anm. 3) schreibt diesen Artikel Wilhelm Wolff zu.

34 Gründer des seit 1840 bestehenden Londoner Kommunistischen Arbeiterbildungsvereins war Karl Christian Friedrich Schapper (1812–1870), ehemals Burschenschafter und Teilnehmer am Frankfurter Wachensturm (1833), dann führendes Mitglied des ›Bundes der Gerechten‹ und späteren ›Bundes der Kommunisten‹. Marx und Engels brachen 1850 wegen Richtungsstreitigkeiten die Zusammenarbeit mit Schapper ab und bekämpften ihn heftig.

35 Zugunsten des sachlichen Zusammenhangs mit den nachfolgenden Texten wird die chronologische Artikelabfolge hier

unterbrochen. Redakteur des liberalen ›Telegraph‹ war von 1841 bis 1845 Georg Gottlieb Schirges (1811–1879). Zum Ärger des Herausgebers Karl Gutzkow befaßte sich Schirges im ›Telegraph‹ auch häufiger mit Problemen der Arbeiterbewegung. Im Dezember 1844 wird von ihm nach dem Vorbild des Londoner Vereins der Hamburger Arbeiterbildungsverein mitbegründet.

36 In Deutschland umlaufende Goldmünzen und Talerstücke im Gegensatz zum Papiergeld.

37 Johann Julius Wilhelm Campe (1792–1867), Inhaber des Verlages Hoffmann und Campe, der durch den Druck der Schriften des Jungen Deutschland, vor allem als Verleger Heines und Hoffmanns von Fallersleben, bekannt geworden war. Hier erschien auch der ›Telegraph für Deutschland‹.

38 Pietismus und Katholizismus.

39 Vgl. S. 580, Anm. 7.

40 Vgl. S. 587, Anm. 10.

41 Rechtlich begründeter Anspruch; damals auch: an den Grundherrn zu entrichtende Abgaben.

42 Am 11. November feiert die Katholische Kirche das auf den Heiligen Martin von Tours (um 316 bis um 400) zurückgehende Martinsfest.

43 Damals üblicher Ausdruck für Nutzungs- oder Gebrauchsrecht.

44 Arbeits- und Besserungsanstalt, in die Diebe und sozial Gestrauchelte eingewiesen wurden.

45 In Preußen wurde durch ein Edikt vom 2. November 1810 und ein Gesetz vom 7. September 1811 der Zunftzwang aufgehoben. Einen Gewerbebetrieb zu führen, war jetzt nur noch vom Kauf eines Gewerbescheins und der Zahlung der Gewerbesteuer abhängig.

46 Verbrauchs- und Verkehrssteuer.

47 Anspielung auf verwandtschaftliche Beziehungen zwischen der schlesischen und der russischen Bevölkerung.

48 Nur die Silberwährung galt in Preußen als uneingeschränktes Zahlungsmittel. Goldmünzen waren Handelsgeld ohne gesetzliche Zahlkraft.

49 Das Königtum von Gottes Gnaden als Grundsatz der Politik

im Gegensatz zum Nationalitätenprinzip, durch das die Wahl des Herrschers dem Selbstbestimmungsrecht des Volkes überlassen wurde.

50 Vgl. S. 80ff.

51 Unterstützung, Beistand.

52 Truppen in Kasernen bereithalten.

53 Christian von Rother (1778–1849), von 1836 bis 1848 preußischer Finanzminister.

54 Ernst Freiherr von Bodelschwingh (1794–1854), von 1834 bis 1842 Ober-Präsident der Rheinprovinz, dann preußischer Finanzminister (1842 bis 1844), Kabinettsminister (1844/45) und Innenminister (1845 bis 1848).

55 Der Aufsatz erschien im Dezember 1844 im ›Deutschen Bürgerbuch für 1845‹.

Anmerkungen zu: ›Weberliteratur und soziale Frage im Vormärz‹ (Seite 267 bis Seite 278)

1 ›Ihr sollt vollkommen sein! Eine Predigt für die allgemeine christliche Kirche.‹ In: Der Bote aus dem Katzbachthale. Nr. 2 bis 3, August 1845, S. 23.

2 Erich Edler, Die Anfänge des sozialen Romans und der sozialen Novelle in Deutschland. Frankfurt: Klostermann 1977, S. 12f. (= Studien zur Philosophie und Literatur des 19. Jahrhunderts, Bd. 34).

3 Vgl. Johann Heinrich Pestalozzi, Lienhard und Gertrud – ein Buch für das Volk. Dieses Volksbuch erschien zwischen 1781 und 1820 in drei Versionen. – Christian Gotthilf Salzmann, Carl von Carlsberg oder Über das menschliche Elend. 6 Bde. Leipzig: Crusius 1783/88. – Ulrich Bräker, Lebensgeschichte und natürliche Ebentheuer des Armen Mannes im Tockenburg. Zürich: Füssli 1789.

4 Friedrich Engels, Rascher Fortschritt des Kommunismus in Deutschland 1844. In: MEW, Bd. 2, S. 510 (MEW = Karl Marx und Friedrich Engels, Werke. Berlin: Dietz 1956 ff.).

5 Hyacinthe Rigauds Bild von Ludwig XIV. stammt aus den Jahren 1701/02. Joseph-Siffrède Duplessis hat mehrere Bilder von Ludwig XVI. nach diesem Muster gemalt.

6 Vgl. S. 266.

7 Vgl. Friedrich Schlegel, Über das Studium der griechischen Poesie. In: Fr. S., Schriften zur Literatur. Hrsg. von Wolfdietrich Rasch. München: Deutscher Taschenbuch Verlag 1972, S. 84 ff.

8 Brief Herweghs an Freiligrath vom 4. März 1842. Abgedruckt in: Hans Adler (Hrsg.), Literarische Geheimberichte. Protokolle der Metternich-Agenten. Bd. I. 1840–1843. Köln: informationspresse – c.w. leske 1977. S. 128 (= Materialien zum Vormärz, Bd. 5). Hervorhebungen vom Verfasser.

9 Zit. nach Ernst Dronke, Aus dem Volk & Polizei-Geschichten. Frühsozialistische Novellen. 1846. Hrsg. von Bodo Rollka. Köln: informationspresse – c.w. leske 1981 (= Materialien zum Vormärz, Bd. 13), S. 10.

10 H.E.R. Belani, Die armen Weber. Novelle aus den Mysterien einer neueren Zeit. In: H.E.R.B., Die armen Weber und andere Novellen aus den Mysterien einer neueren und älteren Zeit. Leipzig: Fritzsche 1845, S. 99.

11 Vgl. S. 410 f.

12 Vgl. Ludwig Tieck, Der junge Tischlermeister [1836]. In: L.T., Schriften, Bd. 28. Berlin: Reimer 1854. (Unveränderter Nachdruck Berlin: de Gruyter 1966.)

13 Vgl. S. 425.

14 Vgl. dazu Hans Adler, Soziale Romane im Vormärz. München: Fink 1980.

15 Vgl. Wermuth/Stieber, Die Communisten-Verschwörungen des neunzehnten Jahrhunderts. 1. Teil. Berlin: Hayn 1853. S. 33 bis 35 und S. 203 bis 208. (Nachdruck Berlin: Guhl 1976). Stieber, berüchtigter preußischer Polizeispitzel, hat wahrscheinlich als agent provocateur diese ›Verschwörung‹ mitinszeniert.

16 Friedrich Engels machte wohl als erster auf den Zusammenhang zwischen dieser Parole und Heines Gedicht aufmerksam. Vgl. MEW, Bd. 2, S. 512.

17 Vgl. Hans Kaufmann, Heinrich Heine. Geistige Entwicklung und künstlerisches Werk. Berlin und Weimar: Aufbau-Verlag (2., überarb. Aufl.) 1970, S. 240 f.

18 Zit. nach dem Kommentar zu Heines Gedicht aus: Heinrich Heine, Sämtliche Schriften. Bd. 4. Hrsg. von Klaus Briegleb.

Darmstadt: Wissenschaftliche Buchgesellschaft 1971, S. 973.

19 Johann Wolfgang Goethe, ›Blicke ins Reich der Gnade. Sammlung evangelischer Predigten von D. Krummacher, Pfarrer zu Gemarke. Elberfeld 1828‹ [Besprechung]. In: Goethes Werke, Bd. 12. Textkritisch durchgesehen von Werner Weber, Hamburg und Hans Joachim Schrimpf. Kommentiert von Herbert von Einem und Hans Joachim Schrimpf. 7., überarb. Aufl. München: Beck 1973, S. 356f. Auf diese interessante Rezension machte mich Prof. Dr. H.J. Schrimpf aufmerksam.

20 Vgl. Ferdinand Gregorovius, Goethes Wilhelm Meister in seinen sozialistischen Elementen entwickelt. Königsberg: Bornträger 1849.

21 Karl Grün, Über Goethe vom menschlichen Standpunkt. Darmstadt: C. W. Leske 1846, S. XXII.

22 Helmut Kreuzer, Nachwort 1974 [zu seinem Aufsatz ›Trivialliteratur als Forschungsproblem. Zur Kritik des deutschen Trivialromans seit der Aufklärung‹ (1965/66)]. In: H. K., Veränderungen des Literaturbegriffs. Fünf Beiträge zu aktuellen Problemen der Literaturwissenschaft. Göttingen: Vandenhoeck & Ruprecht 1975, S. 25 (= Kleine Vandenhoeck-Reihe 1398).

23 Vgl. z. B. Max Kretzer, Meister Timpe. Sozialer Roman (1888; bis 1928 neun Auflagen. 1976 neu hrsg. Mit einem Nachwort von Götz Müller. Stuttgart: Reclam [= RUB 9829]). – Ernst Preczang, Der Ausweg (1912); Im Strom der Zeit (1908). – Willi Bredel, Maschinenfabrik N & K (1930; 1971 neu hrsg. Berlin: Oberbaumverlag); Rosenhofstraße (1931).

24 Erwin Piscator, Das politische Theater. Faksimiledruck der Erstausgabe 1929. Berlin: Henschelverlag Kunst und Gesellschaft 1968, S. 54.

Anmerkungen zu: ›Die Weber in der deutschen Literatur von 1844 bis 1851‹ (Seite 281 bis Seite 541)

1 Friedrich Karl von Savigny (1779–1861), preußischer Jurist und Politiker, von 1842 bis 1848 Justizminister, Schwager von Clemens und Bettina Brentano sowie von Achim von Arnim.

2 Joseph François Foullon (1717–1789), ein wegen seiner Habsucht verhaßter hoher Finanzbeamter, der am 11. Juli 1789 französischer Finanzminister werden sollte. Von Revolutionären wurde er in Paris an einem Laternenpfahl aufgehängt.

3 Gemeint ist das ›Blutgericht‹. Vgl. S. 469ff.

4 Vgl. S. 40.

4a Gemeint ist eine ihnen immer hilfreiche Arme, genannt die rote Liese.

5 Vom Webstuhl abgeschnittenes, ausgefranstes Leinwand-Ende.

6 Von Napoleon 1806 erzwungenes Verbot, mit England Handel zu treiben; die Kontinentalsperre blieb bis 1813 in Kraft.

7 Copp oder Strähn = ein Längenmaß für Garne.

8 Vgl. die Passagen bei Alexander Schneer S. 130ff.

9 Der Sohn Gotthardt, mit dem die Erzählung beginnt, ist bisher noch nicht namentlich erwähnt worden.

10 Münzgeld, das wegen seiner gleichmäßigen Legierung in mehreren Staaten gültig war.

11 Gemeint ist Sherry aus Jerez in Spanien.

12 Belästigen, Unbequemlichkeiten bereiten.

13 Katholischer Krankenpflege-Orden, der damals in mehreren Ländern Europas tätig war.

14 Besondere Karpfengattung.

15 Sich zum Gespött anderer machen.

16 Blutblase oder Beule.

17 Bergrücken, Abhang.

18 Wenig Licht gebender Leuchter, der beim Weben von Klötzel (= grobem Rohleinen) benutzt wurde.

19 Abgaben an den Pfarrer bei bestimmten Amtshandlungen.

20 Pöbel, ursprünglich die Bezeichnung für Schiffsvolk.

21 Von 1750 bis 1857 in Umlauf befindliche preußische Goldmünze zu $5^2/_3$ Talern.

22 In Umlauf.
23 Pappig, klebrig.
24 Als einziger der drei Söhne des Herrn Preiss in der Fabrik tätig.
25 Werkmeister, Faktor.
26 Geschlechtskrankheit.
27 Vgl. S. 473.
28 Thalheim war der beliebteste Lehrer an dem Internat.
29 Gemeint sind Fabrikarbeiter.
30 Anspielung auf das Trucksystem. Vgl. S. 430.
31 Eine Gruppe von Ausgestoßenen, Rechtlosen und Mißachteten.
32 Verballhornung der These Jean-Jacques Rousseaus (1712–1778), der 1750 in seiner Schrift ›Discours sur les arts et les sciences‹ einen naturhaftglücklichen Urzustand des Menschen beschrieben hatte, den Gesellschaft und Wissenschaft zerstören.
33 Vgl. S. 580, Anm. 6.
34 Vgl. S. 38 f. – Mit Paris ist vermutlich die Julirevolution von 1830 gemeint.
35 Pierre Joseph Proudhon (1809–1865), französischer Sozialist, der in seiner 1840 entstandenen, seit 1844 auch in Deutschland verbreiteten Schrift ›Qu'est-ce que la propriété?‹ den bekannten Satz ›Eigentum ist Diebstahl‹ prägte und damit das nicht durch Arbeit entstandene Eigentum angriff.
36 Étienne Cabet (1788–1856), französischer Kommunist, schrieb 1842 den Roman ›Reise ins Ikarierland‹. Nach dem gescheiterten Juniaufstand 1848 in Paris versuchte Cabet, seine Ideale in kommunistischen Gemeinden Nordamerikas zu verwirklichen, was aber mißlang.
37 Wilhelm Weitling (1808–1871), Schneidergeselle, führender Vertreter des egalitären Handwerkerkommunismus. Mitglied des ›Bundes der Geächteten‹, des ›Bundes der Gerechten‹. Bekannt wurde er durch seine Schriften ›Die Menschheit, wie sie ist und wie sie sein sollte‹ (1838) und ›Garantien der Harmonie und Freiheit‹ (1842). 1846 traf Weitling mit Marx und Engels in Brüssel zusammen. Ende März dieses

Jahres kam es zum Bruch, da Weitling für die sofortige Revolutionierung der Gesellschaft und Überführung in den Kommunismus plädierte, während Marx und Engels die bürgerliche Demokratie als notwendiges Zwischenstadium ansahen.

38 Alexandre-Théodore Dezamy (1808–1850), an Cabet (vgl. Anm. 36) orientierter französischer Frühsozialist, kritisierte heftig Religiosität jeder Art.

39 Vgl. S. 586, Anm. 42.

40 Sorten.

41 Aus dem nachfolgenden Kapitel des Romans geht hervor, daß in dem hier wiedergegebenen Kapitel ›Auf der Wiegkammer‹ Verhältnisse aus der Mitte der vierziger Jahre beschrieben werden.

42 Seiten.

43 Aus dem Französischen übernommenes Schimpfwort für einen Schuft, Quäler, Schikaneur.

44 Entstanden nach der Revolte.

45 Heines ›Weberlied‹ kursierte in Deutschland in vielen Abschriften und Flugblattfassungen. Diese Fassung wurde abgedruckt in Wermuth/Stieber (S. 596, Anm. 15), S. 33f.

46 Die Grundsteinlegung zum Weiterbau des Kölner Doms durch Friedrich Wilhelm IV. im Jahr 1842 wurde in Deutschland als ein Symbol nationaler Einigung und als Beendigung des Kirchenstreits gewertet.

47 Auf eine Wiedergabe der übrigen Webergedichte aus Püttmanns Balladenzyklus ›Schlesien‹ wurde verzichtet. Vgl. Literaturverzeichnis, S. 612.

48 Der Berliner Polizeidirektor Duncker traf am 6. Juli 1844 im Auftrag des preußischen Königs in Schlesien ein, um sich an den Untersuchungen gegen die aufständischen Weber zu beteiligen. Er hatte unter anderem die Aufgabe, für den preußischen Innenminister von Arnim-Boitzenburg Beweise beizubringen, die Eduard Pelz als Initiator der Revolte belasten sollten.

49 Ende des Jahres 1844 besuchte der preußische Innenminister von Arnim-Boitzenburg einige Weberdörfer in Schlesien.

50 Vgl. S. 276 und S. 597, Anm. 21.

51 Vgl. S. 274.
52 Vgl. Heinrich Heines Gedicht ›Belsazar‹.
53 Vgl. S. 171.
54 Johann Gottfried Kinkel (1815–1882), Poet, Theologe und Professor für Kunst- und Kulturgeschichte; wurde 1848 Mitglied der preußischen Nationalversammlung (Berlin). Nach deren Auflösung beteiligte er sich an der Erstürmung des Zeughauses in Siegburg und am badisch-pfälzischen Aufstand. Im Juni 1849 wurde er gefangengenommen und bald zu lebenslanger Zuchthausstrafe verurteilt. Aus der Haft befreite ihn im November 1850 der Student Carl Schurz. Von 1853 an war Kinkel Professor für deutsche Sprache und Literatur in London, seit 1866 für Kunstgeschichte in Zürich.

Anmerkungen ›Zur Rezeption der Weber-Revolte‹
(Seite 545 bis 557)

1 Vgl. Manfred Brauneck, Literatur und Öffentlichkeit im ausgehenden 19. Jahrhundert. Stuttgart: Metzlersche Verlagsbuchhandlung 1974, S. 50f.
2 Vgl. S. 580f., Anm. 9.
3 Bis zum 1. Januar 1845 gingen beim Breslauer Hilfsverein 19 244 Taler an Spenden ein, bis Oktober 1846 dann nur noch 1141 Taler.
4 In der Reaktionsphase nach der Revolution von 1848/49 wurde das Bürgertum zur staatstragenden wirtschaftlichen Macht in Preußen. Durch die Gründung des Deutschen Reiches am 18. Januar 1871 ergaben sich weitere Voraussetzungen für eine Beschleunigung der Industrialisierung. Der Gründung des ›Allgemeinen Deutschen Arbeitervereins‹ 1863 in Leipzig unter dem Vorsitz Ferdinand Lassalles folgte ein schnelles Erstarken der Sozialdemokratie im Wilhelminischen Kaiserreich.
5 Vgl. eine Auflistung solcher Zeitungsberichte bei Manfred Brauneck (Anm. 1), S. 231f.
6 Der durchschnittliche Tagesverdienst eines Industriearbeiters lag um 1890 bei 2 Mark.

7 Vgl. den Artikel der ›Mannheimer Abendzeitung‹ Nr. 145 vom 19. Juni 1844, S. 172, mit dem der ›Vossischen Zeitung‹ vom gleichen Tag, S. 174.
8 Vgl. S. 83.
9 Vgl. S. 96f.
10 Gustav Schmoller, Die Entwicklung und Krisis der deutschen Weberei im 19. Jahrhundert. Berlin: Habel 1873 (= Deutsche Zeit- und Streitfragen. Flugschriften zur Kenntniß der Gegenwart. II. Jahrgang, H. 25).
11 Alfred Zimmermann, Blüthe und Verfall des Leinengewerbes in Schlesien. Gewerbe- und Handelspolitik dreier Jahrhunderte. Breslau: Korn 1885.
12 Vgl. Manfred Brauneck (Anm. 1), S. 73ff.
13 Vgl. S. 227.
14 Hermann Hettner, Das moderne Drama. Aesthetische Untersuchungen. Braunschweig: Vieweg 1851. Hier zit. nach Hans Joachim Schrimpf (Hrsg.), Gerhart Hauptmann. Einleitung. Darmstadt: Wissenschaftliche Buchgesellschaft 1976, S. IX (= Wege der Forschung, Bd. 207).
15 Zum Beispiel Leopold Klein, Kavalier und Arbeiter. Soziale Tragödie in fünf Acten. Berlin: Hofmann & Comp. 1850. – Hippolyt A. Schaufert, Vater Brahm. Mainz: Kirchheim 1871.
16 Martin Machatzke, Geschichtliche Bedingungen des sozialen Dramas in Deutschland um 1890. In: Michigan Germanic Studies Vol. I, Nr. 2 (1975), S. 283.
17 Zit. aus Robert Prutz (Hrsg.), Deutsches Museum. Zeitschrift für Literatur, Kunst und öffentliches Leben. Bd. III. Leipzig: Hinrichs 1853, S. 176.
18 Theodor Fontane, Unsere lyrische und epische Poesie seit 1848. München: Nymphenburger Verlagshandlung 1969, S. 114 (= Theodor Fontane, Sämtliche Werke, Bd. 14).
19 Wilhelm Liebknecht (1826–1900), Teilnehmer am Badischen Aufstand, hielt während seiner Exilzeit in London bis 1862 engen Kontakt zu Karl Marx. Nach seiner Rückkehr nach Deutschland Zusammenarbeit und Freundschaft mit August Bebel. Liebknecht war einer der bedeutendsten Politiker und Redakteure der jungen Sozialdemokratie.

20 Schweichel erwähnt dort die Weber-Revolte in einer Art von historischem Rückblick. Der von ihm geschilderte Aufstand hat aber fiktiven Charakter.

21 Am 8. August 1890 wurde der Verein ›Freie Volksbühne‹ unter dem Vorsitz Bruno Willes (1860–1928) gegründet. Ziel der ›Freien Volksbühne‹ war die Aufführung naturalistischer Dramen, aber auch anderer Stücke mit ›revolutionärem‹ Charakter, in einem nichtkommerziellen Theater. Man wollte sich vor allem an Arbeiter und Sozialdemokraten richten.

22 Zit. nach Peter von Rüden, Sozialdemokratisches Arbeitertheater (1848–1914). Ein Beitrag zur Geschichte des politischen Theaters. Frankfurt: Athenäum 1973, S. 130. Vgl. auch Manfred Brauneck (Anm. 1), S. 67.

23 Gerhart Hauptmann-Nachlaß, Autogr. I/1007. Berlin, Staatsbibliothek Preußischer Kulturbesitz (SBPK).

24 Franz Mehring, Gerhart Hauptmanns ›Weber‹. In: Die Neue Zeit. 11. Jahrgang 1893/94. Erster Band, S. 769 bis 774. Zit. nach dem Wiederabdruck in: Hans Joachim Schrimpf (Hrsg.), (Anm. 14), S. 26.

25 Paul Schlenther, Gerhart Hauptmann. Sein Lebensgang und seine Dichtung. Berlin: Fischer 1898, S. 137f.

26 Ebd., S. 148. Ähnlich hatte sich Schlenther schon in der ›Vossischen Zeitung‹ vom 27. September 1894 geäußert.

27 Gerhart Hauptmann-Nachlaß. Berlin, SBPK, Hs. 265, 32^{v}.

28 Gerhart Hauptmann-Nachlaß. Berlin, SBPK, Hs. 267, Beil. 14b. Vgl. dazu Karin Gafert, Die Soziale Frage in Literatur und Kunst des 19. Jahrhunderts. Ästhetische Politisierung des Weberstoffes. Kronberg: Scriptor 1973, S. 245.

29 In jüngster Zeit hat Manfred Brauneck bestritten, Gerhart Hauptmann habe Wilhelm Wolffs Aufsatz gekannt und genutzt. Vgl. Manfred Brauneck (Anm. 1), S. 56f. und S. 215. Martin Machatzke stellt dazu in den Michigan Germanic Studies Vol. I, Nr. 2 (1975), S. 298f. fest, das Deutsche Bürgerbuch für 1845 mit Wilhelm Wolffs Aufsatz ›befindet sich heute im Märkischen Museum, Berlin (Ost) und weist den Typus der für die damalige Zeit charakteristischen Bleistiftanstreichungen des Dichters auf. Entgegen Mehring hat zum Schutz der Interessen seines Mandanten etwas außerhalb der

philologischen Wahrheit Hauptmanns Rechtsanwalt, Richard Grelling, als erster diese Quelle bestritten und statt dessen ausschließlich die Darstellung des königstreuen Beamten Alfred Zimmermann [. . .] namhaft gemacht; dem Vorgang Grellings ist ein Großteil der literarischen Kritik und dann auch der Forschungsliteratur gefolgt [. . .]. Das von Hauptmann benutzte Exemplar des Buches von Alfred Zimmermann [. . .] konnte bisher nicht ermittelt werden, wohl aber ein gleichfalls im Märkischen Museum befindliches Expemplar der auch von Zimmermann ausgewerteten Darstellung des Alexander Schneer [. . .]‹.

30 Gerhart Hauptmann, Die Weber. Schauspiel aus den vierziger Jahren. Hrsg. von Hans-Egon Hass. Fortgeführt von Martin Machatzke und Wolfgang Bungies. Centenar-Ausgabe zum 100. Geburtstag des Dichters. Frankfurt am Main/Berlin: Propyläen 1962 bis 1974 (= G. H., Sämtliche Werke, Bd. 1), S. 371: ›Ansorge: In a alten Zeiten da war das ganz a ander Ding. Da ließen de Fabrikanten a Weber mitleben. Heute bringen se alles alleene durch. Das kommt aber daher, sprech ich: d'r hohe Stand gloobt a keen Herrgott und keen Deiwel ooch nicht. Da wissen se nischt von Geboten und Strafen. Da stehl'n se uns halt a letzten Bissen Brot und schwächen und untergraben uns das bißl Nahrung, wo se kenn'n.‹ Und bei Alexander Schneer, S. 13: ›Der Kaufmann ließ den Weber mitleben, aber wie steht's heute? Der hohe Stand kennt nur seine hohen, der niedere Stand seine niederen Geschäfte. Wenn aber beides wechselseitig verbunden würde, und in der Furcht Gottes und im wahren Glauben an Ihn, so zweifle ich nicht, ob nicht eine Errettung möglich wäre. [. . .]Unsere Zeitgenossen haben treffliche Künste erfunden, um einander die Nahrung zu schwächen und zu untergraben [. . .].‹

31 Die Volksbühne. Eine Monatsschrift von Franz Mehring. 2. Jahrgang 1893/94, H. 4.

32 Allein 1844 sind an die 20 kleinere Aufstände und Unruhen in allen Teilen Deutschlands zu verzeichnen.

33 Friedrich Engels bemerkt 1851, daß die ›aktive Bewegung [. . .] der Arbeiterklasse ihren Anfang mit den Erhebungen

der schlesischen und böhmischen Fabrikarbeiter im Jahr 1844 [. . .]‹ nimmt (= MEW, Bd. 8, S. 11). Hatte Marx 1844 den schlesischen Webern und ihrer Aktion ›Bewußtsein über das Wesen des Proletariats‹ zugeschrieben, so beschränkt sich Engels 1851 auf die Betonung des ›aktiven‹ Elements der schlesischen Revolte und des Aufstands der Handweber von Leitmeritz sowie des Kattundrucker-Streiks in Prag.

Literaturverzeichnis

1. Primärliteratur

a) In die Anthologie aufgenommene Literatur mit Weber-Thematik

Anonym: Auf den schlesischen Bergen. In: Das Volk. Organ des Central-Komites für Arbeiter. Eine sozial-politische Zeitschrift [Berlin], hrsg. von Stephan Born, Nr. 19 vom 15. Juli 1848, S. 75f.

Anonym: Brüderschaftslieder eines rheinischen Poeten. Der Weber. In: Rheinische Jahrbücher zur gesellschaftlichen Reform. Hrsg. unter Mitwirkung Mehrerer von Hermann Püttmann. Darmstadt: C. W. Leske 1845, S. 369f.

Anonym: Das arme Kind. In: Vorwärts! Eine Sammlung von Gedichten für das arbeitende Volk. Zürich/Hottingen: Volksbuchhandlung 1886, S. 225.

Anonym: Lied der Weber in Peterswaldau und Langenbielau. In: Deutsches Bürgerbuch für 1845. Hrsg. von Hermann Püttmann. Darmstadt: C. W. Leske 1845. Neu herausgegeben von Rolf Schloesser. Köln: informationspresse – c. w. leske 1975 (= Materialien zum Vormärz, Bd. 1), S. 199 bis 202.

Anonym: Mein Vaterland, ich biete dir. In: Renegaten- und Communisten-Lieder. Dresden: Sillig 1844, S. 57 bis 59.

Anonym: Schlesisch Weberlied. In: Der Sprecher oder: Rheinisch-Westphälischer Anzeiger, Nr. 70 vom 31. August 1844.

Arnim, Bettina von: Dies Buch gehört dem König. Berlin: [Schröder 1843].

Aston, Louise: Aus dem Leben einer Frau. Hamburg: Hoffmann und Campe 1847.

Aston, Louise: Lied einer schlesischen Weberin (1847). In: Freischärler-Reminiscenzen. Zwölf Gedichte. Leipzig: Weller 1849, S. 17 bis 19.

Beck, Karl Isidor: Aus Schlesien. In: K. B., Lieder vom armen Mann. Mit einem Vorwort an das Haus Rothschild. [1. Auflage] Leipzig: Hermann 1846, S. 244 bis 248.

Belani, H. E. R. [d. i. Carl Ludwig Häberlin]: Die armen Weber und andere Novellen aus den Mysterien einer neueren und älteren Zeit. Leipzig: Fritzsche 1845.

Bern, Carl: Für die hungernden Schlesier. In: Charivari. Redigirt von Eduard Maria Oettinger. 7. Jg., Nr. 287 vom 11. März 1848. Leipzig: Reclam 1848, S. 4569 bis 4570.

Börne, Ludwig: Briefe aus Paris. Hamburg: Hoffmann und Campe 1832.

Caspary, Wilhelm: Scheltet nicht. (W.C., Bettlergedichte.) In: Die deutsche Flagge. Ein Album. Hrsg. von Eduard Boas. Leipzig: Schreck 1846, S. 123f.

Dronke, Ernst: Das Weib des Webers. In: E. D., Armsünder-Stimmen. Zwölf Gedichte. Altenburg: Helbig 1846, S. 20 bis 22.

Egenter, Franz Josef [Pseudonym Benedikt Dalei]: Der Schulmeister. In: F.J.E., Deutsche Soldatenlieder aus dem ersten Revoluzionsfrühling 1848. Baltimore: Brummer 1850, S. 17f.

Freiligrath, Ferdinand: Aus dem schlesischen Gebirge. In: F. F., Ein Glaubensbekenntniß. Zeitgedichte von F. F. Mainz: Zabern 1844, S. 229 bis 233.

Freiligrath, Ferdinand: Aus dem schlesischen Gebirge (Nachtrag). In: Morgenruf. Vormärzlyrik 1840–1850. Hrsg. von Werner Feudel. Leipzig: Reclam 1974, S. 222f.

Goethe, Johann Wolfgang: Lenardos Tagebuch. In: J.W.G., Wilhelm Meisters Wanderjahre. In: J.W.G., Werke. Hrsg. von Heinrich Düntzer u. a., Bd. 16, S. 778 bis 789. Berlin und Stuttgart: Spemann 1882/97 (= Deutsche National-Literatur, Bd. 82 bis 117).

Grün, Karl: Das Schöne und die schlesischen Weber. In: Die deutsche Flagge, S. 151f.

Hackländer, Friedrich Wilhelm: Handel und Wandel. Roman. Berlin: Duncker 1850.

Heine, Heinrich: Die armen Weber. In: Vorwärts! [Paris], Nr. 55 vom 10. Juli 1844.

Heine, Heinrich: Die schlesischen Weber. In: Album. Originalpoesien von Georg Weerth [u. a.] und dem Herausgeber H. Püttmann. Borna: Reiche 1847, S. 145f.

Heine, Heinrich: Weber-Lied [anonyme Bearbeitung]. In: Wermuth/Stieber, Die Communisten-Verschwörungen des neunzehnten Jahrhunderts. I. Teil. Berlin: Hayn 1853, S. 33f. (Nachdruck Berlin: Guhl 1976).

Herwegh, Georg: Fragment ohne Titel. Das Original befindet sich im Herwegh-Archiv Liestal/Schweiz.

Hoenow, Fritz: Chronik von Langenbielau. Langenbielau: Krichler 1931.

Morning, Richard [d. i. Adolph Zeising]: Ein Weberlied. In: R. M., Zeitgedichte.Leipzig: Gebauer'sche in Berlin 1846,S. 82 bis 86.

Neumann, Hermann Kunibert: Zueignung. In: H. K. N., Das letzte Menschenpaar. Eine Gabe für die verarmten Spinner und Weber im schlesischen Gebirge. Torgau: Aschersleben, Jane 1844.

Otto, Louise: Schloß und Fabrik. Roman. Leipzig: Wienbrack 1846.

Otto, Louise: Im Hirschberger Thale. In: L. O., Lieder eines deutschen Mädchens. Leipzig: Wienbrack 1847.

Otto, Louise: Wohlauf! In: Die deutsche Flagge, S. 3 bis 6.

Otto, Louise: Weberlied. In: Stimmen der Freiheit. Blüthenlese der hervorragendsten Schöpfungen unserer Arbeiter- und Volksdichter. Hrsg. von Konrad Beißwanger. Nürnberg: Litterarisches Bureau² 1901, S. 783.

Pfau, Ludwig: Der Leineweber. In: L. Pf., Gedichte. 4. Aufl., Stuttgart: Benz & Comp. 1889, S. 320f.

Pfau, Ludwig: Der schlesische Weber. In: Vorwärts!, S. 247f.

Pröhle, Heinrich: Wie die Bergleute die Weber totgeschlagen haben. In: Norddeutsches Jahrbuch für Poesie und Prosa. Hrsg. von Heinrich Pröhle. Merseburg: Garcke 1846, S. 252 bis 254.

Prutz, Robert: Das Engelchen. Roman. Leipzig: Brockhaus 1851. Faksimiledruck mit einem Nachwort von Erich Edler. Göttingen: Vandenhoeck & Ruprecht 1970 (= Deutsche Neudrucke. Reihe Texte des 19. Jahrhunderts).

Püttmann, Hermann: Der alte Weber. In: H. P., Sociale Gedichte. Belle-Vue bei Konstanz 1845, S. 41 bis 43.

Püttmann, Hermann: Die Gefangenen; Der Winter. In: H. P., Sociale Gedichte, S. 63 bis 76.

Rosen, Carl [d. i. Carl Friedrich Richter]: Der arme Weber. In: Camenzer Wochenschrift, Nr. 17 vom 30. April 1846, S. 132.

Ruppius, Otto: Eine Weberfamilie. In: Der Leuchtthurm. Bremen: Keilenberg 1846, S. 3 bis 42.

Schirmer, Adolph: Der Weber. In: A. Sch., Gedichte. Frankfurt/Main: Keßler 1846, S. 350 bis 356.

Schloenbach, Carl Arnold: Der Weber und der Mucker. In: Das Deutsche Bauernbuch oder: So lebt das Volk! Dorfgeschichten von C. A. Schl. Berlin: Hirschfeld 1848, S. 3 bis 46.

Schneer, Alexander: Über die Noth der Leinen-Arbeiter in Schlesien und die Mittel ihr abzuhelfen. Berlin: Veit 1844.

Schults, Adolph: Ein neues Lied von den Webern. In: Album. Originalpoesien von Georg Weerth [u. a.], S. 149 bis 151.

Strodtmann, Adolf: Das Lied vom Spulen (1849). In: Die Dichtung der ersten deutschen Revolution. Hrsg. von E. Underberg. Leipzig: Reclam 1938 (= Deutsche Literatur in Entwicklungsreihen. Reihe Politische Dichtung, Bd. 5.), S. 244f.

Varnhagen von Ense, Karl August: Tagebücher. Aus dem Nachlaß hrsg. [von Ludmilla Assing]. Leipzig: Brockhaus 1861, Bd. II, S. 306 bis 315.

Wallot, Hedwig und Eleonore: Über die schlesischen Weber 1844. In: H. u. E. W., Gedichte. Frankfurt/Main: Brönner 1846, S. 97.

Weerth, Georg: Romanfragment. In: G. W., Vergessene Texte. Bd. II. Nach den Handschriften herausgegeben von Jürgen-W. Goette, Jost Hermand, Rolf Schloesser. Köln: informationspresse – c. w. leske 1976 (= Materialien zum Vormärz, Bd. 3), S. 271 bis 394.

Weerth, Georg: Sie saßen auf den Bänken. In: G. W., Vergessene Texte. Bd. I, S. 172f.

Willkomm, Ernst Adolf: So lebt und stirbt der Arme. Erzählung aus dem Leben des Volkes. In: Rheinische Jahrbücher zur gesellschaftlichen Reform [1845], S. 250 bis 308.

Wolff, Wilhelm: Das Elend und der Aufruhr in Schlesien. In: Deutsches Bürgerbuch für 1845, S. 174 bis 199.

b) In die Anthologie nicht aufgenommene Literatur mit Weber-Thematik [R = Roman; E = Erzählung/Novelle; G = Gedicht; D = Drama; B = Bericht]

Anonym: Bettlerlied von heute. In: Die Grenzboten. Zeitschrift für Politik und Literatur. Redigirt von I. Kuranda. Leipzig: Helbig 1844, Bd. II, S. 385f. [G]

Anonym: Elend. In: Rheinische Jahrbücher zur gesellschaftlichen Reform [1845], S. 330 bis 346. [B]

Belani, H.E.R.: So war es! Politisch-socialer Roman aus der Zeit vor und während der Märzereignisse in Berlin. Leipzig: Fritzsche 1849. [R]

Dronke, Ernst: Die Gefangenen. In: E. D., Armsünder-Stimmen, S. 29 bis 31. [G]

Eichholz, Ehrenreich: Schicksal eines Proletariers. Ein Volksbuch. Leipzig: Reclam 1846. [R]

Freiligrath, Ferdinand: Das Lied vom Hemde. In: F. F., Neuere politische und soziale Gedichte. Köln: St. Louis, Schuster 1849, 1. Heft [G]

Friedrichs, Hermann: Der Dampf. In: Von unten auf. Ein neues Buch der Freiheit. Ges. u. gestaltet von Franz Diederich. Bd. 2. Berlin: Buchhandlung Vorwärts 1911, S. 12 bis 14. [G]

Giseke, Robert: Moderne Titanen. Ein Roman der Gegenwart. Leipzig: Brockhaus 1853. [R]

Grün, Anastasius: Ungebetene Gäste. In: Album. Originalpoesien von Georg Weerth [u. a.], S. 119 bis 122. [G]

Hauptmann, Carl Gottlieb: Ein Weberlied. In: C. G. H., Deutsche Volks- und Zeitgedichte verschiedenen Inhalts. 16., vermehrte und verbesserte Auflage. Sebnitz: [Selbstverlag] 1885, S. 76f. [G]

Hauptmann, Gerhart: Die Weber. Schauspiel aus den vierziger Jahren. Berlin: Fischer 1892. [D]

Herwegh, Georg: Bundeslied für den Allgemeinen Deutschen Arbeiterverein (1864). In: Stimmen der Freiheit, S. 339f. [G]

Hoestermann, Alfred: Eine Weberfamilie. In: Die deutsche Flagge, S. 187 bis 202. [E]

Jäkel, Ernst Theodor: Die Lohnweber im Erzgebirge. In: Der Leuchtthurm [1846], S. 14 bis 17. [E]

Kauffer, Eduard: Der Leineweber. In: Vorwärts! Eine Sammlung von Gedichten für das arbeitende Volk. Zürich/Hottingen: Volksbuchhandlung 1886, S. 274f. [G]

Keil, Ernst: Der Christabend in der Weber-Hütte. In: Der Leuchtthurm [1846], S. 54 bis 58. [E]

Klein, Julius Leopold: Kavalier und Arbeiter. Eine sociale Tragödie. Berlin: Hofmann u. Comp. 1850. [D]

Köhler, Ludwig: Ein Abendsegen. In: L. K., Freie Lieder. Jena: Luden 1846, S. 165 bis 170. [G]

Krebs, Julius: Des Webers Heimkehr. Schlesisches Zeitbild aus dem Fabrikleben. In: Bild und Leben. Eine illustrirte Unterhaltungslectüre. Redigirt von Josef Freund. Prag: Landau 1846, S. 225 bis 228. [E]

Krebs, Julius: Der Weber von Langenbielau. Erzählung aus der Zeit des schlesischen Weberaufstandes. Ein Volks- und Familienbuch. Glaz: Fromman 1850. [E]

Kries, C. G.: Ueber die Verhältnisse der Spinner und Weber in Schlesien und die Thätigkeit der Vereine zu ihrer Unterstützung. Breslau: Aderholz 1845. [B]

Minutoli, Alexander von: Die Lage der Weber und Spinner im Schlesischen Gebirge und die Maßregeln der Preußischen Staats-Regierung zur Verbesserung ihrer Lage. Unter Benutzung amtlicher Quellen zusammengestellt von A. v. M. Berlin: Hertz 1851. [B]

Norden, Marie [d. i. Friederike Wolfhagen]: Der Weber von Langenbielau. In: Feldblumen. Teil II. Leipzig: Wienbrack 1847, S. 3 bis 115. [E]

Otto, Louise: Im Erzgebirge. In: L. O., Mein Lebensgang. Gedichte aus fünf Jahrzehnten. Leipzig: Schaefer 1893, S. 27 bis 29. [G]

Püttmann, Hermann: Verzage nicht!; Rübezahl. In: Rheinische Jahrbücher zur gesellschaftlichen Reform [1845], S. 373f. und S. 380 bis 384.

Reinhart, Gustav [d. i. Gustav Reinhard Neuhaus]: König Wein. In: G. R., Gedichte. Leipzig: Wigand 1856, S. 141 bis 143. [G]

Schaufert, Hippolyt: Vater Brahm. Ein Trauerspiel aus dem vierten Stand. Mainz: Kirchheim 1871. [D]

Schmidlin, Karl: Der arme Weber. [Flugblatt von 1844]. In: K. Sch., Gedichte und Bilder aus dem Leben. Aus dessen

Nachlaß hrsg. Stuttgart: Metzlersche Verlagsbuchhandlung 1851, S. 56 bis 59. [G]

Schweichel, Robert: Der Weber von Obergeiersdorf (1873). In: R. Schw., Erzählungen. Hrsg. von Bruno Kaiser u.a. Berlin: Akademie-Verlag 1964, S. 1 bis 30. [E]

Schweichel, Robert: Umsonst geopfert (1878). In: R. Schw., Erzählungen, S. 117 bis 158. [E]

Semmig, Friedrich Hermann: [Ohne Titel]. Abgedruckt in: Solomon Liptzin, The Weavers in German Literature. Göttingen: Vandenhoeck & Ruprecht 1926, S. 77. [Dort auch weitere in bundesdeutschen Bibliotheken und Archiven nicht nachweisbare Titel.] [G]

Ungern-Sternberg, Alexander: Paul. Roman. Leipzig: Brockhaus 1845. [R]

Willkomm, Ernst Adolf: Eisen, Gold und Geist. Roman. Leipzig: Kollmann 1843. [R]

Willkomm, Ernst Adolf: Der Lohnweber. In: Deutsches Bürgerbuch für 1845, S. 223 bis 265. [E]

Willkomm, Ernst Adolf: Weisse Sclaven oder die Leiden des Volkes. Roman. Leipzig: Kollmann 1845. [R]

2. Sekundärliteratur

a) Zum Weber-Thema

Bleiber, Helmut: Zwischen Reform und Revolution. Lage und Kämpfe der schlesischen Bauern und Landarbeiter im Vormärz 1840–1847. Berlin: Akademie-Verlag 1966.

Blumberg, Horst: Ein Beitrag zur Geschichte der deutschen Leinenindustrie von 1834 bis 1870. In: Mottek/Blumberg/Wutzmer/Becker, Studien zur Geschichte der Industriellen Revolution in Deutschland. Berlin: Akademie-Verlag 1960.

Brauneck, Manfred: Literatur und Öffentlichkeit im ausgehenden 19. Jahrhundert. Studien zur Rezeption des naturalistischen Theaters in Deutschland. Stuttgart: Metzlersche Verlagsbuchhandlung 1974.

Brentano, Lujo: Alte und neue Feudalität. Gesammelte Aufsätze zur Erbrechtspolitik. Leipzig: Meiner [2]1924.

Edler, Erich: Die Anfänge des sozialen Romans und der sozialen Novelle in Deutschland. Frankfurt: Klostermann 1977 (= Studien zur Philosophie und Literatur des 19. Jahrhunderts, Bd. 34).

Gafert, Karin: Die Soziale Frage in Literatur und Kunst des 19. Jahrhunderts. Ästhetische Politisierung des Weberstoffes. Kronberg: Scriptor 1973.

Gloger, Bruno: Als Rübezahl schlief. Vom Aufstand der schlesischen Weber. Berlin: Rütten & Loening 1961 (= Taschenbuch Geschichte, Bd. 19).

Grandjonc, Jacques: ›Vorwärts!‹ 1844. Marx und die deutschen Kommunisten in Paris. Beiträge zur Entstehung des Marxismus. Bonn/Bad Godesberg: Dietz Nachf. 1974.

Kan, S. B.: Zwei Aufstände schlesischer Weber. 1793. 1844. Moskau/Leningrad: Verlag der Akademie der Wissenschaften 1949 [in russischer Sprache].

Koszyk, Kurt: Der schlesische Weberaufstand von 1844 nach Berichten der ›Mannheimer Abendzeitung‹. In: Jahrbuch der Schlesischen Friedrich-Wilhelms-Universität zu Breslau. Bd. VII (1962), S. 224 bis 232.

Liptzin, Solomon: The Weavers in German Literature. Göttingen: Vandenhoeck & Ruprecht 1926.

Machatzke, Martin: Geschichtliche Bedingungen des sozialen Dramas in Deutschland um 1890. In: Michigan Germanic Studies Vol. 1, Nr. 2 (1975), S. 283 bis 300.

Meinhardt, Günter: Der schlesische Weberaufstand von 1844. In: Jahrbuch der Schlesischen Friedrich-Wilhelms-Universität zu Breslau. Bd. XVII (1972), S. 91 bis 112.

Obermann, Karl: Deutschland von 1815 bis 1849 (Von der Gründung des Deutschen Bundes bis zur bürgerlich-demokratischen Revolution). Berlin: Deutscher Verlag der Wissenschaften [4]1976.

Peukert, Will Erich/Fuchs, Erich: Die schlesischen Weber. Darmstadt: Bläschke 1971.

Plohovich, Julia: Webernot und Weberaufstand (1844) in der deutschen Dichtung. Ein Beitrag zur Geschichte des sozialen Problems in der Literatur. Phil. Diss. Masch. Wien 1923.

Pongs, Hermann: Neue Aufgaben der Literaturwissenschaft II. In: Dichtung und Volkstum 38 (1937), S. 274 bis 277. [Gegenüberstellung ›Blutgericht‹ / Heines ›Weberlied‹. Typisches Beispiel für nationalsozialistische Literaturgeschichtsschreibung.]

Rüden, Peter von: Sozialdemokratisches Arbeitertheater (1848–1914). Ein Beitrag zur Geschichte des politischen Theaters. Frankfurt/Main: Athenäum 1973.

Schlenther, Paul: Gerhart Hauptmann. Sein Lebensgang und seine Dichtung. Berlin: Fischer 1898.

Schmidt, Walter: Wilhelm Wolff. Sein Weg zum Kommunisten 1809–1846. Berlin: Dietz 1963.

Schmoller, Gustav: Zur Geschichte der deutschen Kleingewerbe im 19. Jahrhundert. Statistische und nationalökonomische Untersuchungen. Halle: Buchhandlung des Waisenhauses 1870.

Schmoller, Gustav: Die Entwicklung und Krisis der deutschen Weberei im 19. Jahrhundert. Berlin: Habel 1873 (= Deutsche Zeit- und Streitfragen. Flugschriften zur Kenntniß der Gegenwart. II. Jahrgang, Heft 25).

Schneider, Hermann: Die Widerspiegelung des Weberaufstandes von 1844 in der zeitgenössischen Prosaliteratur. In: Weimarer Beiträge. Jg. 7 (1961), S. 255 bis 277.

Schrimpf, Hans Joachim (Hrsg.): Gerhart Hauptmann. Darmstadt: Wissenschaftliche Buchgesellschaft 1976 (= Wege der Forschung, Bd. 207).

Schwab-Felisch, Hans: Gerhart Hauptmann – Die Weber. Vollständiger Text des Schauspiels. Dokumentation. Frankfurt a. M.: Ullstein 1963 (= Dichtung und Wirklichkeit, Bd. 1).

Segebrecht, Wulf: Ergriffenes Dasein der Weber von 1844. [Interpretation des ›Blutgerichts‹.] In: Geschichte im Gedicht. Hrsg. von Walter Hinck. Frankfurt a. M.: Suhrkamp 1979 (= edition suhrkamp 721), S. 100 bis 108.

Steinitz, Wolfgang: Weberlieder. In: W. St., Deutsche Volkslieder demokratischen Charakters aus sechs Jahrhunderten. Bd. I. Berlin: Akademie-Verlag 1954, S. 229 bis 270. [Diese Weberlieder wurden nicht in die vorliegende Anthologie aufgenommen, weil es sich um mündlich überlieferte Texte und Melodien handelt. Sie beziehen sich – außer den Varianten zum ›Blutgericht‹ – nicht speziell auf den schlesischen *Aufstand* von 1844. Erst gegen Ende des 19. Jahrhunderts, aber auch noch bis 1933, wurden sie aufgezeichnet und gedruckt.]

Wehner, Walter: Weberaufstände und Weberelend in der deutschen Lyrik des neunzehnten Jahrhunderts. Phil. Diss. Masch. Essen 1978.

Wilbrandt, Robert: Die Weber in der Gegenwart. Sozialpolitische Wanderungen durch die Hausweberei und die Webfabrik. Jena: Fischer 1906.

Wolff, Wilhelm: Gesammelte Schriften. Nebst einer Biographie Wolffs von Friedrich Engels. Mit Einleitung und Anmerkungen hrsg. von Franz Mehring. Berlin: Buchh. Vorwärts 1909 (= Sozialistische Neudrucke, Bd. 3).

Zenker, Edith: Der Arbeiter in der deutschen Literatur. In: Neue deutsche Literatur. Jg. 5 (1957), Heft 5, S. 156 bis 170.

Zimmermann, Alfred: Blüthe und Verfall des Leinengewerbes in Schlesien. Gewerbe- und Handelspolitik dreier Jahrhunderte. Breslau: Korn 1885.

b) Zur Presse im Vormärz

Buchheim, Karl: Die Stellung der Kölnischen Zeitung im vormärzlichen rheinischen Liberalismus. Leipzig: Voigtländer 1914.

Buchholtz, Arend: Die Vossische Zeitung. Geschichtliche Rückblicke auf drei Jahrhunderte. Berlin: Reichsdruckerei 1904.

Dowe, Dieter: Die erste sozialistische Tageszeitung in Deutschland. In: Archiv für Sozialgeschichte. Hrsg. von der Friedrich-Ebert-Stiftung. Bd. XII. Bonn/Bad Godesberg: Verlag Neue Gesellschaft 1972, S. 55 bis 107.

Koszyk, Kurt: Deutsche Presse im 19. Jahrhundert. Colloquium-Verlag 1966 (= Geschichte der deutschen Presse, Teil 2. Abhandlungen und Materialien zur Publizistik, Bd. 5).

Meyer, Dora Henny: Die Weserzeitung von 1844 bis zur Reichsgründung. Bremen: Schünemann 1932.

Neefe, Fritz: Geschichte der Leipziger Allgemeinen Zeitung 1837–1843. Leipzig: Voigtländer 1914.

Oehlke, Alfred: 100 Jahre Breslauer Zeitung 1820–1920. Verlag der Breslauer Zeitung [o.J.].

Salomon, Ludwig: Geschichte des deutschen Zeitungswesens von den ersten Anfängen bis zur Wiederaufrichtung des Deutschen Reiches. Leipzig: Oldenburg [2]1906.

Sasse, Gustav: Bremisches Zeitungswesen bis 1848. Bremen: Schünemann 1932.

150 Jahre Schlesische Zeitung 1742–1892. Breslau: Korn 1892.

Bildnachweis

Folgende Archive, Bibliotheken und Verlage stellten freundlicherweise Illustrationen für diesen Band zur Verfügung: Bibliothek des Deutschen Ostens (Herne), Bildarchiv Preußischer Kulturbesitz (Berlin), Deutsche Presseforschung (Bremen), Kupferstichkabinett der Staatlichen Museen Preußischer Kulturbesitz, Hohe Eule-Verlag Manfred Ludwig (Warendorf), Sammlung Erben Stefan Zweig (London), Stadtbibliothek Aachen, Süddeutscher Verlag (München).

Personenregister

Namen aus Bildunterschriften wurden nicht aufgenommen. *Kursiv* gesetzte Seitenzahlen verweisen auf die im Band abgedruckten Primärtexte.

Die Namen der am 5. Juni 1844 in Langenbielau beim Sturm auf das Fabrik- und Handelshaus Dierig erschossenen Aufständischen stehen auf Seite 567; die vom Königlichen Oberlandesgericht zu Breslau verhängten Haftstrafen enthält die Bekanntmachung auf Seite 231f.

Presseregister

Die gerade gesetzten Seitenzahlen verweisen auf die im Band abgedruckten Artikel des jeweiligen Periodikums, *kursive* Ziffern auf die Stellen, wo die Zeitungen und Zeitschriften erwähnt werden.